Qu'est-ce que LA LANGUE ?

deuxième édition

Jacques Leclerc

MODULO

CHARGÉE DE PROJET
Marie Chalouh

MAQUETTE DE LA PAGE COUVERTURE
Estelle Hallé

ILLUSTRATION DE LA COUVERTURE
Daniel Sylvestre

CARTES
Carto-Média

PHOTOCOMPOSITION ET MONTAGE
Caractéra inc.

ISBN 978-2-89114-364-6

Dépôt légal 4ᵉ trimestre 1989
Bibliothèque nationale du Québec
Bibliothèque nationale du Canada

Imprimé au Canada/*Printed in Canada*

11 12 13 14 15 M 24 23 22 21 20

Ce projet est financé en partie par le gouvernement du Canada | Canadä

À mes amis dispersés de par le monde
mais réunis par la même passion qui nous anime, celle de la langue,
et qui nous a permis de nous retrouver quelques jours à Québec
en ce mois d'août 1989

Rabah Chibane (Algérie)
Zhou Zhen Hua (Chine)
Tibor Olah (Hongrie)
Jacques Maurais (Québec)
Louis Truffaut (Suisse)
Ngalasso Mwatha Musanji (Zaïre)

REMERCIEMENTS

Je ne saurais trop remercier mon incontournable ami, Lionel Jean, qui m'a prodigué maints conseils lors de la rédaction de cet ouvrage; ses remarques judicieuses m'ont été très précieuses.

Ma reconnaissance s'adresse également à Gilles Bibeau pour sa préface et ses nombreuses suggestions.

Je remercie enfin Étienne Tiffou pour sa contribution à la partie concernant la linguistique historique.

J. L.

REMERCIEMENTS

PRÉFACE À LA DEUXIÈME ÉDITION

C'est la première fois de ma trop courte vie que j'écris une seconde préface pour le même auteur et pour le même livre. J'en éprouve évidemment un double plaisir.

Mais est-ce bien le même auteur et s'agit-il du même livre? Jacques Leclerc est-il le même qu'en 1979? La seconde version de *Qu'est-ce que la langue?* est-elle identique à la première? Réponse: NON, dans les deux cas!

Le Jacques Leclerc de 1989, en plus d'avoir traversé ses dix années statutaires de vie et d'expérience de professeur, a continué de façon systématique et talentueuse de s'occuper des questions linguistiques québécoises (l'enseignement du français au collégial, la norme linguistique, l'aménagement linguistique, etc.), mais il a élargi sa palette au domaine international en nous offrant coup sur coup *Langue et société* en 1986 et *La guerre des langues dans l'affichage* en 1989. Il est devenu un conseiller précieux et compétent pour tous ceux qui s'intéressent de façon active et engagée aux questions de langue. Ce changement important chez l'auteur ne pouvait que donner lieu à une seconde version profondément revue et augmentée de *Qu'est-ce que la langue?*

En effet, nous avons droit, cette fois, à une introduction à la linguistique qui n'est rien de moins qu'une introduction systématique à la langue, aux langues, à leur comparaison, à leur histoire, à leurs influences réciproques, aux relations entre la linguistique et plusieurs autres disciplines comme la psychologie, le droit, la sociologie et l'ethnologie, le tout assorti d'exemples et d'applications innombrables qui trahissent la préoccupation pédagogique de l'auteur.

Si la première version a été augmentée considérablement, elle a aussi été coupée et réaménagée. Toute la dimension sociale et politique (au sens noble du mot) a été éliminée – ou «transférée» plutôt dans *Langue et société* – et les considérations, nombreuses et visibles, sur le franco-québécois ont été disséminées à travers les 24 chapitres de la seconde version. (On aura sans doute perçu une légère nostalgie à ce sujet dans ma façon de dire la chose.)

Leclerc (qui mérite maintenant cette appellation de célébrité) a décidé de ne pas aborder les questions théoriques générales concernant le langage, et c'est probablement une bonne décision. Si l'on peut faire de la physique sans discuter des grandes hypothèses sur le cosmos et sur l'origine de la matière, de même on peut certainement faire de la linguistique sans s'arrêter aux conceptions fondamentales, aux origines et aux fonctions du langage. Ces discussions relèvent d'ailleurs, aujourd'hui, davantage de la psycholinguistique, de la sociolinguistique ou de l'ethnolinguistique. Le domaine, il faut l'avouer, traverse une phase mouvementée, difficile à arrêter, d'autant plus que les perspectives interdisciplinaires ont encore du mal à résister au compartimentage.

Grâce à la largeur de sa perspective et à la qualité de sa documentation, ce livre va rejoindre, comme la première version, beaucoup de publics. Le premier public demeure sans doute celui des étudiants des collèges et des universités; un deuxième public naturel est celui de tout cours de linguistique générale ou son équivalent dans des disciplines connexes comme la sociologie, l'anthropologie, l'éducation, la psychologie, la communication; comme troisième public, on retrouve les enseignants des écoles primaires et secondaires ainsi que des collèges, qui enseignent la langue ou la littérature; un quatrième public est celui des écrivains, plus particulièrement des écrivains québécois, qui s'intéressent, par... déformation professionnelle, à la langue; je vois enfin un cinquième public dans le monde des journalistes et des intellectuels qui veulent une information large et sûre ou, mieux encore, une bonne culture générale dans le domaine des langues. Cela, sans vouloir priver toute autre catégorie de citoyens d'une bonne réflexion sur l'histoire et sur la description des langues. Ce livre constitue à n'en pas douter une ressource fiable de dimension internationale et, comme on a pris l'habitude de le dire, une référence désormais «incontournable».

Gilles Bibeau

AVANT-PROPOS

La première édition de *Qu'est-ce que la langue?* (1979) avait connu un succès d'édition assez étonnant pour un ouvrage de linguistique publié au Québec. Toutefois, le volume était devenu, à mon avis, un peu désuet, particulièrement en ce qui concerne le franco-québécois, et j'estimais nécessaire de renouveler l'ouvrage. Cette seconde édition de *Qu'est-ce que la langue?* se veut plus qu'une simple édition «revue et augmentée» de la version parue en 1979. Il s'agit maintenant d'un ouvrage très différent dans sa conception. D'abord, cette seconde édition est résolument consacrée à la description du code linguistique, c'est-à-dire à la langue envisagée dans son rôle purement instrumental. Étant donné que l'aspect social de la langue a déjà fait l'objet d'un volume paru chez Mondia sous le titre de *Langue et société*, j'ai volontairement évacué cet aspect dans la présente édition. De plus, deux aspects du code ont été étudiés cette fois: la langue actuelle dans son fonctionnement interne (l'aspect synchronique) et les faits de langue considérés dans le temps, c'est-à-dire du point de vue de leur évolution (l'aspect diachronique).

Une autre des caractéristiques de cette seconde édition de *Qu'est-ce que la langue?* tient au fait que j'ai intégré la description du franco-québécois tout au long de l'ouvrage, au lieu de constituer une partie spécifique. J'ai surtout utilisé le franco-québécois à des fins de comparaison linguistique, et ce, aussi bien sur le plan de la synchronie que de la diachronie. De plus, si l'on fait exception de l'étude de la phrase (syntaxe), j'ai tenu à enrichir la description de nombreux exemples tirés d'autres langues, afin de fournir des éléments de comparaison et des points de référence.

Par ailleurs, pas plus dans cette édition que dans la précédente, le problème des théories linguistiques, et particulièrement celui des différentes écoles de pensée, ne m'a préoccupé. Il n'entrait pas dans mes intentions de décrire les différentes écoles linguistiques; j'ai simplement choisi celles que j'estimais les plus utiles pour décrire le fonctionnement de la langue. Je voudrais souligner que cet ouvrage n'est pas destiné aux linguistes professionnels, mais plutôt aux professeurs et aux étudiants désireux de comprendre le fonctionnement de la langue.

La première partie, *Le langage: caractères généraux*, porte sur plusieurs considérations générales qui sont à la base de certaines théories fondamentales ayant trait au langage. Dans le chapitre 1, on verra comment les diverses sciences du langage ont préparé l'avènement de la *linguistique* et comment cette dernière a pavé la voie à des disciplines connexes. Les chapitres 2, 3 et 4 reprennent une partie des premiers chapitres de *Langue et société* : les préalables théoriques fondamentaux, les fonctions du langage de Jakobson, les signes non linguistiques et le brouillage des codes, etc. Quant au chapitre 5, il décrit brièvement les structures de la langue à peu près comme on les retrouvait dans la première édition de *Qu'est-ce que la langue ?*

La deuxième partie du volume est consacrée à l'étude synchronique des sons de la langue par le biais de la phonétique et de la phonologie. Après une brève description de l'appareil phonatoire (chapitre 6), nous abordons le système phonétique (chapitre 7) et phonologique (chapitre 9) du français. Le chapitre 8, quant à lui, traite de phonétique comparée à partir de langues telles que l'anglais, l'allemand ou l'espagnol, mais aussi à l'aide de l'arabe et de quelques langues africaines. On constatera donc que, par rapport à la version précédente, j'ai renouvelé complètement l'étude portant sur les «sons du langage».

La morphologie occupe toute la troisième partie et reprend à peu près intégralement le texte de la première édition, mais avec un certain nombre de nouveautés. Le chapitre 10 présente une description des catégories grammaticales du genre et du nombre ainsi que de la déclinaison. Pour les catégories grammaticales rattachées au verbe (chapitre 11), j'ai traité des marques du temps, de la personne, du mode et de l'aspect. La langue française (orale et écrite) a été privilégiée, mais plusieurs autres langues ont également été utilisées, et ce, par souci de comparaison.

La quatrième partie porte exclusivement sur les structures de la phrase que, pour des raisons pratiques, j'ai limitées au français. L'analyse de la phrase de base est abordée au chapitre 12, alors que les diverses représentations graphiques illustrant la phrase et ses transformations sont décrites au chapitre 13. Cette partie reprend également le texte de la première édition, même si j'ai dû restructurer l'ensemble de la matière.

Le lexique est étudié dans la cinquième partie. Après quelques explications concernant l'organisation et le fonctionnement du lexique (chapitre 14), suivent les procédés de formation du vocabulaire (chapitre 15) ainsi que la sémantique lexicale (chapitre 16). Seul le chapitre 16 est vraiment inédit dans la seconde édition.

À partir de la sixième partie, *Qu'est-ce que la langue ?* aborde un sujet tout à fait nouveau par rapport à la première édition : l'étude diachronique de la langue comme code, son histoire, son évolution. On trouvera au chapitre 17 une brève introduction à la linguistique historique. Cette introduction est suivie d'un chapitre sur la classification des principales langues du monde ; il s'agit ici d'un résumé des chapitres 7 et 8 de *Langue et société*. Le chapitre 19 traite des différents critères relatifs à la classification des langues, des dialectes et des créoles tandis que les chapitres 20 et 21 étudient, dans ses grandes lignes, l'évolution du système phonétique du latin jusqu'à la fin de la période romane, c'est-à-dire juste avant l'apparition du français.

La septième partie porte exclusivement sur l'histoire de la langue française. Le chapitre 22 traite de l'évolution des systèmes phonétiques de l'ancien français, du moyen français et du français du XVIIIᵉ siècle. Quant au chapitre 23, il est consacré à l'évolution de la grammaire du français, du latin jusqu'à aujourd'hui. Le chapitre 24 aborde, lui, l'histoire du vocabulaire français: le fonds gaulois et le fonds germanique, l'apport du latin et du grec, les emprunts aux langues modernes, l'influence du français sur les autres langues, les divers régionalismes de la francophonie, etc.

Enfin, la huitième partie, *Activités suggérées*, regroupe un certain nombre d'exercices conçus pour vérifier l'acquisition des connaissances chez le lecteur. Les activités sont généralement divisées en deux catégories: la *compréhension du contenu* et l'*application*. La partie *compréhension* correspond plus ou moins à ce qu'on pourrait appeler des «tests de lecture», alors que la partie *application* exige à la fois une intégration de la matière et une certaine habileté pour passer de la théorie à la pratique de l'observation. En fait, il s'agit là d'une sorte de banque de données dans laquelle chacun puisera selon ses besoins. Cette partie pédagogique de *Qu'est-ce que la langue?* est également nouvelle dans la mesure où elle a été considérablement modifiée et augmentée.

De plus, afin que la nouvelle édition de *Qu'est-ce que la langue?* entre dans le cadre de la collection «Synthèse», j'ai également ajouté un important glossaire de quelque 160 termes ainsi qu'un index des sujets traités dans le volume.

J'espère que cette édition renouvelée répondra encore aux attentes des professeurs et des étudiants qui s'intéressent aux études linguistiques. En tout cas, je me suis efforcé d'en faire un ouvrage plus complet, et plus homogène quant au contenu. Ceux et celles qui regretteraient la disparition de l'approche sociale de la langue pourraient se reprendre en consultant *Langue et société* qui, lui, est consacré exclusivement à cette question. J'ai voulu ainsi apporter ma modeste contribution à la linguistique en présentant deux ouvrages distincts dont l'un (*Qu'est-ce que la langue?*) porte sur la description du code, et l'autre (*Langue et société*), sur l'aspect social de la langue.

Jacques Leclerc
Montréal, juillet 1989.

TABLE DES MATIÈRES

DEUXIÈME PARTIE : ÉLÉMENTS DE PHONÉTIQUE

ET DE PHONOLOGIE   53

SIXIÈME PARTIE : LA LINGUISTIQUE HISTORIQUE 227

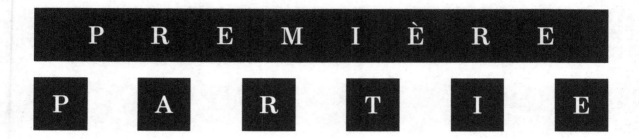

PREMIÈRE PARTIE

*L*E LANGAGE: CARACTÈRES GÉNÉRAUX

LES SCIENCES DU LANGAGE ○ LES PRÉALABLES THÉORIQUES FON-
DAMENTAUX ○ LA LANGUE ET LA COMMUNICATION ○ LES FACTEURS
DE LA COMMUNICATION ○ LA COMMUNICATION NON LINGUISTIQUE
○ LES STRUCTURES DE LA LANGUE

LES SCIENCES DU LANGAGE

Qu'est-ce que la langue, sinon un instrument de communication avant tout? Grâce à cet instrument, nous pouvons communiquer toutes sortes d'informations, transmettre des idées, discuter de milliers de sujets. Mais la langue est en même temps objet d'amour, de mépris ou de haine. Elle révèle des rapports hiérarchiques entre les individus, elle constitue une marque d'appartenance sociale, elle crée des sentiments d'identification culturelle ou ethnique, elle sert d'instrument idéal de promotion sociale et d'unité nationale. La langue peut aussi devenir un instrument d'expression où la recherche esthétique est une fin en soi; n'importe quel fait de langue, particulièrement en littérature, peut ainsi être la cible d'un investissement stylistique. Enfin, à l'exemple des mathématiques ou de la biologie, la langue est objet de description et d'étude. Comme objet scientifique, elle est étudiée du point de vue de la grammaire, de la philologie, de la linguistique, de la dialectologie, de l'histoire, etc.

Ainsi, la langue ne sert pas seulement à communiquer, car elle contient plus que les propriétés du code. Elle est à la fois un fait instrumental, un fait social, un objet esthétique et un objet d'observation et de description. Le présent ouvrage a pour but d'étudier la langue comme objet d'observation et de description. Si la linguistique semble être la discipline propre à cet aspect du langage, elle n'est pas la seule, puisque, dans le passé, la grammaire, la philologie, la linguistique historique et comparée ont déjà développé une telle approche.

1   LES SCIENCES DE L'ÉCRITURE

Depuis la naissance du langage, la communication humaine a connu plusieurs étapes importantes. Vers 3500 avant notre ère, c'est-à-dire au début de l'âge du bronze, le développement progressif de la civilisation urbaine favorisa le gouvernement des cités et l'apparition de l'écriture. Les premiers rois voulurent dresser l'inventaire de leurs biens et un système d'écriture devenait nécessaire. L'apparition de l'écriture pictographique, puis idéographique comme celle que les Chinois utilisent encore de nos jours, a permis de conserver des informations sans les omissions et les déformations de la transmission orale.

Mais ce fut l'invention de l'écriture alphabétique par les Phéniciens qui, en représentant les sons significatifs à l'aide d'un certain nombre de signes, permit de transcrire tous les mots d'une langue. On peut considérer que les premières études portant sur le langage ont coïncidé avec la découverte de l'écriture alphabétique. L'invention de l'écriture alphabétique n'est pas un phénomène anodin dans l'histoire de l'humanité. Elle a entraîné un bouleversement considérable dans l'évolution de la pensée, car elle suppose une distanciation et une objectivation de la langue. Les premiers scribes ont dû analyser leur langue avant de pouvoir en dégager un système d'écriture.

2   LA GRAMMAIRE

La plus ancienne grammaire du monde a été écrite par Pānini, qui vécut dans le nord de l'Inde vers le IVᵉ siècle avant notre ère. Ce célèbre grammairien voulait établir les règles du sanskrit de l'époque afin de préserver les textes sacrés et de veiller à ce que les mots utilisés dans le rituel soient correctement prononcés. La précision de ses analyses morphosyntaxiques était si avancée pour l'époque que la science occidentale ne pourra les égaler qu'au XIXᵉ siècle. Pendant tout ce temps, l'analyse linguistique s'est modelée sur celle des grammairiens grecs et romains.

Avec les conquêtes d'Alexandre le Grand (336-330), la langue grecque s'est étendue de la Sicile juqu'aux frontières de l'Inde en passant par l'Égypte et la mer Noire. Le grec était alors parlé non seulement par les Grecs, mais aussi par de nombreux étrangers (les «Barbares») qui pouvaient «dénaturer» la langue. Denys le Thrace rédigea (fin du IIᵉ siècle av. J.-C.) la première grammaire du monde occidental et décrivit les différents constituants de la langue grecque, mais il enseigna aussi la correction linguistique afin de fixer la langue dans un certain état de pureté. Ce grammairien a ainsi orienté toutes les études du langage effectuées au cours des siècles suivants. Tous les grammairiens latins se sont alignés sur la conception de la grammaire héritée des Grecs : un recueil de techniques et de commentaires de textes destinés à reproduire les œuvres littéraires des grands écrivains du passé. Cette conception de la grammaire, qui s'est perpétuée jusqu'à la fin du XIXᵉ siècle, n'expliquait pas les mécanismes de la langue, et le grammairien était devenu le maître de l'usage.

Les grammairiens contemporains ont heureusement rompu les liens avec cette méthode qui n'était pas très scientifique. L'usage actuel semble avoir retrouvé ses droits. Aujourd'hui, le grammairien enregistre l'usage plus qu'il ne le contrôle et tient compte de l'évolution de la langue. En 1953, Maurice Grevisse, probablement le plus grand grammairien de l'histoire de la langue française, écrivait :

> «Le français est en perpétuel devenir. L'Académie n'y peut rien. Elle n'y peut
> surtout rien changer. Si son rôle conservateur agit sur l'usage à la façon d'un
> frein, il n'en reste pas moins vrai que l'usage demeure le souverain législateur

dans un domaine où la vérité d'aujourd'hui diffère de la vérité d'hier et sera l'erreur de demain[1].»

Bref, le grammairien décrit les règles de fonctionnement de la langue actuelle en s'appuyant sur l'usage des «bons écrivains» et des «gens qui ont le souci de bien s'exprimer». À la différence du linguiste, le grammairien accorde la primauté à la langue écrite parce que, pour lui, la langue parlée est le reflet de la langue écrite. La grammaire peut donc être définie comme un système de règles établissant des relations entre les unités de la langue, ces règles étant censées rendre compte de la compétence linguistique du locuteur.

3   LA PHILOLOGIE

La philologie est avant tout une science historique. Elle a notamment pour objet la connaissance des civilisations passées au moyen de documents écrits que celles-ci nous ont laissés. La philologie est donc considérée comme une science auxiliaire de l'histoire, qui nous permet de comprendre et d'expliquer les sociétés anciennes.

C'est au XIXe siècle que la philologie est devenue une science rigoureuse. Elle a développé une méthode fondée sur l'analyse critique des textes littéraires. Pour ce faire, elle a puisé dans l'histoire littéraire mais aussi dans l'histoire économique et sociale; elle compare les textes et les variantes de ces textes, elle étudie l'histoire des manuscrits, leur datation et leurs significations dans le temps. Ainsi, le philologue pourra s'intéresser à la grammaire de l'ancien français, à la syntaxe et au vocabulaire de l'époque, mais son étude ne se limite jamais à la langue elle-même. Les textes anciens n'ont de valeur pour lui que s'ils se réfèrent à une civilisation donnée, comme la civilisation latine ou médiévale (en France, en Allemagne, etc.), celle de la Renaissance, etc. Le point de vue est tout autre avec la linguistique historique et comparative.

4   LA LINGUISTIQUE HISTORIQUE ET LA LINGUISTIQUE COMPARATIVE

Avant l'apparition de la linguistique proprement dite, c'est-à-dire la linguistique descriptive, les spécialistes de la langue se sont intéressés aux langues anciennes par le biais des comparaisons entre les langues. Au XIXe siècle, la découverte du sanskrit a amené les «linguistes» à se pencher sur les ressemblances entre certaines langues et à étudier l'évolution des langues selon une méthode fort différente de celle utilisée par les philologues.

On oppose souvent deux types de linguistique fondée sur l'histoire: la *linguistique historique* et la *linguistique comparative* ou *grammaire comparée*. La linguistique historique étudie de près l'évolution d'une ou de plusieurs langues et essaie d'expliquer cette évolution. Par exemple, on tentera de vérifier comment

---

1. Maurice GREVISSE, *Le Bon Usage* (préface), Gembloux, Duculot, 1953.

sont disparues les consonnes finales du latin classique, comment s'est produite l'évolution phonétique entre le Ier et le VIe siècle, comment s'est manifesté le français après que le roman s'était déjà fragmenté en de nombreux dialectes locaux, etc. Comme on le constate, il s'agit d'une méthode très différente de celle utilisée par la philologie.

Que vient faire la linguistique comparative dans tout cela? C'est que la linguistique comparative a souvent pour moyen ou pour fin la linguistique historique. En raison du succès de la grammaire comparée au XIXe siècle, notamment dans l'étude des langues indo-européennes, on a longtemps réduit la linguistique à l'étude historique comparative. La méthode principale de la linguistique comparative consiste à rapprocher les mots de deux et parfois de plusieurs langues données. On peut alors relever des ressemblances entre ces langues:

FRANÇAIS	ITALIEN	ESPAGNOL	PORTUGAIS	ROUMAIN
lait	*latte*	*leche*	*leite*	*lapte*
cheval	*cavallo*	*caballo*	*cavalo*	*cal*

ANGLAIS	ALLEMAND	NÉERLANDAIS	DANOIS
milk	*Milch*	*melk*	*maelk*
horse	*Pferd*	*paard*	*hest*

On peut noter des ressemblances de forme et de sens entre certains mots de deux ou de plusieurs langues. On énonce comme hypothèse que les mots qui présentent des similitudes remontent à une forme unique ayant évolué de différentes manières. C'est alors que l'on fait intervenir les lois phonétiques qui permettent de retracer les étapes successives par lesquelles la forme unique est passée pour aboutir aux formes modernes. On établit ainsi la parenté génétique de deux ou de plusieurs langues; ces langues ont évolué différemment à partir d'une langue mère.

Ainsi, la linguistique historique et la linguistique comparative ont favorisé une approche très scientifique de la langue. De cette orientation naîtra la linguistique telle que nous la connaissons aujourd'hui. C'est à Ferdinand de Saussure que l'on doit une partie des méthodes et des théories explicatives de la linguistique moderne.

5   LA LINGUISTIQUE

Avec Ferdinand de Saussure, les études linguistiques ont connu leur véritable essor. La publication posthume de son célèbre *Cours de linguistique générale* en 1915 est à l'origine de la linguistique contemporaine, dont l'objet propre est le langage humain articulé. L'un des mérites de Ferdinand de Saussure a été de reconnaître la nécessité de se défaire des idées de «bon goût» et des préjugés sociaux lorsqu'on aborde l'étude de la langue. Le linguiste analyse les faits objectivement; il n'exclut rien et ne prend pas parti, car il a pour tâche de procéder à une étude *scientifique* de la langue. André Martinet écrit à ce sujet:

«Une étude est dite scientifique lorsqu'elle se fonde sur l'observation des faits et s'abstient de proposer un choix parmi ces faits au nom de certains principes esthétiques ou moraux[2]. »

Depuis Saussure, la linguistique a pris un caractère résolument scientifique: elle a ses méthodes propres, ses modèles généraux et ses théories explicatives. On a élaboré tout un appareil de description qui permet l'analyse de la langue comme système de signes exprimant des idées: description phonétique et phonologique, morphologique, syntaxique, lexicale, sémantique. Plus tard, le Danois Louis Hjelmslev (1899-1965) prolonge les thèses saussuriennes avec ses *Prolégomènes à une théorie du langage*[3], dans lesquels il propose une démarche essentiellement théorique et qui vise à constituer une «algèbre immanente des langues». Aux États-Unis, Leonard Bloomfield (1887-1949) lance la linguistique américaine en 1926, en publiant *Language*, qui présente une nouvelle méthode de description: le *distributionnalisme*, appelé aussi le *structuralisme américain*. Cette description linguistique s'en tient au recensement des unités formelles de la langue et à l'étude de leur distribution, c'est-à-dire au relevé de leurs différents environnements dans la chaîne parlée.

En réaction au formalisme des distributionnalistes apparaît la *grammaire générative et transformationnelle* de Noam Chomsky. Avec l'approche générative, on introduit un nouveau type de grammaire, lequel consiste à produire un modèle logico-mathématique universel dont on pourrait faire dériver la totalité des langues existantes. Les théories de Chomsky sont exposées principalement dans *Syntactic Structures*[4] et *Aspects of the Theory of Syntax*[5]. Les diverses théories de Chomsky paraissent relativement abstraites aux non-initiés, mais elles marquent une étape très importante dans l'évolution des sciences humaines.

Revenons maintenant à Saussure. Parallèlement à son approche plus «technique» de la langue, il avait développé dans son *Cours de linguistique générale* une perspective plus sociale. Pour lui, la langue était également un fait social et, pour cette raison, elle touchait à l'ethnologie, c'est-à-dire à «toutes les relations qui peuvent exister entre l'histoire d'une langue et celle d'une race ou d'une civilisation[6]». En ce sens, le linguiste s'intéressera aussi aux relations entre la langue et l'histoire politique, entre la langue et les institutions de toutes sortes, et à tout ce qui se rapporte à l'extension géographique des langues et à leur fractionnement.

Saussure désignait par l'expression *linguistique externe* tous ces phénomènes que l'on étudie aujourd'hui en sociolinguistique, en ethnolinguistique, en géographie linguistique et en dialectologie. Étudier les langues, c'est aussi se pencher sur les locuteurs de ces langues, sur leur histoire, leurs institutions, leur situation géographique, leurs conflits linguistiques et les solutions apportées à

---

2. André MARTINET, *Éléments de linguistique générale*, Paris, Armand Colin, 1966, p. 6.

3. L'exposé de sa théorie parut en danois en 1943; la traduction française, en 1968.

4. Cet ouvrage a été publié en 1957; la version française, parue sous le titre *Structures syntaxiques*, date de 1969 (Éditions du Seuil).

5. L'ouvrage a été publié en 1965 et la traduction française parut en 1971 (Éditions du Seuil) sous le titre de *Aspects de la théorie syntaxique*.

6. Ferdinand de SAUSSURE, *Cours de linguistique générale*, Paris, Payot, 1969, p. 40.

ces conflits. On s'intéressera par conséquent à la description et à l'explication des usages des langues, de leurs variantes sociales et régionales, donc aux stratégies de communication entre les différents groupes sociaux parlant une même langue; enfin, on s'interrogera sur les rapports ou les conflits possibles entre les langues lorsqu'elles se trouvent en contact étroit.

Toutes ces approches n'épuisent pas le sujet, mais elles touchent à deux des aspects fondamentaux des études linguistiques: la langue comme code (ou moyen de communication) et la langue comme institution sociale. Vue globalement, la langue appartient donc à la fois au domaine instrumental (le code) et au domaine social (le statut).

6   LA LINGUISTIQUE APPLIQUÉE

Depuis Ferdinand de Saussure, la matière de la linguistique est constituée de toutes les manifestations du langage humain, qu'il s'agisse de la langue écrite ou orale, des langues standardisées ou non, aux époques archaïques ou dans le monde contemporain. Le linguiste étudie donc toutes les formes d'expression des langues (codes). Par le fait même, il est porté à écarter de son champ d'étude tout ce qui est étranger au système de la langue.

Mais la linguistique entretient des rapports très étroits avec d'autres sciences qui tantôt lui empruntent des données, tantôt lui en fournissent. Non seulement la linguistique établit d'étroites relations avec un certain nombre de sciences, mais elle a donné lieu à de nouvelles disciplines reliées à la langue: la sociolinguistique, l'ethnolinguistique, la psycholinguistique, la géolinguistique, l'aménagement linguistique, le droit linguistique, etc.

C'est ce que Ferdinand de Saussure appelait *linguistique externe*. Il écrivait à ce propos: «Cette linguistique-là s'occupe pourtant de choses importantes, et c'est surtout à elles que l'on pense quand on aborde l'étude du langage[7].»

6.1   LA SOCIOLINGUISTIQUE

La sociolinguistique étudie les relations entre les phénomènes linguistiques et les phénomènes sociaux; elle s'efforce, dans la mesure du possible, d'établir des liens de cause à effet. En sociolinguistique, on fait des descriptions parallèles des structures linguistiques et des structures sociales. De façon générale, la sociolinguistique étudie la dépendance du linguistique par rapport au social. Voici quelques exemples:

- La condition sociale d'un individu (origine ethnique, profession, âge, niveau de vie, etc.) et sa performance linguistique.
- Le vocabulaire et la coloration sociale qui s'y rattache: le vocabulaire relié à la politique, au droit, à la psychologie, à la médecine, etc.
- Le phénomène des langues en contact: les rapports de force, l'expansion et la régression des langues, etc.; le bilinguisme social et la diglossie.

---

7. Ferdinand de SAUSSURE, *op. cit.*, p. 40.

– Les problèmes de standardisation linguistique : la norme et le dirigisme linguistique ; en ce sens, la sociolinguistique touche l'aménagement des langues.

6.2   L'ETHNOLINGUISTIQUE

On associe souvent l'ethnolinguistique à la sociolinguistique, mais elle en diffère en ce sens qu'elle étudie la langue en tant qu'expression d'une culture (en relation avec la situation de communication). Les aspects abordés par l'ethnolinguistique touchent aux rapports entre la langue et la représentation du monde. La langue correspond à une manière d'organiser le réel. Benjamin Lee Whorf a tenté de démontrer que la langue que nous parlons détermine notre vision du monde.

L'ethnolinguistique s'intéresse aussi à la place de la langue dans la vie d'un peuple : tabous, mythologie du langage, langues sacrées, ésotériques ou propres à sociétés secrètes.

6.3   LA DIALECTOLOGIE

C'est l'étude de la comparaison entre les différents systèmes ou dialectes dans lesquels une langue se diversifie dans l'espace. La dialectologie a commencé en Allemagne au XXᵉ siècle, et elle est devenue une véritable discipline grâce aux travaux du dialectologue français Jules Gilliéron. Ce dernier a établi un atlas linguistique de la France qui fait encore autorité, même si certains de ses principes méthodologiques ont été abandonnés.

La dialectologie procède par enquêtes afin de caractériser les parlers locaux. Le dialectologue établit la répartition géographique des traits linguistiques pertinents pour fabriquer des cartes linguistiques. Les points où l'on passe d'un trait à un autre sont appelés *isoglosses* ou *lignes isoglosses* (lignes dialectales). Il est possible, par exemple, de dresser des cartes linguistiques portant sur les modes de prononciation d'un mot comme «chèvre» : *chèvre, kèvre, tchèvre, chieuve, cheube, chiabre, chivra, tyevra, tsabro, krabe, krabo, kabro...*

On s'intéresse aussi aux causes géographiques, politiques, socio-économiques, socioculturelles ou linguistiques qui sont à l'origine des changements ou des différenciations.

Le terme *dialectologie* est parfois employé à tort comme synonyme de *géographie linguistique* ou de *géolinguistique*. En réalité, la géolinguistique étudie la répartition des faits de langues dans l'espace et les sociétés. Le géolinguiste utilise à la fois les méthodes de la linguistique et celles de la géographie : langage cartographique et établissement de corrélations, de liens de causalité entre des phénomènes spatialisés.

6.4   LA PSYCHOLINGUISTIQUE

La psycholinguistique est l'étude scientifique des comportements verbaux dans leurs aspects psychologiques. Si la langue relève de la linguistique, les phénomènes de la parole, acte individuel, relèvent de la psycholinguistique. De façon générale, la psycholinguistique étudie le langage comme outil de développement et de fonctionnement intellectuels.

De façon particulière, la psycholinguistique s'intéresse à la création des habitudes verbales, aux mécanismes mentaux par lesquels un enfant acquiert des structures nouvelles, aux processus généraux de la communication, à l'apprentissage des langues et aux aspects cognitifs du langage.

Les problèmes posés par les situations de bilinguisme préoccupent aussi les psycholinguistes. Ceux-ci ont constaté l'interaction des conditions sociales et de l'apprentissage d'une langue seconde. On sait aujourd'hui que le bilinguisme n'a pas les mêmes effets selon qu'il est pratiqué par la majorité ou la minorité, par l'élite ou la masse, dans un contexte unilingue ou multilingue, en milieu hostile ou non, etc. Certaines études ont démontré, par exemple, que le bilinguisme est très positif pour les enfants des groupes dominants qui acquièrent une compétence fonctionnelle de la langue seconde, dans la mesure où la connaissance de celle-ci est valorisée. Par contre, le bilinguisme ne se révèle pas toujours positif, notamment pour les enfants des groupes minoritaires. En effet, il arrive que la langue maternelle reste dominée dans la plupart des rôles sociaux et soit dévalorisée à la fois par le groupe dominant et le groupe dominé. Bien que les minoritaires en retirent certains avantages socio-économiques, le bilinguisme devient alors une source de troubles affectifs, de crises d'identité, d'érosion linguistique, parce qu'il est un instrument d'acculturation et d'assimilation. Il s'agit là de problèmes qui intéressent beaucoup de psycholinguistes.

6.5   LA LEXICOGRAPHIE

La lexicographie est la technique de confection des dictionnaires et l'analyse linguistique qui s'y rattache. Le dictionnaire constitue certainement un objet culturel familier au grand public. Pour tous, le dictionnaire est un répertoire des mots de la langue, accompagnés de tout ce qu'il faut savoir à leur propos.

Cette vision est discutable, car les dictionnaires sont des modèles conçus dans un but utilitaire, sinon commercial. Pour cette raison, ils sont tributaires de nombreux impératifs souvent contradictoires : adaptation à de nombreux publics, souci pédagogique, informations techniques et scientifiques, rentabilité économique, etc.

Le lexicographe pourra s'intéresser aux dictionnaires bilingues, aux dictionnaires spécialisés (étymologiques, de synonymes, de mots nouveaux, de cuisine, de médecine, d'informatique, etc.), aux dictionnaires encyclopédiques et aux dictionnaires généraux de la langue.

Historiquement, les dictionnaires bilingues (type français-anglais, anglais-allemand, etc.) ont été les premiers dictionnaires à être confectionnés : ces dictionnaires étaient destinés à ceux qui apprenaient une langue étrangère. Ce n'est que par la suite que les lexicographes ont pensé à rédiger des ouvrages pour les usagers d'une langue première (maternelle). Les dictionnaires spécialisés répondent à un besoin particulier: combler les lacunes de la documentation scientifique et technique. Quant aux dictionnaires encyclopédiques, ils visent surtout à rassembler les connaissances que l'on possède sur les objets, les individus, les concepts, les espèces ; ils accueillent un grand nombre de noms propres et font un grand usage de l'illustration. Le *Grand Larousse encyclopédique*, dont est issu le *Petit Larousse*, est un exemple de ce type de dictionnaire. Les lexicographes ont également confectionné des ouvrages consacrés plus spécifiquement à la langue. Tels sont les dictionnaires étymologiques, les dictionnaires de synonymes, les dictionnaires des difficultés de la langue (p. ex. le *Multidictionnaire*), etc. Les dictionnaires généraux de la langue sont relativement récents ; ils s'attachent essentiellement à décrire le sens des mots et leur fonctionnement dans le discours. Ils s'adressent à tous les usagers. Le *Petit Robert*, le *Dictionnaire Hachette de la langue française* et le *Larousse de la langue française* en sont des exemples.

Les lexicographes doivent s'intéresser aussi à l'organisation interne des dictionnaires. Par exemple, combien de mots devra compter le dictionnaire ? 5 000, 25 000, 50 000, 70 000 ou 150 000 ? Quelles sont les informations grammaticales (genre, nombre, conjugaison, etc.) qu'il devra contenir ? Doit-on laisser une place importante à la polysémie, à l'homonymie et à l'antonymie ? Ce sont là des considérations fondamentales lorsqu'on veut rédiger un dictionnaire. En somme, tout dépend de la clientèle visée.

6.6   LA SÉMIOTIQUE

La sémiotique est l'étude scientifique des systèmes de signification. Elle englobe la linguistique, qui se donne pour objet ces systèmes de signification spécifiques que sont les langues naturelles. Mais la sémiotique tient compte également de tout objet susceptible de produire des significations.

On distingue deux types de sémiotique :

1) La sémiotique verbale, qui a pour objet les systèmes de signification utilisant une langue naturelle : littérature, discours religieux, juridique, folklorique, scientifique, etc.

2) La sémiotique non verbale, qui se donne pour objet les systèmes de signification utilisant un matériau non verbal : la peinture, la sculpture, la musique, la mode, les masques, la signalisation routière, la classification des hôtels et restaurants, les chiffres, etc.

Le mot *sémiologie* est souvent employé comme synonyme de *sémiotique*. Certaines différenciations s'imposent. La sémiologie s'intéresse davantage aux systèmes non linguistiques, mais intentionnels, et exclusivement utilisés à des fins de communication (la signalisation routière, la classification des hôtels et restaurants, les chiffres). Cela exclut de son objet non seulement la langue, mais aussi les phénomènes sociaux de la vie quotidienne comme la mode ou la cuisine.

6.7   L'AMÉNAGEMENT LINGUISTIQUE

L'aménagement linguistique consiste, de la part d'un État ou d'un gouvernement, à mettre au point un processus de décision sur la langue. Quand cette intervention est décidée et planifiée par l'État, on parle de *politique linguistique*.

Tout aménagement linguistique consiste en un effort délibéré de modifier l'évolution naturelle d'une langue ou l'interaction des langues. La planification peut porter sur les deux aspects ou sur un seul des deux aspects de la langue :

1) Le code : l'alphabet, l'orthographe, la calligraphie, la grammaire, le vocabulaire.
2) Le statut de la langue : le rôle de la langue dans la société, les rapports de puissance et d'attraction entre différentes langues, etc.

Idéalement, tout aménagement linguistique suppose que l'État intervient à la fois au niveau du code et au niveau du statut. Il est rare que l'on intervienne uniquement au niveau du code ; la linguistique nous rappelle que la langue n'est pas seulement un code et que les interférences sociales sont inhérentes à l'interventionnisme linguistique.

En cette fin du XXe siècle, on peut dire que presque tous les États sont intervenus dans le domaine de la langue. Certains ont improvisé, d'autres, au contraire, ont savamment planifié leurs interventions et ont fait appel aux spécialistes en aménagement linguistique.

Lorsque l'État intervient dans le domaine de la langue, c'est pour résoudre des conflits. Il ne faut pas oublier que la question des minorités est un embarras pour la plupart des États et que l'interventionnisme de l'État peut provoquer des résistances. C'est pourquoi il faut tenir compte des tendances conservatrices de la société, c'est-à-dire de ceux qui ont intérêt à maintenir le *statu quo*.

La discipline de l'aménagement linguistique nous enseigne que l'on peut vouloir rendre deux langues égales (forcer l'égalité), rendre une langue supérieure à une autre, inverser le statut de deux langues, faire disparaître une langue ; on peut aussi octroyer l'égalité juridique sans nécessairement la transposer dans la réalité. On doit savoir enfin que les moyens utilisés sont incitatifs ou cœrcitifs et que les droits accordés en matière de langue peuvent être de type territorial ou de type personnel.

On comprendra que ce genre de décision doit être mûrement réfléchi, car les échecs sont socialement et politiquement coûteux en ce domaine. L'improvisation risque d'entraîner des réactions violentes de la part de ceux qui auront à subir les mauvaises décisions des politiciens. Au contraire, une intervention planifiée peut aider à solutionner de graves conflits linguistiques. Comme on peut le constater, l'aménagement linguistique touche à la fois à la sociolinguistique (le statut des langues dans la société) et à la linguistique (l'intervention au niveau du code), mais aussi au droit, à la politique, à l'économie.

6.8   LE DROIT LINGUISTIQUE

Le droit linguistique est une discipline toute récente qui consiste à étudier l'aspect juridique de la langue. Le droit linguistique concerne à la fois les domaines judiciaire, législatif ou constitutionnel, politique, sociolinguistique. On fait appel au droit linguistique dans le processus d'aménagement linguistique d'un État, mais il reste qu'il s'agit d'une discipline bien distincte : seul un juriste possédant une solide maîtrise du droit *linguistique* peut s'y retrouver dans les méandres constitutionnels et juridiques d'un pays.

Le droit linguistique établit la gamme des droits linguistiques que l'État reconnaît aux différents groupes en présence. Ces droits peuvent s'établir sur la base de la non-discrimination, sur la base d'une reconnaissance juridique différenciée (inégale), sur la base d'une égalité juridique (qui se transpose ou non dans les faits) accordée aux individus, sur la base de droits collectifs ou territoriaux.

En fait, le droit linguistique fait appel aux domaines relatifs à la constitution et à la législation linguistique, mais aussi aux rapports entre les droits individuels et les droits collectifs, domaine conflictuel s'il en est, car la tradition en ce domaine n'est pas très bien établie.

6.9   LA NEUROLINGUISTIQUE

La neurolinguistique est la dernière née des nouvelles disciplines reliées à la langue. C'est la science qui traite des rapports entre la langue et les structures du cerveau. Le cerveau humain comprend deux hémisphères, c'est-à-dire deux moitiés symétriques, droite et gauche, et chacun d'eux contient des milliards de neurones. Des recherches se poursuivent actuellement pour établir la fonction de chacune des parties du cerveau dans les multiples opérations linguistiques qui s'y déroulent. Selon certaines hypothèses, les premières étapes de l'acquisition de nouvelles connaissances se produiraient dans un hémisphère et l'intégration de ces connaissances à celles déjà en place se ferait par la suite dans l'autre hémisphère.

Voici un autre domaine d'application de la neurolinguistique. Nous savons que la langue repose sur un système d'unités de base: les phonèmes. Et ceux-ci s'opposent entre eux par des traits de modèle binaire: sourd/sonore ([t]/[d]), ouvert/fermé ([ɛ]/[e]), oral/nasal ([ɑ]/[ɑ̃]), etc. L'une des questions qui intéressent les neurolinguistes est de savoir quels mécanismes cérébraux sous-tendent les oppositions phonologiques. On sait que certains enfants ayant de sérieux troubles du langage sont incapables de distinguer ces oppositions phonologiques alors qu'ils distinguent des phonèmes isolés ([p]/[s]). Cette déficience proviendrait de lésions cérébrales de l'hémisphère gauche.

On ne se surprendra pas que les neurolinguistes s'intéressent particulièrement à la pathologie du langage – par exemple, à l'aphasie (trouble ou perte de la capacité de parler) – et à la rééducation de la parole. Mais les neurolinguistes s'intéressent aussi aux problèmes de décodage linguistique et aux problèmes de mémoire. Ainsi, les liens entre la neurolinguistique et l'orthophonie sont évidents.

Enfin, les phénomènes neurolinguistiques reliés au bilinguisme attirent également l'attention des spécialistes de la question. Ce qui intéresse les neurolinguistes, c'est l'état de bilingualité, c'est-à-dire la façon dont réagit l'enfant bilingue face à l'alternance de deux codes linguistiques. Si on reconnaît que la situation de bilingue présente pour l'individu, dans la plupart des cas, de nombreux avantages sociaux et économiques, on se demande aussi s'il ne s'y rattache pas parfois de sérieux inconvénients. Par exemple, le fait de posséder deux langues n'implique-t-il pas un certain risque de dédoublememt de la pensée? Quelles sont les causes cérébrales qui font que le bilingue mélange facilement les langues? Pourquoi certains enfants régressent-ils dans la langue première lorsqu'ils apprennent la langue seconde?...

L'incertitude dans laquelle se trouve actuellement la réflexion neurolinguistique devant de tels problèmes montre à quel point rien n'est encore acquis en ce domaine. Mais c'est justement ce qui permet de croire que la neurolinguistique fera dans l'avenir de remarquables progrès.

LES PRÉALABLES THÉORIQUES FONDAMENTAUX

L'un des mérites de Ferdinand de Saussure est d'avoir formulé un certain nombre de théories fondamentales sur le langage, la langue, la parole, le signe linguistique, etc. Ces théories sont toujours actuelles : il importe donc de les rappeler.

1   LA LANGUE ET LE LANGAGE

Pour Saussure, les mots *langage* et *langue* ne sont pas synonymes. Le *langage* correspond à la faculté naturelle, inhérente et universelle qu'a l'être humain de construire des *langues*, c'est-à-dire des codes pour communiquer. Cette faculté intellectuelle se manifeste non seulement par la capacité de construire des codes, mais aussi par la possibilité d'apprendre de nouvelles langues. Dans les situations d'unilinguisme, cette faculté de langage génère des rapports multiples entre les règles du code utilisé, les contextes situationnels et la société. Cela suppose que la langue diffère d'une communauté linguistique à une autre, de sorte qu'une langue ne saurait fonctionner qu'entre les sujets d'un même groupe linguistique ; la forme particulière que prend le langage est donc différente pour chacun des groupes de sujets parlants. Ainsi, l'arabe, le français et le chinois sont des langues, c'est-à-dire des codes particuliers par lesquels se réalise le langage. La langue est un vaste ensemble de ressources communicatives et expressives dans lesquelles chacun puise au gré de ses besoins, et ce, grâce à cette faculté de langage.

Quand on parle de *langue*, on se réfère à un *système* conventionnel particulier ; chacun des systèmes linguistiques est différent des autres : le français, le russe, le vietnamien, etc. Même les langues apparentées, comme le français, l'italien et l'espagnol, possèdent des systèmes différents. Par *système*, entendons un ensemble structuré d'éléments et de règles, c'est-à-dire une organisation dont toutes les parties s'imbriquent et tendent vers une même fin : la communication. Ainsi, une personne pourrait connaître les quelque 50 000 mots du *Petit Larousse* sans savoir nécessairement parler le français. Si cette personne ignore les règles de fonctionnement des divers éléments de la langue, soit les règles du jeu, ou ce que l'on appelle la *grammaire* de la langue, elle ne connaîtra qu'un amas de mots pêle-mêle. Une langue n'est pas une nomenclature de mots, mais une organisation dont les différents éléments sont en relation les uns avec les autres.

2   LA LANGUE ET LA PAROLE

Si la notion de *langage* au sens saussurien semble quelque peu difficile à saisir, c'est parce que le langage correspond davantage à une faculté à la fois physiologique et psychologique qu'à une réalité tangible. La langue, quant à elle, est plus concrète. L'étude du langage comporte deux parties distinctes: l'une a pour objet la langue (le code), l'autre, la parole (l'utilisation du code). Les notions de *langue* et de *parole* se définissent l'une par rapport à l'autre. Pour Saussure, la langue, parce qu'elle est un code, est une convention sociale et, jusqu'à un certain point, indépendante de l'individu. La langue est transmise par la société et l'individu n'a qu'un rôle accessoire dans la formation du code.

Cependant, l'utilisation que chacun fait du code est personnelle. Ainsi, tous les francophones du monde recourent à un code commun, la langue française, mais chacun d'eux l'utilise de façon particulière. La prononciation et le rythme, par exemple, varient d'un individu à un autre; les mots qu'une personne emploie ne se retrouvent pas nécessairement avec la même fréquence dans la bouche d'une autre; la longueur et la forme des phrases varient encore davantage. Toutes ces variantes dans l'utilisation d'une langue sont des faits de *parole*, et la parole représente la réalisation concrète, particulière et individuelle d'une langue.

On admettra que la langue est une convention sociale nécessaire pour que la parole produise ses effets, mais la parole demeure également indispensable pour que la langue s'actualise. D'une certaine manière, on pourrait dire que c'est la parole qui fait la langue; si la langue évolue, elle le doit à la multitude des paroles individuelles qui la font se transformer dans l'espace et dans le temps. Le changement relève de l'individu, donc du domaine de la parole, mais son acceptation par la communauté est une affaire de langue. S'il n'est pas accepté, le changement devient *faute* ou jeu. Ainsi, la forme *ils sontaient* (souvent employée par les jeunes enfants) est une variante (de parole) non acceptée par l'ensemble de la société. De telles variantes ne sont possibles que grâce à la faculté de langage, cette faculté qu'ont les personnes de coder ou de décoder sans s'imiter servilement, à l'exemple des perroquets. Ajoutons enfin qu'il n'y a pas de langue sans parole, puisque l'une (la parole) est la réalisation concrète de l'autre (la langue).

3   LE SIGNE LINGUISTIQUE

L'analyse peut-être la plus importante que l'on doit à Ferdinand de Saussure est celle qu'il a proposée du *signe linguistique*. La langue recourt à des outils pour transmettre des messages. Ces outils sont les signes linguistiques. Pour Saussure, tout signe linguistique est une réalité à deux faces, l'une matérielle, l'autre «immatérielle». Par exemple, le mot *oiseau* (*voir la figure 2.1*) se réalise matériellement par une suite de sons: [w] + [a] + [z] + [o]. Ce même mot porte également une signification: c'est sa face «immatérielle». Il renvoie à

signifiant (sons)	[wazo]
signifié (concept)	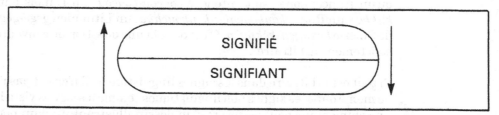

FIGURE 2.1   LE SIGNE LINGUISTIQUE

l'image d'un animal couvert de plumes, pourvu d'ailes, de deux pattes et d'un bec, capable de voler. L'aspect matériel, le groupe de sons ([w] + [a] + [z] + [o]), constitue le *signifiant*; l'aspect immatériel, le sens (concept «oiseau»), constitue le *signifié*. Cette réalité à deux faces peut être représentée par le schéma de la figure 2.2.

SIGNIFIÉ

SIGNIFIANT

FIGURE 2.2   LES DEUX FACES DU SIGNE LINGUISTIQUE

Le signe linguistique proposé par de Saussure est donc le résultat de l'association d'un signifiant (le groupe de sons) et d'un signifié (le sens), ces deux parties étant indissociables. On pourrait comparer le signe linguistique à une feuille de papier dont le signifiant serait le recto et le signifié le verso: il est impossible d'isoler l'un de l'autre. En règle générale, le sujet parlant ou écoutant associe signifiants et signifiés dans un tout indissociable pour coder et décoder les messages.

Parmi les nombreuses caractéristiques que Ferdinand de Saussure attribue au signe linguistique, on retiendra les suivantes: l'arbitraire du signe, son caractère conventionnel et sa linéarité.

3.1   LE SIGNE EST ARBITRAIRE

Le caractère arbitraire du signe linguistique est une réalité difficile à cerner pour certains, particulièrement les personnes unilingues. Si, en français, au signifié «fromage» correspond le signifiant [frɔmaʒ], il ne s'ensuit pas pour autant que cette association d'une forme sonore et d'un sens soit naturelle pour tout le monde. Le rapport entre le sens et le groupe de sons ne va pas de soi: le locuteur connaît ce rapport grâce à une convention sociale!

On vérifie ce fait par les différentes façons dont d'autres langues associent sens et sons pour exprimer un signifié à peu près identique. Ainsi, pour exprimer le concept de «fromage», on dira [frɔmaʒ] en français, mais *cheese* en anglais, *queso* en espagnol, *kass* en néerlandais, *ost* en danois, *sîr* en russe, *teri* en grec, *juusto* en finnois, *jibna* en arabe. On constate que, selon les langues, le signifiant est différent pour le même signifié. Rien dans le signifié ne favorise tel signifiant plutôt que tel autre: le signifiant est arbitraire par rapport au signifié. Le tout repose sur un accord conventionnel, collectif.

Il n'y a aucun rapport analogique entre les deux faces du signe linguistique et la réalité. Si ce rapport analogique existait, tous les locuteurs parleraient probablement la même langue. D'ailleurs, nous pouvons vérifier ce caractère arbitraire du signe au moyen des onomatopées, qui sont censées reproduire les sons réels. Ainsi, si un canard fait *couin-couin* en français, il fait *quack-quack* en anglais, *pack-pack* en allemand, *rap-rap* en danois, *hap-hap* en hongrois, etc. Pourtant, tout le monde entend le même canard! Quant au coucou, pendant qu'un francophone croit entendre *coucou-coucou*, un Danois entendra *kukker-kukker*, un Russe *koukouchka-koukouchka*, un Lituanien *gégé-gégé*, un Lamoute de Sibérie *kèkügèn-kèkügèn*. C'est donc là une question de convention, un rapport strictement arbitraire[1].

Si tout est arbitraire dans les signes linguistiques, il n'en est pas nécessairement de même dans les signes non linguistiques comme les signes visuels. Par exemple, un commerçant peut se servir d'un dessin illustrant un pain pour identifier sa boulangerie; un autre utilise le dessin d'une botte pour identifier sa cordonnerie. Dans ce cas, le lien est évident entre la forme et le sens auquel le dessin renvoie; le rapport entre le signifiant visuel et le signifié revêt un caractère analogique. Par contre, si c'était un carré qui identifiait la boulangerie et, pour la cordonnerie, un losange, le rapport entre le signifiant et le signifié deviendrait alors arbitraire; il faudrait une convention pour s'y reconnaître. De même, le rapport entre les deux faces du signe linguistique repose sur la seule habitude collective.

3.2   LE SIGNE EST CONVENTIONNEL

Pour que la langue puisse jouer son rôle d'instrument de communication, il faut que tous les membres d'une communauté linguistique admettent les mêmes conventions. Le français est dépositaire d'une convention sociale selon laquelle on dit *fromage* et non *cheese, queso* ou *Käse*. L'anglais, l'espagnol et l'allemand sont dépositaires d'une convention analogue; pour ces langues, c'est *cheese, queso* ou *Käse* qui renvoie au signifié «fromage».

---

1. Le rapport est arbitraire mais motivé en ce sens que, dans l'esprit des locuteurs, les sons qui composent le mot tendent à imiter le bruit que représente ce mot.

Le caractère conventionnel du signe linguistique n'est pas du même type que celui des signaux routiers. Certains de ces signaux sont idéographiques et à dessins non arbitraires, tels ceux représentant les dos d'âne, les courbes, les passages à niveau, etc. Il est relativement facile de décoder ces signaux, même pour un étranger, en raison de leur caractère analogique. Au contraire, le signe linguistique met en évidence deux faits : la langue n'est pas innée chez l'individu (elle constitue un code qu'il faut apprendre) et elle fait partie d'un héritage transmis par la société. Par contre, crier et pleurer font partie des «performances» qu'on acquiert naturellement, sans qu'on soit obligé de les apprendre.

3.3   LE SIGNE EST LINÉAIRE

Les signes linguistiques se présentent obligatoirement dans l'axe du temps, l'un après l'autre, comme une ligne pointillée. Jamais deux éléments ne peuvent être codés ou décodés en même temps au même point du message. Les signes se suivent chronologiquement, et toute variation dans cette succession entraîne un changement du sens, sinon une incompréhension :

apte =   [a] + [p] + [t]
tape =   [t] + [a] + [p]
patte =   [p] + [a] + [t]

Dans l'écriture comme dans la langue parlée, les signes forment une suite linéaire et il est nécessaire de les «lire» l'un après l'autre, toujours dans le même ordre. Entendre deux discours à la fois entraîne *ipso facto* la confusion. La langue se caractérise par la successivité, non par la simultanéité des éléments. C'est là un trait fondamental des langues humaines, contrairement à d'autres moyens de communication que l'on décode selon la trame de l'espace et qui se caractérisent par la simultanéité. Les messages transmis par un dessin ou une photographie sont décodés simultanément. Ferdinand de Saussure explique ainsi cette opposition entre la simultanéité et la succession dans le temps :

> «Tout le mécanisme de la langue en dépend. Par opposition aux signifiants
> visuels (signaux maritimes, etc.), qui peuvent offrir des complications
> simultanées sur plusieurs dimensions, les signifiants acoustiques (ou
> linguistiques) ne disposent que de la ligne du temps, leurs éléments se
> présentent l'un après l'autre ; ils forment une chaîne[2].»

4   LA SYNCHRONIE ET LA DIACHRONIE

Les notions saussuriennes de synchronie et de diachronie sont fondamentales, car elles servent à distinguer deux types d'études. Une étude est dite *synchronique* (du grec *sun-chronos* : «en même temps») lorsqu'elle a pour objet un état de langue considérée à un moment donné de son histoire, et ce, dans son fonctionnement interne. Pour faire une étude synchronique du français, on peut, par exemple, réunir un ensemble de phrases (appelé *corpus*) produit dans une région bien déterminée, et s'efforcer de préciser dans quels cas les locuteurs emploient le conditionnel ou le subjonctif, de décrire la distribution des sons

---

2. Ferdinand de SAUSSURE, *op. cit.*, p. 103.

(phonèmes) employés, leur fréquence et les influences qu'ils ont les uns sur les autres; on peut également s'interroger sur les types et les formes de phrases utilisés, sur l'emploi de tel ou tel mot, sur ses variantes ou ses équivalents dans la communauté, etc.

Lorsqu'on parle de l'évolution ou de l'histoire de la langue, l'étude est appelée *diachronique* (du grec *dia-chronos*: «à travers le temps»). Le temps, nous le savons, joue un rôle important dans la vie des langues. En tant que phénomène humain, la langue est soumise au caractère irréversible du temps, et, pour cette raison, elle est l'objet de transformations.

Si on entreprend une étude diachronique du français, l'analyse pourra, par exemple, avoir pour objet l'évolution phonétique de la langue, du latin jusqu'à nos jours; on essaiera de déterminer comment et à quelle époque s'est transformée telle voyelle latine, en position accentuée ou inaccentuée. Il est possible d'observer de façon analogue des éléments grammaticaux ou des structures syntaxiques. De même, on peut étudier le vocabulaire et chercher à établir l'origine des mots, l'influence des langues étrangères, etc.

Bien sûr, une étude diachronique peut couvrir une période relativement courte de l'histoire de la langue. On étudiera, par exemple, l'évolution phonétique du français en se limitant aux XVIIe et XVIIIe siècles, et on en tirera des lois d'évolution pour cette seule période. Si, par contre, un linguiste fait une analyse portant exclusivement sur l'état de langue précédant immédiatement cette période ou sur celui qui la suit immédiatement, il s'agit alors d'une étude synchronique, puisque cette étude se limite à un moment précis de l'histoire de la langue française.

Ces concepts de synchronie et de diachronie nous font comprendre que la diachronie est une succession de synchronies et que, par voie de conséquence, toute innovation (diachronie) dans la langue entraîne une modification partielle du système linguistique lui-même (synchronie). Ce sont les individus (les faits de parole) qui font changer la langue avant que les changements n'entrent dans l'usage. C'est donc dans les phénomènes de la parole que germent les transformations que l'on retrouve ensuite dans la langue; tout ce qui est diachronique dans la langue ne l'est que grâce à la parole. En fait, dans l'histoire de toute innovation linguistique, on perçoit deux moments distincts: d'abord, celui où des individus apportent un changement (une multitude de faits similaires) par la parole; puis, celui où la collectivité accueille et adopte l'innovation, qui devient alors un fait de langue. Toutes les innovations de la parole ne connaissent pas le même succès; plusieurs de ces innovations demeurent individuelles et ne parviennent jamais dans la langue. Mais une multitude de changements de la parole, s'ils sont adoptés par la collectivité, finissent par modifier à la longue le système linguistique lui-même (synchronie).

Les notions de synchronie et de diachronie constituent les deux aspects de toute étude sérieuse de la langue: l'un concerne les modifications (histoire ou évolution) du code linguistique, l'autre, son fonctionnement interne. On aura intérêt à ne pas perdre de vue cette distinction qui nous semble très pertinente parce qu'elle permet d'éviter de nombreux malentendus lorsqu'on parle de faits de langue.

LES COMPOSANTES DE LA COMMUNICATION LINGUISTIQUE

La communication réside dans la transmission d'un message (ou information) d'un destinateur (ou émetteur) à un destinataire (ou récepteur). Les êtres humains communiquent entre eux surtout par le moyen de la langue, c'est-à-dire par un système de signes exprimant des idées; ils peuvent communiquer aussi par des gestes, des rites symboliques ou des codes visuels ou auditifs qu'ils ont créés pour répondre à des besoins spécifiques: par exemple, les panneaux routiers, les alphabets, les symboles chimiques ou mathématiques, etc.

1   LA TRANSMISSION D'UN MESSAGE

Il est dans la nature de l'être humain d'étendre son pouvoir de communiquer grâce à la diversité des moyens et des codes qu'il réussit à concevoir. Il faut cependant bien distinguer le code linguistique (la langue) des codes dits *non linguistiques*. Ces derniers ont été créés pour répondre à des besoins sociaux; ils exigent l'intervention explicite d'une autorité (le législateur ou diverses sociétés savantes), qui en fixe les règles et le fonctionnement. Les langues naturelles, elles, existent hors de la volonté des individus, qui ne peuvent les modifier à leur guise; de plus, elles donnent lieu à une pluralité de pratiques dans les différentes communautés linguistiques. Il arrive parfois qu'une autorité tente d'intervenir directement en matière de langue, soit pour définir l'usage national, soit pour appliquer une politique linguistique systématique. Ce type d'intervention n'a cependant rien de comparable à celui qui régit les codes non linguistiques. En effet, l'interventionnisme en matière de langue touche à la fois le code de la langue et le statut, ce qui peut entraîner des transformations sociales considérables.

Tous les messages exprimés par les codes non linguistiques peuvent être exprimés linguistiquement. C'est grâce à la langue qu'on peut acquérir les autres codes; ceux-ci présupposent généralement l'existence de la langue. Par exemple, l'apprentissage du code de la signalisation routière ou de codes scientifiques (mathématiques, chimie, physique, etc.) exige la manipulation linguistique de tous les signes. L'intérêt de ces codes réside surtout dans la possibilité d'en arriver à des conventions internationales.

La langue est le plus important des systèmes de communication: non seulement elle permet toutes les significations possibles, mais elle donne lieu, dans les situations appropriées, à des échanges d'informations. Quand deux interlocuteurs se retrouvent dans le même espace physique ou sont réunis par le téléphone, l'échange de messages devient possible. Un destinateur (ou émetteur) envoie un premier message à un destinataire (ou récepteur) qui, à son tour, devient destinateur et répond par un deuxième message, lequel peut susciter l'émission d'un troisième message par le premier intervenant. La communication ne devient efficace que s'il y a échange d'idées entre personnes, c'est-à-dire partage ou mise en commun. Idéalement, la communication produit aussi un changement, dans la mesure où le but normalement poursuivi est d'influencer un ou plusieurs destinataires lors de la transmission d'une information.

On sait que, dans le monde contemporain, la communication peut prendre des formes très diverses. Les techniques modernes permettent d'entrer en relation avec des réalités éloignées dans l'espace et dans le temps. Grâce à des canaux de communication très complexes, on assure une transmission instantanée à un large auditoire plus ou moins éloigné de la source émettrice. Tout cet appareil d'intervention dont dispose la technologie moderne pour multiplier et transmettre les messages exige toutefois une infrastructure économique considérable. C'est pourquoi le domaine des communications – ou des télécommunications – est devenu le lieu de l'activité centrale des pays riches; il semble même que ce soit l'activité économique qui fasse travailler le plus d'individus. On ne lui connaîtrait qu'une seule rivale: l'industrie de la guerre.

2   LES FACTEURS DE LA COMMUNICATION SELON JAKOBSON

Plusieurs linguistes ont formulé des théories de la communication. Il est normal en effet que ce phénomène intéresse au premier chef le linguiste, puisque les messages sont le plus souvent verbaux, donc relevant du domaine du langage. Parmi toutes les théories, c'est celle de Roman Jakobson[1] (1963) que l'on cite le plus souvent, sans doute parce qu'elle est la plus complète et la plus cohérente.

Les facteurs de la communication selon Jakobson peuvent être illustrés par un schéma (*voir la figure 3.1*) dont le centre comprend le contexte, le message, le contact et le code, alors que, de part et d'autre, on retrouve le destinateur et le destinataire.

---

1. Voir Roman JAKOBSON, *Essais de linguistique générale*, Paris, Éditions de Minuit, 1963, p. 214.

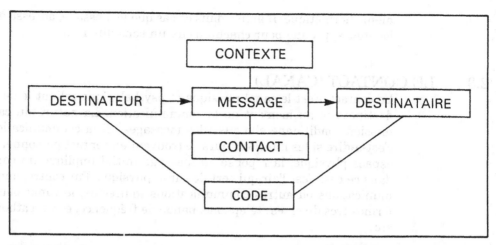

FIGURE 3.1   LES FACTEURS DE LA COMMUNICATION D'APRÈS ROMAN JAKOBSON

2.1   LE DESTINATEUR ET LE DESTINATAIRE

Le destinateur et le destinataire correspondent respectivement à l'émetteur (ou sujet parlant) et au récepteur (ou sujet écoutant). En situation de communication individualisée, c'est-à-dire lorsqu'un individu entre en relation avec un autre au moyen du langage, la communication est bidirectionnelle: elle fonctionne dans les deux sens entre le destinateur et le destinataire; les deux termes les plus justes seraient peut-être *locuteur* et *interlocuteur* (ou *allocuteur*). C'est ce type de communication qu'on retrouve le plus souvent dans la langue parlée; il est marqué par des connotations plus ou moins affectives en raison des circonstances de la communication orale, lesquelles impliquent des relations soit cordiales soit hostiles. Néanmoins, la communication individualisée peut être également écrite, comme c'est le cas dans la correspondance interpersonnelle.

Dans les communications institutionnalisées, destinateur(s) et destinataire(s) sont des groupes ou des institutions: administration publique, établissements d'enseignement, institutions économiques, industries culturelles, médias, etc. Lorsqu'une de ces institutions communique avec des personnes ou avec d'autres institutions dans le cadre de ses activités, on parle de communication institutionnalisée. Cet acte paraît le plus souvent impersonnel ou anonyme, et une hiérarchie plus ou moins rigide s'impose, particulièrement dans les grands centres urbains. La communication reste unidirectionnelle: le destinataire n'a que peu de possibilité de devenir à son tour le destinateur (émetteur). Le cas semble particulièrement manifeste dans les médias, lesquels favorisent l'émission unidirectionnelle de l'information.

2.2   LE MESSAGE

La durée, le contenu, la forme et l'efficacité des messages (ou des informations) varient selon que l'on s'adresse à un destinataire ou à plusieurs. Dans les communications individualisées, le destinateur est ordinairement capable d'adapter son message à la personnalité du destinataire et au type de relation qu'il entretient avec lui. Au contraire, dans les communications institutionnalisées, le destinateur a tendance à utiliser une forme standardisée, assez rigide, parfois même hermétique. Il arrive dans ce cas que le message, adressé à de nombreux locuteurs, prenne pour chacun d'eux un sens différent.

2.3   LE CONTACT (CANAL)

Le contact, c'est le canal physique et psychologique reliant le destinateur et le destinataire au moment de la communication. La nature du canal de transmission conditionne elle aussi les messages. Si la communication est directe, c'est-à-dire si les interlocuteurs se trouvent en contact personnel dans le même espace physique, la réponse au message initial implique un canal de retour; dans ce cas, c'est l'air qui sert de canal physique. Par contre, dans les télécommunications ou autres communications indirectes, le canal peut prendre des formes très diverses: téléphone, bande de fréquence, écran cathodique, journal, etc.

Du point de vue temporel, on distingue la communication immédiate (par téléphone) et la communication différée (par bandes magnétiques, disques, etc.), laquelle suppose un support de conservation des messages. La communication différée ne se combine pas nécessairement avec la télécommunication. Ainsi, la création littéraire est une communication différée: l'écrivain, tout en ne connaissant pas nécessairement chacun de ses destinataires, s'adresse à un individu à la fois, hors du temps, au moyen du livre. Au théâtre, cependant, la communication demeure directe et immédiate, unidirectionnelle.

2.4   LE CONTEXTE

Le contexte (ou référent) désigne la situation à laquelle le message renvoie, c'est-à-dire ce dont il est question. Par exemple, un destinateur transmet à un destinataire une information (le message) sur le chômage au Québec (le référent). On parle parfois aussi de *contexte situationnel* ou *contexte de situation*: ce sont les données communes au destinateur et au destinataire sur la situation culturelle et psychologique, c'est-à-dire les expériences et les connaissances de chacun des deux.

2.5   LE CODE

Un code est un ensemble conventionnel de signes, soit sonores ou écrits, soit linguistiques ou non linguistiques (visuels ou autres), communs en totalité ou en partie au destinateur et au destinataire. Les langues naturelles sont des codes fondamentaux, mais ce ne sont pas les seuls; les signaux visuels comme ceux de la signalisation routière, les couleurs, les gestes, certains bruits (sirènes d'alarme), etc., sont des codes possibles.

Afin de permettre la transmission du message, le code doit être compris par tous les locuteurs en présence, donc il doit être commun à tous; dans le cas contraire, la communication risque de n'être que partielle, voire nulle. De plus, le choix de tel ou tel code en particulier n'est pas indifférent: il obéit à des critères fonctionnels. Ainsi, les signaux routiers permettent de transmettre plusieurs informations simultanément. L'automobiliste doit décoder rapidement ces informations, sans avoir à passer par la successivité des signes linguistiques, lesquels sont linéaires et décodés un à un.

Par ailleurs, certains messages mettent en œuvre plusieurs codes en même temps : la bande dessinée, le cinéma, l'affiche publicitaire, les sigles ou logotypes d'organismes, de firmes ou d'institutions, le code de la route, etc. Dès lors, des corrélations de redondance, de contraste et de complémentarité jouent entre les codes. Dans tous les cas, le décodage suppose au préalable la connaissance d'une langue particulière.

3   LES FONCTIONS DU LANGAGE

Chacun des six facteurs de la communication énumérés par Jakobson correspond à une fonction linguistique précise. Le schéma des fonctions prend donc le même aspect que le schéma des facteurs (*voir la figure 3.2*).

3.1   LA FONCTION RÉFÉRENTIELLE

La fonction référentielle est la première des trois fonctions de base (les deux autres étant les fonctions expressive et incitative). Jakobson l'appelle *référentielle* (rattachée au référent), mais d'autres la nomment *cognitive* ou *dénotative*. Elle correspond à la fonction première du langage : informer, expliquer, préciser. Comme cette fonction renvoie au référent, c'est-à-dire à la personne ou au sujet dont on parle, la troisième personne grammaticale domine souvent (*il, elle, ils, elles*) dans ce cas. Voici quelques exemples :

Elle m'a téléphoné pour m'avertir qu'elle ne viendrait pas.
Le fer abonde dans le Nouveau-Québec.
Le consommateur devra procéder à une évaluation de sa situation personnelle.
Les diverses institutions prêteuses offrent différentes formules qui permettent de protéger le consommateur.

La fonction référentielle se caractérise, d'une part, par le fait que le message peut être mis à la forme interrogative (*Le fer abonde-t-il dans le Nouveau-Québec ?*) et, d'autre part, par le fait que l'on peut se demander si le message est vrai ou faux (*Il est vrai que le fer abonde dans le Nouveau-Québec*). Fonction référentielle et vérité sont donc intimement reliées. Soit, par exemple, le message suivant transmis par un Québécois : « J'ai scrapé mon char su'a Transcanadienne. » Par rapport à la fonction strictement référentielle, je n'ai pas à m'interroger sur la façon dont le message est donné, mais plutôt sur la véracité du message : mon interlocuteur a dit la vérité ou il a menti.

3.2   LA FONCTION EXPRESSIVE

On ne parle pas seulement pour communiquer des informations, mais aussi pour s'exprimer. La fonction expressive est centrée sur le destinateur, qui manifeste essentiellement ses sentiments ou son affectivité ; elle suppose l'acquisition d'un style, d'une manière personnelle de s'exprimer. C'est donc par la fonction expressive du langage que l'individu révèle ses sentiments, ses émotions, ses peurs ou ses joies. Du point de vue linguistique, les marques de la fonction expressive sont plus particulièrement le *je* ou le *nous*, les interjections, les onomatopées, les jurons, les formes exclamatives en général, les adjectifs à valeur « expressive ». En voici quelques exemples :

P'tite salope! Ta robe est propre, hein! C'est pas un cadeau, j'f'assure!
Je considère cette revue comme un vulgaire torchon, c'est tout!
«La vache à misère! On a eu ça, la vache à misère, chez nous. Crime! J'm'en
souviens en tabaslaque!!! J'avais rien que six ans, moé, pis on était des semaines
de temps qu'on... que ma mére nous faisait cuire de la farine mélangée avec de
l'eau sur les ronds du poêle[2].»
«I m'a répondu: "Fais pas ton mal à main ni ton fort à bras, ou je m'en vas
t'flanquer une mornife[3]!"»

La fonction expressive se traduit aussi par des traits non linguistiques comme
la mimique, l'intonation, les gestes, l'intensité du débit, les silences (ou pauses),
etc. Par exemple, dans le juron québécois *Criss de câlice de tabarnak*, la fonction
expressive est marquée surtout par des traits non linguistiques, car les signifiés
(ou sens) du référent tendent à laisser toute la place à l'expression de la colère.

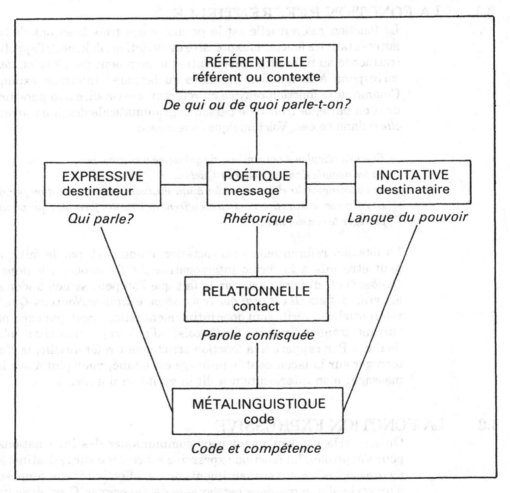

FIGURE 3.2   Les fonctions du langage d'après Roman Jakobson

2. Extrait du film *Un pays sans bon sens*, de Pierre Perrault, Office national du film, 1970.

3. Voir *Marie Calumet* de Rodolphe Girard, cité par Pierre DESRUISSEAUX dans
Expressions québécoises, Montréal, Hurtubise HMH, 1979, pp. 164-165.

3.3   LA FONCTION INCITATIVE

La fonction incitative[4], la troisième fonction de base, est axée sur le destinataire, donc sur le *tu* (alors que la fonction expressive concerne le *je*, et la fonction référentielle, le *il*). Ici, on parle en vue de faire agir, c'est-à-dire que l'on utilise la langue pour amener le destinataire à adopter un certain comportement. C'est la «langue du pouvoir», donc de l'ordre (exprimé par l'impératif), de l'interdiction, du commandement, de la directive, etc. Rappelons-nous que la fonction incitative joue un rôle de premier plan dans la publicité, tant dans les journaux qu'à la radio ou à la télévision:

> *Dehors! et ne reviens plus!*
> *P'tit vaurien! Monte en haut et lave-toi! C'est la dernière fois que j'te l'dis!*
> *Payez moins cher! Achetez chez nous!*

3.4   LA FONCTION POÉTIQUE (OU ESTHÉTIQUE)

La fonction poétique ou esthétique ne se limite pas, comme ce qualificatif pourrait le faire croire, à la poésie ou à la littérature proprement dite. Elle met l'accent sur le message lui-même, un message où le signifiant (la forme du message) importe tout autant, sinon plus, que le signifié (le sens du message). En fait, la fonction poétique correspond à toute forme d'invention linguistique ou d'expérimentation des potentialités de la langue.

En littérature, l'écrivain utilise la langue comme bon lui semble afin d'en tirer les effets qu'il recherche. Comme il s'agit là d'une forme d'invention de la langue, il peut, à la rigueur, désigner un chat par le mot *chien* ou parler de la couleur blanche alors qu'il emploie le mot *noir*; c'est là son droit le plus strict. L'écrivain peut faire dire ce qu'il veut aux mots:

> «J'écris mort, ce signe de la stabilité excessive, tant la fadeur du sens s'étale sur
> son sol si mal tracé   j'écris signe, cette figure restreinte où s'enchevêtre
> intimement l'écriture   il faudra plus que ces dépouilles hiéroglyphiques à
> l'embouchure des grands syntagmes lacunaires pour dire tout ce qui glisse entre
> les signes   sauf l'opaque et l'arbitraire disparus dans la non-clémence du
> langage enchantement blanc par lequel un signe équivaut à la mort[5].»

En somme, l'utilisation de procédés tels que la rime, la métaphore, l'antithèse, l'ironie, les jeux de mots, etc., fait que le message contient plus de connotation que d'information, que le rythme ou les images l'emportent sur la «vérité»; la fonction poétique demeure informative, mais à sa manière.

De plus, la fonction poétique recourt à un ensemble d'activités linguistiques d'ordre ludique (du latin *ludus*: «jeu»). La langue peut en effet constituer un jeu. Chacun a la possibilité et le droit de s'amuser à la manipuler, et ce, que l'on soit écrivain, publicitaire ou utilisateur anonyme de la langue. En voici d'autres exemples:

---

4. Jakobson emploie l'expression *fonction conative*, mais il nous a semblé préférable de recourir à l'expression *fonction incitative*, dont la signification semble plus compréhensible.

5. Michel LECLERC, «L'enchantement blanc», dans *Écrire ou la disparition*, Montréal, Éditions de l'Hexagone, 1984, p. 22.

Tout ce qui grouille, grenouille, scribouille... (de Gaulle)
Ma femme s'est fait opérer pour les os verts.
Depuis que j'ai eu les bras coupés, je n'ai pas touché un sou et j'en suis réduit à tendre la main.
Set de toilette pour hommes en peau de cochon.
Les yogourtmandises... ça s'mange tout seul!
Ça bondit, ça fonce, ça dodge!
Je te croasse Ma lieuse de lombrics au cœur par un verbe indigent de gravier[6]...

3.5   LA FONCTION RELATIONNELLE

L'objet de la fonction relationnelle[7] n'est pas de recueillir des informations, mais de maintenir et de développer des contacts psychologiques entre individus. L'une des valeurs liées à la fonction relationnelle se rattache à la politesse et aux convenances, qui nous font souvent dire des choses plus ou moins vides de sens, parfois même le contraire de ce que nous pensons réellement. Certaines formules utilisées lors de rencontres fortuites (p. ex., dans un corridor) relèvent de cette fonction: «Bonjour! Comment ça va?» En fait, le destinateur qui pose la question ne désire généralement pas recevoir une véritable réponse; il se contentera d'un bref et placide «Ça va». Ces paroles sont vides de sens; on parle simplement par convention, pour maintenir une sorte de contact psychologique très superficiel.

Dans les dialogues entre inconnus au cours de certaines réunions mondaines, la parole vidée de son contenu permet de croire à une «communication»; les individus se sentent alors moins seuls et la parole les sécurise. Que penser aussi du rôle de la radio ou de la télévision dans nombre de foyers où l'appareil reste ouvert de 8 h à 23 h sans interruption? Ce n'est plus la fonction référentielle qui importe dans ce cas, mais la fonction relationnelle.

La publicité fait également un assez grand usage de la fonction relationnelle: le but premier est d'attirer l'attention du consommateur et d'essayer, par la suite, de maintenir le contact. On ne cherche pas à renseigner le consommateur (destinataire), mais plutôt à attirer son attention par des mots-chocs ou des phrases vides de sens. Les exemples qui suivent illustrent bien la fonction relationnelle: après avoir lu ces messages, le lecteur n'est pas plus renseigné; ce qui compte, c'est qu'il les ait lus!

Seul notre produit [dentifrice] a des rayures rouges.
Un nouveau et extraordinaire dentifrice.
Le détergent superactif.
Tellement populaire chez nous.
Voici un régime d'amaigrissement agréable.
Le nouveau maquillage qui vous assure confort et protection.
Toujours nouveau! Toujours cointreau!

---

6. Michel LECLERC, *Odes pour un matin public*, Trois-Rivières, Éditions des Forges, 1972, p. 18.

7. Roman Jakobson parle de la *fonction phatique*, mais *fonction relationnelle* semble plus facile à comprendre et recouvre une acception plus large.

3.6   LA FONCTION MÉTALINGUISTIQUE

C'est par la langue que l'on explique le code de la route, que l'on enseigne la musique ou que l'on apprend les mathématiques. C'est aussi par la langue que l'on parle de la langue; seule la langue permet de parler d'elle-même. Par la fonction métalinguistique, le destinateur prend le code comme objet de description: il utilise donc le code pour parler du code. Par exemple, il posera une question comme celle-ci: «Qu'est-ce que tu veux dire?» Mais on peut aller beaucoup plus loin, notamment dans les réponses:

> *Tu sais pas ce que c'est, des oreilles-de-christ? Chez nous, en Beauce, ça veut dire des grillades de lard salé.*
>
> *Moi, par gauchistes, je veux dire tous ceux qui veulent changer quelque chose dans notre société, que ce soit par la violence ou par la persuasion...*
>
> *Des pêcheurs ont recueilli des milliers de pleurobranches, c'est-à-dire des mollusques à coquille en spirale mince, comme celle d'un escargot.*

Évidemment, tous les ouvrages traitant du code, comme les grammaires, les dictionnaires, les lexiques spécialisés, ont pour principale fonction de décrire ou d'expliquer ce code. Par exemple:

> **Napoléon** *est un nom propre.*
>
> *Le verbe s'accorde avec son sujet.*
>
> **Épars**, *-e: adj. Se dit de ce qui est dispersé, en désordre: Les enquêteurs examinent les débris épars de l'avion pour tenter de déterminer la cause de l'accident.* (Syn.: **Éparpillé.**)
>
> *Écrivez une phrase d'au moins dix mots.*

4   LA PORTÉE ET LES LIMITES DE LA THÉORIE DE JAKOBSON

Les fonctions du langage formulées par Jakobson comportent des limites: elles existent rarement à l'état pur, elles ne sont pas spécifiques au langage et elles laissent de côté tout le domaine social de la langue.

4.1   DES FONCTIONS DOMINANTES

Les six fonctions constituent des dominantes dans la communication. De plus, Jakobson reconnaît lui-même un fait: un message peut assumer plusieurs fonctions simultanément. La signification réelle d'un message dépend avant tout de la fonction prédominante au moment de la communication. Dans un discours scientifique domine la fonction référentielle; dans un règlement administratif, c'est la fonction incitative; dans un texte littéraire, ce peut être la fonction poétique; etc. Bref, il n'y a pas de fonctions exclusives ou uniques, mais des fonctions dominantes.

4.2   DES FONCTIONS NON SPÉCIFIQUES AU LANGAGE

Une seule des six fonctions prises isolément relève exclusivement du langage articulé ; il s'agit de la fonction métalinguistique. D'autres codes, non linguistiques, peuvent servir à remplir les cinq autres fonctions.

Dans les systèmes visuels, la fonction référentielle occupe une grande part du message. Par exemple, dans les journaux, les photos d'identité montrent le visage d'une personnalité sous un angle généralement informatif, donc référentiel. Les photos de reportage montrant un accident de voiture, un match de hockey, un incendie, etc., jouent le même rôle. Il y a aussi les photos-chocs, comme celles qui ont été transmises de l'Allemagne nazie, du Viêt-nam, des camps palestiniens de Sabra et Chatila au Liban, du tremblement de terre en Arménie ; dans ce cas, la fonction expressive, sinon la fonction poétique (symbolique), prédomine. La fonction relationnelle, quant à elle, est manifeste lorsque les photos servent à maintenir le contact entre les membres d'une famille (p. ex., les albums de famille), d'une association (p. ex., clubs de l'Âge d'or, Club Kiwanis, Club Optimiste) ou d'une institution quelconque. La fonction incitative, enfin, est particulièrement présente dans les photos publicitaires.

Reste la fonction métalinguistique, qui semble, répétons-le, exclusive à la langue. On ne peut pas imaginer discourir sur le langage des mathématiques ou des fleurs en se servant uniquement des mathématiques ou des fleurs ; il faut recourir à la langue. S'il est possible de convertir tous les systèmes de communication non linguistiques en un système linguistique, il n'est pas toujours possible de faire l'inverse : convertir les systèmes linguistiques en systèmes non linguistiques. Contrairement aux autres systèmes de communication, la langue peut exprimer toutes les significations.

4.3   LES FONCTIONS SOCIALES DE LA LANGUE

La théorie de Roman Jakobson s'en tient à la communication linguistique individualisée. Nous avons vu qu'elle peut s'appliquer à la communication institutionnalisée et aux systèmes de communication non linguistiques. De plus, certains reprochent à Jakobson d'avoir limité à six les fonctions du langage. Mais toutes les fonctions que l'on pourrait trouver en plus se ramèneraient de toute façon à l'une ou à quelques-unes des six fonctions énumérées précédemment, à l'exception toutefois des fonctions sociales. En effet, comme la théorie de Jakobson est une théorie de la communication individualisée, elle laisse de côté tout le caractère social de la langue.

Or, on sait que la langue correspond à un fait social. La première interaction de la langue et de la société provient du fait que la langue n'est pas neutre. Certains traits linguistiques servent de marqueurs des rapports sociaux ; par exemple, les rapports hiérarchiques, les classes sociales, les professions, l'origine ethnique, l'âge, le sexe, etc. La langue est un code investi de valeurs : elle constitue un indicateur de hiérarchie entre les individus, une marque d'appartenance à la société, un facteur d'identification ethnique, etc. La langue ne sert pas qu'à des fins de communication, elle est aussi utilisée pour l'intégration et l'identification à un groupe, pour rehausser le niveau économique des individus (fonction de valorisation) ou pour dévaloriser les classes sociales les plus démunies, pour assimiler les groupes minoritaires ou immigrants, pour assurer l'unité d'un pays, etc. Bref, la langue remplit à la fois des fonctions linguistiques (celles énumérées par Jakobson) et des fonctions sociales ou communautaires; en ce sens, elle est associée à un pouvoir, voire à une idéologie.

LES SIGNES NON LINGUISTIQUES ET LE BROUILLAGE DES CODES

Nous savons que le transfert d'une information peut se réaliser par un autre canal que celui de la langue. Ainsi, la sirène d'une ambulance (moyen auditif) avertit l'automobiliste de laisser la priorité à ce véhicule ; les feux de circulation (moyen visuel) lui indiquent d'arrêter, de se préparer à arrêter ou de passer ; une secousse à l'arrière de sa voiture (moyen tactile) lui fait comprendre qu'il vient probablement de se faire emboutir ; les gestes (moyen visuel) d'un policier l'informent qu'il va recevoir une contravention.

Nous examinerons maintenant quelques-uns de ces moyens de communication non linguistiques et verrons en quoi ils diffèrent des moyens linguistiques. Nous comprendrons alors mieux pourquoi la langue occupe une place à part dans l'ensemble des moyens ou systèmes de communication utilisés par les humains. Qu'ils soient visuels, auditifs, tactiles ou olfactifs, les systèmes non linguistiques ont tous un point en commun : ils n'utilisent pas les sons d'une langue en particulier et ils ne peuvent pas exprimer tous les messages possibles ; ce sont des moyens limités à des besoins spécifiques, c'est-à-dire des codes limités à la production d'un nombre fini d'énoncés.

1 LES INDICES : DES SIGNES NON INTENTIONNELS

Les indices sont des phénomènes naturels ou culturels, perceptibles, involontaires ou non intentionnels qui nous font connaître quelque chose à propos d'un autre fait qui, lui, n'est pas immédiatement perceptible. Les exemples les plus courants d'indices sont les symptômes (révélant une maladie), les traces (des pas dans la neige), les marques (une brûlure de cigarette sur un meuble), les empreintes. Les odeurs peuvent aussi servir d'indices ; p. ex., l'odeur de caoutchouc brûlé lorsqu'on descend une pente raide en voiture peut indiquer que les freins sont défectueux. Un geste nerveux, l'élévation de la voix, certaines mimiques, une prononciation «relâchée» ou «peu soignée» servent également d'indices sur l'état psychologique ou la condition sociale d'un individu.

Un indice est donc un fait naturel ou un fait culturel qui peut se charger de significations, mais dont la fonction première n'est pas de signifier. La fumée qui signale la présence du feu est porteuse de signification, mais sa fonction originelle n'est pas de signifier. De même, le choix d'un vêtement ou un geste nerveux peut signaler un goût particulier ou la colère; cependant, la fonction d'un vêtement ou d'un geste nerveux n'est pas d'abord de signifier. C'est pourquoi l'indice donne souvent lieu à une interprétation: le vêtement, la fumée, les odeurs, etc., peuvent être interprétés différemment selon la situation et les individus en cause. Bref, l'indice demeure toujours fortuit, non conventionnel, involontaire, diversement interprétable, mais signifiant.

2   LES SYSTÈMES NON LINGUISTIQUES

Les systèmes de communication non linguistiques supposent un mode plus ou moins large d'organisation, donc une structuration du message au moyen d'un canal physique, le plus souvent visuel ou auditif. Dans tous les cas, il y a intention de communiquer (contrairement au cas de l'indice).

2.1   L'ICÔNE

Selon la terminologie de Charles Sanders Peirce[1], qui a proposé cette notion, l'icône (employé au masculin) est un *signe visuel* (un signifiant) se référant à un sens (un signifié) dans un *rapport de ressemblance*. Un icône remplace l'objet ou la réalité qu'il évoque comme s'il était cet objet. On distingue plusieurs types d'icônes; les plus représentatifs sont l'illustration ou la photo, le diagramme, l'organigramme, le schéma, etc. D'une façon générale, plus la représentation iconique se rapproche du réel, moins ses éléments se décomposent en signes stables et constants; donc, moins elle constitue un système et plus, par le fait même, elle laisse place à l'interprétation.

Les photos, les dessins, les illustrations correspondent habituellement à des définitions de la réalité; ainsi, la photo d'un léopard vaut toutes les définitions du dictionnaire. Le message est perçu instantanément sans que l'on doive absolument passer par les signes de la langue. Ce type d'icône que constitue l'image entraîne une certaine interprétation du message, variable selon le destinataire, son intuition, sa compétence, sa réserve de signes culturels.

Le décodage culturel d'une image n'est pas nécessairement univoque: tel politicien paraîtra arrogant aux uns, méprisant aux autres. Les techniques photographiques de cadrage et de retouche sont connues des professionnels, qui savent transformer la représentation photographiée. L'image n'est donc pas innocente; elle est «codée culturellement» par l'événement représenté, la situation des personnages, leurs attitudes et leurs gestes, les lieux, les objets. Tous

---

1. Voir Charles Sanders PEIRCE, «Signes et familles de signes», dans *Théories du signe et du sens*, Paris, Klincksieck, 1976, pp. 13-36.

ces éléments de «signes» instables donnent une *signification ajoutée* à l'information première et sont perçus différemment selon le destinataire.

Toutefois, on assiste à une prolifération croissante de représentations iconiques plus systématisées. Pensons à la cartographie, aux diagrammes, aux schémas et organigrammes divers. Ainsi, la cartographie présente des tracés et des couleurs qui correspondent à des catégories topographiques telles que le réseau routier, les agglomérations, les forêts, les voies de chemin de fer, etc. La lecture de ce type d'icônes se fait sur la *trame de l'espace,* sans qu'on ait besoin d'un ordre de perception spécifique pour chacun des signes; ceux-ci sont perçus globalement dès le premier coup d'œil. En outre, ils peuvent être compris sans qu'on passe nécessairement par un code linguistique; ils sont donc relativement autonomes par rapport à toutes les langues particulières. Cela dit, n'importe quel locuteur peut facilement transposer ces représentations iconiques en signes linguistiques. On appelle cette opération de transfert de code un *transcodage.*

2.2   LE SIGNAL

Lorsqu'un automobiliste utilise le réseau routier (*voir la figure 4.1*), il voit continuellement des panneaux de signalisation codés lui communiquant des informations univoques: obligation de tourner à gauche, demi-tour interdit, accès interdit aux camions, embranchement à droite, rétrécissement, chaussée cahoteuse ou glissante, limitation de vitesse, présignalisation d'un arrêt, d'une sortie d'autoroute, etc. Comme on estime qu'un automobiliste qui conduit dans une ville croise entre 800 et 1 000 signaux par 100 km, il est très important que chacun de ceux-ci ait un seul et même sens pour tous les automobilistes, et qu'il soit immédiatement perceptible. La signalisation routière constitue un véritable système de communication fait de signes univoques conventionnels, à dessin arbitraire ou non, destinés à provoquer un comportement particulier chez le destinataire (l'automobiliste). Le signal forme donc un système de signes volontaires, conventionnels et explicites, c'est-à-dire produits dans une intention déterminée. Il faut cependant que le destinataire puisse reconnaître le signal, donc qu'il puisse le décoder, sinon le signal demeurera simplement un indice.

Quantité de notions et d'informations que nous utilisons quotidiennement sont véhiculées par des signaux. Certains sont de forme graphique (l'interdiction, l'obligation, etc.), d'autres sont iconiques (chaussée glissante, école, etc.), d'autres encore adoptent des formes mixtes qui tiennent à la fois de la forme graphique et de l'icône: interdiction de fumer, accès interdit aux camions, ceinture de sécurité obligatoire, etc. Tels sont aussi les dessins-silhouettes (signes-idéogrammes à dessin reconnaissable) immédiatement intelligibles sans qu'il soit nécessaire de les traduire dans les langues parlées: éboulis, chaussée cahoteuse ou dos d'âne, poste téléphonique, etc.; il en est de même pour les signaux idéographiques arbitraires: stationnement interdit, hôpital, priorité à gauche (ou à droite), relais routier provincial, etc., ou pour les sigles-idéogrammes des firmes comme Hydro-Québec, McDonald's, Steinberg, les Expos, la STCUM, etc. (*voir la figure 4.1*).

Un autre type de signal concerne l'emploi des chiffres, des nombres, des signes scientifiques d'unités de mesure ou de grandeur, des symboles chimiques, etc.

FIGURE 4.1   Les divers types de signaux

Les informations chiffrées que nous recevons tous les jours sont à ce point nombreuses qu'il est à se demander si elles ne dépassent pas en quantité les messages linguistiques: cadrans, voyants, jauges, vitesses, cotes, dates, heures, compteurs, bordereaux, factures, prix, etc.

Tous ces signaux idéographiques sont relativement autonomes par rapport aux langues parlées. Le chiffre 5 peut se lire *cinq, five, cinco, fünf, fem, pet, viisi, itsutsu, pandj,* etc., mais les destinataires enregistrent la même notion, quelle que soit la forme phonique utilisée par le destinateur. De même pour les idéogrammes du type suivant:

$$2 \sqrt{5} = 4.472 \sqrt{5} \times \sqrt{5} = 5$$

Il existe aussi des signaux qui font intervenir des codes auditifs tels que les systèmes d'alarme, les sirènes de bateau, d'usine ou de police, la sonnerie du téléphone ou tout autre avertisseur sonore. Certains messages sont convertis en signaux à l'aide de plusieurs codes à la fois. Par exemple, dans une usine de produits chimiques où sont manipulées des matières dangereuses, les systèmes d'alarme sont conçus pour être entendus malgré la présence de bruits: lorsque l'alerte est donnée, des voyants lumineux peuvent s'allumer et s'éteindre alternativement (code visuel); des panneaux sur lesquels est écrit le mot *danger* peuvent également clignoter (codes linguistique et visuel) pendant qu'une sonnerie assourdissante (code auditif) se fait entendre. Ces codes multiples sont conçus pour que le message se rende à destination avec le maximum d'efficacité. On agit de cette façon dans la communication verbale lorsqu'on craint d'être mal compris: à la parole on joint le geste, la mimique, le ton, quelquefois des mots écrits, ou même un schéma, une illustration, etc.

S'il est aisé de comprendre les représentations iconiques sans passer par les langues naturelles, il n'en est pas de même pour les signaux (en particulier les chiffres et les nombres), qui peuvent à la rigueur être perçus et compris mentalement sans qu'on passe par leurs équivalents dans les langues parlées. En revanche, les signaux constituent des systèmes idéographiques parfaits, parce qu'ils sont univoques et ne laissent pas de place à l'interprétation. Cependant, comme dans le cas de tous les systèmes non linguistiques, ils sont limités à des besoins spécifiques.

2.3   LE SYMBOLE

La notion de symbole est quelque peu difficile à cerner dans la mesure où la définition qu'on en donnera ici ne correspond pas tout à fait à celle qu'on donne habituellement à ce terme. Le mot *symbole* est employé notamment en mathématiques, en chimie, en informatique, et désigne des unités de grandeur, des masses ou des éléments informationnels. Dans le contexte d'une théorie de la communication, le symbole consiste en une forme figurative se référant à un seul signifié (une seule unité de sens), abstrait et non comptable, dans un rapport à la fois analogique (non arbitraire) et conventionnel avec la réalité. Par exemple, on associe la colombe à la douceur, à la tendresse et à la paix; c'est pourquoi elle représente la paix. Il en est ainsi pour la balance symbolisant la justice parce que la balance fait penser à l'équilibre. Si un gamin dessine une colombe pour désigner un oiseau, le dessin est un icône; si le même dessin se retrouve gravé sur le mur d'un édifice de l'Organisation des nations unies, c'est un symbole, car il est produit pour désigner conventionnellement autre chose que ce que représenterait normalement l'icône. La colombe gravée sur le mur d'un édifice des Nations unies symbolise la paix; elle ne désigne pas une espèce de volatile.

Comme le symbole véhicule une valeur culturelle, sociale et conventionnelle, il est fort possible que ce qui est symbolique dans une collectivité ne le soit pas dans une autre. La couleur rouge symbolise l'amour en Amérique du Nord, mais elle incarne la sincérité et le bonheur au Japon, la passion et le désir chez les Amérindiens, la guerre en Irlande. Étant donné que le symbole est un signe figuratif de quelque chose et qu'il ne tombe pas sous le sens, il faut que les personnes à qui il est destiné en connaissent la clé (par convention); sinon, le symbole perd sa valeur ou demeure une simple représentation iconique.

3   BRUITS ET BROUILLAGE DES CODES

Les langues naturelles constituent des codes qui permettent la transmission d'un message grâce à un canal. L'opération qui consiste à transformer le message dans sa forme linguistique codée s'appelle *encodage*. L'encodage est réalisé par l'émetteur-destinateur, qui choisit des éléments de la langue et applique les règles du code pour construire le message. Le récepteur-destinataire reconstruit le message à partir des signaux qu'il reçoit tout en respectant les mêmes contraintes; cette seconde opération s'appelle *décodage*.

3.1　LES BRUITS

Les opérations d'encodage et de décodage ne se font pas sans problèmes. D'abord, il faut que le destinateur et le destinataire connaissent et utilisent le même code; autrement, la communication risque d'être réduite considérablement, voire annulée. Il arrive que l'encodeur et le décodeur aient recours à un troisième code (p. ex., l'anglais), parce que ni l'un ni l'autre ne connaît la langue de son interlocuteur (p. ex., l'un parle le français, l'autre l'espagnol); si les deux connaissent imparfaitement ce troisième code (l'anglais, en l'occurrence), la communication sera perturbée encore davantage.

Une connaissance réduite du code commun constitue un «bruit» pour les interlocuteurs. On appelle *bruit*, en théorie de la communication, toute gêne, erreur ou lacune qui empêche la transmission normale d'un message. Le bruit peut dépendre du destinateur (p. ex., s'il prononce indistinctement), du destinataire (s'il est inattentif), du message lui-même (s'il est obscur), du code (s'il est inadéquat pour le type de message à transmettre) ou du canal (parasites divers).

Dans les télécommunications, les bruits qui agissent sur les canaux de transmission (appareils, fils, relais) peuvent modifier la réception du message au point d'entraver le processus de la communication. Que ce soit à la radio, à la télévision ou au téléphone, on sait jusqu'à quel point les parasites nuisent à une bonne communication. De même, l'automobiliste qui roule pendant une tempête de neige est soumis au brouillage du code de la signalisation routière.

3.2　LE BROUILLAGE DES CODES

Les risques de bruits sont multiples et ne concernent pas seulement une audition imparfaite, une défectuosité technique ou la méconnaissance du code. La colère, par exemple, peut être considérée comme un bruit troublant la communication. De plus, les références culturelles des individus peuvent également occasionner des brouillages. La photo d'une jeune femme en bikini ou celle d'un homme nu ne soulèvent certainement pas les mêmes réactions dans un magazine américain et dans un magazine islamique d'Iran; il est probable qu'en Amérique et en Iran, on ne s'attarderait pas exactement sur les mêmes pages avec des réactions identiques. Les codes culturels interviennent de telle sorte que les lecteurs peuvent comprendre différemment les messages transmis par une représentation iconique. De la même façon, on «lit» les photos de certains personnages politiques en fonction de ses propres allégeances: tel chef de parti paraîtra sympathique aux uns, antipathique aux autres.

Les voyages nous donnent également l'occasion de vivre le «déréglage culturel» auquel nous sommes soumis quand nos cadres de référence sont bousculés. La langue, la monnaie, les taxis, le téléphone, les restaurants, l'affichage causent bien des problèmes au voyageur, qui subit le brouillage des codes à chaque démarche. Il lui faut se dé-brouiller et s'adapter, ou refuser ces nouveaux usages, auquel cas il ferait mieux de rester chez lui.

L'une des caractéristiques du bruit, dans toute communication, est d'être imprévisible, ce qui diminue d'autant l'efficacité du code. Il faut alors transformer nos manières de penser, de voir, d'agir, bref, opérer de nouveaux «réglages». Dès l'instant où, par la suite, on développe un certain automatisme face au code, c'est-à-dire dès qu'on oublie qu'on utilise un code, la communication fonctionne sans entrave.

3.3   POUR CONTRER LE BRUIT

Dans la pratique de la communication, l'un des moyens efficaces pour pallier les effets du bruit consiste à utiliser la redondance. À force d'être répété, le message finit par passer. Ainsi, dans une communication verbale, on estime que la réception optimale d'un message nécessite une redondance de l'ordre de 50 %[2]. Prenons l'exemple suivant:

> *J'allais sur la pelouse, je m'allongeais. Je ne disais plus rien. Je n'avais plus rien à dire. Je ne trouvais plus rien à dire. Lui et moi, on se connaissait si bien qu'il ne nous suffisait que de quelques mots. Ensuite, c'était le silence. Un silence lourd, monotone...*

Ce taux de redondance paraîtrait excessif dans un message écrit «normal», bien que la propagande et la publicité en fassent la première règle de leur stratégie. La redondance constitue en ce sens un moyen de persuasion efficace. Lors de l'ouverture d'un nouveau type de supermarché, la compagnie Steinberg publiait dans les journaux des messages du genre suivant:

Un marché
Pas comme les autres

Tout sous un même toit

LE MARCHÉ DU JOUR

Le meilleur... meilleur marché

Au
Marché du jour
Il fait beau vivre
et bon marché

---

2. Claude ABASTADO, *Messages des médias*, Paris, Cedic, 1980, pp. 30-31.

Dans les textes littéraires, la redondance existe également, et elle peut avoir une valeur expressive, stylistique:

> «À ces exemples compilés dans les livres de vanité et d'arrogance que sont les dictionnaires, à ces marques gravées si profondément dans nos corps qu'on les croirait indélébiles, je voudrais substituer d'autres signes. Nés d'une autre matrice, plus tendre et plus féconde. Propre à opérer le déplacement du sarcasme à la reconnaissance. Nouvelles traces à inscrire, hiéroglyphes encore, ces signes seraient à l'image du bavardage fondé sur la connivence, la complicité qui crée cet espace où la parole n'a pas à être forcée ni forgée. Pour cette énonciation non littéraire, je voudrais un langage d'amitié mais aussi d'intervention, courant capable de transmettre le pouvoir précurseur et avant-coureur de cette parole infinie[3].»

Comme les risques de bruits sont multiples, on doit s'efforcer de réduire ces derniers le plus possible, car, s'ils l'emportent sur la communication, on en arrive à l'incommunicabilité. Entre décoder un message d'une façon rigoureusement symétrique à l'encodage et l'impossibilité de communiquer, il y a la possibilité de disposer d'une plus ou moins grande liberté d'interprétation du message. L'interprétation résulte justement des bruits qui entourent une situation de communication.

3.4 LA LANGUE: UN CODE SANS PAREIL

Il apparaît donc clairement que la langue occupe une place à part dans l'ensemble des moyens ou systèmes de communication utilisés par les humains, et que, contrairement aux moyens non linguistiques, elle peut exprimer n'importe quelle signification.

De plus, les langues humaines réussissent à exprimer des milliards et des milliards de messages distincts au moyen de signes linguistiques minimaux et relativement peu nombreux. Pour mieux comprendre, essayons d'imaginer un système de communication où chaque message correspondrait à un cri particulier:

Voici mon père = TCHRAC
Voici ton père = TCHIC
Voici son père = TRINC
Voici ma sœur = PLOUNK
Voici ta sœur = PLINK
Voici sa sœur = EUK
Voici ma femme = DRÉKA

... et ainsi de suite pour tous les messages.

S'il fallait utiliser autant de cris qu'il y a de messages spécifiques, on aurait besoin de millions et de millions de cris, d'une mémoire phénoménale et d'organes phonatoires suffisamment précis pour émettre cette masse considérable de signaux sonores totalement différents. Le langage animal fonctionne un peu

---

3. Suzanne LAMY, *D'elles*, Montréal, L'Hexagone, 1979, pp. 20-21.

de cette manière. On a pu inventorier, par exemple, une quinzaine de cris différents chez les corbeaux, correspondant à autant de situations ou de comportements distincts; chez les singes, on en a identifié 70 environ pour autant de messages particuliers. Mais le singe, contrairement aux êtres humains, ne peut pas exprimer n'importe quel message avec ses 70 signes. C'est ce qui a fait dire à G.-C. Corner: «Si l'homme est un singe, il est le seul singe au monde capable de se demander quel singe il est[4].»

Grâce à la complexité de son cerveau (qui comprendrait 14 milliards de neurones), l'être humain peut à la fois commander ses muscles phonatoires (cavités buccale et pharyngale) et associer des significations aux formes sonores (signifiants) produites. Le langage humain se caractérise par l'utilisation consciente des signes appris (la langue n'est pas innée), mais assimilés et réutilisables de façon personnelle, donc adaptables selon les circonstances. Ainsi, seules les langues humaines permettent de dire, dans une situation donnée, soit *Prends le stylo rouge*, soit *Prends le rouge*, soit *Prends celui-là*, *Prends-le* ou encore *Prends ça*.

Chez l'animal, le système de communication est transmis à l'espèce, qui l'utilise instinctivement d'après des comportements conditionnés. Ce sont des signaux gestuels, auditifs, tactiles, olfactifs; ils ne relèvent pas d'un code préalablement établi par l'espèce elle-même et consciemment utilisé.

La faculté de fabriquer des signes en très grand nombre et de leur associer des significations précises à partir de moyens minimaux est le propre de l'être humain. Les langues constituent des systèmes très économiques, compte tenu de l'étendue des messages possibles. À partir de 30 à 50 phonèmes (le nombre variant selon les langues), on peut fabriquer quelques milliers d'unités linguistiques dotées de signification, lesquelles se combinent à leur tour pour pouvoir exprimer n'importe quelle signification possible, c'est-à-dire des milliards de messages distincts. En ce sens, les langues humaines constituent des codes exceptionnels parmi tous les autres.

Cependant, les langues ne sauraient être assimilées purement et simplement à des codes. Elles possèdent en effet plus que les propriétés des codes. Non seulement elles sont flexibles, étant en continuelle transformation, mais elles servent aussi à des fins sociales, politiques ou idéologiques.

---

4. Cité par Fernand MÉRY, dans *Les bêtes ont aussi leurs langages*, Paris, France-Empire, Presse Pocket, 1971, p. 295.

LES STRUCTURES DE LA LANGUE

Rappelons que la langue est un système parce qu'elle est constituée d'éléments qui sont en relation les uns avec les autres. Il est possible d'isoler les éléments constitutifs de la langue; par exemple, dans le mot *patte*, on peut identifier trois sons: [p] + [a] + [t], et ce, même s'il y a cinq lettres, parce que sons et graphies ne correspondent pas nécessairement. Dans le mot *mal*, par contre, on trouve trois lettres pour trois sons.

1   UN ENSEMBLE STRUCTURÉ

Les sons (que nous appellerons plus tard *phonèmes*) constituent les éléments minimaux de la langue. Ces unités forment à leur tour d'autres unités dotées de signification comme les mots. Dans *oiseau*, la séquence [w] + [a] + [z] + [o] forme une unité sémantique, c'est-à-dire dotée de sens, bien qu'aucune des unités phoniques prise isolément ne renvoie à un sens particulier. Même à l'intérieur d'un mot, il est possible d'isoler deux ou trois sens distincts; dans la séquence *nous chanterons*, nous pouvons identifier quatre sens: *nous* (1re pers. plur.) + *chant-* (sens de «chanter») + *-er-* (sens du futur) et *-ons* (1re pers. plur.). Par contre, dans la séquence *parce que*, on ne trouve qu'une seule unité de signification, bien qu'on identifie deux mots graphiques, et bien malin celui qui pourrait déterminer avec précision le sens distinct de *parce* et de *que*!

Les unités de signification de la langue sont donc parfois des mots (*patte, mal, oiseau, nous*) ou des parties de mots (*-er, -ons, -aient, trans-*), des groupes de mots (*parce que, de sorte que*). Ce sont là des unités minimales de signification. Ces unités peuvent se combiner avec d'autres et former de nouvelles unités sémantiques plus larges; ce sont les locutions ou ce que les linguistes appellent des *syntagmes*:

  – *par + cœur = par cœur*
  – *33 + tours = 33 tours*
  – *avoir + peur = avoir peur*
  – *vaisseau + spatial = vaisseau spatial*
  – *court + vêtu = court-vêtu*
  – *machine + à + écrire = machine à écrire*

De même, il est possible de combiner des groupes de mots afin de former des unités encore plus grandes : des phrases.

  – *J'ai cessé d'avoir peur dans un vaisseau spatial.*
  – *Elle écoute ses 33 tours court-vêtue.*
  – *Il connaît son texte par cœur et peut le taper à la machine à écrire.*

Ce sont là des exemples de composantes linguistiques. On peut aussi, en examinant le fonctionnement interne de chacune des composantes de la langue et leur emploi, montrer que la langue est un système, c'est-à-dire un ensemble d'éléments en relation les uns avec les autres et occupant une position fonctionnelle dans la phrase. Dans un tel ensemble, toute modification de l'un ou l'autre des éléments, que ce soit dans le choix des éléments eux-mêmes ou dans leur ordre de présentation, peut transformer l'équilibre général du système.

  P1 – *Marie semble malade*
  P2 – *Semble malade Marie*
  P3 – *Malade Marie semble*
  P4 – *Marie malade semble*

Tout locuteur connaissant le français admet comme seule phrase française la séquence P1 et considère comme non françaises les séquences P2, P3, P4. Ce sont pourtant les mêmes éléments ; seul l'ordre est changé. La langue est donc un ensemble structuré parce qu'il existe des règles d'organisation régissant les éléments. Voyons maintenant comment la linguistique analyse ces unités.

2   LES SONS ET LES PHONÈMES

Les réalisations sonores constituent les manifestations les plus apparentes de la langue. La discipline qui les étudie s'appelle la *phonétique*. Elle analyse les sons dans leur réalisation concrète, matérielle, indépendante de leur fonction linguistique ; elle tient compte avant tout de la réalité physique sur laquelle s'appuie la communication.

La phonétique permet de savoir comment on produit un son, comment ce son se propage et comment il est perçu. Mais, étant donné que la communication n'est pas seulement appuyée sur la réalité physique, il faut tenir compte également de la réalité psychologique.

Prenons le mot *moi* prononcé au Québec. Les réalisations [mwa] et [mwe] n'opposent pas des significations différentes. Il s'agit d'une opposition strictement phonétique, de réalisations différentes d'une même valeur ; on parlera d'*allophones*.

Par contre, l'opposition entre *ils sont* et *ils ont* a des conséquences au niveau de la compréhension : /s/ ≠ /z/. Cette opposition est d'ordre phonologique, comme pour [bɛl]/[bal] (*belle, balle*).

La *phonologie* est la discipline qui étudie les oppositions distinctives d'une langue. Les sons ne l'intéressent que dans la mesure où leurs oppositions entraînent des changements de sens : ***pou, bout, mou, fou, vous, toux, sous, nous***, etc.

Il y a donc deux niveaux d'étude portant sur les sons :

1) Le niveau phonétique, qui s'intéresse à la description physique, physiologique ou articulatoire des sons.
2) Le niveau phonologique, qui analyse la fonction distinctive ou différenciative des sons.

3   LES MORPHÈMES ET LES LEXÈMES

Les phonèmes pris isolément ne correspondent pas nécessairement à des unités de signification. En fait, aucun des phonèmes pris isolément n'a de valeur par lui-même. Seule la séquence complète [w] + [a] + [z] + [o] est dotée du sens «oiseau».

Cette séquence de phonèmes dotée de sens est appelée *morphème* ou *lexème* selon qu'elle constitue une unité grammaticale ou une unité lexicale. Il s'agit donc d'une *unité minimale de signification indécomposable*.

Prenons l'énoncé suivant : *Les petites filles de l'école chantaient hier*. Dans la langue écrite, on compte 14 unités de signification minimales :

1) *L-* = morphème indiquant la détermination ;
2) *-es* = morphème indiquant le pluriel ;
3) *petit-* = lexème signifiant «de taille inférieure à la moyenne» ;
4) *-e* = morphème indiquant le féminin ;
5) *-s-* = morphème indiquant le pluriel ;
6) *fille* = lexème signifiant «enfant de sexe féminin» ;
7) *-s* = morphème indiquant le pluriel ;
8) *de* = morphème indiquant une relation d'appartenance ;
9) *l'* = morphème indiquant la détermination ;
10) *école* = lexème signifiant «établissement d'enseignement» ;
11) *chant-* = lexème signifiant «former avec la voix une suite de sons musicaux» ;
12) *-ai-* = morphème indiquant l'imparfait ;
13) *-ent* = morphème indiquant le pluriel ;
14) *hier* = lexème signifiant «jour précédant celui où l'on parle».

Parmi ces 14 unités minimales de signification, cinq sont des unités lexicales porteuses d'un sens plein ou sens de base ; ce sont des *lexèmes* : *petit-, fille-, école- chant-, hier*. Toutes les autres unités sont des unités à sens restreint correspondant soit à des valeurs grammaticales (le pluriel, le féminin, le temps, la personne, etc.), soit à des relations syntaxiques (p. ex., *de*) ; ce sont les *mor-*

phèmes de la langue. La discipline de la linguistique qui étudie ces unités s'appelle la *morphologie*.

Les morphèmes peuvent se présenter sous différentes formes ; ils correspondent à des unités de sens restreint :

1) Des valeurs grammaticales : pluriel, féminin, temps, personne, etc.
2) Des relations syntaxiques : *de, par, et,* etc.
3) Des éléments de négation : *ne... pas, ne... que,* etc.
4) Des éléments interrogatifs : *qu'est-ce que... ?*
5) Des préfixes ou des suffixes : *chant**eur**, **dé**chanter, **trans**canadien**ne**.*

Les morphèmes du français sont en nombre relativement restreint (de 200 à 300 unités) par rapport au nombre très élevé de lexèmes (quelques centaines de milliers). D'ailleurs, la majorité des mots qui apparaissent dans un dictionnaire sont des lexèmes, seuls quelques centaines de mots sont des morphèmes (autonomes). Il est aisé pour un francophone de savoir tous les morphèmes de sa langue, en raison de leur quantité limitée et de leur haute fréquence d'emploi ; en revanche, il lui est impossible de connaître tous les lexèmes du français. Quand un lecteur ne comprend pas un texte, c'est à cause des lexèmes et non pas des morphèmes, ces derniers ne lui causant généralement aucune surprise. On appelle *lexicologie* la discipline qui traite des lexèmes, c'est-à-dire du vocabulaire.

À la suite de ces considérations, il importe de retenir la distinction suivante : le lexème est considéré comme «l'unité de base du lexique de la langue» alors que le morphème apparaît comme un «modificateur» chargeant le lexème de «valeurs annexes». Notons également que les morphèmes ne sont pas nécessairement les mêmes à l'oral et à l'écrit :

Écrit : *L-**es** petit-**e**-**s** fille-**s** chant-**ent**.*
Oral : [le ptit fij ʃɑ̃t]

Une première constatation s'impose : certains morphèmes semblent propres à la langue écrite. Il s'agit du -*e* du féminin des adjectifs, du -*s* du pluriel des noms et du -*ent* du pluriel des verbes ; ces morphèmes ne correspondent à rien dans la langue parlée. En réalité, il faut supposer que d'autres règles régissent le système grammatical de la langue parlée, du moins en partie, car seul le déterminant *les* ([le]) est «identique» ! On aura remarqué sans doute que les lexèmes [ptit], [fij], [ʃɑ̃t] n'ont pas de marque orale du pluriel et que [-t] indique le féminin dans [ptit].

Enfin, dans certains cas, morphème(s) et lexème sont tellement soudés l'un à l'autre dans la langue parlée qu'il devient impossible de les isoler formellement :

Ils ont / [ilzɔ̃]
des œufs / [dezø]
au bureau / [obyro]

Dans certains cas, on ne peut pas détacher le morphème du lexème:

- [ɔ̃] = morphème indiquant la 3ᵉ personne du pluriel et l'indicatif présent du verbe *avoir* (lexème);
- [ø] = morphème marquant le pluriel par opposition à [œf], bien que les deux formes réfèrent au même lexème.

Dans le mot *au* de la séquence *au bureau* [obyro], on retrouve trois morphèmes, comme on peut le constater en substituant au nom *bureau* le nom féminin *table*:

- *à la (table)* = *à* (morphème de relation)
  l- (morphème de détermination)
  -a (morphème du féminin)
- *au (bureau)* = < *à + le (bureau)* = *à* (morphème de relation)
  l- (morphème de détermination)
  -e (morphème du masculin)

4   LE MOT

Nous avons précisé que les morphèmes et les lexèmes ne correspondaient pas nécessairement à un mot (au sens de la grammaire traditionnelle), mais bien à une unité minimale de signification indécomposable en unités plus petites; si l'on segmente encore la séquence [wazo], on en arrive aux phonèmes [w] + [a] + [z] + [o], qui ne sont pas des unités de signification. La distinction morphème/lexème nous semble plus rigoureuse que celle de la grammaire traditionnelle pour laquelle le mot est une «unité de pensée» pouvant être notée graphiquement entre deux blancs. C'était là limiter l'analyse à la seule langue écrite: on oubliait d'une part, qu'un «mot» peut contenir deux, trois ou quatre unités de signification distinctes (p. ex., *in-décor-able-s*); d'autre part, qu'un groupe de mots peut renvoyer à une seule unité de signification (p. ex., *parce que*).

Pour un enfant qui ignore la langue écrite, *pomme de terre* est un mot au même titre que *patate*; de même pour *faire pipi, tout de suite, comme il faut*, par rapport à *pisser, immédiatement, correctement*. Du point de vue de la linguistique (*cf.* linguistique structurale), *in-décor-able-s* et *pomme de terre* s'analysent de la même façon: une combinaison de morphème(s) et de lexème(s) composée d'unités minimales chargées de sens et formant une nouvelle unité significative plus large, une unité «globalement dotée de sens». Cette combinaison est souvent appelée *syntagme*.

bureau de poste	*33 tours*
sucre en poudre	*par cœur*
libre penseur	*avec plaisir*
libre-service	*court-vêtue*

Un syntagme est dit *lexicalisé* lorsqu'il forme une nouvelle unité lexicale autonome. Des «mots composés» comme *bureau de poste, gros plan, par cœur, faire pipi* ou *faire le mort*, etc., sont des syntagmes lexicalisés; *bureau de professeur, gros arbre, par amour, faire la salade*, etc., sont des syntagmes non lexicalisés.

Les dérivés comme *abhorrer, pourfendre, opposer, consulter*, etc., sont également lexicalisés, puisqu'on ne reconnaît plus les éléments préfixaux en tant qu'unités autonomes; on perçoit plutôt une nouvelle unité lexicale globale.

On peut donc dire que les unités de signification se retrouvent dans les morphèmes, les lexèmes, les combinaisons de morphème(s) et/ou de lexème(s), les syntagmes, et, bien sûr, dans les mots (selon la définition de la grammaire traditionnelle), parties de mots et groupes de mots. Le problème du mot paraît ainsi plus relativisé, car ce dernier n'est pas nécessairement une unité significative (p. ex., *que* dans *parce que*), et il peut se décomposer en unités de signification plus petites (p. ex., *in-décor-able-s*). Évidemment, il arrive que mot et morphème ou lexème correspondent (p. ex., *la, le, de, par, table, concierge, grand*, etc.)

5   LA PHRASE

Lorsque l'on considère la phrase comme la plus grande unité de la langue, on se limite à l'aspect strictement structurel et on ignore l'impact déterminant du sens. La phrase française est composée de deux constituants principaux: le groupe du nom sujet (ou groupe nominal) et le groupe du verbe (ou groupe verbal). Le groupe du nom sujet et le groupe du verbe peuvent être formés d'un ou de plusieurs mots de divers types, mais ils sont toujours présents (*voir la figure 5.1*). Cependant, comme pour les phonèmes et les morphèmes, il faut se référer au sens pour analyser une phrase.

	GROUPE DU NOM (sujet)	GROUPE DU VERBE
1	*Pauline*	*étudie.*
2	*Il*	*est malade.*
3	*Les jeunes enfants*	*applaudissent les clowns du cirque qui demeurera toujours très fascinant pour eux.*
4	*Le chien, qui était couché si paresseusement à l'ombre du mur de brique, derrière la maison,*	*se réveilla brusquement.*

FIGURE 5.1   LES CONSTITUANTS DE LA PHRASE

On dit qu'une phrase est *grammaticale* lorsqu'elle est construite selon les règles d'agencement de la langue. Ainsi, tout groupe de mots formant un groupe du nom sujet (ou un mot seul) suivi d'un groupe du verbe constitue une phrase grammaticale en français. Dans le cas contraire, on parle de phrase non grammaticale ou agrammaticale.

5.1   LA NON-GRAMMATICALITÉ

Toute phrase dite *non grammaticale* est perçue comme «incorrecte» par tout locuteur qui possède sa langue maternelle:

Diffuser deux samedi canal de hockey au partie la soir.

Ces mots ne constituent pas une phrase parce qu'ils ne suivent pas les règles prescrites par la grammaire de la langue. Ces règles de combinaison régissent un ordre d'agencement et l'emploi de mots-outils. Dans la phrase (1) ci-dessous, l'ordre syntaxique est respecté, mais il manque des éléments grammaticaux (les mots-outils); c'est pourquoi seule la phrase (2) est grammaticale:

> (1) *Partie hockey diffuser canal deux samedi soir.*
> (2) *La partie de hockey sera diffusée au canal deux samedi soir.*

Ainsi, une phrase peut être agrammaticale par son non-respect de l'*ordre* des mots, mais aussi par des «anomalies» au niveau de l'agencement des groupes en contact immédiat (*cf.* l'emploi des mots-outils). Les énoncés suivants: *moi pas aimer ça, la fille que je sors avec* et *j'aime un homme qu'on peut discuter* sont agrammaticaux parce que les règles d'agencement interne ne sont pas respectées bien que ces phrases soient dotées de sens.

5.2   LA GRAMMATICALITÉ ET LE SENS

Si une phrase agrammaticale peut être dotée de sens, cela ne signifie pas pour autant qu'une phrase grammaticale est nécessairement dotée de sens:

> (1) *Des idées intempestives et vertes mangent ligneusement.*
> (2) *Manger intempestives des ligneusement idées et vertes.*

Ces deux séquences sont toutes deux dépourvues de sens. La première possède une organisation interne qui peut la faire admettre comme phrase; elle est donc grammaticale. La séquence (2), pour sa part, n'est qu'un «tas de mots» non organisés et elle est agrammaticale.

Voici d'autres exemples de phrases grammaticales mais dépourvues de sens ou ayant tout au moins un sens ambigu:

> *Après avoir tué sa femme, il l'a enterrée vivante.*
> *Pris d'une folie subite, il se suicida et mit le feu à la maison.*
> *Sa main était froide comme celle d'un serpent.*
> *Il tenait ses culottes d'une main et courait de l'autre.*
> *Dès qu'il est sorti de l'eau, il faut étendre le noyé à plat ventre sur le dos.*
> *Prendre une pilule cinq minutes avant de s'endormir et une autre cinq minutes avant de se réveiller.*

5.3   LA GRAMMATICALITÉ ET LA NORME

Une phrase peut être grammaticale et dotée de sens, mais ne pas être «correcte». Une phrase est dite «correcte» lorsqu'elle respecte les normes du «bon usage» des grammaires traditionnelles. Voici six énoncés:

> (1) *Où va-t-il?*
> (2) *Où est-ce qu'il va?*
> (3) *Où il va?*
> (4) *Il va où?*
> (5) *Où c'est qu'il va?*
> (6) *Où qu'i(l) va?*

Toutes ces phrases sont grammaticales et elles réfèrent au même sens de façon tout aussi précise les unes que les autres. Pourtant, seuls les énoncés (1) et (2) seraient considérés comme «corrects» par Maurice Grevisse (*Le Bon Usage*), bien que les énoncés (3), (4), (5) et (6), jugés «incorrects», soient presque aussi fréquents dans les faits[1].

Notons enfin qu'une phrase peut être «incorrecte», bien que grammaticale, à cause de l'utilisation de certains mots-outils qui modifient le sens général de la phrase:

J'aime les gens qui s'embrassent sur les endroits publics.
Ma fille Fleurette a été trois semaines dans les biscuits et ça l'écœurait.
Mon enfant est mort pendant qu'on était monté sur le curé.

À RETENIR

▷ La langue ne sert pas seulement à communiquer, car elle contient plus que les propriétés du code: elle est à la fois un fait instrumental, un fait social, un objet esthétique et un objet d'observation et de description.

▷ Si la linguistique semble être la discipline propre à l'observation et à la description du langage, elle n'est pas la seule, puisque, dans le passé, la grammaire, la philologie ainsi que la linguistique historique et comparative ont déjà développé une telle approche.

▷ Non seulement la linguistique établit d'étroites relations avec un certain nombre de sciences, mais elle a favorisé l'émergence de nouvelles disciplines reliées à la langue: la sociolinguistique, l'ethnolinguistique, la psycholinguistique, la géolinguistique, l'aménagement linguistique, le droit linguistique, etc.

▷ L'étude du langage comporte deux parties distinctes: l'une a pour objet la langue (le code), l'autre, la parole (l'utilisation du code).

▷ Tout signe linguistique est une réalité à deux faces, l'une matérielle, l'autre, «immatérielle». Il est le résultat de l'association d'un signifiant (le groupe de sons) et d'un signifié (le sens), ces deux parties étant indissociables.

▷ Parmi les nombreuses caractéristiques que Ferdinand de Saussure attribue au signe linguistique, on retiendra les suivantes: l'arbitraire du signe, son caractère conventionnel et sa linéarité.

▷ Le domaine de la communication est devenu le lieu de l'activité centrale du monde contemporain.

▷ La signification réelle d'un message dépend avant tout de la fonction prédominante au moment de la communication.

▷ La langue occupe une place à part dans l'ensemble des moyens de communication. Elle ne saurait être réduite à un simple code, car elle possède plus que les propriétés du code et sert à d'autres fins.

▷ Chacun des six facteurs de la communication énumérés par Roman Jakobson correspond à une fonction linguistique précise: les fonctions référentielle, expressive, incitative, poétique, relationnelle et métalinguistique.

▷ Le transfert d'une information peut se réaliser par un autre moyen que celui de la langue: par exemple, les indices, l'icône, le signal, le symbole.

▷ La connaissance réduite d'une langue constitue un «bruit» qui empêche la transmission normale du message.

▷ La langue est un système parce qu'elle est constituée d'éléments qui sont en relation les uns avec les autres. Il est possible d'isoler les éléments constitutifs de la langue: par exemple, les phonèmes, les morphèmes, les lexèmes, la phrase.

---

1. Eddy ROULET, *Théories grammaticales, descriptions et enseignement des langues*, Paris/Bruxelles, Nathan/Labor, 1972, p. 17.

BIBLIOGRAPHIE

ABASTADO, Claude. *Message des médias,* Paris, Cedic, 1980, 261 p.

CLAS, André et Étienne TIFFOU. *Introduction aux études linguistiques,* Montréal, Université de Montréal, Département de linguistique et philologie, 1975, 203 p.

CORBEIL, Jean-Claude. «Éléments d'une théorie de la régulation linguistique», dans *La norme linguistique,* Québec/Paris, Ministère des Communications/Le Robert, 1983, pp. 281-303.

DUBOIS, Jean *et al. Dictionnaire de linguistique,* Paris, Larousse, 1972.

GERMAIN, Claude et Raymond LEBLANC. *La sémiologie de la communication,* Montréal, Presses de l'Université de Montréal, 1983, 91 p.

GUIRAUD, Pierre. *La sémiologie,* Paris, P.U.F., coll. «Que sais-je?», n° 1421, 1973.

JAKOBSON, Roman. *Essais de linguistique générale,* Paris, Minuit, 1963, 255 p.

LECLERC, Jacques. *Langue et société,* Mondia, Laval, 1986, 530 p.

LEROT, Jacques. *Abrégé de linguistique générale,* Louvain-la-Neuve (Belgique), Cabay, 1983, 308 p.

MARTINET, André. *Éléments de linguistique générale,* Paris, Armand Colin, 1966, 243 p.

MÉRY, Fernand. *Les bêtes ont aussi leurs langages,* Paris, France-Empire, coll. «Presse pocket», 1971, 313 p.

MOUNIN, Georges. *Clefs pour la linguistique,* Paris, Seghers, 1971, 186 p.

PEIRCE, Charles Sanders. «Signes et familles de signes», dans *Théories du signe et du sens,* Paris, Klincksieck, 1976, pp. 13-36.

PEZOT, Jurgen. *Silence, on parle,* Montréal, Guérin, 1979, 156 p.

PRIETO, Luis J. «La sémiologie», dans *Le langage,* sous la direction d'André Martinet, Paris, Gallimard, Encyclopédie de la Pléiade, 1968, pp. 95-125.

REBOUL, Olivier. *Langage et idéologie,* Paris, P.U.F., 1980, 228 p.

VION, Robert. «Langues et systèmes de signes», dans *Linguistique,* Paris, P.U.F., 1980, pp. 55-65.

YAGUELLO, Marina. *Alice au pays du langage,* Paris, Seuil, 1981, 207 p.

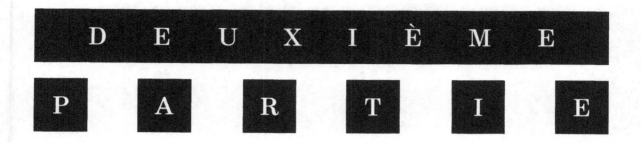

DEUXIÈME PARTIE

ÉLÉMENTS DE PHONÉTIQUE ET DE PHONOLOGIE

L'ALPHABET PHONÉTIQUE ○ L'APPAREIL PHONATOIRE ○ LE SYSTÈME PHONÉTIQUE DU FRANÇAIS ○ LES PROCÉDÉS ARTICULATOIRES ○ ÉLÉMENTS DE PHONÉTIQUE COMPARÉE ○ PRINCIPES DE PHONOLOGIE DU FRANÇAIS

LA TRANSCRIPTION ET LA DESCRIPTION DES SONS

La phonétique s'intéresse aux manifestations les plus immédiatement perceptibles du langage, à l'aspect le plus extérieur de la communication. Elle analyse les sons dans leur réalisation concrète, matérielle, indépendamment de leur fonction linguistique. Comment produit-on un son (phonétique articulatoire)? Comment se propage-t-il (phonétique acoustique)? Comment est-il perçu (phonétique auditive)? Ce sont des questions auxquelles tente de répondre la phonétique en se fondant sur l'anatomie, la physiologie et l'acoustique. Ainsi, la phonétique tient compte avant tout de la réalité physique sur laquelle s'appuie la communication.

1   LA TERMINOLOGIE

La partie de la phonétique qui étudie le mouvement des organes phonateurs lors de l'émission des sons s'appuie essentiellement sur la constitution physique de l'appareil phonatoire, dont certaines parties, comme les lèvres, les dents, le palais, la langue, sont connues de tout le monde. Pour étudier les sons d'une langue, le phonéticien dispose notamment d'une terminologie spécifique et d'un alphabet phonétique approprié. Le vocabulaire utilisé en phonétique est relativement simple parce qu'il renvoie à la constitution physique de l'appareil phonatoire (*voir la figure 6.1*). La plupart des termes utilisés sont empruntés au vocabulaire relatif à l'appareil phonatoire et ils permettent non seulement de localiser précisément la réalisation de tel ou tel son, mais aussi de l'analyser et de le décrire. Il s'agit donc de termes assez facilement compréhensibles.

Voici les noms des organes phonatoires importants, accompagnés du ou des termes qui en sont dérivés:

Lèvres (et cavité labiale) .... labiales
Dents .... dentales
Alvéoles des dents...................................... alvéolaires
Palais dur.. palatales
Palais mou (ou voile du palais) .... vélaires
Luette (ou uvule)....................................... uvulaire
Apex (pointe de la langue) .... apicales
Dos de la langue .... dorsales
Bouche (et cavité buccale).............................. orales
Fosses nasales .... nasales
Glotte (larynx)... glottales
Cordes vocales .... sonores ou voisées
                                                        sourdes ou non voisées
Pharynx .... pharyngales

2   L'ALPHABET PHONÉTIQUE

Pour se faciliter la tâche et pour pouvoir réaliser une analyse plus scientifique, le phonéticien se sert d'un alphabet spécialisé appelé *alphabet phonétique international* (API). Cet alphabet a été emprunté d'une part aux alphabets grec et latin (en donnant aux lettres la valeur qu'elles ont dans ces langues), et d'autre part à des signes graphiques établis par les phonéticiens, comme le [ʃ] (= *ch* dans *cheval*) et le [ʒ] (= *j* dans *jamais*).

La connaissance de l'API est indispensable à tous ceux qui étudient la phonétique, parce que cet alphabet leur permet d'utiliser un seul signe pour chacun des sons décrits, et ce, pour toutes les langues. N'oublions pas que les signes graphiques ne correspondent pas systématiquement aux sons de la langue. L'exemple du mot français *oiseau* est assez révélateur puisque aucune des lettres de ce mot ne correspond véritablement aux sons prononcés: [wazo]. De plus, les comparaisons orthographiques entre les différentes langues ne nous laissent vraiment plus le choix, car c'est l'anarchie généralisée! Ainsi, les lettres *ch* en français se prononcent [ʃ] comme dans *chat*, mais les mêmes lettres, en anglais et en espagnol, renvoient au son *tch* comme dans *chair* ou *muchacho*, alors qu'en allemand elles renvoient au son *rh* (noté [x] en phonétique) comme dans *Buch*; soulignons que ce *ch* guttural allemand est noté *j* dans la graphie espagnole, comme dans *caja* («caisse»), prononcé [kaxa].

ALPHABET PHONÉTIQUE ET VALEUR DES SIGNES

VOYELLES

[i]	il, vie, lyre		
[e]	blé, jouer		
[ɛ]	lait, jouet, merci		
[a]	plat, patte		
[ɑ]	bas, pâte		
[ɔ]	mort, donner		
[o]	mot, dôme, eau, gauche		
[u]	genou, roue		
[y]	rue, vêtu		
[ø]	peu, deux		
[œ]	peur, meuble		
[ə]	le, premier		
[ɛ̃]	matin, plein		
[ɑ̃]	ans, vent		
[ɔ̃]	bon, ombre		
[œ̃]	lundi, brun		

CONSONNES

[p]	père, soupe
[t]	terre, vite
[k]	cou, qui, sac, képi
[b]	bon, robe
[d]	dans, aide
[g]	gare, bague
[f]	feu, neuf, photo
[s]	sale, celui, ça, dessous, tasse, nation
[ʃ]	chat, tache
[v]	vous, rêve
[z]	zéro, maison, rose
[ʒ]	je, gilet, geôle
[l]	lent, sol
[r]	rue, venir
[m]	main, femme
[n]	nous, tonne, animal
[ɲ]	agneau, vigne
[ŋ]	camping (mots empr. à l'anglais)

SEMI-CONSONNES

[j]	yeux, paille, pied
[w]	oui, nouer
[ɥ]	huile, lui

TABLEAU 6.1   Tiré du *Petit Robert*, édition 1984.

L'alphabet phonétique permet donc de transcrire les sons de façon rigoureuse et identique pour toutes les langues. Il existe environ 80 signes pour transcrire la plupart des sons des différentes langues du monde. Les langues comptent en moyenne de 20 à 40 sons distinctifs; pour sa part, le français en comporte 36.

Les transcriptions phonétiques sont conventionnellement placées entre crochets. Le principe est d'utiliser un seul signe pour un seul son lorsqu'on transcrit phonétiquement les sons de la chaîne parlée. En réalité, il n'est pas possible de fonctionner ainsi pour la simple raison qu'il faudrait retenir un très grand nombre de signes distincts; des motifs pratiques nous invitent à recourir parfois à deux signes pour identifier un son au lieu d'en utiliser un nouveau. De toute façon, un grand principe demeure: celui de transcrire rigoureusement les sons de la langue. Voici quelques exemples de transcriptions phonétiques.

— *Les articulations phonétiques*
   [lezartikylasjɔ̃fɔnetik]
— *L'observation de la loi*
   [lɔbsɛrvasjɔ̃dlalwa]
— *Le roi Louis XIV a eu un long règne.*
   [lərwalwikatɔrz ayœ̃lɔ̃rɛɲ]

Afin de faciliter la tâche au lecteur, nous reproduisons la clef de l'alphabet phonétique; elle est tirée du dictionnaire *Le Petit Robert* (*voir le tableau 6.1*). La transcription des consonnes ne devrait pas causer de difficultés particulières, sauf pour les trois suivantes dont les signes paraissent plus «étrangers»: [ɲ] = *gn*, [ʃ] = *ch*, [ʒ] = *j*. Les semi-consonnes sont plus difficiles à noter et on aurait intérêt à faire quelques exercices de transcription. Quant aux voyelles, il est préférable, dans la mesure du possible, de les apprendre par couple: [e/ɛ], [a/ɑ], [o/ɔ], [ø/œ], [y/u], etc.

Enfin, quelques petits conseils sont nécessaires dans la prononciation des symboles de l'API. Les voyelles ne devraient pas causer beaucoup de problèmes, sauf pour la prononciation des voyelles étrangères et pour les diphtongues; les diphtongues sont représentées par deux signes et il convient de les prononcer en une seule émission, comme c'est le cas en anglais: *buy* [bai][1]. *house* [haus], *coin* [kɔin], etc. En ce qui concerne les consonnes, comme il est très difficile parfois de les prononcer sans l'appui d'une voyelle, il est recommandé de toujours commencer par le son consonantique suivi du son vocalique (voyelle); par exemple, si l'on veut articuler la consonne [s], on prononce [s] + [ə] comme dans *il se regarde*. Ce qui donne comme résultat: [sə], [lə], [mə], [pə], etc., et non [ɛs], [ɛl], [ɛm], [pe], etc.

3   LES ORGANES DE LA PAROLE

Si l'on veut procéder à une étude d'ensemble de la langue, comme c'est le cas ici, il est préférable de privilégier la phonétique articulatoire, car ses méthodes sont plus accessibles. L'appareil phonatoire a fourni aux linguistes la plus grande partie de leur technique et de leur terminologie pour traiter des sons. Il est donc essentiel de bien comprendre le fonctionnement de cet appareil phonatoire si l'on veut se familiariser avec le système de description et de classification des sons. Cette approche devrait permettre au non-spécialiste de s'initier de façon pratique à la phonétique de sa langue maternelle (le français en ce qui nous concerne); il serait même souhaitable que le non-spécialiste ait une connaissance minimale de quelques éléments de phonétique portant sur des langues étrangères, de telle sorte qu'il puisse mieux situer sa langue par rapport aux autres.

C'est grâce à un appareil relativement complexe que les êtres humains sont capables de produire une grande quantité de sons. Cet appareil phonatoire pourrait être comparé à un instrument de musique. Les poumons jouent le rôle de soufflets qui poussent l'air à travers la trachée-artère, sorte de tuyau sonore qui aboutit au larynx, principal constituant de l'appareil phonatoire (*voir la figure 6.1*).

---

1. Il est possible de transcrire [baj] au lieu de [bai], mais cette pratique a l'inconvénient de ne pas tenir compte des voyelles diphtonguées.

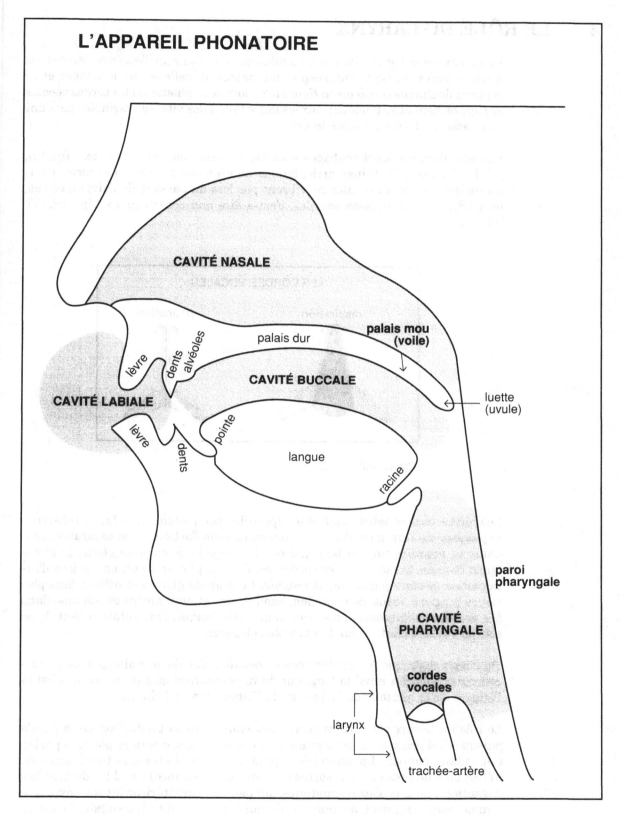

L'APPAREIL PHONATOIRE

CAVITÉ NASALE

palais dur

palais mou
(voile)

lèvre

dents

alvéoles

CAVITÉ BUCCALE

CAVITÉ LABIALE

luette
(uvule)

lèvre

dents

pointe

langue

racine

paroi
pharyngale

CAVITÉ
PHARYNGALE

cordes
vocales

larynx

trachée-artère

FIGURE 6.1

4   LE RÔLE DU LARYNX

Le larynx est constitué de deux membranes que l'on appelle généralement les *cordes vocales*. Lorsque l'on respire normalement, celles-ci se détendent et se replient de chaque côté (*voir la figure 6.2*); lors de la phonation les cordes vocales se rapprochent et se tendent; l'air les fait vibrer à des vitesses variables pendant son passage et produit alors la voix.

Les articulations ainsi réalisées sont dites *voisées* ou *sonores* (p. ex.: [b], [d], [g], [z], [l], etc.). Certaines articulations ne sont pas voisées ou sonores, c'est-à-dire que les cordes vocales ne vibrent pas lors du passage de l'air; en ce cas, on parlera d'articulations sourdes, c'est-à-dire *non voisées* (p. ex.: [p], [t], [k], [s], etc.).

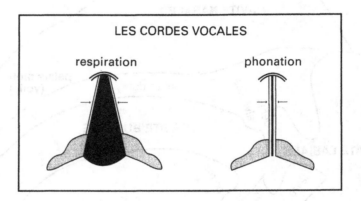

LES CORDES VOCALES

respiration   phonation

FIGURE 6.2

Les cordes vocales peuvent aussi se rapprocher complètement de façon à obstruer le passage de l'air, puis s'ouvrir subitement sous l'action d'une expiration soudaine et produire un son laryngal que l'on appelle le *coup de glotte*, la glotte étant l'espace laissé entre les cordes vocales. Le plus souvent, on parlera d'articulation *glottale* plutôt que *laryngale*. Le coup de glotte est utilisé dans plusieurs langues (arabe, cambodgien, bamba, etc.) et notamment en anglais (dans *hot* prononcé subitement), bien que, dans cette langue, l'articulation glottale ne soit pas différenciative sur le plan phonologique.

Précisons enfin que les cordes vocales peuvent s'épaissir, s'allonger ou se raccourcir et modifier ainsi la longueur du tuyau vibrant qu'elles forment; c'est là l'origine de la hauteur de la voix et de l'intonation mélodique.

Le rôle du larynx est extrêmement important dans la production de la parole puisque c'est grâce à lui, donc grâce aux cordes vocales, que nous pouvons parler. Cependant, l'appareil phonatoire ne produirait que des timbres très limités s'il n'était doté de résonateurs (sortes de boîtes de résonance) capables de modifier davantage les sons. Ces résonateurs, qui peuvent caractériser les sons avec une grande précision, sont au nombre de quatre: la cavité pharyngale, la cavité buccale, la cavité nasale, la cavité labiale (*voir la figure 6.1*).

5   LA CAVITÉ PHARYNGALE

La cavité pharyngale est délimitée vers le bas par le larynx et vers le haut par la racine de la langue. Les réalisations articulatoires du pharynx (pharyngales) ne sont pas très nombreuses ni très variées. Lorsque la langue est repoussée vers l'arrière, sa racine peut se rapprocher de la paroi pharyngale au point de produire une friction très prononcée, le passage de l'air se trouvant alors très rétréci. Les articulations pharyngales n'existent pas en français, contrairement à une langue comme l'arabe qui oppose à des sons «normaux» ([t], [d], [s], [z]) des sons pharyngalisés ([tº], [dº], [sº], [zº]).

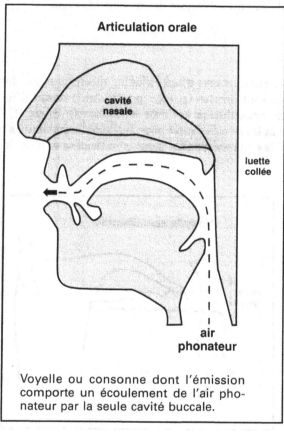

Articulation orale

cavité nasale

luette collée

air phonateur

Voyelle ou consonne dont l'émission comporte un écoulement de l'air phonateur par la seule cavité buccale.

FIGURE 6.3.1

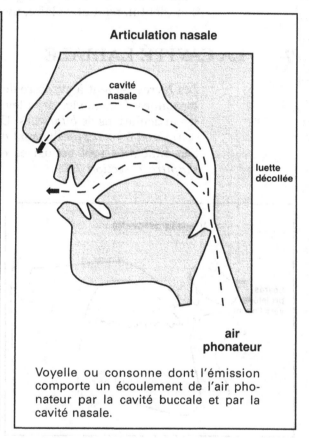

Articulation nasale

cavité nasale

luette décollée

air phonateur

Voyelle ou consonne dont l'émission comporte un écoulement de l'air phonateur par la cavité buccale et par la cavité nasale.

FIGURE 6.3.2

Dans la plupart des langues toutefois, le pharynx ne joue essentiellement qu'un rôle d'orientation de l'air. Lorsque celui-ci traverse le pharynx, il est dirigé soit totalement dans la bouche (*voir la figure 6.3.1*) si la luette est collée contre la paroi pharyngale, soit à la fois dans les cavités buccale et nasale (*voir la figure 6.3.2*) si la luette est abaissée ou décollée de la paroi pharyngale. Dans le premier cas, la luette étant relevée et l'air ne pénétrant que dans la cavité buccale, les articulations sont appelées *orales* (ex.: [t], [d]); dans le second cas, la luette étant abaissée et l'air pénétrant à la fois dans les cavités buccale et nasale, les articulations sont dites *nasales* (ex.: [m], [n]).

6   LA CAVITÉ BUCCALE

La plupart des sons du langage humain sont réalisés dans la cavité buccale grâce à l'action de certains organes souples comme le voile du palais et, surtout, la langue. Celle-ci est un muscle extrêmement mobile qui peut prendre des formes très diverses, modifiant ainsi les effets résonateurs de la cavité buccale (*voir la figure 6.1*). On parlera d'articulations *dentales* (dents), *alvéolaires* (alvéoles), *palatales* (palais dur), *vélaires* (voile du palais), *uvulaires* (uvule ou luette), selon que la langue se déplacera dans la cavité buccale vers les dents ([t], [d], [n], [s], [z], [l]), le palais dur ([ʃ], [ʒ]), le voile du palais ([k], [g]) ou l'uvule ([ʀ]). C'est donc la langue qui détermine les différents points d'articulation (dental, palatal, vélaire, uvulaire) à l'intérieur de la cavité buccale.

7   LA CAVITÉ LABIALE

Les lèvres servent à produire des articulations dites *labiales* quand il s'agit de consonnes. Lorsque les deux lèvres sont jointes (p. ex.: [p], [b], [m]), on qualifie ces articulations de *bilabiales*. Une articulation est dite *labiodentale* (p. ex: [f], [v]) quand il y a rapprochement de la lèvre inférieure avec les dents supérieures. Les bilabiales sont occlusives et les labiodentales sont constrictives (*voir le chapitre 7, section 1.1*).

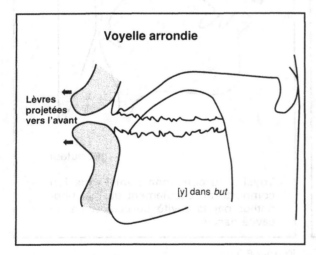

FIGURE 6.4.1

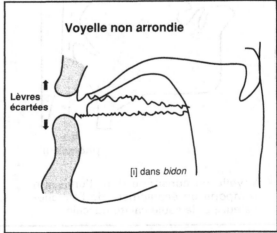

FIGURE 6.4.2

Certaines voyelles correspondent également à des articulations labiales: par exemple, [i] dans *bidon* et [u] dans b*out*. Dans la production d'un [i], les commissures des lèvres sont écartées (*voir la figure 6.4.2*), alors que, pour un [u], les lèvres sont projetées vers l'avant et arrondies (*voir la figure 6.4.1*). Selon le cas, on parlera pour les voyelles d'articulations *arrondies* ou *non arrondies*.

8   LA CAVITÉ NASALE

Cette cavité sert à produire des articulations dites *nasales*. Lorsque la luette est abaissée ou décollée de la paroi pharyngale, elle laisse pénétrer l'air dans la cavité nasale ou fosses nasales (*voir les figures 6.3.1 et 6.3.2*). Soulignons que la nasalité est exploitée très inégalement selon les langues, particulièrement pour les voyelles. Théoriquement, toutes les voyelles peuvent être nasales ou orales, mais de nombreuses langues n'ont aucune voyelle nasale. Tel n'est pas le cas pour les consonnes: toutes les langues ont des consonnes nasales.

LE SYSTÈME PHONÉTIQUE DU FRANÇAIS

C'est grâce aux sons que nous pouvons transmettre l'essentiel de nos informations. Les sons que nous produisons lorsque nous parlons constituent les plus petites unités de la langue. Il nous est même possible de les isoler et de les identifier. Pour ce faire, nous devons recourir à des moyens qui nous permettent d'observer avec précision les réalités sonores. Il nous faut d'abord classer les sons pour les identifier, et ce, à partir de critères très nettement définis. Procédons donc à une présentation progressive de ces critères.

1   LES CRITÈRES DE CLASSEMENT GÉNÉRAUX

On classe les sons en fonction d'un certain nombre de critères fondés sur la façon dont le son est produit. En général, il est possible de ramener ces critères à trois, mais il faudra en distinguer plusieurs lorsqu'on traitera de tous les sons. Le français est une langue dont le système repose sur 36 sons: 17 consonnes, 16 voyelles et 3 semi-voyelles. On distingue les voyelles des consonnes selon que le passage de l'air dans l'appareil phonatoire est totalement libre (voyelles) ou non (consonnes).

1.1   VOYELLES/CONSONNES

Pour la production d'une voyelle (*voir la figure 7.1*), l'air s'échappe librement dans le canal buccal sans rencontrer d'obstacle de la part de l'un ou l'autre des organes phonateurs. Dans le cas d'une consonne (*voir la figure 7.2*), l'air rencontre nécessairement un obstacle dans la cavité buccale, labiale ou pharyngale, ce qui crée un barrage total ou partiel. On parlera de consonne *occlusive* si le barrage est total ([t], [d], etc.), et de consonne *constrictive* s'il est partiel ([s], [z], etc.). Quant aux semi-consonnes (ou semi-voyelles), disons pour le moment qu'elles pourraient être envisagées comme formant un son intermédiaire entre les consonnes et les voyelles.

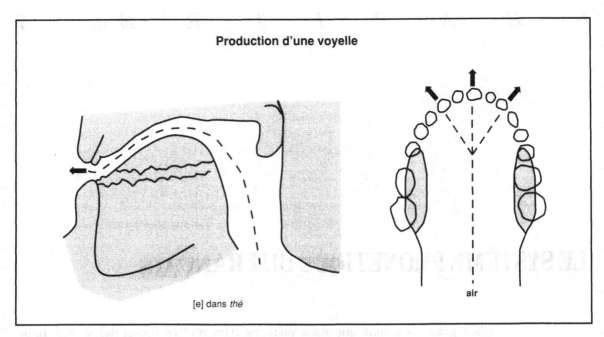

FIGURE 7.1

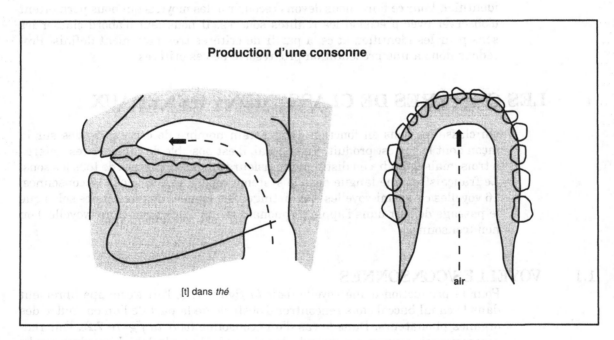

FIGURE 7.2

1.2   SOURDES/SONORES

L'action des cordes vocales est responsable de la production d'un son sonore (voisé[1]) ou sourd (non voisé). Si les cordes vocales entrent en vibration, on aura affaire à un son sonore; si elles ne vibrent pas, le son sera sourd. En français, toutes les voyelles sont sonores. Quant aux consonnes, un certain nombre d'entre elles se caractérisent par l'opposition sourdes/sonores:

SOURDES	SONORES
[p]	[b]
[t]	[d]
[k]	[g]
[f]	[v]
[s]	[z]
[ʃ]	[ʒ]

Toujours en français, certaines consonnes ne sont que sonores: [l], [R], [m], [n], [ɲ].

1.3   ORALES/NASALES

Lorsque le voile du palais est soulevé au point que la luette ferme la paroi pharyngale, l'air sort totalement par la bouche sans passer par les fosses nasales. On a alors affaire à une voyelle orale ([a], [o], [i], etc.) ou à une consonne orale ([t], [d], etc.). Par contre, si le voile du palais est relâché et baissé, l'air circulera à la fois par la bouche et par le nez, ce qui produira une voyelle nasale ([ã], [ɔ̃], etc.) ou une consonne nasale ([m], [n], [ɲ])

2   LES ARTICULATIONS CONSONANTIQUES

Les articulations consonantiques, ou consonnes, se caractérisent par des traits articulatoires qui leur sont propres: le point d'articulation et le mode d'articulation.

2.1   LE POINT D'ARTICULATION

L'appareil phonatoire comprend des parties mobiles, comme la langue et les lèvres, et des parties fixes, comme les dents, le palais dur, le pharynx. Le point d'articulation correspond au lieu précis où se produit l'obstacle lors de la production d'une consonne. Que ce soit dans la cavité labiale, dans la cavité buccale, dans la cavité pharyngale ou dans le larynx, on peut trouver différentes positions intermédiaires, selon la nature du point de contact entre organe mobile (langue, lèvres) et partie fixe (dents, palais dur, pharynx). En partant de l'avant vers l'arrière, on distingue les points d'articulation suivants (*voir la figure 7.3*):

Labiale   L'articulation est *labiale* lorsqu'une consonne est produite avec l'aide des lèvres. Si les lèvres entrent en contact l'une avec l'autre, l'articulation est dite bilabiale (*pou*, *bout*, *mou*). Si la lèvre inférieure entre en contact avec les dents supérieures, ou forme un

---

1. Il faudra se rappeler qu'on peut utiliser le terme *voisé* pour identifier une articulation sonore et le terme *non voisé* pour une sourde.

rétrécissement à cet endroit, l'articulation est *labiodentale* (**f**ou, **v**ous).

Dentale

Une consonne est *dentale* ou plus précisément *apico-dentale* lorsque la pointe de la langue vient s'appuyer contre la face intérieure des incisives supérieures: **t**oux, **d**oux, **n**ous. On emploie parfois le terme *apico-alvéolaire* lorsque la pointe de la langue s'appuie sur les alvéoles: **s**ous, **z**oo. Il arrive qu'un certain type de [r] soit apico-alvéolaire en français; on l'appelle plus souvent le [r] «roulé». Il est produit lorsque la pointe de la langue s'élève vers les alvéoles, les côtés de la langue touchant les molaires. Dans la pratique, que l'articulation soit apico-dentale ou apico-alvéolaire, on parlera souvent de *dentales* en français.

Palatale

La consonne *palatale* se caractérise par le fait que son point d'articulation se situe dans la région du palais dur. L'articulation peut être phonétiquement palato-alvéolaire (**ch**oux, **j**oue) ou dorso-palatale (a**gn**eau), mais, comme ces distinctions ne sont pas très pertinentes en français, on se contentera du terme *palatale*.

Vélaire

Une consonne est *vélaire* lorsque son point d'articulation est situé sur le palais mou ou voile du palais. Ainsi, [k] et [g] sont des consonnes vélaires: **c**ou, **g**oût. Les phonéticiens classent les vélaires en *postpalatales*, en *uvulaires*, en *pharyngales* et en *glottales*. Phonologiquement, le français ne compte que des vélaires postpalatales et uvulaires; nous conserverons ici cette distinction vélaire/uvulaire/glottale.

Uvulaire

L'articulation est *uvulaire* si elle est réalisée par le contact ou le rapprochement entre l'extrémité du voile du palais ou luette (en latin: *uvula*) et la partie postérieure du dos de la langue. En français, le [ʀ] «grasseyé» est uvulaire. La partie postérieure du dos de la langue se dirige vers la luette qui, sous la pression de l'air, transmet des vibrations.

Bilabiales	Labio-dentales	Dentales	Palatales	Vélaires	Uvulaires
p/b		t/d		k/g	
m		n	ɲ		
	f/v	s/z	ʃ/ʒ		
		l			R

FIGURE 7.3   SCHÉMAS PHYSIOLOGIQUES DES CONSONNES FRANÇAISES

2.2   LE MODE D'ARTICULATION

Le mode d'articulation correspond au traitement subi par l'air expiré pendant la production d'un son articulé. Rappelons que, lors de la production d'une consonne, l'air rencontre nécessairement un obstacle. Si l'obstacle ou le barrage est total, on parlera de consonnes *occlusives* ([p], [b], [t], [d], [k], [g], etc.); s'il est partiel, il s'agira de consonnes *constrictives* ([s], [z], [f], [v], [ʃ], [ʒ], etc.).

– LES OCCLUSIVES

Les occlusives comportent toujours une occlusion momentanée du canal vocal; elles peuvent être sourdes ([p], [t], [k]) ou sonores ([b], [d], [g]). Les sonores sont orales ([b], [d], [g]) ou nasales ([m], [n], [ɲ]). En ce qui concerne leurs points d'articulation, les occlusives sont bilabiales, dentales, palatales ou vélaires.

– LES CONSTRICTIVES

À la différence des occlusives dont l'obstacle est total, les constrictives comportent un barrage partiel. La forme prise par la langue dans la cavité buccale détermine différents types de constrictives: les fricatives, les latérales, les vibrantes.

Les *fricatives* sont articulées avec le dos de la langue abaissé. Dans le cas des labiodentales, le resserrement se fait au niveau des lèvres inférieures et des incisives supérieures ([f], [v]). En ce qui a trait aux dentales ([s], [z]) et aux palatales ([ʃ], [ʒ]), le resserrement est réalisé par les bords de la langue appuyés contre les prémolaires et les molaires supérieures; dans tous les cas, le passage de l'air est médian.

Les *latérales*, au contraire des fricatives, sont produites avec le dos de la langue relevé et les bords de la langue abaissés; l'air passe de chaque côté de la langue, d'où le nom de *latérales*. Le français ne connaît qu'une seule constrictive latérale: le [l] dans *loup*, *central*, *illustration*.

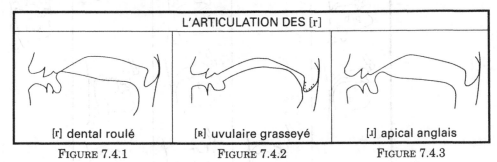

L'ARTICULATION DES [r]

[r] dental roulé	[ʀ] uvulaire grasseyé	[ɹ] apical anglais
FIGURE 7.4.1	FIGURE 7.4.2	FIGURE 7.4.3

Les *vibrantes* sont des consonnes articulées avec la langue ou la luette qui produisent un ou plusieurs battements ou de lentes vibrations. Phonétiquement, le français connaît deux constrictives vibrantes: un [r] dental dit «roulé» (*figure 7.4.1*), en usage dans certains parlers régionaux, et un [ʀ] uvulaire dit «grasseyé», employé dans la prononciation dite *standard* (*figure 7.4.2*). Ces deux [r/ʀ] n'ont aucune valeur différenciative, ils correspondent à des variantes phonétiques d'une même valeur phonologique; ce sont des allophones. De plus, ils peuvent également être associés à des valeurs sociologiques ou géographiques.

2.3   LE SYSTÈME CONSONANTIQUE

La description qui suit tient compte avant tout de la valeur *phonologique* des consonnes françaises. Il n'est pas nécessaire de présenter toutes les variantes *phonétiques* de ces consonnes. À la rigueur, du point de vue strictement phonétique, il n'y a jamais identité totale entre deux sons. Par exemple, le [k] ne sera pas prononcé de la même façon selon le contexte: un [k] suivi d'un [i] (dans *qui*) et un [k] suivi d'un [u] (dans *cou*) sont prononcés différemment. Le voisinage d'un [i] ou d'un [u] fera en sorte que le [k] se rapprochera d'une postpalatale dans le premier cas, alors qu'il sera vélaire dans le second. Nous nous en tiendrons cependant aux 17 consonnes correspondant aux phonèmes consonantiques du français (*voir la figure 7.5*).

- Orales/nasales
  - 14 orales: toutes les consonnes sauf [m], [n], [ɲ];
  - 3 nasales: [m], [n], [ɲ].

- Sonores/sourdes
  - 11 sonores: [b], [d], [g], [m], [n], [ɲ], [v], [z], [ʒ], [l], [ʀ];
  - 6 sourdes: [p], [t], [k], [f], [s], [ʃ].

- Occlusives/constrictives
  - 9 occlusives : [p], [t], [k], [b], [d], [g], [m], [n], [ɲ];
  - 8 constrictives :
  6 fricatives : [f], [v], [s], [z], [ʃ], [ʒ];
  1 latérale : [l];
  1 vibrante : [ʀ].

LES CONSONNES DU FRANÇAIS

		bilabiales	labiodentales	dentales	palatales	vélaires	uvulaires
O C C L U S I V E S	sourdes orales	p *pou*		t *toux*		k *cou*	
	sonores orales	b *bout*		d *doux*		g *goût*	
	sonores nasales	m *mou*		n *nous*	ɲ *agneau*		
C O N S T R I C T I V E S	fricatives sourdes		f *fou*	s *sous*	ʃ *chou*		
	fricatives sonores		v *vous*	z *zoo*	ʒ *joue*		
	latérales sonores			l *loup*			
	vibrantes sonores						ʀ *roue*

LES SEMI-CONSONNES

fricatives sonores	ɥ *lui*			j *pied*	
fricatives sonores	w *Louis*				

FIGURE 7.5

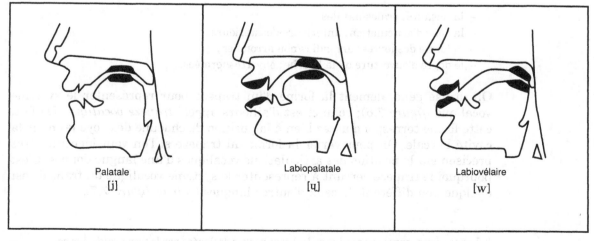

Palatale [j] Labiopalatale [ɥ] Labiovélaire [w]

FIGURE 7.5.1   LIEUX D'ARTICULATION DES TROIS SEMI-CONSONNES

3   LES SEMI-CONSONNES

Le français connaît trois semi-consonnes[2]: [j], [ɥ] et [w] (*voir la figure 7.5.1*). Le [j] est palatal et articulé avec les lèvres écartées (comme le [i]). Le [ɥ] et le [w], au contraire, sont des labiales articulées avec les lèvres arrondies; cependant, le point d'articulation est labiopalatal pour [ɥ] et labiovélaire pour [w].

Nous avons déjà défini les semi-consonnes (ou semi-voyelles) comme des articulations intermédiaires entre les consonnes et les voyelles. En fait, les semi-consonnes ont un caractère quelque peu ambigu; elles ne sont jamais ni tout à fait voyelles ni tout à fait consonnes. Ce sont des voyelles (produites sans obstacle) capables de devenir des consonnes (produites avec un obstacle partiel). Lors de la réalisation des voyelles les plus fermées, soit [i], [y] et [u], la langue occupe une position limite pour faire obstacle à l'écoulement de l'air. La tension des organes phonateurs étant plus forte, il se produit alors un véritable resserrement au niveau des points d'articulation. On n'a plus affaire à des voyelles, mais à des consonnes constrictives. La voyelle [i] devient [j] (appelé *yod*) comme dans *pied*, la voyelle [y] devient [ɥ] comme dans *lui*, la voyelle [u] devient [w] comme dans *Louis* [lwi] ou *loi* [lwa].

On peut recourir à un autre critère que celui d'ordre articulatoire pour définir une semi-consonne: la syllabe. Ainsi, dans le mot *payer* prononcé [peje], le [j] est manifestement une consonne puisqu'il sert de point d'appui à une syllabe: [pe] + [je]. Par contre, dans *travail* prononcé [travaj], le yod [j] pourrait être interprété comme une voyelle, plus précisément comme le deuxième élément d'une diphtongue composée de [a] + [i] = [aj].

4   LES ARTICULATIONS VOCALIQUES

Les articulations vocaliques, celles propres aux voyelles, sont différentes des articulations consonantiques parce que le mode de production est tout à fait autre. Néanmoins, certains critères de classement demeurent identiques. On classe les voyelles selon les critères suivants:

- la nasalité: orales/nasales;
- la zone d'articulation: antérieures/postérieures;
- la forme des lèvres: arrondies/non arrondies;
- le degré d'ouverture de la bouche: ouvertes/fermées.

On utilise généralement la forme d'un trapèze pour représenter le système vocalique (*figure 7.6*); celui-ci est d'ailleurs appelé *trapèze vocalique*. De fait, cette forme correspond assez bien à la position de chacune des voyelles dans la cavité buccale. On peut varier la forme du trapèze si l'on veut identifier très précisément la position des articulations vocaliques d'une langue donnée. C'est pourquoi le trapèze servant à représenter le système vocalique du français est quelque peu différent de ceux d'autres langues (*voir la figure 7.7*).

---

2. Les semi-consonnes (ou semi-voyelles) sont parfois désignées par le terme *glide*, terme emprunté à la phonétique anglaise.

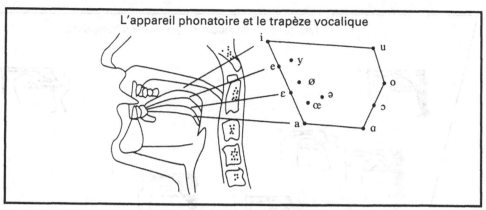

FIGURE 7.6

4.1   ORALES/NASALES

Le français est l'une des rares langues indo-européennes (avec le portugais et le polonais) à opposer des voyelles orales à des voyelles nasales. Comme les consonnes, les voyelles orales sont produites lorsque la luette est levée contre la paroi pharyngale (*voir la figure 6.3.1*) alors que l'air ne pénètre que dans la cavité buccale : [i], [e], [ɛ], [a], etc. La luette étant abaissée (*voir la figure 6.3.2*), l'air peut passer à la fois par la cavité buccale et par la cavité nasale, et produire des voyelles nasales : [ɑ̃], [ɛ̃], [ɔ̃], [œ̃]. En français, on ne compte que quatre voyelles nasales alors que les voyelles orales sont au nombre de douze. Dans cette langue, la nasalité est distinctive ; elle permet d'opposer, par exemple, *pâte* à *pente* : [pɑt] / [pɑ̃t].

4.2   ANTÉRIEURES/POSTÉRIEURES

La zone d'articulation des voyelles est déterminée par le déplacement de la masse de la langue vers l'avant ou vers l'arrière de la cavité buccale. Une voyelle est dite *antérieure* lorsque la partie antérieure de la langue se masse vers l'avant de la cavité buccale : [i], [e], [ɛ], [a], [y], [ø], [œ], etc.

Une voyelle est *postérieure* lorsque le dos de la langue se masse vers l'arrière de la cavité buccale. Le français compte quatre postérieures orales ([u], [o], [ɔ] [ɑ]) et deux postérieures nasales ([ɔ̃], [ɑ̃]).

Enfin, lorsque le dos de la langue se masse vers le milieu de la cavité buccale, la voyelle est appelée *centrale* : le [ə].

4.3   ARRONDIES/NON ARRONDIES

Nous avons déjà fait allusion au caractère d'arrondissement (*voir la figure 6.4.1.*) qui dépend de la forme prise par les lèvres. Il y a arrondissement lorsque les lèvres sont projetées vers l'avant : [y], [ø], [œ], [u], [o], [ɔ], [ɑ]. Au contraire, lorsque les lèvres sont écartées ou étirées, il n'y a pas de résonance labiale et on parle d'articulation non arrondie : [i], [e], [ɛ], [a]. Les voyelles postérieures du français sont toutes arrondies ; il n'y existe pas, au contraire de certaines langues d'Afrique et d'Asie, de voyelles postérieures non arrondies.

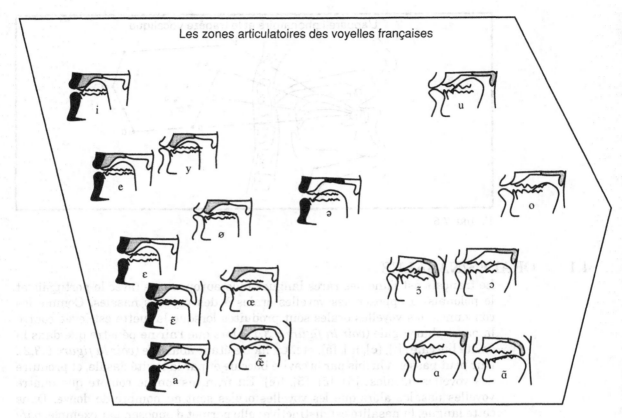

Les zones articulatoires des voyelles françaises

Figure 7.7

En français, l'opposition entre voyelles arrondies et voyelles non arrondies est exploitée uniquement dans les séries antérieures. Les voyelles non arrondies [i], [e], [ɛ] et [a] s'opposent aux voyelles arrondies [y], [ø] et [œ]. Par exemple, [fi]/[fy] (*fit/fut*), [de]/[dø] (*dé/deux*), [flɛʀ]/[flœʀ] (*flair/fleur*).

Par ailleurs, la voyelle centrale [ə] n'est ni arrondie ni étirée, elle est neutre. C'est le «e muet» ou «e caduc» ou «e médian» (voyelle médiane) dans *Je me le rappelle*. Ce [ə] central est parfois désigné par le terme de *chva*; il s'agit d'un mot hébreu signifiant «néant».

4.4   OUVERTES/FERMÉES

Lorsqu'on prononce les mots *riz* et *rat*, on constate que le degré d'ouverture de la bouche n'est pas le même en articulant [i] et [a]. Avec [i], la bouche tend à se fermer; avec [a], elle tend à s'ouvrir. En fait, une voyelle est fermée lorsque la langue se trouve plus ou moins rapprochée de la voûte palatale: [i], [y], [e], [ø], [u], [o]. Une voyelle est ouverte lorsque la langue se trouve plus ou moins éloignée de la voûte palatale: [a], [ɑ], [ɛ], [œ], [ɔ], etc. La langue française exploite systématiquement l'opposition entre voyelles ouvertes et voyelles fermées dans les séries intermédiaires: [e]/[ɛ] (*dé/dais*), [o]/[ɔ] (*côte/cotte*). On parlera, en ce cas, d'oppositions semi-fermées/semi-ouvertes.

4.5   SOURDES/SONORES

Contrairement à un grand nombre de consonnes où s'opposent les sourdes et les sonores, il n'y a pas de voyelles sourdes en français moderne. Du moins, on ne compte pas d'oppositions phonologiques entre des voyelles sourdes et des voyelles sonores. De fait, rares sont les langues dans le monde où l'on rencontre de telles oppositions.

4.6   LE SYSTÈME VOCALIQUE

Cette présentation des 16 voyelles du français étant très schématique, nous recommandons au lecteur de se reporter continuellement aux deux figures suivantes : Les zones articulatoires des voyelles du français (*fig. 7.7*) et Les voyelles du français (*fig. 7.8*).

- Orales/nasales
  - 12 orales : [i], [e], [ɛ], [a], [y], [ø], [œ], [u], [o], [ɔ], [ɑ],[ə];
  - 4 nasales : [ɛ̃], [œ̃], [ɔ̃], [ɑ̃].
- Antérieures/centrale/postérieures
  - 9 antérieures : [i], [e], [ɛ], [ɛ̃], [a], [y], [ø], [œ], [œ̃];
  - 1 centrale : [ə];
  - 6 postérieures : [u], [o], [ɔ], [ɑ], [ɔ̃], [ɑ̃].
- Arrondies/non arrondies
  - 10 arrondies : [y], [ø], [œ], [œ̃], [u], [o], [ɔ], [ɑ], [ɔ̃], [ɑ̃];
  - 5 non arrondies : [i], [e], [ɛ], [ɛ̃], [a];
  - 1 neutre (ni arrondie, ni écartée) : [ə].
- Ouvertes/fermées
  - 6 fermées : [i], [e], [y], [ø], [u], [o];
  - 9 ouvertes : [ɛ], [ɛ̃], [œ], [œ̃], [a], [ɔ], [ɔ̃], [ɑ], [ɑ̃];
  - 1 neutre : [ə].

5   LES PROCÉDÉS ARTICULATOIRES

L'appareil phonatoire offre d'autres possibilités que celles énumérées jusqu'à présent. Des procédés comme la durée, l'accentuation et l'intonation peuvent augmenter le nombre des traits phoniques.

5.1   LA DURÉE

Toute réalisation phonique correspond à une localisation temporelle de l'articulation. Il est possible de prolonger plus ou moins longtemps une articulation. Ainsi, si nous opposons *renne* à *reine* ou *mettre* à *maître*, ou encore *nous mourons* à *nous mourrons*, nous constatons, du moins au Québec, une durée[3] plus longue dans les trois cas : la voyelle [ɛ] de *maître* [mɛːtr] est plus longue que le [ɛ] de *mettre* [mɛtr]; de même, le [ɛ] de *reine* [rɛːn] est plus long que celui de *renne* [rɛn]. Dans l'opposition *nous mourons / nous mourrons*, c'est la durée du [ʀ], ou le double [ʀ], qui distingue le présent [numuʀɔ̃] du futur [numuʀʀɔ̃]. De tels cas, où la durée a une valeur distinctive, sont restreints en français.

---

3. Par convention, on utilise les deux points pour indiquer l'allongement d'une voyelle ou d'une consonne. Par exemple : *mettre/maître* = [mɛtr]/[mɛːtr].

LES VOYELLES DU FRANÇAIS

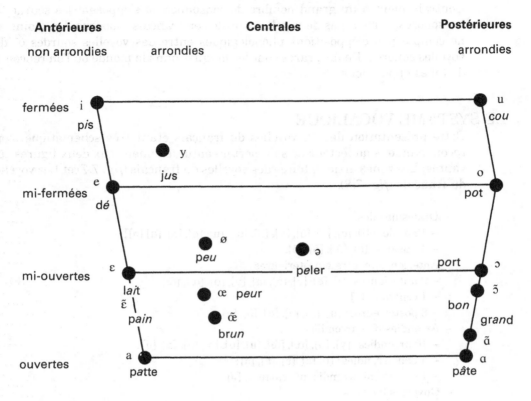

FIGURE 7.8

Cela dit, le français systématise certaines durées; il allonge les voyelles suivies des consonnes [ʀ], [z], [v], [ʒ], [j]:

pire	[pi:ʀ]
rose	[ʀo:z]
louve	[lu:v]
cage	[ka:ʒ]
fille	[fi:j]

Cette durée des voyelles du français n'a pas de valeur phonologique; l'allongement est dû à l'entourage phonique d'un son donné.

Dans un grand nombre de langues, cependant, les oppositions de durée peuvent être systématiques pour toutes les voyelles et constituer ainsi un véritable système de différenciation phonologique. L'arabe et l'inuit ne connaissent que trois timbres vocaliques, soient les voyelles [i], [ɛ] et [u], mais elles s'opposent toutes en voyelles brèves et longues: [i] ≠ [i:], [ɛ] ≠ [ɛ:], [u] ≠ [u:]. Il y a donc en réalité six phonèmes, puisque la durée de l'une ou de l'autre des voyelles amène un changement de sens dans un mot. Le cas du cambodgien est aussi significatif. Cette langue connaît, quant à elle, 15 timbres vocaliques différents (donc 15 voyelles), mais il y en a 12 qui opposent des brèves à des longues; le système vocalique du cambodgien est donc constitué de 27 phonèmes vocaliques.

C'est là un nombre considérable, comparativement au français qui en a 16 (pour 16 timbres vocaliques) et qui est considéré comme une langue relativement complexe quant au nombre de ses phonèmes vocaliques.

La langue anglaise connaît également certaines oppositions relatives à la durée. Il suffit d'observer les paires *seat*/*sit* («siège»/«s'asseoir») et *beat*/*bit* («mesure»/«morceau»): [si:t/sɪt], [bi:t/bɪt]. D'autres langues, comme l'estonien, recourent même à trois degrés de longueur vocalique: [sada] («cent») s'oppose à [sa:da] (impératif «envoie») et à [sa::da] («avoir la permission de»).

5.2   L'ACCENTUATION

L'accentuation peut être définie comme la mise en relief d'une syllabe parmi d'autres, au moyen de l'intensité, de la hauteur ou de la durée. L'accent français est caractérisé par sa durée, mais aussi par la hauteur et l'intensité.

Lorsqu'on prononce un mot isolé, l'accent tonique tombe toujours sur la dernière syllabe en français. Par exemple, dans les mots *intonation*, *capitaine* et *maîtriser*, l'accent tonique sera identifié ainsi: [ɛ̃tɔna'sjɔ̃], [kapi'tɛn], [mɛtri'ze]. Toutefois, en français, la place de l'accent tonique n'est pas fixe à l'intérieur d'un mot graphique. D'ailleurs, dans la chaîne parlée, l'accent de mot ne demeure qu'une virtualité, car il disparaît au profit de l'accent de groupe. Cela signifie que la place de l'accent varie en fonction de la longueur d'un groupe de mots phonique (un mot phonique étant «tout ce qui est prononcé sans interruption»). Prenons les exemples suivants: *Madame! Madame Raymond! Madame Raymond-Tremblay!* L'accent tonique devant toujours porter sur la dernière syllabe phonique, nous aurons successivement les transcriptions suivantes:

Madame! = [ma'dam]
Madame Raymond! = [madamrɛ'mɔ̃]
Madame Raymond-Tremblay! = [madamrɛmɔ̃trã'ble]

De même, nous devrions transcrire:

C'est une grosse pomme = [setyngros'pɔm]
C'est une grosse pomme de terre = [setyngrospɔmdə'tɛʀ]
Moi, les extra-terrestres, j'y crois pas! = ['mwa lezɛkstratɛ'rɛstr ʒikrwa'pɑ]

On constatera qu'en français l'accent tonique n'occasionne jamais de changement de sens dans un énoncé. Autrement dit, l'accent tonique n'a pas de valeur phonologique. Par contre, dans d'autres langues, la place de l'accent tonique peut déterminer des valeurs différenciatives au point de vue du sens, c'est-à-dire que l'accent peut avoir une valeur phonologique. Par exemple, le mot italien *capitano* peut avoir trois sens selon la position de l'accent tonique:

– accent sur la 2ᵉ syllabe: [ka'pitano] = «ils arrivent par hasard»
– accent sur l'avant-dernière syllabe: [kapi'tano] = «capitaine»
– accent sur la dernière syllabe: [kapita'no] = «il commanda»

Il faudrait enfin ajouter un mot au sujet de l'accent d'insistance (ou affectif). Celui-ci correspond à d'autres modalités de fonctionnement, modalités liées aux disponibilités laissées par l'accent tonique. La plupart du temps, la mise en relief de la syllabe ainsi accentuée se fait grâce à un accent fort qui permet de mettre en évidence un mot sur lequel on veut insister. Ainsi, certains mots ont une charge sémantique presque «normale» avec cet accent d'insistance:

> C'est **'for**midable!
> C'est **'ter**rible!
> C'est **'ma**gnifique!
> C'est é**'pou**vantable!

Avec des mots dont la compatibilité avec la charge affective est moins évidente, l'affectivité est marquée par l'accent d'insistance:

> Il est é**'nor**me!
> C'est une **'gros**se montagne!
> Je n'ai pas dit lundi, j'ai dit **'mar**di!
> Je ne **'vous** connais pas!
> Il est **'d'une** gentillesse!

L'accent d'insistance ne fait pas disparaître l'accent tonique, mais il peut le supplanter au point de le faire paraître absent.

5.3   L'INTONATION

L'intonation correspond aux variations de hauteur qui ne portent pas sur un son ou une syllabe, mais sur une suite plus longue, comme un mot ou un groupe de mots, une phrase, etc. On utilise l'intonation pour véhiculer des informations complémentaires telles que l'interrogation, l'exclamation, l'ordre, l'affirmation, etc. Ainsi, l'énoncé *Tu viens* peut être prononcé avec trois intonations différentes, c'est-à-dire avec trois variations de la hauteur musicale:

> 1) Tu viens. = intonation tombante (affirmation).
> 2) Tu viens? = intonation montante (interrogation).
> 3) Tu viens! = intonation soutenue (exclamation).

L'intonation n'a pas de valeur phonologique en français, puisqu'elle ne porte pas sur une unité lexicale (dans ce cas: *venir*), mais sur l'ensemble d'un énoncé (*Tu viens*).

5.4   L'ASSIMILATION

L'assimilation est une réalité bien connue en phonétique combinatoire. Elle peut toucher aussi bien les voyelles que les consonnes. On dit qu'il y a assimilation d'un son par un autre lorsque, deux sons étant en contact, l'un prête à l'autre l'une de ses caractéristiques; autrement dit, un son en influence un autre au point que le second ressemble au premier. Dans le cas d'assimilation de consonnes, on parle d'*assimilation consonantique*; dans le cas des voyelles, on préfère parler d'*harmonie vocalique*.

L'assimilation consonantique se produit lorsque deux consonnes différentes se trouvent en contact. Si, en français, nous prononçons lentement *Un chapeau de paille*, cela devrait donner [œ̃ʃapodəpaj]. Or, normalement, on ne prononce pas le «e muet», et la chute du [ə] entraîne la rencontre de deux consonnes, l'une sonore, l'autre, sourde: [d] et [p] dans [œ̃ʃapodpaj]. En fait, dans toute prononciation normale, la rencontre d'une consonne sourde, surtout en syllabe tonique, provoque l'assourdissement de la consonne sonore; ce qui donne [œ̃ʃapotpaj], que l'on notera phonétiquement [œ̃ʃapod̥paj]. Il en est de même avec des séquences comme *médecin*, *cheval*, *absurde* ou *peuple*: [med̥sɛ̃], [ʃv̥al], [ab̥syrd] = [metsɛ̃], [ʃfal], [apsyrd]. L'assimilation peut se faire par une sonore qui assimile la sourde: *Je passe devant* = [ʃpas̬dəvɑ̃].

Il ne faudrait pas croire que l'assimilation n'existe qu'en français; elle se produit dans d'autres langues. Dans p*l*ease (angl.), p*r*onto (ital.), p*r*ensa (esp.), K*r*one (all.), f*r*ost (norv.), s*l*ang (danois), la consonne sourde [p], [k], [f] ou [s] assourdit la sonore [r] ou [l].

Quant à l'harmonie vocalique, elle résulte de l'influence d'une voyelle tonique qui ouvre ou ferme la voyelle précédente:

– fermeture de [ɛ] en [e] sous l'influence de la voyelle tonique fermée:
  [ɛde] > [ede] *aider*
  [deblɛje] > [debleje] *déblayer*
– ouverture de [e] en [ɛ] sous l'influence de la voyelle tonique ouverte:
  [repetɛ] > [repɛtɛ] *répétais*

Les exemples d'assimilation sont nombreux en d'autres langues, mais il ne semble pas très pertinent d'en rapporter dans ce chapitre.

ÉLÉMENTS DE PHONÉTIQUE COMPARÉE

Le présent chapitre a pour but de présenter quelques éléments de phonétique comparée; il décrit un certain nombre de phénomènes articulatoires étrangers au français. Cette description se veut beaucoup plus simple que celle du français; il s'agit d'une présentation générale. Toutefois, il surgit un problème de taille: celui de la transcription phonétique ou, si l'on préfère, celui de la lecture de l'alphabet phonétique. Dans la mesure où l'on connaît les sons d'une langue, comme c'est le cas pour le français, il est relativement facile de s'initier à l'API. Tout devient beaucoup plus complexe lorsqu'on a affaire à des langues étrangères. C'est pourquoi nous nous limiterons aux descriptions les plus courantes, et ce, à partir des langues plus connues comme l'anglais, l'allemand, l'espagnol, etc. Afin de faciliter la lecture des nouveaux symboles phonétiques, nous présentons, ci-dessous, quelques-uns de ceux qui sont utilisés par l'API:

Pour les voyelles
[ɪ]   fr. can. *pipe*, all. *Bitte*, angl. *fit*
[ʏ]   fr. can. *flûte*, all. *fünf*
[ʊ]   fr. can. *route*, angl. *put*, all. *funken*
[æ]   angl. *cat*
[ʌ]   angl. *cup*
[ɨ]   roumain *român* [romɨn]
[ai] angl. *eye*, all. *eins*
[au] angl. *found*, all. *Haus*, fr. can. *garage*
[ɔi] angl. *boy*, all. *heute*
[ue] esp. *muerte*

Pour les consonnes
[θ]   angl. *think*, esp. *placer*
[ð]   angl. *their*, esp. *todos*
[ç]   all. *ich*
[x]   all. *Woche*, esp. *gente*
[ɣ]   esp. *agua*
[β]   esp. *caballero*
[λ]   esp. *caballero*, ital. *foglia*
[ŋ]   fr. *camping*, angl. *camping*, all. *singer*
[h]   angl. *hair*, all. *Haus*
[ɹ]   angl. *hair*

1   DESCRIPTION DES CONSONNES SIMPLES

Les articulations sont dites simples lorsqu'elles se réalisent avec un seul point ou une seule zone d'articulation, ou avec un seul mode articulatoire. Par exemple, une occlusive peut être bilabiale, dentale ou vélaire, une dentale peut être occlusive ou constrictive; pour demeurer simple, une articulation doit être seulement labiale, dentale, vélaire, etc., et seulement occlusive ou constrictive. Au contraire, une articulation est complexe lorsqu'elle fait appel à deux points d'articulation ([pt], [bd], [kp], [gb], etc.) ou à deux modes d'articulation ([pf], [bv], [ts], [dz], [tʃ], [dʒ], etc.). Dans le cas des voyelles, une articulation simple se réalise avec une seule zone articulatoire ([i], [u], [a], etc.) alors qu'une articulation complexe fait appel à deux zones articulatoires en une seule émission, comme dans les diphtongues anglaises: *buy* [bai], *house* [haus], *coin* [kɔin], etc.

En fait, les possibilités de l'appareil phonatoire sont quasi illimitées, mais chaque langue n'utilise qu'une partie des voyelles et des consonnes possibles. Si nous consultons la figure 7.5 présentant les consonnes du français, nous constatons quelques «espaces vides»: le français ne dispose pas de constrictives bilabiales, ni d'occlusives labiodentales, ni d'occlusives palatales ou uvulaires orales, etc. Or, de telles articulations peuvent exister dans d'autres langues.

1.1   LES OCCLUSIVES

Les occlusives [p], [b], [m] ainsi que [t], [d], [n] et [k], [g] comptent certainement parmi les articulations les plus employées dans la plupart des langues du monde. De ce point de vue, il n'y a rien qui distingue le français de la plupart des autres langues. Toutefois, certaines réalisations inconnues du français sont possibles, notamment du côté des labiodentales, des palatales, des uvulaires, des glottales et des nasales.

– LES LABIODENTALES ET LES PALATALES

Dans la série des consonnes occlusives orales, on peut souligner que des labiodentales, des palatales et, surtout, des uvulaires ainsi que des glottales existent dans d'autres langues. Il est difficile d'obtenir des occlusives dont le point d'articulation soit labiodental, la tendance normale voulant que l'articulation soit constrictive; le mbum (langue africaine) connaît toutefois une occlusive sonore de ce type dans des mots comme [ˈbên] («dieu»), [ˈbòl] («sorcellerie»). Les occlusives palatales (orales) semblent également très rares; elles existent en peul (langue africaine): [c] (sourde) et [ɟ] (sonore). Il s'agit d'une articulation proche à la fois de [t] et de [k]: [ceːɟu] («saison sèche»), [ɟɔj] («cinq»).

– LES UVULAIRES

Les occlusives orales uvulaires et glottales sont un peu plus fréquentes. Le français utilise une uvulaire: la constrictive vibrante [ʀ]. La plupart des langues arabes connaissent une occlusive sourde uvulaire du type [q], alors que l'inuit semble être l'une des rares langues à opposer à [q] l'uvulaire sonore [ɢ]; cette articulation exige que la racine de la langue vienne s'appuyer contre la luette (*voir la figure 8.1*).

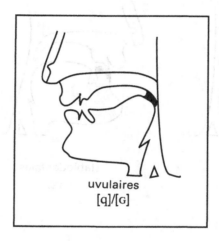

uvulaires
[q]/[ɢ]

FIGURE 8.1

– LA GLOTTALE [ʔ]

Cependant, de nombreuses langues font usage d'une occlusive glottale [ʔ]. C'est un type de consonne (toujours sonore) qui provient de l'ouverture soudaine de la glotte (cordes vocales) sous la poussée de la brusque fermeture du passage de l'air; le point d'articulation est dans le larynx au niveau des cordes vocales. On trouve une glottale phonologiquement non pertinente en anglais (*house*, *he*) et en allemand (*Haus*, *haben*); à ce propos, il ne faudrait pas confondre le «coup de glotte» avec la constrictive [h]. La glottale [ʔ] correspond à une attaque vocalique précédée d'une occlusive (glottale). En allemand, il est d'usage de prononcer une voyelle en la faisant précéder du «coup de glotte»: *ein* [ʔajn] («un»), *Arm* [ʔaʀm] («bras»), *Obst* [ʔɔːpst] («fruit»). Ajoutons que certaines langues slaves et de nombreuses langues d'Afrique font un emploi phonologique de la glottale [ʔ]; ainsi, en ngbaka, on distinguera [ʔɔ] («laisse») et [hɔ] («là-bas»).

– LES NASALES

Le français oppose trois occlusives nasales: une bilabiale [m], une dentale [n], et une palatale [ɲ]. On doit y ajouter la vélaire [ŋ] dans les mots d'origine anglaise comme *camping*. L'anglais et l'allemand sont des langues qui font un assez grand usage de cette vélaire: *singer/Sänger*, *long/läng*, *bank/Bank*, etc. Ces quatre nasales sont fréquentes dans les langues du monde (*voir la figure 8.2*). Certaines langues africaines utilisent des nasales à tous les points d'articulation: bilabiale [m], labiodentale [ɱ], dentale [n], palatale [ɲ], vélaire [ŋ], uvulaire [N]. Qui plus est, une langue comme le birman (famille sino-tibétaine) oppose des nasales sonores à des nasales sourdes: [m]/[m̥], [n]/[n̥], [ɲ]/[ɲ̥], [ŋ]/[ŋ̥].

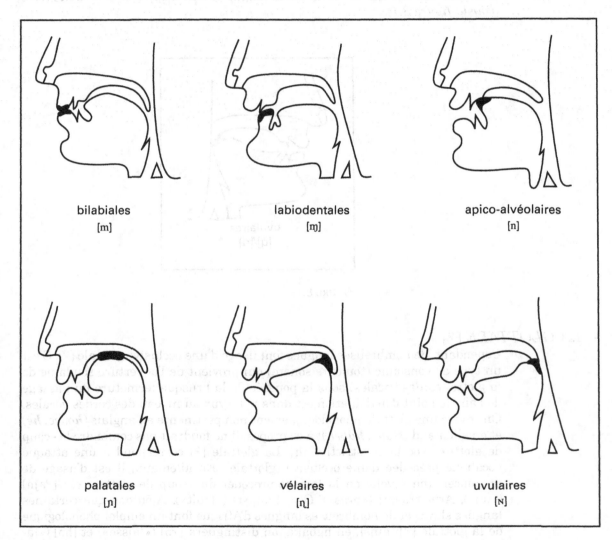

bilabiales
[m]

labiodentales
[ɱ]

apico-alvéolaires
[n]

palatales
[ɲ]

vélaires
[ŋ]

uvulaires
[N]

FIGURE 8.2

1.2   LES CONSTRICTIVES

La plupart des articulations constrictives du français sont produites au centre de la cavité buccale et concernent les labiodentales [f]/[v], les dentales alvéolaires [s]/[z], les palatales [ʃ]/[ʒ], la latérale [l] et la vibrante uvulaire [ʀ]. Observons maintenant le résultat lorsque nous nous amusons à combler les «vides» du système français.

– *LES BILABIALES* [ɸ]/[β]

Pour articuler les bilabiales [ɸ] (sourde) et [β] (sonore), il faut rapprocher les deux lèvres sans qu'elles se touchent et pousser l'air vers l'extérieur. On trouve la sonore en espagnol dans *caballero* [kaβaʎero] («cavalier»), *uva* [uβa] («raisin»). C'est surtout dans les langues africaines qu'on trouve la sourde [ɸ]: en isongo: [ɸa] («couteau»), [ɸo] («souris»); en ewe: [ɸu] («os»), [βu] («bateau»).

– *LES INTERDENTALES* [θ]/[ð]

Le terme *interdentale* désigne une articulation «entre les dents». On articule les interdentales (*voir la figure 8.3*) en rapprochant la pointe de la langue vers les dents supérieures tout en dépassant légèrement celles-ci pour que la langue soit visible de l'extérieur. Les interdentales [θ] (sourde) et [ð] (sonore) sont assez fréquentes dans les langues du monde. On les trouve en anglais, mais aussi en arabe, en grec, en danois, en lapon, etc. Voici quelques exemples en anglais: *think* [θɪŋk], *three* [θri], *tooth* [tuθ], *their* [ðɛr], *the* [ðə], *to bathe* [beð]. L'espagnol ne se sert que de la sonore: *nada* [naða] («rien»), *todos* [tɔðɔs] («tous»).

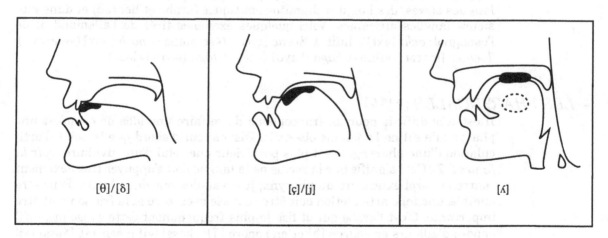

[θ]/[ð]   [ç]/[j]   [ʎ]

FIGURE 8.3   FIGURE 8.4   FIGURE 8.5

– *LES PALATALES* [ç]/[j]

On connaît la palatale sonore [j] en français dans *bâiller* [baje]; elle est considérée comme une semi-consonne. Cependant, dans certaines langues, la sonore [j] est une consonne et elle s'oppose à la sourde [ç] (*voir la figure 8.4*). On trouve cette sourde en allemand dans des mots comme *ich* [iç] («je»), *nötig* [nøtiç] («nécessaire»), etc.

— LE [ʎ] MOUILLÉ

L'ancien français a déjà connu le [ʎ] dit mouillé: ainsi, le mot *fille* se prononçait non pas [fij], comme aujourd'hui, mais plutôt [filj] que l'on noterait en API [fiʎ]. Ce [ʎ] existe dans la plupart des langues slaves ainsi qu'en espagnol, en catalan et en italien, qui l'ont conservé du latin. Une telle articulation est obtenue (*voir la figure 8.5*) lorsque la partie antérieure du dos de la langue vient s'appuyer contre le palais dur; comme pour toute latérale, l'air s'échappe par les côtés de la langue. De l'espagnol, on peut relever *caballero* [kaβaʎero] («cavalier»), *llamar* [ʎamar] («appeler»); de l'italien, *foglia* [foʎa], *paglia* [paʎa] («paille»).

— LE [ɹ] ANGLAIS

L'anglais est sûrement l'une des rares langues à utiliser ce type de *r*: c'est un *r* apico-alvéolaire. Un peu comme pour le [r] roulé français, la langue s'avance vers les alvéoles, mais c'est le dessous de la pointe de la langue qui touche les alvéoles (*voir la figure 7.4.3*); l'air passe de chaque côté de la langue. Voici quelques exemples de mots avec [ɹ][1]: : *arrive*, *speakers*, *prod*, *tear*, etc.

— LES VÉLAIRES [x]/[ɣ]

On se référera à l'allemand pour la sourde [x] et à l'espagnol pour la sonore [ɣ]. Pour produire cette articulation gutturale (*voir la figure 8.6*), il faut diriger la partie postérieure du dos de la langue vers le voile du palais mou; cette fricative s'accompagne souvent d'une vibration de la luette. C'est une articulation fréquente en allemand [x] et en espagnol [ɣ], mais aussi dans la plupart des langues slaves, des langues chamito-sémitiques (arabe et hébreu) et dans plusieurs langues africaines. Voici quelques exemples tirés de l'allemand et de l'espagnol: *acht* [axt] («huit»), *Woche* [voxə] («semaine»), *noch* [nɔx] («encore»), *Tochter* [tɔxtər] («fille»), *bago* [baɣo] («cru»), *lago* [laɣo] («lac»).

— LES PHARYNGALES [ħ]/[ʕ]

Il est très difficile pour un francophone de se faire une idée de ce qu'est une pharyngale s'il ne l'a jamais observée. Disons tout d'abord que le point d'articulation d'une pharyngale est plus postérieur que celui d'une uvulaire (*voir la figure 8.7*). Cela signifie que la racine de la langue doit s'appuyer très fortement contre la paroi extérieure du pharynx, juste au-dessous de la luette. Pour être audible, une telle articulation doit être réalisée avec force et la friction doit être importante. C'est l'arabe qui utilise le plus fréquemment cette consonne, qu'il oppose d'ailleurs en sourde [ħ] et en sonore [ʕ]: [ħass] («il a senti»), [ʕass] («il a surveillé»).

---

1. Lorsqu'on transcrit phonétiquement, il faut distinguer le type de *r* produit: [r], [ʀ], [ɹ]. Cependant, une transcription «large», c'est-à-dire phonologique, permet d'utiliser toujours le symbole [r] à la condition de supposer que, par exemple, le [r] anglais se prononce effectivement [ɹ]. Les dictionnaires procèdent souvent ainsi.

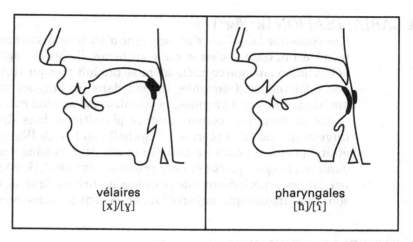

vélaires
[x]/[ɣ]

pharyngales
[ħ]/[ʕ]

FIGURE 8.6   FIGURE 8.7

– *LES GLOTTALES* [h]

La glottale sourde [h] est plus facile à identifier parce qu'elle existe notamment en anglais dans *hat*, *hair*, *high*, etc. En fait, il s'agit de prononcer [h], ce qui est différent du «coup de glotte», une occlusive; le [h] est une constrictive. Cette articulation est couramment employée dans les langues chamito-sémitiques (arabe et hébreu) et les langues d'Afrique; elle présente parfois dans ces langues une opposition phonologique entre un [h] sourd et un [ɦ] sonore.

2 LES CONSONNES COMPLEXES

Les consonnes complexes, rappelons-le, résultent d'articulations combinant soit deux points d'articulation, soit deux modes d'articulation. Afin de ne pas augmenter le nombre des signes utilisés dans la transcription phonétique, il est d'usage d'employer deux signes pour identifier une articulation complexe; par exemple, le phonème [tʃ] est issu de [t] + [ʃ]. Il sera plus aisé d'aborder les articulations complexes puisque les signes graphiques sont déjà connus.

2.1 LES CONSONNES À DEUX POINTS D'ARTICULATION

Il existe des consonnes qui combinent deux points d'articulation : ce qui signifie que la langue doit se déplacer très rapidement pour constituer un seul phonème. Les langues africaines semblent particulièrement riches en articulations de ce type. Des articulations comme [pt], [bd], [mn], [kp], [gb], etc., sont simples à décrire : c'est la combinaison d'une bilabiale et d'une dentale ou celle d'une palatale et d'une bilabiale qui permet la production de tels phonèmes.

Toutefois, ce type d'articulation demeure assez marginal; ce n'est point le cas des autres articulations qui sont dues à la labialisation, à la palatalisation, à l'aspiration, à la pharyngalisation et à la glottalisation.

– *LA LABIALISATION* [kʷ]/[gʷ]

Une consonne *labialisée* s'accompagne d'un arrondissement des lèvres projetées vers l'avant, comme c'est le cas pour la voyelle [u]. Il s'agit, en fait, d'une labio-vélarisation puisque ce phénomène se produit presque toujours avec [k]/[g]. Bien que relativement fréquente, surtout dans les langues anciennes, les langues amérindiennes et africaines, la labialisation semble rarement distinctive. Elle existe en français comme variante phonétique dans des mots en *ui* comme *linguistique* que l'on prononce [lɛ̃gwistik] au lieu de [lɛ̃gɥistik]. La labialisation était également courante en latin et elle était rendue dans la graphie par *qu*: *quadra*, *quisque*, *quotus* étaient prononcés [kʷadra], [kʷiskʷe], [kʷotus]. Le kalispel, langue amérindienne de la Colombie-Britannique, et le haoussa du Nigeria sont des langues qui, aujourd'hui, emploient les consonnes labialisées [kʷ]/[gʷ].

– *LA PALATALISATION* [kʲ]/[gʲ], [tʲ]/[dʲ]

La palatalisation est un phénomène assez courant, particulièrement dans les langues slaves et caucasiennes dont l'une des caractéristiques est la «mouillure». La palatalisation se produit lorsque, par exemple, une dentale ou une vélaire se déplace vers la région du palais dur.

Si l'on fait exception des langues slaves et caucasiennes et du birman, ce phénomène semble rarement pertinent phonologiquement. Le français du Canada, à l'exemple de nombreux parlers populaires et régionaux de France, connaît la palatalisation. Ainsi, [t] et [d] devant [j] peuvent se palataliser: *c'est pas l'diable, le bon Dieu, une chaudière*, etc., deviennent [sepɔljɔb], [lbɔ̃ʒø], [ʏnʃɔjeʀ]. Il ne s'agit pas là toutefois d'une articulation complexe.

Les vélaires [k] et [g] peuvent aussi se palataliser en franco-québécois (comme dans certains parlers régionaux de France), surtout devant les voyelles [i] ou [y], et en finale. La palatalisation est plus ou moins accentuée dans des mots comme *drogue* ou *psychologue* prononcés [drɔgʲ] ou [drɔj], [psikɔlɔgʲ] ou [psikɔlɔj]. Elle est moins prononcée dans des mots comme *guêpe*, *piquant*, *curé*, prononcés [gʲɛ:p], [pikʲɑ̃], [kʲyre]. Enfin, on peut noter la palatalisation de la dentale [n] devant [j]: *niaiseux*, *panier*, *manière* se transforment en [ɲɛzø], [paɲe], [maɲeʀ]. Là encore, le résultat de la palatalisation n'est pas une articulation dite *complexe*.

Les langues slaves et caucasiennes sont particulièrement riches en articulations palatalisées. Ainsi, le russe palatalise le son final de tous les infinitifs: [znatʲ] «savoir», [dumatʲ] «penser», [gavaritʲ] «parler»; on trouve d'autres palatalisations (p. ex. [fanarʲ] «fanal», [tʃɛstʲ]), mais elles concernent surtout les voyelles. Quant au tchèque, il peut palataliser systématiquement les dentales [t], [d], [n] en [tʲ], [dʲ], [nʲ].

– *L'ASPIRATION* [pʰ], [tʰ], [kʰ]

De toutes les consonnes complexes à deux points articulatoires, les consonnes aspirées sont certainement parmi les plus en usage dans les langues. On trouve notamment ces consonnes dans les langues germaniques (dont l'anglais et l'allemand), indo-iraniennes (dont l'hindi), caucasiennes, sino-tibétaines (dont le birman et le thaï), etc. L'aspiration touche les occlusives sourdes ou sonores, mais plus souvent les premières. En anglais, les occlusives [p], [t], [k] ont généralement une poussée d'air assez forte entre l'ouverture et le début de la voyelle qui suit pour provoquer une aspiration; toutefois, celle-ci n'a pas de valeur phonologique. On prononce indifféremment *pink, upon, apart, pain*, etc., avec une aspirée ou non: [pɪŋk]/[pʰɪŋk], [əpɑn]/[əpʰɑn], [əpɑrt]/[əpʰɑrt], etc. Par contre, il n'en est pas de même en thaï où les occlusives non aspirées s'opposent phonologiquement aux aspirées: [pit] («fermer») et [pʰit] («faux»).

– *LA PHARYNGALISATION*

La pharyngalisation est la vélarisation d'une consonne accompagnée d'une poussée vers l'arrière de la racine de la langue contre la paroi extérieure du pharynx. On trouve ce phénomène articulatoire particulièrement en arabe et en berbère, mais il semble exister aussi dans les langues caucasiennes. La pharyngalisation se produit surtout avec les consonnes (sourdes ou sonores) [p], [t], [k] et [s] ou [r], mais l'arabe et le berbère pharyngalisent [ð] et [z]. Par exemple, on aura en arabe [dəm]/[d°amma] («sang»/«embrasser») et en berbère [izi]/[iz°ər°] («la mouche»/«il voit»).

2.2   LES CONSONNES À DEUX MODES D'ARTICULATION

Les consonnes qui combinent deux modes d'articulation, c'est-à-dire des occlusives et des constrictives, se résument à deux catégories: les affriquées et les semi-nasales. Les affriquées sont très courantes dans un grand nombre de langues, alors que les semi-nasales ne semblent en usage que dans les langues africaines.

– *LES AFFRIQUÉES*

Réaliser une affriquée consiste à produire une occlusive et une fricative de façon quasi simultanée. Voici les cas les plus fréquents:

$$[t] + [ʃ] > [tʃ]$$
$$[d] + [ʒ] > [dʒ]$$
$$[t] + [s] > [ts]$$
$$[d] + [z] > [dz]$$
$$[p] + [f] > [pf]$$
$$[b] + [v] > [bv]$$

Les affriquées [tʃ] et [dʒ] sont en usage notamment en anglais (***church***, ***lunch***, ***butcher***, etc.), en espagnol (***muchacho***), en italien (***giorno**)*, *en tchèque* ([tʃeʃtiː], en russe, en hébreu, etc. Quant aux affriquées [ts] et [dz], on les trouve encore dans certaines langues slaves, mais elles existent aussi en franco-québécois devant les voyelles [i], [y], le *yod* [j] et [ɥ]: *tu, du, dire, tirer*, qui deviennent [tˢy], [dᶻy], [dᶻɪʀ], [tˢɪʀe]. De plus, l'affriquée [pf] est utilisée en allemand dans *Pferd* ([pfərt] «cheval»), alors que l'affriquée [bv] semble très rare (en sere: [bvara] «huile»). Enfin, précisons qu'on trouve en russe une affriquée un peu spéciale: [ʃtʃ], qui semble tomber en désuétude.

– LES SEMI-NASALES

Les articulations semi-nasales sont des consonnes qui commencent nasales et qui s'achèvent orales, d'où le nom de *semi-nasales*. Ce type d'articulation semble être particulièrement employé dans les langues africaines. En voici quelques exemples:

Prénasalisées: [mp]/[mb]   Postnasalisées: [pm]/[bm]

            [mf]/[mv]   [tn]/[dn]

            [nt]/[nd]   [kŋ]/[gŋ]

            [ns]/[nz]

            [mpf]/[mbv]

            [nts]/[ndz]

            [ŋk]/[ŋg]

2.3   LES CLICKS

Les «langues à clicks» ne sont pas nombreuses: quelques langues bantoues (dont le zoulou) et deux langues khoïsanes (le hottentot et le bochiman).

Jusqu'ici, toutes les articulations décrites pour produire un phonème nécessitaient une expulsion de l'air provenant des poumons vers l'extérieur. Or, dans les clicks, c'est un peu le contraire qui se produit: l'air est aspiré. Un click est un son claquant produit par une double occlusion du canal expiratoire. Il s'agit donc d'une sorte d'occlusive. De façon générale, un click nécessite une première occlusion au niveau du voile du palais, suivie d'une seconde occlusion située quelque part dans la cavité labiale ou dans une partie antérieure quelconque de la cavité buccale; entre les deux occlusions, il se produit une succion de l'air vers le pharynx, d'où une raréfaction de l'air jusqu'au moment de la désocclusion qui donne un son claquant.

Il est relativement facile de se faire une idée de ce que peut être un click. Il suffit d'imaginer, par exemple, comment on s'y prend: pour réprimander quelqu'un en faisant entendre une sorte de «tss... tss» (dental); pour faire avancer un cheval à l'aide d'un «kss... kss» (latéral); pour imiter un bécot ou une bise en faisant «pss... pss» (bilabial). L'important, c'est de créer une succion et d'aspirer! Somme toute, il s'agit là d'articulations plutôt marginales dans les langues du monde; plus d'un considèrent d'ailleurs le phénomène des clicks comme une curiosité linguistique!

3   DESCRIPTION DES VOYELLES SIMPLES

Nous savons déjà que le français possède 16 voyelles phonologiquement distinctives. Ce ne sont pas toutes les langues qui utilisent un aussi grand nombre de voyelles; la plupart des langues du monde en comptent beaucoup moins. De plus, certaines articulations vocaliques sont tout à fait inconnues du français. Qu'en est-il alors lorsqu'on compare le français aux autres langues?

3.1   LES VOYELLES DE BASE

Seulement trois voyelles se retrouvent dans toutes les langues du monde : [i], [u] et [a]. Quelques rares langues n'utilisent même que celles-là comme phonèmes vocaliques : mentionnons notamment l'arabe et l'inuit. Cela dit, les réalisations phonétiques de ces phonèmes peuvent varier quelque peu.

Les systèmes phonologiques à trois voyelles peuvent être considérés comme marginaux, car la plupart des langues utilisent un système à cinq voyelles. En fait, on peut estimer que les voyelles phonologiques de base se résument, pour l'essentiel, à cinq (*voir le tableau 8.1*) : [i], [e], [a], [u], [o]. Ces voyelles de base constituent l'ensemble des phonèmes vocaliques de plusieurs langues, notamment l'espagnol, le catalan, l'italien, le grec, le russe, le japonais, le tchèque, etc. Les réalisations phonétiques de ces mêmes phonèmes varient parfois : les voyelles [e]/[ɛ] et [o]/[ɔ] peuvent constituer des variantes phonétiques d'un même phonème, c'est-à-dire /**E**/ et /**O**/ selon le cas. De plus, les voyelles peuvent être longues ou brèves dans des langues où, comme en arabe et en tchèque, la longueur a une valeur phonologique.

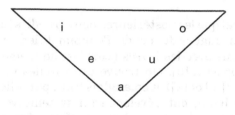

TABLEAU 8.1 LES VOYELLES DE BASE

3.2   LES VOYELLES RELÂCHÉES [ɪ], [ʏ], [ʊ]

Les langues germaniques, par exemple l'anglais et l'allemand, ont développé des articulations vocaliques *relâchées*. Ce terme n'a aucune valeur appréciative ni dépréciative. Seules les voyelles les plus fermées peuvent être relâchées, notamment les [i], [y], [u]. En français standard, ces voyelles sont très fermées et tendues ; en allemand, au contraire, elles peuvent être moins fermées (ou plus ouvertes) et relâchées : [ɪ], [ʏ], [ʊ]. Le français québécois connaît ces trois voyelles plus ouvertes qu'en français standard, bien qu'elles ne soient pas distinctives ; toute consonne en finale de syllabe précédée d'un [i], d'un [y] ou d'un [u] fait ouvrir ces voyelles en [ɪ], [ʏ], [ʊ]. Alors qu'un Français prononcera les mots *pipe*, *flûte*, *route* en maintenant les voyelles très fermées ([pip], [flyt], [rut]), un Québécois les ouvrira en [pɪp], [flʏt], [rʊt].

La langue anglaise connaît bien cette distinction[2] du timbre des voyelles fermées (sauf pour le [y] inexistant dans cette langue). Ainsi, *sheep* («mouton») est prononcé [ʃi:p] contrairement à *ship* («bateau») prononcé [ʃɪp] ; de même pour *boot* («botte») et *look* («regard») prononcés respectivement [bu:t] et [lʊk].

---

2. Cela ne signifie pas que le français du Québec ait imité l'anglais ; il s'agit plutôt d'un trait archaïsant hérité d'un état de langue ancien (XVIᵉ et XVIIᵉ siècles).

3.3   LES VOYELLES ANGLAISES [æ] ET [ʌ]

L'anglais fait usage de voyelles simples tout à fait inconnues du français. Mentionnons d'abord le [æ] antérieur de *cat* [kæt], qui est une articulation se situant entre le [ɛ] et le [a], c'est-à-dire plus ouverte que [ɛ] mais moins que [a].

Quant au [ʌ], on le trouve dans des mots comme *butter, cup, mother* et *punk* [bʌtər], [kʌp], [mʌðər], [pʌŋk]. C'est une voyelle dont la zone articulatoire n'existe pas en français; en effet, le français ignore totalement les postérieures non arrondies (dont [ʌ]).

FRANÇAIS			BAFIA		
Non arr.	Arr.	Arr.	Non arr.	Non arr.	Arr.
i	y	u	i	ɯ	i
e	ø	o	e	ɤ	o
ɛ̃	œ	ɔ	ɛ̃	ʌ	ɔ
a		ɑ	a		ɑ

TABLEAU 8.2 LES VOYELLES ARRONDIES ET NON ARRONDIES DU FRANÇAIS ET DU BAFIA

Il est vrai que les postérieures non arrondies [ɯ], [ɤ], [ʌ] semblent peu employées dans les langues du monde. Pour simplifier, on pourrrait dire que [ɯ] correspond à [u] mais avec les lèvres écartées; de même pour [ɤ] par rapport à [o], et [ʌ] par rapport à [ɑ]. On trouve des voyelles postérieures non arrondies en vietnamien ([ɯ] et [ɤ]) et en anglais ([ʌ]); par ailleurs, certaines langues africaines, dont le bafia, ont développé un système vocalique tout à fait à l'inverse du français (*voir le tableau 8.2*). En effet, le français oppose deux séries de voyelles antérieures (non arrondies/arrondies) et n'a qu'une seule série de postérieures (arrondies); le bafia oppose plutôt deux séries de voyelles postérieures (non arrondies/arrondies) et ne dispose que d'une seule série d'antérieures (non arrondies).

3.4   LES VOYELLES CENTRALES [ɨ], [ʉ], [ɐ]

En français, la seule voyelle centrale est le [ə] neutre dans *peler*; on la reconnaît aussi en allemand dans *Mutter* [muːtər], en néerlandais dans *mœder* [mudər], en anglais dans *mother* [mʌðər], en roumain dans *värul* [vərul] («cousin»). Or, le [ə] neutre n'est pas la seule voyelle centrale possible. Il existe également un [i] et un [u] central que l'on identifie respectivement par [ɨ] et par [ʉ]. On trouve un tel [ɨ] dans plusieurs langues dont le russe, le roumain, le turc: russe [sɨn] («fils»), roumain [romɨn] («roumain»), turc [kɨ] («fille»). La voyelle [ʉ] semble beaucoup moins fréquente dans les langues que le [ɨ]; le turc emploie les deux voyelles centrales: [kɨ] («fille»), [sʉ] («lait»). Quant au [ɐ], il demeure rare.

3.5   LES VOYELLES NASALES ET LES VOYELLES SOURDES

On sait que le français fait usage de quatre voyelles nasales ([ɛ̃], [œ̃], [ɔ̃], [ɑ̃]) contre 12 orales; le nombre des voyelles orales dépasse de beaucoup celui des nasales et il en est ainsi dans la plupart des langues qui utilisent des nasales. On peut aussi affirmer que les langues employant des voyelles nasales sont moins nombreuses. De fait, de toutes les grandes langues parlées en Europe ou en Amérique, seuls le français, le portugais et le polonais opposent des nasales à des orales.

En principe, toutes les voyelles orales peuvent se nasaliser; il est possible de nasaliser les 12 voyelles orales du français. Ainsi, l'ancien français possédait 10 voyelles nasales: cinq voyelles simples ([ɑ̃], [ɛ̃], [ĩ], [ũ], [ỹ]) et cinq diphtongues ([ãĩ], [ɛ̃ĩ], [ĩɛ̃], [ũɛ̃], [ỹẽ]). Le franco-québécois nasalise souvent le [e] fermé plutôt que le [ɛ], et le [a] antérieur plutôt que le [ɑ] postérieur, ce qui donne des articulations plus fermées et plus tendues. Le portugais nasalise deux antérieures et deux postérieures:

1) le [e] qui est plus fermé que le [ɛ̃] français: [e] dans *vento* prononcé [vẽtu] «vent»;
2) le [i] qui devient [ĩ] dans *fino* prononcé [fĩnu] («fin»);
3) le [u] qui devient [ũ] dans *um* prononcé [ũm] («un»);
4) le [o] qui devient [aõ] un peu diphtongué dans *avião* prononcé [avjaõ] («avion»).

À part le français, le portugais et le polonais, il semble que ce soient surtout les langues africaines qui fassent le plus usage des voyelles nasales. C'est dans ces langues qu'on retrouve toutes les formes de nasales possibles.

Enfin, ajoutons quelques mots sur les voyelles dites *sourdes*. De fait, certaines langues font usage de voyelles sourdes, ce qui, reconnaissons-le, demeure rare. De plus, ces voyelles n'ont à peu près jamais le statut de phonème; ce sont le plus souvent des variantes combinatoires comme on en trouve en français du Québec dans le mot *université* prononcé [ynivɛʀsi̥te]: la voyelle [i] est assourdie du fait qu'elle est placée entre deux consonnes sourdes. Répétons-le, rares sont les langues utilisant systématiquement des voyelles sourdes. Le malgache en utilise, de même que quelques langues amérindiennes dont le comanche et le totonac.

4   LES DIPHTONGUES

Les diphtongues constituent des articulations vocaliques complexes dont les variations de timbre en cours d'émission nous sont immédiatement perceptibles. Ce n'est pas le cas des voyelles décrites jusqu'ici, voyelles que l'on pourrait appeler *monophtongues*, par opposition aux diphtongues. Contrairement aux monophtongues, les diphtongues passent par deux timbres vocaliques entre le commencement et la fin de leur émission. On a affaire à des diphtongues dans des voyelles comme [ai], [ei], [oi], [au], [eu], etc., que l'on prononce [aj], [ɛj], [ɔj], [aw], [ew][3], etc. Dans l'ensemble des langues du monde, les articulations vocaliques complexes sont beaucoup moins répandues que les articulations consonantiques complexes; rares sont les langues qui opposent phonologiquement monophtongues et diphtongues. Le français n'a pas de diphtongues, mais il n'en

---

3. On peut transcrire phonétiquement [aj], [ɛj], [ɔj], [aw], [ew], mais il est préférable de recourir à une transcription phonologique du type [ai], [ɛi], [ɔi], [au], [eu], etc. Dorénavant, c'est le système qui sera privilégié ici.

a pas toujours été ainsi: l'ancien français, rappelons-le, a déjà été très riche en diphtongues et en triphtongues. Il a pu compter jusqu'à 16 diphtongues (dont cinq nasalisées) et trois triphtongues ([ieu], [uou], [eau]).

L'anglais est certainement l'une des langues modernes les plus riches en diphtongues: *boy* [bɔi], *ice* [ais], *fight* [fait], *shout* [ʃaut], *flour* [flaur], *my* [mai], *coin* [kɔin], etc. À la rigueur, au strict point de vue phonétique, un locuteur anglophone peut diphtonguer presque toutes les voyelles. Parmi les autres langues faisant usage des diphtongues, mentionnons aussi l'allemand (*Haus*, *mein*, *heute*: [haus], [main], [hɔitə]), l'espagnol (*muerte*, *seis*, *siete*: [muɛrte], [seis], [siete]), l'italien (*uovo*, *piede*: [uovo], [piede]), le vietnamien ([kua] «crabe», [bia] «cible», [kʉa] «scie»).

Précisons que le franco-québécois est également riche en diphtongues. Celles-ci ne constituent cependant que des variantes phonétiques. En voici quelques exemples:

[ɛ] > [ai]	*maître* [maitr]		
	crêpe [kraip]		
	tête [tait]		
	neige [naiʒ]		
[ɛ] > [aɛ̃]	*même* [maɛ̃m]		
[a] > [au]	*pâte* [paut]		
	âge [auʒ]		
[ɔ] > [aɔ]	*encore* [ãkaɔʀ]		
	dehors [dəwaɔʀ]		
[œ] > [œy]	*sœur* [sœyʀ]		
	beurre [bœyʀ]		
[ɛ̃] > [aɛ̃]	*pinte* [paɛ̃t]		

L'on pourrait s'interroger sur l'origine des diphtongues québécoises, mais nous y reviendrons au chapitre 21. Selon toute probabilité, la diphtongaison serait d'origine gallo-romane, car on la retrouve encore aujourd'hui en France, de la Normandie jusqu'aux Charentes (Ouest).

Enfin, un dernier mot concernant les triphtongues. Celles-ci, qui comprennent trois timbres différents, sont assez rares dans les langues. L'ancien français en a déjà eu trois: [ieu], [uou], [eau]. La graphie a conservé quelques vestiges de cette époque: *oiseau* [ɔiseau], *beau* [beau], *pieu* [pieu], mots que l'on pourrait transcrire plus phonétiquement ainsi: [ɔjseaw], [beaw], [pjew]. L'anglais britannique semble être l'une des très rares langues du monde où des triphtongues sont encore courantes: *fire* [faiə], *hour* [auɔ].

Lorsqu'on compare le système phonétique (phonologique) du français avec celui des autres langues, on constate que toutes ses articulations sont dites *simples* (par opposition aux articulations complexes). En ce qui a trait au système consonantique, il faut reconnaître la grande simplicité du français: 17 consonnes dont la plus grande partie (14 sur 17) est réalisée à l'avant de la cavité buccale. Seuls les phonèmes [k],[g],[ʀ] sont articulés dans la partie postérieure de l'organe phonatoire. Le français ne compte aucune affriquée[4], aucune pharyngale, aucune glottale, aucune aspirée, aucune articulation complexe. Bref, c'est un système consonantique facile à apprendre pour n'importe quel locuteur d'une autre langue.

Il n'en est pas tout à fait de même en ce qui concerne le système vocalique. Avec ses 16 voyelles, le français constitue certainement l'une des langues les plus riches en phonèmes. Peu de langues peuvent dépasser le français par le nombre des articulations vocaliques; le cambodgien est peut-être le grand champion à ce chapitre. Deux séries d'oppositions rendent le système français assez complexe : la série des voyelles non arrondies [i]/[e]/[ɛ] et arrondies [y]/[ø]/[œ] ainsi que l'opposition des orales et des nasales. La plupart des langues du monde n'ont aucun de ces deux types d'opposition.

Mais le caractère peut-être le plus fondamental du système phonétique français est son *antériorité*. Tant pour les voyelles que pour les consonnes et les semi-consonnes, la majorité des articulations sont antérieures : neuf voyelles sur 16, 14 consonnes sur 17, deux semi-consonnes sur trois. De plus, les études statistiques portant sur le lexique du français prouvent que la fréquence des sons antérieurs est deux fois plus élevée que celle des sons postérieurs[5].

Par ailleurs, la quantité plus ou moins grande des phonèmes dans une langue ne confère à celle-ci aucune qualité enviable par rapport aux autres langues. Même si l'on peut compter jusqu'à plus de 60 phonèmes dans certaines langues caucasiennes (36 en français) et moins d'une vingtaine dans certaines langues amérindiennes, aucune de ces langues ne permet de mieux communiquer que les autres. La fonction principale des langues est la fonction de communication; elles réussissent toutes à la remplir, quels que soient leur système phonologique et leurs caractères phonétiques.

---

4. Sauf dans les mots d'origine étrangère comme *tchèque*, *tchador*, *tchadien*, *cha-cha-cha*, etc.

5. ARRIVÉ, M., F. GADET et M. GAMICHE. *La grammaire d'aujourd'hui : guide alphabétique de linguistique française*, Paris, Flammarion, 1986, p. 512.

PRINCIPES DE PHONOLOGIE DU FRANÇAIS

Supposons qu'un linguiste russe, ignorant à peu près tout du français, arrive au Québec avec son magnétophone pour enregistrer quelques mètres de bande sonore, dans le but de dresser par la suite un inventaire complet des sons entendus. Ce linguiste trouverait très certainement beaucoup plus que 36 réalisations phonétiques. En raison de la diversité des régions, des individus, des intonations, des rythmes, etc., il croirait distinguer plusieurs types de [p], de [b], de [k], de [r] ou encore une grande variété de [e], de [o] ou de [a]. Il est à peu près sûr qu'il croirait trouver des consonnes et des voyelles palatalisées et qu'il serait à l'écoute des chuintantes et des gutturales possibles ; ne l'oublions pas, c'est un Russe ! Il écouterait à travers le prisme « déformant » de sa propre langue.

Toutes ces variations phonétiques qu'il observerait dans notre français lui causeraient des « petits » problèmes d'interprétation. Le français du Québec compte-t-il autant de phonèmes que de réalisations phonétiques ? Comment distinguer ce qui est pertinent de ce qui ne l'est pas ? Pour cela, il faut adopter des méthodes qui permettent de déterminer les phonèmes.

C'est pourquoi il est utile de compléter l'étude purement physique des sons – la phonétique – par une analyse qui tienne compte également de l'aspect significatif ou sémantique du phonème. C'est là, rappelons-le, l'objet d'une description dite *phonologique*, laquelle s'intéresse aux sons dans la mesure où les oppositions entraînent des changements de sens.

1   LA COMMUTATION

Étant donné que la langue forme un système dont toutes les unités entretiennent des relations, les sons doivent être analysés en vertu de leurs fonctions à l'intérieur du système. La différence phonique doit donc être fondée sur la capacité d'assurer la fonction de communication. Ainsi, la fonction d'une unité phonique est dégagée par opposition à une autre unité dans le même environnement. Il s'agit d'une fonction distinctive permettant de considérer des sons comme phonologiquement pertinents. L'opposition [o]/[ɔ] dans *mirobolant* prononcé [mirobolɑ̃], [mirɔbɔlɑ̃] ou [mirobɔlɑ̃] est d'ordre purement phonétique parce qu'elle n'occasionne pas de changement de sens. En revanche, nous savons que certaines modifications des sons peuvent entraîner des changements de sens:

ils ont / ils sont	[ilzɔ̃]/[ilsɔ̃]
temps / dent	[tɑ̃] / [dɑ̃]
banc / bon	[bɑ̃] / [bɔ̃]

Grâce à la phonologie et au procédé de la *commutation*, nous réussissons à étudier les sons du langage à la lumière de leur opposition dans un même système linguistique. Comment se fait le procédé de la commutation? Par exemple, si l'on veut étudier le son [a] du français, on opposera aux combinaisons [pal], [mal], [kal], etc., les combinaisons [pil], [mil], [kil], etc. L'opposition [a]/[i] dans les séquences proposées apparaît donc importante puisque le timbre de la voyelle entraîne un changement de sens. Tel n'est pas le cas dans les séquences [mwa]/[mwe], variantes de *moi*: les oppositions [a]/[e] n'ont pas d'incidence sur le sens en français québécois.

Si, au contraire, la mutation entraîne, dans un cas donné, un changement de sens, on parlera de *phonème*. Si ce n'est pas le cas, on parlera d'*allophone*. Ainsi, [a] et [i] dans *pale/pile* sont considérés comme des phonèmes distincts, mais [a] et [e] dans *moi* sont des allophones d'un même phonème, c'est-à-dire des réalisations phonétiques d'une même valeur phonologique.

À partir de ces constatations, on peut dégager deux principes permettant d'interpréter les résultats de la commutation:

1) Dans le même environnement phonétique, si nous pouvons permuter deux sons en modifiant la signification, ceux-ci constituent des réalisations phonétiques de deux phonèmes différents: [pil]/[pal], [pal]/[pœl], [pœl]/[pɛl][1], etc.

2) Dans le même environnement phonétique, si nous pouvons permuter deux sons sans modifier la signification, ceux-ci constituent des réalisations phonétiques d'un même phonème, c'est-à-dire des allophones d'un seul phonème: [mwa]/[mwe], [epɛ]/[epa], [dir]/[dzɪr], [pat]/[pɑut], etc.

La commutation permet donc de dégager les phonèmes d'une langue: en général, de 20 à 40 environ. Il est d'usage de représenter les phonèmes au moyen des symboles de l'API placés entre des traits inclinés: /e/ = /a/ dans [mwe]/[mwa], c'est-à-dire *moi*.

---

1. En français: *pile/pale, pale/peul, peul/pelle*.

2   LA RECHERCHE DES TRAITS DISTINCTIFS

Il existe une autre façon d'aborder les caractéristiques phonétiques : la recherche des traits distinctifs. Pour ce faire, il convient de réaménager les traits phonétiques de façon homogène. Cela signifie que chaque caractéristique doit s'appliquer à l'ensemble des phonèmes d'une langue (voire de toutes les langues) et non seulement à quelques-uns d'entre eux.

Pour distinguer les traits pertinents ou distinctifs, le phonologue se sert de la description phonétique. Il est donc utile de consulter le tableau 9.1 : « Les oppositions articulatoires du français ». Ce tableau présente le système des consonnes et des voyelles, ainsi que les traits phonétiques qui les caractérisent. Ces traits phonétiques sont présentés sous la forme d'oppositions binaires : oral/nasal, sonore/sourd, etc. La première question que l'on doit se poser est celle-ci : est-ce que toutes ces oppositions sont nécessaires pour déterminer les phonèmes? Autrement dit, y a-t-il possibilité d'élaguer pour départager ce qui est distinctif et ce qui ne l'est pas? La seconde question serait, au contraire, de savoir si ces oppositions sont suffisantes. Après tout, il est possible que ces oppositions ne puissent, à elles seules, déterminer les traits pertinents d'un phonème.

LES CONSONNES

Orales/nasales
- orales : [p], [t], [k], [b], [d], [g], [f], [s], [ʃ], [v], [z], [ʒ], [l], [ʀ]
- nasales : [m], [n], [ɲ]

Sonores/sourdes
- sonores : [b], [d], [g], [m], [n], [ɲ], [v], [z], [ʒ], [l], [ʀ]
- sourdes : [p], [t], [k], [f], [s], [ʃ]

Occlusives/constrictives
- occlusives : [p], [t], [k], [b], [d], [g], [m], [n], [ɲ]
- constrictives :
  - fricatives : [f], [v], [s], [z], [ʃ], [ʒ]
  - latérale : [l]
  - vibrante : [ʀ]

LES VOYELLES

Orales/nasales
- orales : [i], [e], [ɛ], [a], [y], [ø], [œ], [u], [o], [ɔ], [ɑ], [ə]
- nasales : [ɛ̃], [œ̃], [ɔ̃], [ɑ̃]

Ouvertes/fermées
- ouvertes : [ɛ], [ɛ̃], [œ], [œ̃], [a], [ɔ], [ɔ̃], [ɑ], [ɑ̃]
- fermées : [i], [e], [y], [ø], [u], [o]
- neutre : [ə]

Arrondies/non arrondies
- arrondies : [y], [ø], [œ], [u], [o], [ɔ], [ɑ], [œ̃], [ɔ̃], [ɑ̃]
- non arrondies : [i], [e], [ɛ], [a], [ɛ̃], [ə]

Antérieures/postérieures
- antérieures : [i], [e], [ɛ], [a], [y], [ø], [œ], [ɛ̃], [œ̃]
- postérieures : [u], [o], [ɔ], [ɑ], [ɔ̃], [ɑ̃]

TABLEAU 9.1   LES OPPOSITIONS ARTICULATOIRES DU FRANÇAIS

En réalité, les oppositions fondamentales reposent sur les couples consonnes/ voyelles, sonores/sourdes, orales/nasales. Ces trois séries d'opposition sont, en effet, très importantes en français, puisqu'elles permettent d'opposer deux types généraux de phonèmes (les consonnes et les voyelles) et plusieurs paires de consonnes (les sonores et les sourdes, les orales et les nasales) et de voyelles (orales et nasales).

On dira donc que les oppositions binaires consonnes/voyelles, sonores/sourdes, orales/nasales sont des traits distinctifs ou pertinents. On représente ces oppositions binaires de la façon suivante: [+ consonne], [+ sonore] (ou [+ voisé]), [+ nasal]. Il est inutile de définir des traits [+ voyelle], [+ sourd], [+ oral], puisque les phonèmes qui sont, par exemple, [+ consonne] sont nécessairement [− voyelle] et vice versa.

On peut illustrer ces observations par le schéma suivant:

	t	d	n	ɑ	ɑ̃
consonne	+	+	+	−	−
sonore (voisé)	−	+	+	+	+
nasal	−	−	+	−	+

On poursuit l'analyse à partir des éléments observés dams le tableau 9.1. On découvre que l'opposition occlusives/constrictives n'est pertinente que partiellement en français, car elle concerne surtout les dentales. De même, l'opposition antérieure/postérieure pour les consonnes semble inutile en français. Cependant, pour les voyelles, les oppositions ouvertes/fermées, antérieures/postérieures, orales/nasales et arrondies/non arrondies sont distinctives. Enfin, on remarquera que certains phonèmes n'opposent pas de phonèmes de même nature: [l], [ʀ], [ɲ], [ə].

En phonologie, on ne cherche pas à caractériser l'aspect articulatoire d'un phonème, mais plutôt l'utilité de la distinction entre, par exemple, un phonème sourd et un phonème sonore. Ainsi, l'opposition sourdes/sonores des occlusives dentales en français permet de distinguer certains messages du type /tu/ : /du/ (toux/doux). Par contre, il est inutile, en phonologie, de définir comme pertinent le caractère sonore du /r/ puisqu'il ne forme pas d'opposition avec un phonème sourd correspondant. Au contraire, le phonème /t/ pourra se définir comme sourd, dental, occlusif oral, car ces traits permettent de l'opposer aux phonèmes suivants:

— un phonème sonore: /d/;
— des occlusives non dentales: /p/ : /b/ ou /k/ : /g/;
— une nasale dentale sonore: /n/.

À partir de ces considérations, on conservera les traits suivants pour les consonnes: [± consonne], [± nasal], [± occlusif], [± voisé].

Phonèmes (cons)	p	d	m	t	d	n	ɲ	k	g	f	v	s	z	ʃ	ʒ	l	r
[± consonne]	+	+	+	+	+	+	+	+	+	+	+	+	+	+	+	+	+
[± nasal]	−	−	+	−	−	+	+	−	−	−	−	−	−	−	−	−	−
[± occlusif]	+	+	+	+	+	+	+	+	+	−	−	−	−	−	−	−	−
[± voisé]	−	+	+	−	+	+	+	−	+	−	+	−	+	−	+	+	+

Plusieurs phonèmes ont les mêmes traits distinctifs; par exemple, /b/, /d/ et /g/ ont en commun les traits [+ cons], [+ occ] et [+ voisé]; de même, /v/, /ʒ/, /l/ et /r/ partagent les traits [+ cons], [− occ] et [+ voisé]. Cet ensemble de traits pertinents ne suffit donc pas à caractériser les phonèmes.

Qu'en est-il des voyelles? Encore là, plusieurs phonèmes vocaliques ont des traits communs. Les phonèmes /i/ et /e/ ont les traits communs suivants: [+ voc], [− nas], [+ ant], [−ouv], [− arr]; par contre, /ɛ/ et /a/ ont à la fois [+ voc], [− nas], [+ ant], [+ ouv], [− arr], etc. Cela signifie que ces traits distinctifs sont insuffisants et qu'il faut aller plus loin dans la recherche des critères permettant de distinguer les phonèmes.

Phonèmes (voc)	i	e	ɛ	a	y	ø	œ	u	o	ɔ	ɑ	ɛ̃	œ̃	ɔ̃	ɑ̃	ə
[± vocalique]	+	+	+	+	+	+	+	+	+	+	+	+	+	+	+	+
[± nasal]	−	−	−	−	−	−	−	−	−	−	−	+	+	+	+	−
[± antérieur]	+	+	+	+	+	+	+	−	−	−	−	+	+	−	−	−
[± ouvert]	−	−	+	+	−	−	+	−	−	+	+	+	+	+	+	−
[± arrondi]	−	−	−	−	+	+	+	+	+	+	+	−	+	+	+	−

3   LES TRAITS DISTINCTIFS DU FRANÇAIS

Cette méthode que nous venons d'utiliser est utile dans la mesure où elle tente de systématiser les oppositions phonologiques et permet de découvrir la structure sous-jacente du système. Cependant, elle a ses limites: les traits considérés comme pertinents ne sont pas suffisants pour déterminer les phonèmes; trop de phonèmes partagent les mêmes traits. Afin de pousser plus loin l'analyse, on peut faire appel aux méthodes de la grammaire transformationnelle. C'est au linguiste américain Noam Chomsky que nous devons les recherches portant sur les faits de syntaxe; ces recherches ont jeté les bases de la grammaire transformationnelle dont le principe était, notamment, d'établir des traits de type universel applicables à toutes les langues. Chomsky a étendu ses théories à la phonologie.

En phonologie générative (ou transformationnelle), la distinction des phonèmes s'appuie sur une répartition binaire. En vertu de ce principe, le trait [+ vocalique], par exemple, s'oppose au trait [− vocalique] et non aux autres traits distinctifs avec lesquels il partage les mêmes caractéristiques.

Dans ce type de description phonologique, chacun des traits doit pouvoir accepter une *valeur fixe* et être relié à des éléments d'articulation indépendants les uns des autres. En fait, la phonologie générative tente de proposer un instrument formel universel, c'est-à-dire en grande partie indépendant de la langue étudiée. Voyons ce qu'il en est pour le français.

Les traits distinctifs du français peuvent se regrouper en trois classes: une première selon leur caractère général, une autre selon leur région articulatoire et une dernière classe fondée sur le mode articulatoire[2]. Les trois classes comptent au total 14 paires de traits distinctifs. Nous verrons que, dans la méthode générative, le vocabulaire change un peu par rapport à celui utilisé jusqu'ici, et que les mots ne recouvrent pas nécessairement les mêmes concepts.

1) Caractère général
  (1) ± vocalique (voc)
  (2) ± consonantique (cons)
2) Région articulatoire
  (3) ± coronal (cor)
  (4) ± antérieur (ant)
  (5) ± fermé (fer)
  (6) ± ouvert (ouv)
  (7) ± avant (av)
  (8) ± arrière (arr)
  (9) ± arrondi (ron)
  (10) ± nasal (nas)
  (11) ± latéral (lat)
3) Mode articulatoire
  (12) ± continu (cont)
  (13) ± voisé (vois)
  (14) ± strident (str)

Commençons par expliquer la terminologie employée afin de faciliter la compréhension des données qui suivent. Les 14 termes employés ici, rappelons-le, ne recouvrent pas nécessairement les mêmes réalités qu'en phonétique (*chapitres 7 et 8*). Certains traits sont définis en fonction de la position de la langue alors que d'autres le sont en fonction de l'ouverture du canal phonatoire; de plus, quelques-uns sont caractérisés selon la nature du son émis par l'appareil phonatoire[3]. Il convient d'accorder une attention particulière aux notions suivantes: [± antérieur], [± fermé], [± ouvert], [± avant], [± arrière], car elles ne revêtent pas toujours le même sens qu'en phonétique.

(1) [± vocalique] = **voc**   Ce trait implique la *vibration des cordes vocales* et un *passage libre de l'air* dans le canal buccal: toutes les voyelles et les consonnes /l/ et /r/ sont [+ voc], mais les consonnes et les semi-consonnes sont [− voc].

(2) [± consonantique] = **cons**   Un phonème est [+ cons] lorsqu'il y a obstruction totale ou partielle du passage de l'air: sont [+ cons] les consonnes, y compris /l/ et /r/; les voyelles et les semi-consonnes sont [− cons].

---

2. Nous empruntons ce classement à Gilles BIBEAU, *Introduction à la phonologie générative du français*, Montréal, Marcel Didier (Canada) ltée, 1975, 178 p.

3. D'après Gilles BIBEAU, *op. cit.*, pp. 34-38.

(3) [± coronal] = **cor**

(4) [± antérieur] = **ant**

(5) [± fermé] = **fer**

(6) [± ouvert] = **ouv**

(7) [± avant] = **av**

(8) [± arrière] = **arr**

Le terme *coronal* renvoie à la *couronne* de la langue, c'est-à-dire à la position de la pointe de la langue durant l'articulation. Toute articulation faite avec la couronne (pointe ou dos) de la langue sera [+ cor]: les dentales /t/, /d/, /n/, /l/, /s/, /z/ et les palatales /ʃ/ et /ʒ/.

Une *obstruction* totale ou partielle se produisant à l'*avant de la région palatale* donne un phonème [+ ant]: les bilabiales /p/, /b/, /m/, les labio-dentales /f/, /v/ et les dentales /t/, /d/, /n/, /l/ sont [+ ant]; mais les semi-consonnes, le /r/, les consonnes palatales /ʃ/, /ʒ/, /ɲ/, les vélaires /k/, /g/ et toutes les voyelles sont [− ant].

Que ce soit en avant ou en arrière de la bouche, le son est considéré [+ fer] lorsque la masse de *la langue s'élève* près du palais: les voyelles /i/, /y/, /u/, les consonnes palatales /ɲ/, /ʃ/, /ʒ/, les vélaires /k/, /g/, /ʀ/ et les semi-consonnes /w/, /j/, /ɥ/ sont considérées comme [+ fer]. Par contre, les voyelles /e/, /ɛ/, /a/, /ø/, /ɔ/, /o/, /ə/, /ɑ̃/, /ɔ̃/ et /ɛ̃/ sont dites [− fer].

Il faut que *la langue s'abaisse* plus bas que dans la position neutre, et ce, *sans faire obstacle* au passage de l'air, pour que les phonèmes soient considérés [+ ouv]; seules les voyelles /ɛ/, /a/, /ɔ/, /ə/, /ɑ̃/, /ɔ̃/, /ɛ̃/ sont [+ ouv]; les autres voyelles et toutes les consonnes et semi-consonnes sont [− ouv].

Le trait [± av] n'est pas synomyme de [± ant]. Une voyelle ne peut être [+ ant], mais elle peut être [± av]. C'est la langue seulement qui sert de critère pour marquer ce trait: lorsque la *langue s'avance* vers les alvéoles, les dents ou les lèvres supérieures, les sons produits sont considérés comme avancés ou [+ av]: /i/, /e/, /ɛ/, /ɛ̃/, /y/ et /ø/ sont [+ av] de même que les semi-consonnes /j/ et /ɥ/. Le trait [+ av] élimine toutes les consonnes en raison de l'obstruction du passage de l'air par l'une des parties fixes de la bouche. Toutefois, les voyelles /ə/, /a/, /ɑ̃/, /ɔ/, /o/, /ɔ̃/ et /u/ sont [− av] parce que la langue n'est pas projetée vers l'avant.

Un son est [+ arr] si *la langue se masse vers l'arrière* de la bouche: les voyelles /ɑ/, /ɔ/, /ɔ̃/, /o/ et /u/, la semi-consonne /w/, les vélaires /k/, /g/ et le /ʀ/ sont [+ arr]. Tous les autres phonèmes sont [− arr].

(9) [± arrondi] = **ron**

On a un trait [+ ron] lorsque les *lèvres* sont projetées vers l'avant et *s'arrondissent*: les voyelles /y/, /ø/, /œ/, /u/, /o/, /ɔ/, /ɑ/ et les semi-consonnes /w/ et /ɥ/ sont [+ ron]. Lorsque les lèvres ne s'arrondissent pas, on a affaire à des phonèmes [− ron].

(10) [± nasal] = **nas**

Les phonèmes sont [+ nas] lorsqu'il y a abaissement de la luette pour laisser pénétrer l'air dans les *fosses nasales*: /ɛ̃/, /œ̃/, /ɔ̃/, /ɑ̃/ et /m/, /n/, /ɲ/ sont [+ nas]. Les autres phonèmes sont [− nas].

(11) [± latéral] = **lat**

Le trait de la latéralité correspond au passage de l'air sortant du canal buccal *de chaque côté de la langue* pendant que la pointe bloque l'extrémité centrale. Seul le /l/ est [+ lat] en français.

(12) [± continu] = **cont**

Toute articulation non accompagnée d'une occlusion est [+ cont]: c'est le cas de toutes les constrictives /f/, /v/, /ʃ/, /ʒ/, /s/, /z/, /l/, /ʀ/ et les semi-consonnes /j/, /w/, /ɥ/; les voyelles également sont [+ cont]: *le passage de l'air est continu*. Les occlusives sont toujours [− cont].

(13) [± voisé] = **vois**

Tout phonème produit avec une *vibration des cordes vocales* est traité comme [+ vois]. Toutes les voyelles, les semi-consonnes, ainsi que les consonnes /b/, /d/, /g/, /v/, /z/, /j/, /l/, /ʀ/ sont [+ vois]. L'absence de vibration des cordes vocales identifie les [− vois] /p/, /t/, /k/, /f/, /s/ et /ʃ/.

(14) [± strident] = **str**

La présence d'une *friction accompagnée d'un bruit de sifflement* produit des sons [+ str]. Seules les consonnes fricatives «sifflantes» /f/, /v/, /ʃ/, /ʒ/, /s/ et /z/ sont [+ str]. Toutes les voyelles, les semi-consonnes et les autres consonnes sont [− str].

4   LA MATRICE PHONOLOGIQUE

Après avoir dressé l'inventaire des traits pertinents, il reste à présenter le système phonologique du français ou ce qu'il est convenu d'appeler la *matrice phonologique*. Cette matrice reprend l'inventaire des traits pertinents retenus; elle permet de vérifier quels sont les traits pertinents des phonèmes de la langue. Dans la présente description, nous intégrons les semi-consonnes au système des consonnes.

4.1   LES PHONÈMES CONSONANTIQUES

On caractérise les phonèmes consonantiques du français en faisant appel à 14 paires : [± voc], [± cons], [± cor], [± ant], [± fer], [± ouv], [± av], [± arr], [± ron], [± nas], [± lat], [± cont], [± vois], [± str]. Lorsqu'on applique ces critères distinctifs aux consonnes, comme on le fait dans le tableau 9.2, on se rend compte qu'aucun phonème n'obtient les mêmes caractéristiques qu'un autre : il y a toujours un trait qui les différencie. Par exemple, le fait d'être [± vois] distingue /p/ de /b/, /t/ de /d/, /k/ de /g/, /f/ de /v/, /s/ de /z/ et /ʃ/ de /ʒ/. Le voisement constitue donc l'un des traits phonologiques les plus pertinents du français : il est essentiel pour distinguer six paires de consonnes.

Ce qui distingue une bilabiale sourde (/p/) d'une labiodentale sourde (/f/), c'est le fait que la première est [+ str] et la seconde [− str]; ce trait mis à part, /p/ et /f/ ont les mêmes caractéristiques. Par contre, ce qui distingue la labiodentale sourde /f/ de la dentale sourde /s/, c'est le trait [± cor] : /f/ est [− cor] et /s/ [+ cor]. Quant aux deux dentales sourdes /t/ et /d/, elles se distinguent à la fois par le trait [± str] et par le trait [± cont] : /t/ est [− str], [− cont] et /s/ est [+ str], [+ cont].

Phonèmes	p	b	m	t	d	n	ɲ	k	g	f	v	s	z	ʃ	ʒ	l	ʁ	j	w	ɥ
1 [voc]	−	−	−	−	−	−	−	−	−	−	−	−	−	−	−	+	+	−	−	−
2 [cons]	+	+	+	+	+	+	+	+	+	+	+	+	+	+	+	+	+	−	−	−
3 [cor]	−	−	−	+	+	+	−	−	−	−	−	+	+	+	+	+	−	−	−	−
4 [ant]	+	+	+	+	+	+	−	−	−	+	+	+	+	−	−	+	−	−	−	−
5 [fer]	−	−	−	−	−	−	+	+	+	−	−	−	−	+	+	−	+	+	+	+
6 [ouv]	−	−	−	−	−	−	−	−	−	−	−	−	−	−	−	−	−	−	−	−
7 [av]	−	−	−	−	−	−	−	−	−	−	−	−	−	−	−	−	−	+	−	+
8 [arr]	−	−	−	−	−	−	−	+	+	−	−	−	−	−	−	−	+	−	+	−
9 [ron]	−	−	−	−	−	−	−	−	−	−	−	−	−	−	−	−	−	−	+	+
10 [nas]	−	−	+	−	−	+	+	−	−	−	−	−	−	−	−	−	−	−	−	−
11 [lat]	−	−	−	−	−	−	−	−	−	−	−	−	−	−	−	+	−	−	−	−
12 [cont]	−	−	−	−	−	−	−	−	−	+	+	+	+	+	+	+	+	+	+	+
13 [vois]	−	+	+	−	+	+	+	−	+	−	+	−	+	−	+	+	+	+	+	+
14 [str]	+	+	−	−	−	−	−	−	−	−	−	+	+	+	+	−	−	−	−	−

D'après Gilles BIBEAU, *Introduction à la phonologie générative du français*, Montréal, Marcel Didier (Canada) ltée, 1975, p. 38.

TABLEAU 9.2   LES TRAITS DISTINCTIFS DES CONSONNES

Les trois phonèmes ayant en commun le trait [+ nas] partagent également les caractéristiques [− voc], [+ cons], [− ouv], [− av], [− arr], [− ron], [− lat], [− cont], [+ vois] et [− str], mais ils s'opposent du fait que /ɲ/ est [− ant] et [+ fer] alors que /m/ et /n/ sont [+ ant] et [− fer]. Quant à /m/ et /n/, ils s'opposent par la valeur du trait [± cor]: /m/ est [− cor] et /n/ est [+ cor].

On pourrait certes continuer l'analyse, mais les exemples fournis suffisent à démontrer que cette méthode permet de distinguer chacun des phonèmes du français. Cependant, une analyse plus poussée, qui étudierait toutes les combinaisons possibles, permettrait de construire les règles sous-jacentes du système phonologique.

4.2   LES PHONÈMES VOCALIQUES

La méthode vaut également pour les voyelles. Les traits distinctifs demeurent les mêmes: [± voc], [± cons], [± cor], [± ant], [± fer], [± ouv], [± av], [± arr], [± ron], [± nas], [± lat], [± cont], [± vois], [± str]. Le tableau 9.3 présente la matrice phonologique. Ici, une première constatation s'impose: deux phonèmes peuvent posséder presque les mêmes traits pertinents au point de devenir identiques phonétiquement tout en demeurant distincts phonologiquement. Par exemple, /œ/ et /ə/ ont en commun 13 traits: [+ voc], [− cons], [− cor], [− ant], [− fer], [+ ouv], [− av], [− arr], [− nas], [− lat], [+ cont], [+ vois], [− str]; ils ne se distinguent que par le trait [± ron]. En réalité, certains linguistes remettent en question le statut de phonèmes de /œ/ et de /ə/ en raison du comportement qui distingue ces deux phonèmes. La voyelle [ə] termine toujours une syllabe[4] tandis que la voyelle [œ] est pour ainsi dire toujours suivie d'une consonne en fin de syllabe[5] (sauf dans [ʒœnɛs]); les phonèmes [œ] et [ə] ne se retrouvent donc jamais dans le même entourage. De plus, il faut bien admettre que /œ/ s'oppose davantage à /ø/ (*jeune/jeûne, veulent/veule* [adjectif]) et /ə/ à /i/ ou, plus souvent, à l'absence de phonème: [divã]/[dəvã] (*divan/devant*), mais [lədivã]/[lədvã] (*le divan/le d'vant*).

L'analyse des traits pertinents du /a/ et du /ɑ/ amène une autre constatation: les deux phonèmes partagent 12 traits distinctifs; ils ne se distinguent que par les traits [+ arr] et [+ ron]. Or, les faits démontrent que la grande majorité des Français ne font plus la distinction entre les deux *a* dans des mots comme *patte/pâte, malle/mâle, halle/hâle*, etc. L'opposition étant jugée peu rentable par les usagers[6], la réalisation phonétique en [ɑ] tend à disparaître. Bref, l'analyse des faits soulève donc de sérieuses réserves quant à la nécessité de distinguer les phonèmes /a/ et /ɑ/. De plus, les phonèmes /ɔ/ et /ɑ/ partagent en tous points les mêmes traits, ce qui signifie qu'ils constitueraient deux réalisations phonétiques d'un même phonème. Le fait de ne plus considérer /a/ et /ɑ/ comme des phonèmes permet de distinguer /ɔ/ de /a/.

---

4. Il s'agit d'une syllabe *ouverte* répondant au schéma [CONS + VOY]: *Je / me / le /rap/pelle; pe/ler; pomme de / terre.*

5. Une syllabe est *fermée* lorsqu'elle est terminée par une consonne, correspondant ainsi au schéma [VOY + CONS] ou [CONS + VOY + CONS]: *peur, bonheur, malheur, meubl(e),* etc.

6. Cependant, les francophones du Québec continuent de conserver l'opposition phonologique entre /a/ et /ɑ/.

Venons-en maintenant à l'opposition /ɛ̃/ et /œ̃/. Un seul trait distingue les deux phonèmes : le premier est [− ron], le second, [+ ron]. Cependant, contrairement à /a/ et /ɑ/, l'opposition [− ron]/[+ ron] sert à distinguer à la fois /ɛ̃/ de /œ̃/ et /ɔ̃/ de /ɑ̃/. L'avenir dira quel sera le sort réservé à l'opposition /ɛ̃/ et /œ̃/, mais il y a fort à parier que l'usage fera disparaître cette différence au profit de la réalisation [ɛ̃]. D'ailleurs, la majorité des Français moyens ne font plus cette différence, l'opposition /ɛ̃/ et /œ̃/ ne distinguant que trop peu de mots ; les locuteurs français prononcent [ɛ̃nɔm] (*un homme*) et [ɛ̃pylbrɛ̃] (*un pull brun*). Par contre, les francophones du Québec maintiennent cette opposition entre /ɛ̃/ et /œ̃/, alors que, comme en France, cette distinction n'est plus en usage à Haïti.

Enfin, la matrice phonologique nous montre aussi que le trait pertinent le plus fondamental pour les phonèmes vocaliques est le trait [± fer], qui sert à distinguer trois paires : /i/ : /e/, /y/ : /ø/ et /u/ : /o/.

Phonèmes	i	e	ɛ	a	y	ø	œ	u	o	ɔ	ɑ	ɛ̃	œ̃	ɔ̃	ɑ̃	ə
1 [voc]	+	+	+	+	+	+	+	+	+	+	+	+	+	+	+	+
2 [cons]	−	−	−	−	−	−	−	−	−	−	−	−	−	−	−	−
3 [cor]	−	−	−	−	−	−	−	−	−	−	−	−	−	−	−	−
4 [ant]	−	−	−	−	−	−	−	−	−	−	−	−	−	−	−	−
5 [fer]	+	−	−	−	+	−	−	+	−	−	−	−	−	−	−	−
6 [ouv]	−	−	+	+	−	−	+	−	−	+	+	+	+	+	+	+
7 [av]	+	+	+	+	+	+	+	−	−	−	−	+	+	−	−	−
8 [arr]	−	−	−	−	−	−	−	+	+	+	+	−	−	+	+	−
9 [ron]	−	−	−	−	+	+	+	+	+	+	−	−	+	+	−	−
10 [nas]	−	−	−	−	−	−	−	−	−	−	−	+	+	+	+	−
11 [lat]	−	−	−	−	−	−	−	−	−	−	−	−	−	−	−	−
12 [cont]	+	+	+	+	+	+	+	+	+	+	+	+	+	+	+	+
13 [vois]	+	+	+	+	+	+	+	+	+	+	+	+	+	+	+	+
14 [str]	−	−	−	−	−	−	−	−	−	−	−	−	−	−	−	−

D'après Gilles BIBEAU, *Introduction à la phonologie générative du français*, Montréal, Marcel Didier (Canada) ltée, 1975, p. 39.

TABLEAU 9.3   LES TRAITS DISTINCTIFS DES VOYELLES

5   LES TRAITS REDONDANTS

La matrice phonologique correspond au système qui sous-tend l'organisation des phonèmes. De ce système on peut dégager deux constatations : que l'enchaînement des phonèmes suit certaines règles et que certaines séquences de phonèmes sont exclues. On part du fait, par exemple (*voir le tableau 9.3*), qu'un phonème [+ voc] entraîne nécessairement les traits [− cons], [− cor], [− ant], [− lat], [+ cont], [+ vois], [− str]. Ainsi, dès l'instant où un phonème est [+ voc], seuls six traits distinctifs demeurent nécessaires (*voir le tableau 9.4*) : [± fer], [± ouv], [± av], [± arr], [± ron], [± nas]. On fait de même avec les consonnes en considérant que le trait [± lat] n'est vraiment pertinent que pour un seul phonème: les autres traits suffisent à distinguer /l/ des autres phonèmes. Le tableau 9.5 présente les traits consonantiques minimaux.

Une fois cette économie réalisée grâce à l'élagage, nous avons affaire aux traits distinctifs minimaux. Il faut alors «compléter» par les traits essentiels qui permettent d'éviter la confusion et de conserver les phonèmes distinctifs. Il est possible de poursuivre la même démarche pour chacun des phonèmes et d'«éliminer» les traits redondants. On ne gardera, par exemple, de /i/ que les traits [+ fer], [+ av], [− ron]; de /e/: [− fer], [− ouv], [+ av], [− ron]; de /ɛ/: [+ ouv], [+ av], [− ron], [− nas]; etc.

Il n'est pas nécessaire de multiplier les exemples de ce genre. La démarche entreprise donne une idée des résultats qu'on pourrait obtenir en poussant l'expérience jusqu'à ses limites.

6   LA GÉNÉRATION DE RÈGLES PHONOLOGIQUES

Il est possible de dresser une sorte d'inventaire des règles qui régissent le système phonologique du français. Celles-ci s'appliquent aux phénomènes prosodiques, aux voyelles, aux consonnes, aux semi-consonnes et aux séquences de sons.

6.1   LES PHÉNOMÈNES PROSODIQUES

Les phénomènes prosodiques sont généralement associés à l'accentuation, à l'intonation, au rythme et à la durée (tenue plus ou moins longue des sons ou des phonèmes). La phonologie nous permet de dégager des règles de fonctionnement à cet égard.

Nous avons déjà fait état, au chapitre 7, de la question de l'accent tonique. Rappelons que, contrairement à d'autres langues, le français n'attribue pas de valeur phonologique à l'accent tonique. On pourrait établir le même constat pour l'*allongement des voyelles*, car, bien que distinctif dans de rares cas limités aux deux voyelles [ɑ] et [ɛ], l'allongement semble en voie de disparition: *reine* [rɛːn] et *renne* [rɛn]; *mettre* [mɛtr] et *maître* [mɛːtr]. Au Québec, la distinction phonologique s'est maintenue, mais elle n'est pas plus nécessaire ici qu'ailleurs, le contexte éliminant toute possibilité de confusion à ce sujet. D'ailleurs, même l'opposition du type [satab(l)]/[saːtab] (*sa table/sur la table)*, en raison de la situation contextuelle, conserve un caractère distinctif très restreint.

Certaines consonnes sont dites allongeantes ([ʀ], [z], [v], [ʒ], [j]), mais l'effet qu'elles ont sur les voyelles qui les précèdent n'a pas de caractère distinctif. Que l'on prononce [valiːz] ou [valɪz], [ʒyːʒ] ou [ʒyʒ], le sens est toujours le même.

Enfin, on ne peut parler de distinction phonologique dans le cas d'un allongement causé par des effets stylistiques: *c'est horrible!* [setɔʀʀibl].

Parfois, on allonge des consonnes pour marquer certains traits morphologiques (p. ex., *vous lavez/vous l'avez* [vulave]/[vul:ave]); dans d'autres cas, il s'agit de consonnes doubles: *vous le lavez* [vullave].

Dans tous les cas, l'analyse phonologique nous amène à constater que les phénomènes prosodiques en français n'ont pas de valeur distinctive, car ils sont complètement soumis à l'entourage phonétique ou morphologique.

[+ voc]	i	e	ɛ	a	y	ø	œ	u	o	ɔ	ɑ	ɛ̃	œ̃	ɔ̃	ɑ̃	ə
5 [fer]	+	−	−	−	+	−	−	+	−	−	−	−	−	−	−	−
6 [ouv]	−	−	+	+	−	−	+	−	−	+	+	+	+	+	+	+
7 [av]	+	+	+	−	+	+	−	−	−	−	−	+	−	−	−	−
8 [arr]	−	−	−	−	−	−	−	+	+	+	+	−	−	+	+	−
9 [ron]	−	−	−	−	+	+	+	+	+	+	+	−	−	+	+	−
10 [nas]	−	−	−	−	−	−	−	−	−	−	−	+	+	+	+	−

TABLEAU 9.4   LES TRAITS VOCALIQUES MINIMAUX

[+ cons]	p	b	m	t	d	n	ɲ	k	g	f	v	s	z	ʃ	ʒ	l	ʁ	j	w	ɥ
3 [cor]	−	−	−	+	+	+	−	−	−	−	−	+	+	+	+	+	−	−	−	−
4 [ant]	+	+	+	+	+	+	−	−	−	+	+	+	+	−	−	+	−	−	−	−
5 [fer]	−	−	−	−	−	−	+	+	+	−	−	−	−	+	+	−	+	+	+	+
8 [arr]	−	−	−	−	−	−	−	+	+	−	−	−	−	−	−	−	+	−	+	−
10 [nas]	−	−	+	−	−	+	+	−	−	−	−	−	−	−	−	−	−	−	−	−
12 [cont]	−	−	−	−	−	−	−	−	−	+	+	+	+	+	+	+	+	+	+	+
13 [vois]	−	+	+	−	+	+	+	−	+	−	+	−	+	−	+	+	+	+	+	+
14 [str]	−	−	−	−	−	−	−	−	−	+	+	+	+	+	+	−	−	−	−	−

TABLEAU 9.5   LES TRAITS CONSONANTIQUES MINIMAUX

6.2   LES PRATIQUES CONSONANTIQUES

– Le trait [± vois] est phonologiquement fondamental en français pour six paires de consonnes; il n'est pas distinctif pour les cinq autres (/m/, /n/, /ɲ/, /l/, /ʁ/) puisque ces phonèmes n'ont pas de correspondants sourds.

– Les traits [− fer], [− ouv], [− av], [− arr], [− ron] et [− lat] ne permettent pas de distinguer les consonnes entre elles, mais de les distinguer des voyelles.

– La nasale /ɲ/ tend à être remplacée par [nj] sans inconvénient pour le sens: «oignon» = [ɔɲɔ̃] > [ɔnjɔ̃].

– La nasale vélaire [ŋ] est en train d'acquérir le statut de phonème où les oppositions distinctives sont possibles: *rime/ring* [ʁim]/[ʁiŋ].

– Les séquences de consonnes graphiques initiales se prononcent presque toujours: [ps], [pn], [tʃ], [kʁ], [kl], [bl], [pl], [fʁ], [ks], etc.; mais certaines séquences sont impossibles en français: [ng], [ngl], [bm], [tl], [bv], etc.

– Plusieurs séquences consonantiques se terminant par [ʀ] ou [l] ont tendance à tomber dans la prononciation courante: *peup(le), capab(le)*; la chute de la consonne finale n'a aucune conséquence phonologique.

– La séquence de deux consonnes [+ vois] + [− vois] entraîne une assimilation de l'une par l'autre, mais ce changement n'est pas significatif.

6.3   LES PRATIQUES VOCALIQUES

– Les traits [− cor], [− ant], [− lat], [+ cont], [+ vois] et [+ str] ne sont pas distinctifs pour les voyelles françaises, car toutes les voyelles ont ces traits en commun.

– Les voyelles [œ] et [ə] ne correspondent pas à une opposition phonologique véritable; /œ/ s'oppose davantage à /ø/ qu'à /ə/: *jeune/jeûne, veulent/veule*.

– Les voyelles [a] et [ɑ] n'ont que le trait [± arr] qui les distingue; en raison du contexte du message, cette opposition phonologique paraît inutile sur le plan fonctionnel.

– L'opposition entre /œ̃/ et /ɛ̃/ n'est pas fonctionnellement utile et tend à disparaître dans les faits.

– Les variantes franco-québécoises /i/ et /ɪ/, /y/ et /ʏ/, /u/ et /ʊ/, ne sont pas distinctives; ce sont des allophones d'un même phonème. Il en est de même pour des voyelles diphtonguées: *père* [paɪʀ], *garage* [garauʒ], etc.

6.4   LE CAS DES SEMI-CONSONNES

– Les semi-consonnes /j/, /w/ et /ɥ/ possèdent 12 traits pertinents en commun avec leurs voyelles correspondantes respectives /i/, /u/ et /y/; seul le trait [± voc] oppose ces phonèmes.

– Le phonème /j/ est consonne dans *payer* [pɛje], mais voyelle dans *paye* [pɛj] et dans *ail* [aj].

– La semi-consonne [ɥ] et la voyelle [y] peuvent être considérées comme des variantes du même phonème; elles n'offrent jamais d'oppositions significatives. C'est l'entourage phonétique qui détermine l'articulation en [y] ou en [ɥ]: *nuit, bruit* [nɥi], [bʀɥi] mais *numéro, bureau*, [nymeʀo], [byro] et *tuer* [tye]/[tɥe].

– Le statut de phonèmes distincts n'est pas toujours sûr pour /w/ et /u/, car les oppositions significatives sont rares: *louer* pouvant être prononcé [lwe] ou [lue], *souhait*, [swɛ] ou [suɛ].

Cette brève présentation de la phonologie souffre de certaines lacunes, mais elle démontre que l'étude de la langue par l'intermédiaire de cette discipline est complexe. La phonologie permet de résoudre des problèmes que la phonétique laissait en suspens, notamment la relation entre les signifiants et les signifiés.

Grâce à l'approche phonologique, on sait que l'étude des sons du langage nous amène à l'organisation des phonèmes et à la constitution d'une véritable grammaire des sons. Celle-ci nous enseigne que la langue française est vivante et qu'elle poursuit son incessante évolution. La somme des paroles individuelles a pour effet d'orienter la langue vers l'économie linguistique. Lorsque certaines oppositions phonétiques apparaissent peu rentables sur le plan fonctionnel, elles finissent par tomber en désuétude. Les usagers suivent en cela une tendance vieille comme le monde que la phonologie reflète.

À RETENIR

▷ La phonétique s'intéresse aux manifestations les plus immédiatement perceptibles de la langue : les sons.

▷ Grâce à l'appareil phonatoire, les êtres humains sont capables de produire une grande quantité de sons. Les poumons jouent le rôle de soufflets qui poussent l'air à travers la trachée-artère, sorte de tuyau sonore qui aboutit au larynx, principal constituant de l'appareil phonatoire.

▷ Les articulations sont dites *voisées* ou *sonores* si les cordes vocales vibrent lors du passage de l'air ; elles sont dites *non voisées* ou *sourdes* si les cordes vocales ne vibrent pas lors du passage de l'air.

▷ Dans la production d'une voyelle, l'air s'échappe librement dans le canal buccal sans rencontrer d'obstacle de la part de l'un ou l'autre des organes phonateurs. Dans la production d'une consonne, l'air rencontre nécessairement un obstacle dans la cavité buccale, labiale ou pharyngale, ce qui crée un barrage total ou partiel ; on parle de consonne *occlusive* si le barrage est total, et de consonne *constrictive* s'il est partiel.

▷ Lorsque le voile du palais est soulevé au point que la luette ferme la paroi pharyngale, l'air sort totalement par la bouche sans passer par les fosses nasales, pour produire une articulation orale. Par contre, si le voile du palais est relâché et baissé, l'air circule à la fois par la bouche et par le nez, ce qui produit alors une voyelle nasale ou une consonne nasale.

▷ Le point d'articulation des consonnes oppose des labiales, des dentales, des palatales, des vélaires, des uvulaires. Quant au mode d'articulation, il distingue des occlusives et des constrictives. On compte 17 consonnes en français et trois semi-consonnes.

▷ On classe les voyelles selon qu'elles sont orales ou nasales, antérieures ou postérieures, arrondies ou non arrondies, ouvertes ou fermées ; le français compte 16 voyelles.

▷ Les articulations sont dites simples lorsqu'elles se réalisent avec un seul point ou une seule zone d'articulation, ou avec un seul mode articulatoire. Au contraire, une articulation est complexe lorsqu'elle fait appel à deux points d'articulation ou à deux modes d'articulation. Les consonnes complexes qui combinent deux points d'articulation peuvent être labialisées, palatalisées, aspirées, pharyngalisées. Les articulations qui combinent deux modes d'articulation, c'est-à-dire des occlusives et des constrictives, sont des affriquées ou certaines semi-nasales.

▷ Seulement trois voyelles se retrouvent dans toutes les langues du monde : [i], [u] et [a]. La plupart des langues utilisent un système à cinq voyelles. En fait, on peut estimer que les voyelles phonologiques de base se résument à cinq : [i], [e], [a], [u], [o]. Ces voyelles de base constituent l'ensemble des phonèmes vocaliques de plusieurs langues, notamment l'espagnol, le catalan, l'italien, le grec, le russe, le japonais et le tchèque.

▷ Les diphtongues constituent des articulations vocaliques complexes. Elles passent par deux timbres vocaliques entre le commencement et la fin de leur émission. Dans l'ensemble des langues du monde, les articulations vocaliques complexes sont beaucoup moins répandues que les articulations consonantiques complexes ; rares sont les langues qui opposent phonologiquement monophtongues et diphtongues.

▷ Lorsqu'on compare le système phonétique (et phonologique) du français avec celui des autres langues, on constate que toutes ses articulations sont dites *simples*. En ce qui a trait au système consonantique, le français présente une grande simplicité: 17 consonnes dont la plus grande partie (14 sur 17) est réalisée à l'avant de la cavité buccale; seulement trois phonèmes ([k], [g], [ʀ]) sont articulés dans la partie postérieure de l'organe phonatoire. Le français ne compte aucune affriquée, aucune pharyngale, aucune glottale, aucune aspirée, aucune articulation complexe.

▷ Il n'en est pas tout à fait de même en ce qui concerne le système vocalique. Avec ses 16 voyelles, le français constitue certainement l'une des langues les plus complexes en ce domaine. Peu de langues peuvent surpasser le français par le nombre des articulations vocaliques. Deux séries d'oppositions rendent le système français assez complexe: l'opposition entre voyelles non arrondies [i], [e], [ɛ] et voyelles arrondies [y], [ø], [œ] ainsi que l'opposition des orales et des nasales. La plupart des langues du monde n'ont aucun de ces deux types d'opposition.

▷ Mais le caractère peut-être le plus fondamental du système phonétique français est son antériorité. Tant pour les voyelles que pour les consonnes et les semi-consonnes, la majorité des articulations sont antérieures: neuf voyelles sur 16. De plus, les études statistiques portant sur le lexique du français prouvent que la fréquence des sons antérieurs est deux fois plus élevée que celle des sons postérieurs.

▷ Dans le même environnement phonétique, si nous pouvons permuter deux sons en modifiant la signification, ceux-ci constituent des réalisations phonétiques de deux phonèmes différents.

▷ Dans le même environnement phonétique, si nous pouvons permuter deux sons sans modifier la signification, ceux-ci constituent des réalisations phonétiques d'un même phonème, c'est-à-dire des allophones d'un seul phonème.

▷ Les oppositions fondamentales reposent sur les couples consonnes/voyelles, sonores/sourdes, orales/nasales. Ces trois séries d'opposition sont très importantes en français: elles servent à opposer deux types généraux de phonèmes (les consonnes et les voyelles) et plusieurs paires de consonnes (sourdes/sonores, orales/nasales) et de voyelles (orales/nasales).

▷ Quatorze traits distinctifs sont nécessaires pour caractériser les phonèmes du français: [± voc] (vocalique), [± cons] (consonantique), [± cor] (coronal), [± ant] (antérieur), [± fer] (fermé), [± ouv] (ouvert), [± av] (avant), [± arr] (arrière), [± ron] (arrondi), [± nas] (nasal), [± lat] (latéral), [± cont] (continu), [± vois] (voisé), [± str] (strident).

BIBLIOGRAPHIE

ARRIVÉ, M., GADET, F. et M. GAMICHE. *La grammaire d'aujourd'hui: guide alphabétique de linguistique française*, Paris, Flammarion, 1986.

BIBEAU, Gilles. *Introduction à la phonologie générative du français*, Montréal, Marcel Didier (Canada) ltée, 1975.

BUCCHANON, Cynthia D., *A Programmed Introduction to Linguistics: Phonetics and Phonemics*, Boston, D.C. Health and Company, 1965.

CARTON, Fernand. *Introduction à la phonétique du français*, Paris, Bordas, 1974.

CLAS, André. *Sons et langage*, Montréal, Sodilis, 1983.

CLAS, A, DEMERS, J. et R. CHARBONNEAU. *Phonétique appliquée*, Montréal, Beauchemin, 1968.

DÉSIRAT, Claude et Tristan HORDE. *La langue française au 20ᵉ siècle*, Paris, Bordas, 1976.

DOBROVOLSKY, Michael. «Phonetics: The Sounds of Language», dans *Contemporary Linguistic Analysis, an Introduction*, Toronto, Copp Clark Pitman Ltd., 1987, pp. 13-54.

DOBROVOLSKY, Michael. «Phonology: The Function and Patterning of Sounds», dans *Contemporary Linguistic Analysis, an Introduction*, Toronto, Copp Clark Pitman Ltd., 1987, pp. 55-90.

DUBOIS, Jean *et al. Dictionnaire de linguistique*, Paris, Larousse, 1973.

ÉLUERD, Roland. *Pour aborder la linguistique*, Paris, Éditions ESF, 1977.

GERMAIN, Claude et Raymond LEBLANC. *Introduction à la linguistique générale*, nᵒ 1, «La phonétique», Montréal, Les Presses de l'Université de Montréal, 1981.

GERMAIN, Claude et Raymond LEBLANC, *Introduction à la linguistique générale*, nᵒ 2, «La phonologie», Montréal, Les Presses de l'Université de Montréal, 1981.

GLEASON, H.A. *Introduction à la linguistique*, Paris, Larousse, 1969.

LÉON, Pierre et Monique LÉON, *Introduction à la phonétique corrective*, Paris, Hachette/Larousse, 1971.

LEROT, Jacques. *Abrégé de linguistique générale*, Louvain-la-Neuve (Belgique), Cabay, 1983.

MALMBERG, Bertil. *La phonétique*, Paris, P.U.F., coll. Que sais-je?, 1954.

MARTINET, André. *Le français sans fard*, Paris, P.U.F., 1969.

PHÉLIZON, J.-F. *Vocabulaire de la linguistique*, Paris, Roudil, 1976.

STRAKA, Georges, *Album phonétique*, Québec, Les Presses de l'Université Laval, 1965.

THOMAS, BOUQUIAUX et CLOAREC-HEISS. *Initiation à la phonétique*, Paris, P.U.F., 1976.

TIFFOU, É. et A. CLAS. *Introduction aux études linguistiques*, Montréal, Les Presses de l'Université de Montréal, 1975.

VION, Robert. «Éléments de phonétique», dans *Linguistique*, Paris, PUF, pp. 87-97.

VION, Robert. «Principes de phonologie», dans *Linguistique*, Paris, PUF, pp. 99-124.

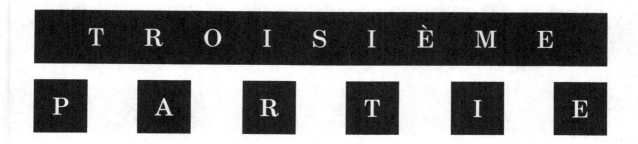

TROISIÈME PARTIE

ÉLÉMENTS DE MORPHOLOGIE

LE GENRE EN FRANÇAIS ORAL ○ COMPARAISON LINGUISTIQUE DES MARQUES DU GENRE ○ LE NOMBRE EN FRANÇAIS ORAL ○ COMPARAISON LINGUISTIQUE DES MARQUES DU NOMBRE ○ L'ORAL ET L'ÉCRIT EN FRANÇAIS ○ CLASSIFICATION DES VERBES FRANÇAIS ○ LA PERSONNE GRAMMATICALE ○ LE TEMPS VERBAL ○ LA VOIX ET L'ASPECT

LE GENRE ET LE NOMBRE

Nous avons déjà abordé la notion de *morphème* dans le chapitre 5. Rappelons que les morphèmes constituent des unités minimales de signification et qu'ils sont indécomposables; découper un morphème revient à isoler les phonèmes. On retrouve les morphèmes principalement dans la grammaire d'une langue, c'est-à-dire dans les règles de fonctionnement ou d'organisation des différents éléments de cette langue. Mais ils sont présents également dans le lexique; il s'agit alors des préfixes et des suffixes; on parle parfois de morphologie lexicale par opposition à la morphologie grammaticale.

Dans le présent chapitre, nous nous intéresserons surtout aux morphèmes grammaticaux de la langue parlée. Nous aborderons les phénomènes liés au genre (masculin/féminin), au nombre (singulier/pluriel), à la personne, au temps, au mode, etc. Ce choix de la langue orale nous semble justifié; d'une part, parce que la grammaire de la langue parlée est peu étudiée et, d'autre part, parce que les règles de la langue parlée (lesquelles sont connues par l'utilisateur de la langue) peuvent servir dans les problèmes d'accord relatifs à la langue écrite. Nous ferons néanmoins quelques incursions dans d'autres langues, afin de proposer des éléments de comparaison.

1   LES MARQUES DU GENRE

Le genre est une catégorie formelle qui se rattache plus ou moins explicitement aux différences de sexe, c'est-à-dire à la distinction mâle/femelle. Cette distinction provient probablement de la conception que nos lointains ancêtres les Indo-Européens avaient du monde. La distinction morphologique du genre est devenue le plus souvent arbitraire dans les langues indo-européennes, notamment en latin et dans toutes les langues qui en sont issues. Ainsi, en français (mais aussi en espagnol, en italien, etc.), si l'on fait exception de certaines distinctions entre êtres mâles et femelles, il est impossible d'utiliser un nom sans qu'il y ait implication arbitraire de genre: *le* tigre/*la* panthère, *un* bras/*une* jambe, *le* soleil/*la lune*, **un** *arbuste*/**une** *fleur*, etc. Le masculin italien *fratello* n'est pas arbitraire par rapport au féminin *sorella*, parce que ces mots sont reliés à l'identification du sexe; par contre, beaucoup de noms désignant des objets animés ou non possèdent un genre plus ou moins arbitraire. Pourquoi *le soleil* et *la lune* sont-ils respectivement masculin et féminin en français, alors qu'en allemand *die Sonne* («la» soleil) est féminin et *der Mond* («le» lune) masculin? Pourquoi *victime* est-il féminin en français mais neutre en allemand (*Opfer*)? Pourquoi *Mädchen* («jeune fille») est-il neutre en allemand alors qu'il est généralement féminin dans les autres langues? En réalité, l'attribution du genre n'est généralement que formelle. En français, on peut même trouver des oppositions entre le genre et le sexe: *mannequin* est masculin alors qu'il désigne le plus souvent des personnes de sexe féminin; *sentinelle* et *estafette* sont féminins alors qu'ils désignent traditionnellement des personnes de sexe masculin.

On sait que les déterminants (*le, la, un, une*) servent à identifier le genre en français. Ce sont des marques formelles indiquant que le genre est masculin ou féminin. Les mêmes déterminants en anglais ne donnent aucun indice du genre. Si nous ignorons le genre interne des noms anglais, nous n'avons aucun moyen de savoir s'ils sont masculins ou féminins... ou neutres: **the** *father*/**the** *mother*, **the** *tiger*/**the** *panther*, **an** *arm*, **a** *leg*, **the** *sun*/**the** *moon*, **a** *shrub*/**a** *flower*, etc. Par contre, les déterminants des noms allemands portent toujours les marques du genre et il nous est alors possible de vérifier si les mêmes mots portent le même genre: **der** *Vater*/**die** *Mutter*, **der** *Tiger*/**der** *Panther*, **die** *Sonne*/**der** *Mond*, **der** *Straucht*/**die** *Blume*.

Compte tenu de ces observations, on dira que le genre est *marqué* s'il porte, comme en français ou en allemand, un indice formel, c'est-à-dire un morphème nous permettant de l'identifier. Au contraire, s'il n'est pas possible, comme en anglais, de repérer le genre au moyen de morphèmes, il sera appelé *non marqué*.

2   LE GENRE EN FRANÇAIS ORAL

La langue écrite et la langue orale ne correspondent pas nécessairement: *mon*/*ma*, *gris*/*grise*, *épais*/*épaisse*; [mɔ̃]/[ma], [gri]/[gri:z], [epɛ]/[epɛ:s]. Nous connaissons bien les marques générales du féminin pour la langue écrite: addition d'un *-e* muet (*gris-e*), alternance de consonnes finales (*actif*/*active*), alternance lexicale (**coq**/**poule**), alternance suffixale (*chanteur*/*chanteuse*). Nous parvenons moins facilement à caractériser les marques orales, et ce, même si nous les appliquons fort bien.

Des quelque 50 000 mots du *Petit Robert*, on estime que près de 30 % (14 642 mots) peuvent aussi bien s'employer au masculin qu'au féminin; de ce nombre, plus de 8 800 (60 %) restent invariables à l'oral lorsqu'on les utilise au masculin ou au féminin:

— *un* **élève** / *une* **élève**   [elɛv]
— *un homme* **malade** / *une femme* **malade**   [malad]
— *un* **ami** / *une* **amie**   [ami]

> – *un manteau **noir** / une robe **noire***   [nwar]
> – *un légume **cru** / une viande **crue***   [kry]

Par contre, les quelque 5 800 autres mots (40 %) opposent une forme différente selon qu'on les emploie au masculin ou au féminin : le genre est alors marqué. Cette différence de genre se manifeste toujours par une alternance entre un morphème et un autre morphème, un morphème et une absence de morphème (appelée *morphème zéro*), un lexème et un autre lexème. L'opposition [gri]/[gri:z] équivaut à morphème zéro par opposition à morphème [z][1]. Le morphème zéro renvoie aussi souvent au masculin que l'addition du [z] au féminin. Les morphèmes du genre, en français oral, sont nombreux et ils se regroupent en trois grandes catégories de marques : l'addition, l'alternance et la suppression. Les marques peuvent se faire à l'aide de consonnes, de voyelles, de suffixes ou de lexèmes.

2.1   LES MARQUES PAR ADDITION

Les marques par addition forment la catégorie la plus importante en français, puisque cette catégorie compte 71 % des mots marqués en genre. En voici quelques exemples[2]:

1) Addition consonantique: Θ/C

– **simple sans variation vocalique:**

fort/forte	[fɔr]/[fɔrt]
gris/grise	[gri]/[gri:z]
laid/laide	[lɛ]/[lɛd]
épais/épaisse	[epɛ]/[epɛ:s]
blanc/blanche	[blɑ̃]/[blɑ̃ʃ]

– **simple avec variation vocalique:**

léger/légère	[leʒe]/[leʒɛr]
cousin/cousine	[kuzɛ̃]/[kuzin]
ancien/ancienne	[ɑ̃sjɛ̃]/[ɑ̃sjɛn]
beau/belle	[bo]/[bɛl]
ce/cette	[sə]/[sɛt]

2) Addition suffixale: Θ/S

– **simple**

maître/maîtresse   [mɛ:tr]/[mɛtrɛs]

+ **variation vocalique et/ou consonantique**

nègre/négresse	[nɛgr]/[negrɛs]
duc/duchesse	[dyk]/[dyʃɛs]

2.2   LES MARQUES PAR ALTERNANCE

Les cas d'alternance se caractérisent par une forme masculine marquée; il ne peut donc pas y avoir de morphème zéro ici. Cette opposition de genre par alternance est beaucoup moins fréquente, car on la retrouve seulement dans 27 % de tous les mots variables en genre à l'oral.

---

1. Par convention, nous utiliserons le symbole [Θ] pour désigner le morphème zéro.

2. Certaines lettres seront dorénavant utilisées pour identifier les consonnes [**C**], les voyelles [**V**], les suffixes [**S**], le lexique [**L**]. De plus, nous utiliserons une transcription phonologique et non pas une transcription phonétique exacte.

1) **Alternance consonantique: C/C**
   – simple
   actif/active   [aktif]/[akti:v]
   sec/sèche   [sɛk]/[sɛʃ]
   fils/fille   [fis]/[fi:j]
   père/mère   [pɛr]/[mɛr]
   + **variation vocalique**
   menteur/menteuse   [mɑ̃tœr]/[mɑ̃tø:z]
   patineur/patineuse [patinœr]/[patinø:z]

2) **Alternance vocalique: V/V**
   mon/ma   [mɔ̃]/[ma]
   le/la   [lə]/[la]
   il/elle   [il]/[ɛl]

3) **Alternance suffixale: S/S**
   acteur/actrice   [aktœr]/[aktris]
   défendeur/défenderesse   [defɑ̃dœr]/[defɑ̃drɛs]
   serviteur/servante   [sɛrvitœr]/[sɛrvɑ̃t]

4) **Alternance lexicale: L/L**
   coq/poule   *frère/sœur*
   bélier/brebis   *garçon/fille*
   taureau/vache   *mari/femme*
   veau/génisse   *monsieur/madame*
   mâle/femelle   *oncle/tante*

2.3   LES MARQUES PAR SUPPRESSION

Lorsque le genre est marqué par suppression, le mot masculin est identifié par une marque spécifique alors que le féminin n'en a aucune. Ce type d'opposition est peu fréquent (0,6 % des cas).

1) **Suppression vocalique**
   compagnon/compagne   [kɔ̃paɲɔ̃]/[kɔ̃paɲ]
   dindon/dinde   [dɛ̃dɔ̃]/[dɛ̃d]
   mulet/mule   [mylɛ]/[myl]
2) **Suppression suffixale**
   canard/cane   [kanar]/[kan]
   vieillard/vieille   [vjɛjar]/[vjɛj]

3   L'ORAL ET L'ÉCRIT EN FRANÇAIS

Les morphèmes du genre peuvent paraître complexes à cause de la diversité de leurs combinaisons (C + V ou V + C). Pourtant, un nombre assez restreint de consonnes et de voyelles assure la quasi-totalité des marques du genre en français oral: la langue française n'épuise pas tout son système vocalique et consonantique. De plus, rappelons-le, le système du genre fonctionne à l'aide de trois catégories seulement (l'addition, l'alternance, la suppression) dont l'une, l'addition, regroupe 71 % des marques orales. On trouvera, au tableau 10.1, la répartition des catégories morphologiques du genre à l'oral.

Les règles de l'oral sont, en fait, très simples; elles sont construites selon un modèle rigoureux (*voir le tableau 10.1*). De plus, ces règles sont toutes connues et suivies par les utilisateurs de la langue[3]. C'est pour cette raison que nous recommandons d'utiliser les règles de l'oral pour résoudre certains problèmes de l'écrit.

	MARQUE	NOMBRE DE MOTS	%	
ADDITION				
– de consonnes	Ө/C	3 990	68,0	
– de voyelles	Ө/V	46	0,8	71 %
– de suffixes	Ө/S	124	2,0	
ALTERNANCE				
– de consonnes	C/C	1 065	18,0	
– de voyelles	V/V	38	0,6	
– de suffixes	S/S	459	8,0	27 %
– de lexèmes	L/L	43	0,7	
SUPPRESSION				
– de consonnes	C/	3	0,05	
– de voyelles	V/Ө	18	0,3	0,6 %
– de suffixes	S/Ө	14	0,2	

D'après Gérard-Raymond ROY, *Système morphologique du genre et du nombre en français oral*, Montréal, Université de Montréal, 1978, p. 134.

TABLEAU 10.1   RÉPARTITION DES CATÉGORIES MORPHOLOGIQUES

3.1   MARQUE ORALE ET MARQUE ÉCRITE

Une marque orale entraîne presque toujours une marque écrite[4]. Dans ce cas, on procède généralement par correspondance systématique; on associe une forme spécifique de l'oral[5] à une forme correspondante spécifique de l'écrit (p. ex., l'addition du -e final dans *petit/petite*). En réalité, les marques orales sont d'un précieux secours dans la mesure où elles servent de point de repère sûr pour établir les accords du genre à l'écrit.

3.2   LA SUBSTITUTION

Le procédé de substitution peut être utile si aucune marque écrite ne correspond à une marque orale. La principale difficulté réside dans le fait qu'il existe plus de mots marqués à l'écrit; on compte environ 2 600 mots variables en genre à l'écrit mais invariables à l'oral. Dès lors, l'oral n'est plus d'aucun secours pour l'écrit. Ces marques spécifiques à l'écrit se limitent à l'addition du -e final servant à indiquer le féminin:

---

3. Exception faite, peut-être, de quelques cas d'alternance de lexèmes du type *jars/oie, lièvre/hase, sanglier/laie, faux bourdon/abeille, alérion/aiglette, coquelet/poulette.*

4. À une exception près avec les marques orales du nombre: dans l'énoncé singulier/pluriel *Il a un **os** brisé / Il a les **os** brisés*, l'opposition orale [ɔs]/[o] n'entraîne pas d'opposition écrite (*os/os*). Voir G.-R. ROY, *Contribution à l'analyse du syntagme verbal: étude morphosyntaxique et statistique des coverbes*, Québec/Paris, P.U.L./Klincksieck, 1977.

5. Par exemple, l'addition de [t] dans *petit/petite* [pti]/[ptit].

- *(un enfant) perdu / (une fillette) perdue*
- *(une toile) cirée / (un papier) ciré*
- *(un son) aigu / (une note) aiguë*
- *(un commentaire) puéril / (une remarque) puérile*
- *(un élève) poli / (une élève) polie*

Il devient alors utile d'appliquer le procédé de substitution qui consiste à remplacer mentalement un mot sans marque de genre par un autre mot avec marque de genre :

(1) *Cette vieille armoire n'est plus bonne.*
    [sɛtvjɛjarmwar neplybɔn]
(2) *Notre employée nouvellement arrivée n'est pas pressée.*
    [nɔtrɑ̃plwajenuvɛlmɑ̃tarive nepapresɛ]

Les marques écrites de la phrase (1) ne causent pas de difficulté, car les marques orales dans [sə]/[sɛt], [vjø]/[vjɛj], [bɔ̃]/[bɔn] sont là pour nous rappeler les accords correspondants obligatoires à l'écrit : *ce/cette, vieux/vieille, bon/bonne.* Cependant, dans la phrase (2), on compte trois marques à l'écrit contre aucune à l'oral. De plus, la présence des mots écrans comme *nouvellement* et *n'est pas* vient perturber la «reconnaissance» des liens morphosyntaxiques entre *employée, arrivée* et *pressée.*

Lorsqu'il y a hésitation, il suffit de substituer aux adjectifs non marqués d'autres adjectifs avec indice de genre (p. ex., *amoureux/amoureuse* [-ø]/[-øz], *content/ contente* [-ɑ̃]/[-ɑ̃t]) et de faire les accords par analogie : *Notre employée nouvellement amoureuse [arrivée] n'est pas contente [pressée].* Il est possible de procéder ainsi systématiquement dans tous les cas où il n'existe aucune opposition morphologique. Étant donné que l'on dénombre près de 2 600 noms et adjectifs dans ce cas (invariables à l'oral et variables à l'écrit), plusieurs difficultés grammaticales pourraient être assez facilement résolues par ce moyen. Ce procédé de substitution peut être utilisé en ce qui concerne les participes passés employés avec *avoir* précédé de *que* :

- ABSENCE DE MARQUE
  La voix que j'ai entendue = La voix [que j'ai] entendue
- MARQUE ORALE
  La voix forte [fɔrt] → *La voix entendue*

3.3   LES SIMILITUDES ENTRE LES CODES

Il existe quelques cas de similitude entre marques orales et marques écrites. Ces cas demeurent toutefois peu nombreux. Les similitudes d'addition et de suppression n'existent pas, à l'exception de phénomènes essentiellement marginaux (quelques rares noms propres); les oppositions d'alternance semblent un peu plus fréquentes et elles sont rigoureusement identiques (*coq/poule, homme/ femme, taureau/vache, frère/sœur,* etc.). Le taux de similitude entre marques orales et marques écrites se situe probablement entre 1 % et 2 %, ce qui semble fort négligeable.

4   COMPARAISON LINGUISTIQUE DES MARQUES DU GENRE

Les faits démontrent que la distinction du genre est, si l'on fait exception de l'appartenance à un sexe, tout à fait inutile sur le plan fonctionnel. Cette distinction complique le fonctionnement de la langue sans la rendre nécessairement plus efficace en ce qui a trait à la communication. D'ailleurs, plusieurs langues se passent aisément de cette catégorie grammaticale: le créole haïtien, le géorgien, le finnois, le basque, l'arménien, le chinois, le cambodgien, l'anglais (sauf pour les pronoms), etc. Au contraire, d'autres ont développé des marques encore plus nombreuses que celles du français.

4.1   LA REDONDANCE DES MARQUES

En français, le déterminant singulier (*le, la, un, une*) est le principal morphème servant à désigner le genre. C'est souvent le seul indice du genre: *la jeune victime*. Parfois, l'adjectif porte également une marque de genre (*la petite victime*) quand ce n'est pas à la fois le déterminant, l'adjectif et le nom: *la petite actrice*. En fait, il s'agit de marques redondantes: une seule pourrait suffire. Des langues comme l'espagnol, l'italien et le portugais utilisent plus souvent que le français des marques redondantes:

ITAL.:	*il piccolo cavallo*	(«le petit cheval»)
	la piccola vacca	(«la petite vache»)
ESP.:	*el pequeño caballo*	(«le petit cheval»)
	la pequeña vaca	(«la petite vache»)
PORT.:	*o pequeno cavalo*	(«le petit cheval»)
	a pequena vaca	(«la petite vache»)

4.2   L'OPPOSITION MASCULIN/FÉMININ/NEUTRE

De nombreuses langues dont l'allemand, le roumain, le grec, le russe, le tchèque, l'arabe, etc., distinguent formellement trois genres: le masculin, le féminin et le neutre. Là aussi, l'attribution du genre reste arbitraire, car ce qui est féminin dans une langue, par exemple, peut être neutre dans une autre. En allemand, le genre se manifeste principalement par l'opposition des déterminants *der* (masc.), *die* (fém,), *das* (neutre) devant le nom. Le russe, au contraire, n'utilise pas d'articles pour indiquer ses trois genres; ceux-ci sont indiqués dans la terminaison:

MASC.:	*dom*	Θ	(«maison»)
FÉM.:	*ulica*	-a	(«rue»)
NEUTRE:	*tchuvstvo*	-o	(«sensation»)

Il est d'usage d'affirmer que l'anglais possède trois genres. Toutefois, au point de vue morphologique, les marques de genre sont pratiquement inexistantes en anglais puisqu'elles se limitent aux pronoms personnels *he, she, it*. Les déterminants, les adjectifs et les noms ne portent pas de marques du genre (*the young man, the young woman, the young tree*).

Dans la plupart des langues, le genre est associé au déterminant, à l'adjectif ou au nom, et ce, avec toutes les combinaisons possibles: déterminant seulement, nom seulement, déterminant et adjectif seulement, etc. Néanmoins, dans certaines langues, les marques du genre peuvent apparaître dans les verbes; c'est le cas en arabe:

VERBE MASCULIN:	*fa'alta*	(«tu as fait»)
	fa'ala	(«il a fait»)
VERBE FÉMININ:	*fa'alti*	(«tu as fait»)
	fa'alat	(«elle a fait»)

4.3   L'OPPOSITION ANIMÉ/INANIMÉ

Si l'opposition masculin/féminin/neutre est bien connue dans les langues indo-européennes, il n'en est pas de même pour l'opposition animé/inanimé. Pourtant, plusieurs langues opposent animé et inanimé au lieu de masculin et féminin. L'opposition animé/inanimé répartit les êtres et les objets en animés et en inanimés, ce qui, dans la plupart des cas, entraîne deux systèmes différents d'accords et d'agencements grammaticaux. Cette distinction est fondamentale, notamment en tchèque, en hongrois et en finnois, car elle régit le pluriel des noms, l'expression de la possession, l'emploi des verbes, etc.

La distinction animé/inanimé n'est cependant pas moins arbitraire que l'opposition masculin/féminin. À l'exemple de nombreuses langues amérindiennes, le montagnais oppose les genres animé et inanimé. Les êtres animés (de sexe féminin ou masculin) sont désignés par des marques du genre animé, mais c'est là le seul lien logique. Dans tous les autres cas, l'attribution du genre animé ou du genre inanimé est tout à fait arbitraire. Par exemple, le mot *asham* («raquette») est animé, mais *mitshuap* («maison») est inanimé. Notons une particularité qui peut sembler étonnante: ce n'est pas le nom qui porte la marque du genre mais le verbe:

| *mishistu* | [mə 'ʃəstu ʃam] | («la raquette est grande») |
| *mishau* | [mə 'ʃaw mi 'tʃwap] | («la maison est grande») |

Les marques *-istu* (verbe intransitif animé) et *-au* (verbe intransitif inanimé) dans le verbe sont déterminées par le genre de *asham* (animé) et de *mitshuap* (inanimé).

De plus, l'attribution du genre animé ou inanimé n'exclut pas nécessairement l'opposition masculin/féminin. En tchèque, par exemple, on distingue quatre genres: le masculin inanimé, le masculin animé, le neutre, le féminin.

MASC. INANIMÉ:	*tchesky vliv*	(«l'influence tchèque»)
MASC. ANIMÉ:	*tcheského studenta*	(«l'étudiant tchèque»)
NEUTRE:	*tcheské mesto*	(«le tchèque»)
FÉMININ:	*tcheskà kniha*	(«le livre tchèque»)

4.4   LES OPPOSITIONS DE CLASSES

Beaucoup d'autres langues ont développé des systèmes encore plus complexes : les classes. Dans ces langues, les classes remplacent le genre et elles peuvent être nombreuses. En bouroushaski, langue isolée du nord de l'Inde, on distingue plusieurs classes : 1) les êtres humains mâles ; 2) les êtres humains femelles ; 3) les êtres animés non humains et certains objets inanimés ; 4) tous les autres objets inanimés.

Mais la répartition en classes n'est pas aussi logique qu'on pourrait le penser. Par exemple, le mot *pfut* (sorte de divinité) appartient à la 3e classe ; les arbres font aussi partie de cette 3e classe, mais les plus petites plantes appartiennent à la 4e ; les objets de métal se répartissent arbitrairement entre les 3e et 4e classes. Les langues de la famille bantoue sont particulièrement riches en classes. Le swazi du Zimbabwe possède plus d'une douzaine de classes. En voici quelques-unes :

Personnes :	*um(u)-*	**um**fana	(«garçon»)
Parties du corps :	*li-*	**li**dvolo	(«genou»)
Instruments :	*s(i)-*	**si**tja	(«assiette»)
Animaux :	*in-*	**in**ja	(«chien»)
Abstrait :	*bu-*	**bu**bi	(«méchanceté»)
Localisation :	*pha-*	**pha**ndle	(«dehors»)

Ces classes n'ont généralement ni connotation sexuelle ni implication sémantique clairement définie ; les différents morphèmes (préfixes) renvoient à des classes : «êtres humains», «objets inanimés», «arbres et plantes», «choses abstraites», «noms de liquide», «ce qui est petit et faible», «ce qui est fort», etc. Le swahili et le bambara ont six classes, mais le lingala et le boulou en comptent jusqu'à 21.

5   LE NOMBRE EN FRANÇAIS ORAL

La catégorie grammaticale du nombre permet théoriquement de distinguer les êtres et les choses selon la quantité : de un à plusieurs. Cette notion du nombre comporte quelques ambiguïtés, car on peut exprimer la multiplicité dans une forme du singulier et l'unicité dans une forme du pluriel :

- **Singulier/multiplicité**
  *Tout **le** monde (pense que tu as raison).*
  ***Une** foule (évaluée à cinquante mille personnes).*
  ***Un** grand nombre (croit aux ovnis).*
  ***Un** quadrimoteur.*
- **Pluriel/unicité**
  *(Aller à) **des** funérailles.*
  *(Monsieur !) **vous** avez raison.*
  *(Entendre) **les** grandes orgues (de Notre-Dame).*

Ce que l'on appelle le singulier et le pluriel correspond avant tout à une catégorie grammaticale formelle qui concerne la structure externe de la langue ; forme et sens peuvent être associés, comme c'est le cas la plupart du temps, mais ils ne sont pas obligatoirement liés. Nous ne considérons le nombre ici que sous son aspect formel, c'est-à-dire sous l'angle des marques identifiant le singulier ou le pluriel, ou toute marque de nombre.

Dans son étude portant sur le nombre, G.-R. Roy[6] a relevé près de 40 000 mots (sur les quelque 50 000 que compte le *Petit Robert*) variables en nombre à l'écrit et seulement un millier de mots variables en nombre à l'oral. Alors que l'écart entre la langue écrite et la langue parlée en ce qui concerne le genre était de 2 600 mots (variables à l'écrit), l'écart en ce qui a trait au nombre est beaucoup plus considérable: 39 000 mots de plus variables à l'écrit. Ce qui fait dire à l'auteur de l'étude:

> «C'est dire, par le fait même, que relativement aux indices du nombre, il n'existe pas de morphologie propre à rendre l'opposition singulier/pluriel pour 97,5 % des mots en français oral[7].»

Autrement dit, pour la presque totalité des mots en français *oral*, il n'y a pas de marques différenciant le singulier du pluriel à l'intérieur même du mot; c'est le déterminant qui, seul, prend la marque du pluriel:

*un doigt / **des** doigts*	[œ̃dwa]/[dedwa]
*un grand format / **des** grands formats*	[œ̃grɑ̃fɔrma]/[degrɑ̃fɔrma]
*le garçon court / **les** garçons courent*	[ləgarsɔ̃kur]/[legarsɔ̃kur]
il cueille des petits fruits/	[ilkœjdeptifrɥi]
ils cueillent des petits fruits	

Comme celles du genre, les marques orales du nombre se font par les procédés d'addition, d'alternance ou de suppression.

5.1   LES MARQUES PAR ADDITION

L'addition d'une marque (par rapport à la marque zéro) servant à opposer le singulier au pluriel concerne 57 % des mots variables en nombre, soit 585 verbes.

1)   Addition consonantique: Θ/C
 – simple

paraît/paraissent	[parɛ]/[parɛs]
finit/finissent	[fini]/[finis]
nuit/nuisent	[nɥi]/[nɥiz]
plaît/plaisent	[plɛ]/[plɛz]
rend/rendent	[rɑ̃]/[rɑ̃d]
met/mettent	[mɛ]/[mɛt]

---

6. Voir «Système morphologique du genre et du nombre en français oral», Montréal, Université de Montréal, 1978.

7. *Id.*, p. 150.

+ variation vocalique

tient/tiennent	[tjɛ̃]/[tjɛn]
prend/prennent	[prɑ̃]/[prɛn]
craint/craignent	[krɛ̃]/[krɛɲ]
veut/veulent	[vø]/[vœl]
joint/joignent	[ʒwɛ̃]/[ʒwaɲ]

5.2   LES MARQUES PAR ALTERNANCE

Les mots variant en nombre par le procédé de l'alternance sont peu nombreux (à peine une trentaine dans la langue: soit près de 3 %), mais ils sont extrêmement fréquents. Les oppositions par alternance sont d'ordre vocalique (voyelle) ou morphémique (morphème autonome).

1) Alternance vocalique: V/V

  – pluriel en [e]

le/les	[lə]/[le]
ce/ces	[sə]/[se]
monsieur/messieurs	[məsjø]/[mesjø]
madame/mesdames	[madam]/[medam]
la/les	[la]/[le]
ma/mes	[ma]/[me]
ta/tes	[ta]/[te]
mon/mes	[mɔ̃]/[me]
du/des	[dy]/[de]

  – pluriel en [ɔ̃]

va/vont	[va]/[vɔ̃]
a/ont	[a]/[ɔ̃]
fait/font	[fɛ]/[fɔ̃]
est/sont	[ɛ]/[sɔ̃]
parlera/parleront	[parlra]/[parlrɔ̃]

2) Alternance morphémique: M/M

une/des	[yn]/[de]
lui/eux	[lɥi]/[ø]
à la/aux	[ala]/[o]
celui/ceux	[səlɥi]/[sø]

5.3   LES MARQUES PAR SUPPRESSION

Les mots variant en nombre par le procédé de la suppression représentent une proportion de 40 %. Seule la consonne disparaît et cette disparition entraîne toujours une variation du timbre de la voyelle précédente.

Suppression consonantique + variation vocalique: C/Θ

œuf/œufs	[œf]/[ø]
bœuf/bœufs	[bœf]/[bø]
vieil/vieux	[vjɛj]/[vjø]
notre/nos	[nɔtr]/[no]
normal/normaux	[nɔrmal]/[nɔrmo]
animal/animaux	[animal]/[animo]
général/généraux	[ʒeneral]/[ʒenero]
hôpital/hôpitaux	[ɔpital]/[ɔpito]
travail/travaux	[travaj]/[travo]

5.4   L'ORAL ET L'ÉCRIT

La répartition des morphèmes du nombre (singulier/pluriel) est beaucoup plus simple que celle des morphèmes du genre et les différences entre l'oral et l'écrit sont beaucoup plus importantes ici: 39 000 mots variables en nombre à l'écrit contre 1 025 à l'oral. On remarquera aussi que les cas de similitude entre marques orales et marques écrites se réduisent à un nombre fort limité de mots *(voir section 5.2 plus haut)*.

	marque	nombre de mots	%
ADDITION – de consonnes	Θ/C	585	57
ALTERNANCE – de voyelles – de morphèmes	V/V M/M	20 10	2 1
SUPPRESSION – de consonnes	Θ/C	410	40

TABLEAU 10.2   RÉPARTITION DES CATÉGORIES MORPHOLOGIQUES DU NOMBRE

Comme dans le cas du genre, le procédé de substitution peut se révéler très utile pour régler des problèmes d'orthographe grammaticale. On peut recourir à l'oral lorsqu'on n'est pas certain des accords de nombre à l'écrit, c'est-à-dire remplacer mentalement une forme orale sans indice de nombre par une autre avec indice de nombre. Dans la phrase *Les ouvriers de l'usine qui travaille (sic) semble (sic) fatigué (sic)*, on ne retrouve aucune marque orale identifiant le pluriel dans les trois derniers mots. Il ne faut pas se surprendre si certains hésitent sur les marques écrites de *travaille(ent), semble(nt)* et *fatigué(s)*. En revanche, la phrase suivante soulève moins de difficultés, car les marques orales rappellent les formes correspondantes de l'écrit:

Les ouvriers de l'usine qui ne dorment pas se sentent normaux.
[dɔr]/[dɔrm], [sã]/[sãt], [nɔrmal]/[nɔrmo]

On aura sans doute observé qu'un mot peut être marqué à la fois au masculin et au pluriel, mais aucun ne peut l'être à la fois au féminin et au pluriel.

MASC. : *Ce* [sə] *bureau est beau* [bo] *et original* [ɔriʒinal].
         Ces [se] *bureaux sont beaux* [bo] *et originaux* [ɔriʒino].
FÉM. :   *Cette* [sɛt] *table est belle* [bɛl] *et originale* [ɔriʒinal].
         Ces [se] *tables sont belles* [bɛl] *et originales* [ɔriʒinal].

La marque [o] du pluriel renvoie toujours au masculin. L'emploi du féminin pluriel occasionne soit la disparition de la marque du nombre (*belle/belles* [bɛl]/[bɛl]), soit celle de la marque du féminin (*cette table/ces tables* [sɛt]/[se]). En fait, l'une des caractéristiques du pluriel en français est de faire disparaître les marques du genre dans les déterminants: *la table/les tables, le bureau/les bureaux*. Dans ce cas, les confusions orthographiques subsistent puisque aucune marque orale ne réunit les traits féminin + pluriel et ne nous rappelle les accords qu'il faudrait faire à l'écrit. Il reste une solution: conserver les mots au masculin; dans le cas d'une marque additionnelle du pluriel, il faut supposer des éléments semblables dans la langue écrite, c'est-à-dire qu'à des marques orales masculin + pluriel devraient correspondre des marques écrites féminin + pluriel.

Les variations morphologiques du genre et du nombre ne constituent pas deux systèmes indépendants, mais relèvent d'un seul et même système dans lequel les marques se font par addition, alternance ou suppression, selon une répartition propre à chaque groupe (genre et nombre).

6   COMPARAISON LINGUISTIQUE DES MARQUES DU NOMBRE

L'opposition binaire singulier/pluriel est certainement le type d'opposition le plus répandu dans les langues du monde. Nous savons que les marques du nombre en français se manifestent par addition (verbes), par alternance (déterminants) ou par suppression (noms). L'anglais procède différemment, car c'est la prononciation du *-s* final qui indique le pluriel, le déterminant étant toujours le même (*the*):

ÉCRIT: *the young cat*   *the young dog*   *the young horse*
        the young cats   *the young dogs*   *the young horses*
ORAL: [ðə jʌŋ cæts]   [ðə jʌŋ dɔgz]   [ðə jʌŋ hɔrsɪz]

On voit que les marques du nombre en anglais ne sont guère redondantes. En italien, les marques du nombre sont beaucoup plus complexes, car le pluriel des déterminants, des noms et des adjectifs est différent au masculin et au féminin; autrement dit, contrairement au français, il existe un masculin pluriel et un féminin pluriel:

MASC. : *il cavallo*   *i cavalli*   («le cheval/les chevaux»)
FÉM. :   *la vacca*   *le vacce*   («la vache/les vaches»)
         la terra è *fertila*   *le terre sono fertili*   («la terre est fertile/les terres sont fertiles»)

6.1   LA REDONDANCE DES MARQUES

Évidemment, le système de l'italien exige une certaine redondance des marques du genre et du nombre. C'est le cas également en portugais pour la forme la plus simple du pluriel:

MASC.:	*o lindo cavalo*
	os lindos cavalos
FÉM.:	*a linda vaca*
	as lindas vacas

En position sujet (au nominatif), l'allemand présente également des redondances, mais ses marques du nombre sont plus diversifiées. Les marques les plus courantes concernent l'emploi du déterminant *die* suivi de la finale *-en*; mais les finales en *-e* et en *-er* sont possibles, de même que les changements dans le radical:

MASC.:	*der Sohn*	*die Söhne*	(«le fils/les fils»)
	der Knabe	*die Knaben*	(«le garçon/les garçons»)
FÉM.:	*die Frau*	*die Frauen*	(«la femme/les femmes»)
NEUTRE:	*das Buch*	*die Bücher*	(«le livre/les livres»)

6.2   L'OPPOSITION SINGULIER/DUEL/PLURIEL

Plusieurs langues opposent plus de deux possibilités de nombre. L'arabe, l'hébreu, le slovène, le lapon, l'inuktitut, pour ne nommer que ces langues, emploient un système à trois oppositions: le singulier (une unité), le duel (deux unités) et le pluriel (plus de deux). En voici un exemple en inuktitut:

SING.:	*iglu*	«(une) maison»
DUEL:	*igluk*	«(deux) maisons»
PLUR.:	*iglut*	«(plusieurs) maisons»

Quelques rares langues connaissent même des oppositions à quatre formes. Le fidjien, langue polynésienne, distingue un singulier, un duel, un triel et un pluriel. Ces oppositions de nombre ne sauraient évidemment trop s'étendre sans développer une morphologie extrêmement complexe.

6.3   L'OPPOSITION PLURIEL DISTRIBUTIF/PLURIEL COLLECTIF

Une autre particularité se retrouve dans certaines langues. Elle consiste à opposer un singulier à deux types de pluriel. Une telle particularité implique un système morphologique distinctif. Comparons les deux énoncés suivants: *les mûres sont sur la table / les mûres sont de bons fruits*. Nous ne notons aucune différence dans le pluriel des deux énoncés, et ce, ni dans la morphologie ni dans le sens.

Mais dans une langue comme le breton, il faudrait distinguer deux types de pluriel. Dans le cas du premier énoncé (*les mûres sont sur la table*), le breton emploiera la forme [muarɛnnu] pour distinguer un pluriel désignant des «unités dispersées ici et là»; dans le second énoncé (*les mûres sont de bons fruits*), c'est la forme [muar] qui sera employée: il s'agit d'un pluriel collectif désignant un «ensemble d'unités». Ces différences, on le constate, se manifestent autant dans le sens que dans la morphologie: [muarɛn] («la mûre»), [muarɛnnu] («les mûres») et [muar] («les mûres»).

Plusieurs langues amérindiennes utilisent ce type de pluriel qui est aussi marqué dans le verbe. Le kalispel, groupe salish rattaché aux langues algonkines, distingue un pluriel distributif (unités dispersées dans plusieurs endroits) et un pluriel collectif (pluralité d'unités):

PLURIEL COLLECTIF: [kuləm]   «Ils travaillent» (collectivement, à la même tâche, au même endroit).

PLURIEL DISTRIBUTIF: [kuəlkuləm]   «Ils travaillent» (l'un dans un endroit, un autre dans un autre endroit, etc.).

7   LA DÉCLINAISON

Le cas est une catégorie grammaticale associée au nom dont il traduit, en principe, la fonction syntaxique dans la phrase, mais aussi le genre et le nombre. Soit les deux énoncés suivants: *le loup mange l'agneau / l'agneau mange le loup*. Le sens est différent selon que les noms sont en position sujet ou complément direct; en français, ces fonctions sont généralement assurées par la place qu'occupent les mots dans la phrase. Tel n'était pas le cas en latin puisqu'on pouvait écrire aussi bien *lupus edit agnum* que *agnum edit lupus*. Dans cette langue, ce n'est pas la place du mot dans la phrase qui indique la fonction, mais la finale du mot en *-us* (sujet) ou en *-um* (complément direct). D'une façon plus linguistique, on dira que *lupus* est au nominatif et que *agnum* est à l'accusatif. De plus, la marque *-us* indiquait non seulement que le nom était sujet, mais qu'il était aussi masculin et singulier. Le latin avait six cas: nominatif (sujet), vocatif (interpellation), accusatif (complément direct), génitif (complément du nom), datif (complément d'attribution), ablatif (complément circonstanciel).

Le latin était une langue à déclinaison et celle-ci variait selon le genre du substantif. On comptait trois genres (le masculin, le féminin et le neutre) et cinq types de déclinaison différents: type I (*Terra, -æ*), type II (*Dominus, -i*), type III (*Miles, militis*), type IV (*Senatus, senatu:s*), type V (*Res, rei*). De plus, dans chaque type de déclinaison, les cas étaient au nombre de six: nominatif, vocatif, accusatif, génitif, datif, ablatif. Cinq déclinaisons, six cas, trois genres, cela signifiait plus de 90 flexions pour les seuls noms; quant aux adjectifs, on en comptait six types distribués en deux classes, ce qui donnait un total de 216 flexions. Noms et adjectifs formaient donc au moins 306 flexions.

Aucune langue moderne issue du latin n'a conservé l'usage des cas; il n'en existe plus ni en espagnol, ni en italien, ni en français, etc. En revanche, on en compte six en russe, quatre en allemand, sept en polonais et en lapon, cinq en turc, quatre en inuit, trois en géorgien, etc. Un certain nombre de langues ont développé un système de déclinaison fort complexe: 11 cas en basque, 15 en finnois, 25 en hongrois (dont 17 productifs), plus de 40 en tabassaran (langue caucasienne). En guise d'exemple, voici le système de déclinaison du russe[8]:

MASCULIN: *dom* («maison»)	SINGULIER	PLURIEL
Nominatif	*dom*	*domi*
Génitif	*doma*	*domov*
Accusatif	*dom*	*domi*
Datif	*domu*	*domam*
Locatif	*dome*	*domax*
Instrumental	*domom*	*domami*

FÉMININ: *ulica* («rue»)		
Nominatif	*ulica*	*ulici*
Génitif	*ulici*	*ulic*
Accusatif	*ulicu*	*ulici*
Datif	*ulice*	*ulicam*
Locatif	*ulice*	*ulicax*
Instrumental	*ulicoy*	*ulicami*

NEUTRE: *tchuvstvo* («sensation»)		
Nominatif	*tchuvstvo*	*tchuvstva*
Génitif	*tchuvstva*	*tchuvstv*
Accusatif	*tchuvstvo*	*tchuvstva*
Datif	*tchuvstvu*	*tchuvstvam*
Locatif	*tchuvstve*	*tchuvstvax*
Instrumental	*tchuvstvom*	*tchuvstvami*

On constatera, par exemple, que la finale *-ov* indique à la fois qu'il s'agit du génitif, du masculin et du pluriel. Par contre, la finale en *-om* renvoie aussi bien à l'instrumental masculin qu'au neutre.

En ce qui a trait au genre et au nombre, répétons-le, force est de constater qu'il ne s'agit pas de deux systèmes indépendants, mais bien d'un seul et même système dans lequel les marques se font généralement par addition, par alternance ou par suppression, selon une répartition propre à chaque groupe (genre et nombre).

---

8. Voir Videa P. DE GUZMAN et William O'GRADY, «Morphology: The Study of Word Structure», dans *Contemporary Linguistic Analysis*, Toronto, Copp Clark Pitman Ltd., 1987, p. 148.

LES FORMES VERBALES

Nous venons de passer en revue les morphèmes grammaticaux associés au nom : le genre, le nombre, le cas. Nous allons maintenant examiner ceux reliés au verbe. Ces morphèmes indiquent généralement la personne, le temps, le mode, la voix et l'aspect.

1   LA CLASSIFICATION DES VERBES EN FRANÇAIS

Lorsqu'on analyse les formes simples d'un verbe comme *chanter*, on note que celui-ci compte 13 formes différentes dans la langue parlée et une trentaine dans la langue écrite (*voir le tableau 11.1*). Encore une fois, les traits grammaticaux de la langue parlée se révèlent plus simples que ceux de la langue écrite et, quel que soit le verbe, le nombre de formes orales est toujours inférieur au nombre de formes écrites. Pour décrire les formes du verbe, nous distinguerons : 1) le radical du verbe (ou lexème) ; 2) la terminaison ; 3) les infixes, éléments qui s'insèrent entre le radical et la terminaison.

FORMES ORALES	FORMES ÉCRITES
[ʃɑ̃t]	*chante, chantes, chantent*
[ʃɑ̃tɔ̃]	*chantons*
[ʃɑ̃te]	*chantez, chantai, chanter, chanté*
	chantée, chantés, chantées
[ʃɑ̃tɛ]	*chantais, chantait, chantaient*
[ʃɑ̃ta]	*chantas, chanta, chantât*
[ʃɑ̃tre]	*chanterai, chanterez*
[ʃɑ̃trɔ̃]	*chanterons, chanteront*
[ʃɑ̃trɛ]	*chanterais, chanterait, chanteraient*
[ʃɑ̃tra]	*chanteras, chantera*
[ʃɑ̃tjɔ̃]	*chantions*
[ʃɑ̃tje]	*chantiez*
[ʃɑ̃tərjɔ̃]	*chanterions*
[ʃɑ̃tərje]	*chanteriez*

TABLEAU 11.1   FORMES ORALES ET FORMES ÉCRITES

1.1   LE RADICAL DES VERBES[1]

De façon générale, les verbes français se classent en quatre catégories: les verbes à un radical (*catégorie I, tableau 11.2*), les verbes à deux radicaux (*catégories II et III, tableaux 11.3 et 11.4*), les verbes à trois radicaux (*catégorie IV, tableau 11.5*). Tous les autres verbes, dont *avoir, être, aller* et *faire*, appartiennent à une dernière catégorie: les verbes à quatre radicaux et plus, qui sont peu nombreux.

Tous les verbes français se retrouvent dans l'une des quatre catégories présentées, et ce, quel que soit leur infinitif (*-er, -ir, -re, -oir*). Cela vaut également pour l'emploi de l'indicatif (présent, imparfait, futur), de l'impératif, du conditionnel et du subjonctif présent. Rappelons que le passé simple et le subjonctif imparfait n'existent pour ainsi dire pas en français oral. On pourrait ajouter aussi que la 1re personne du pluriel, la forme *nous*, est une forme plutôt écrite, remplacée à l'oral par la forme *on*, qui a l'avantage de «s'aligner» sur le radical du verbe.

1.2   LES TERMINAISONS VERBALES ET LES INFIXES

L'orthographe nous laisse croire que les désinences (terminaisons) verbales existent en grand nombre. Si nous reprenons les différentes formes de *chanter*, nous constatons que seules quatre terminaisons apparaissent à l'oral:

[ɔ̃] = *-ons, -ont;*
[e] = *-ai, -ez, -er, -é, -és, -ée, -ées;*
[ɛ] = *-ais, -ait, -aient;*
[a] = *-eras, -era.*

Catégorie I: les verbes à un radical	
courir [ʒə kur]	*parler* [ʒə parl]
[ty kur]	[ty parl]
[il kur]	[il parl]
[nu kurɔ̃]	[nu parlɔ̃]
[vu kure]	[vu parle]
[il kur]	[il parl]

N.B.: Au radical inchangé, seules s'ajoutent les terminaisons en [ɔ̃] et en [e].

TABLEAU 11.2

Catégorie II: les verbes à deux radicaux (A)		
bouillir [ʒə bu]	*dormir* [ʒə dɔr]	*craindre* [ʒə krɛ̃]
[ty bu]	[ty dɔr]	[ty krɛ̃]
[il bu]	[il dɔr]	[il krɛ̃]
[nu bujɔ̃]	[nu dɔrmɔ̃]	[nu krɛɲɔ̃]
[vu buje]	[vu dɔrme]	[vu krɛɲe]
[il buj]	[il dɔrm]	[il krɛɲ]

N.B.: Ces verbes ont un radical pour le singulier et un autre pour le pluriel.

TABLEAU 11.3

---

1. D'après G.-R. ROY, *op. cit.*, Annexe 1, «Les groupes verbaux à l'oral», pp. 218 à 230.

Catégorie III: les verbes à deux radicaux (B)		
mourir [ʒə mœr]	*voir* [ʒə vwa]	*jeter* [ʒə ʒɛt]
[ty mœr]	[ty vwa]	[ty ʒɛt]
[il mœr]	[il vwa]	[il ʒɛt]
[nu murɔ̃]	[nu vwajɔ̃]	[nu ʒətɔ̃]
[vu mure]	[vu vwaje]	[vu ʒəte]
[il mœr]	[il vwa]	[il ʒɛt]

N.B.: Ces verbes ont un radical pour les trois personnes du singulier et la 3ᵉ du
pluriel, et un autre pour les 1ʳᵉ et 2ᵉ personnes du pluriel.

TABLEAU 11.4

Catégorie IV: les verbes à trois radicaux		
devoir [ʒə dwa]	*prendre* [ʒə prɑ̃]	*vouloir* [ʒə vø]
[ty dwa]	[ty prɑ̃]	[ty vø]
[il dwa]	[il prɑ̃]	[il vø]
[nu dəvɔ̃]	[nu prənɔ̃]	[nu vulɔ̃]
[vu dəve]	[vu prəne]	[vu vule]
[il dwav]	[il prɛn]	[il vœl]

N.B.: Ces verbes ont un premier radical pour les 1ʳᵉ, 2ᵉ et 3ᵉ personnes du
singulier, un deuxième radical pour les 1ʳᵉ et 2ᵉ personnes du pluriel, un
troisième pour la 3ᵉ personne du pluriel.

TABLEAU 11.5

Il s'agit vraiment des seules terminaisons régulières et toute autre forme que
celles-là fait nécessairement partie du radical.

Par opposition aux préfixes, qui précèdent le radical, et aux suffixes, qui se
placent après le radical, les *infixes* sont des éléments ou des morphèmes qui
s'insèrent entre le radical et la terminaison pour donner certaines formes de
l'imparfait, du futur ou du conditionnel. Nous avons observé que le verbe *chanter*
est un verbe à un seul radical auquel peuvent s'ajouter les terminaisons [ɔ̃]
(*chantons*), [e] (*chantez, chanter...*), [ɛ] (*chantais, chantait, chantaient*) ou [a]
(*chanta, chantas*). Mais, pour former le futur, le conditionnel ou l'imparfait, il
y a des infixes qui s'insèrent entre le radical *chant-* [ʃɑ̃t] et l'une des terminaisons
en [ɔ̃], [e], [ɛ], [a].

Le tableau 11.6 présente toutes les combinaisons possibles d'un verbe à un
radical avec ses infixes [-j-], [-r-], [-ərj-] et ses terminaisons [-ɔ̃], [-e], [-ɛ], [-a];
notons que l'infixe [-ərj-] connaît des variations en [-irj-] ou en [-rj-]. Le tableau
11.7 présente les combinaisons des verbes à deux radicaux et le tableau 11.8
présente celles des verbes à trois radicaux. Le futur peut quelquefois se former
en [-dr-] plutôt qu'en [-r-] comme dans *vendons/vendrons*, mais le principe
demeure toujours le même : **radical + infixe + terminaison.** Précisons encore
une fois que les tableaux 11.6, 11.7 et 11.8 illustrent toutes les combinaisons
des verbes français à l'exception des suivants: *être, avoir, aller, faire, pouvoir,
savoir, valoir, vouloir* et *dire*. Ces derniers présentent des variations plus ou
moins importantes dans les infixes et peuvent posséder plus de trois radicaux;
ce phénomène, tout de même marginal en français, a le «malheur» d'apparaître
dans les verbes les plus fréquents de la langue.

Les formes d'un verbe à un radical (*chanter*)			
radical	infixes	+	terminaisons
[ʃɑt-]	-		[-ɔ̃, -e, -ɛ]
	[-j-]		[-ɔ̃, -e]
	[-r-]		[-ɔ̃, -e, -ɛ, -a]
	[-ərj-]		[-ɔ̃, -e]

TABLEAU 11.6

Les formes d'un verbe à deux radicaux (*dormir*)			
radicaux	infixes	+	terminaisons
1. [dɔr]	-		- - - - - -
2. [dɔrm-]	-		[-ɔ̃, -e, -ɛ]
	[-j-]		[-ɔ̃, -e]
	[-ir-]		[-ɔ̃, -e, -ɛ, -a]
	[-irj-]		[-ɔ̃, -e]

TABLEAU 11.7

Les formes d'un verbe à trois radicaux (*devoir*)			
radicaux	infixes	+	terminaisons
1. [dwa]	-		- - - - - -
2. [dəv-]	-		[-ɔ̃, -e, -ɛ]
	[-j-]		[-ɔ̃, -e]
	[-r-]		[-ɔ̃, -e, -ɛ, -a]
	[-rj-]		[-ɔ̃, -e]
3. [dwav]			- - - - - -

TABLEAU 11.8

1.3 LE PASSAGE DU SYSTÈME ORAL À L'ÉCRIT

L'une des caractéristiques majeures du système oral du français est sa relative simplicité comparativement au système écrit. Ce dernier paraît en effet beaucoup plus complexe (*voir les 13 formes orales de* chanter, *par rapport à ses 30 formes écrites*) du fait qu'à une forme orale peuvent correspondre plusieurs formes écrites: [ʃɑ̃te] = *chantai, chantez, chanté, chanter*... Il faut donc que la personne qui écrit se souvienne que les formes orales peuvent renvoyer à plusieurs graphies distinctes déterminées par les relations syntaxiques qui s'établissent entre le groupe du nom sujet (nom ou pronom) et le verbe:

= *ils nous parleront*

≠ *ils nous parlerons**

= *les ouvriers de l'usine travaillent*

≠ *les ouvriers de l'usine travaille**

= *les gens qui mangent trop sont malades*

≠ *les gens qui (vu comme un singulier) mange* trop sont malades*

    = *le visage des gens qui marchent sur le trottoir...*

    ≠ *le visage des gens qui marches** (accordé comme un nom*) sur le trottoir...*

Ces exemples montrent des cas d'interférences qui peuvent causer des problèmes d'accord à l'écrit. Tous ces verbes ont une forme orale identique au singulier et au pluriel; ils sont précédés également d'un mot écran (*ils* nous *parleront*). Ces «fautes» d'accord révèlent, d'une part, des problèmes d'incompréhension ou d'inattention en ce qui concerne les relations syntaxiques et, d'autre part, une non-utilisation des règles de la langue parlée connues pour solutionner les cas plus complexes de la langue écrite.

La plupart de ces «fautes» concernent les verbes de la première catégorie (à un radical) parce que ceux-ci, bien qu'ayant des formes différentes à l'écrit, en ont une seule à l'oral. Ce sont les verbes les plus fréquemment employés et ceux qui occasionnent le plus de «fautes» même s'ils sont les plus simples. Pour tous ces verbes, l'oral n'est d'aucun secours, d'où la confusion possible à l'écrit. Si l'on pensait cependant à remplacer mentalement les verbes formés d'un seul radical par un verbe ayant un radical différent au pluriel (donc un verbe formé d'au moins deux radicaux), il est probable que les accords seraient plus facilement respectés.

    — *Les ouvriers de l'usine* travaille*.

    — *Les gens qui* manges*.

    — *Le visage des gens qui* marche*.

On remplace les verbes *travailler, manger* et *marcher* par *savoir* (*il sait/ils savent* [ilsɛ]/[ilsav]):

    — *Les ouvriers de l'usine (sait/**savent**)* travaillent.

    — *Les gens qui (sait/**savent**)* mangent.

    — *Le visage des gens qui (sait/**savent**)* marchent.

On constate donc que l'utilisation intuitive des règles orales, par le procédé de la substitution, peut être fort pratique pour régler des problèmes de langue écrite. Il s'agit seulement de garder en mémoire deux ou trois verbes repères (p. ex., *dormir, finir, savoir* ou encore *être, avoir...*). Il y a d'autres façons de mettre la langue parlée au service de l'écrit, mais nous laissons au lecteur le soin de les explorer par lui-même.

1.4   LE SUBJONCTIF

Les morphèmes spécifiques au subjonctif sont très peu nombreux. Sauf pour quelques verbes assez fréquents dans la langue, le présent du subjonctif ne possède pas de marques orales propres:

NOMBRE DE RADICAUX	INDICATIF	SUBJONCTIF
(1)	*je mange* [mɑ̃ʒ]	*il faut que je mange* [mɑ̃ʒ]
(1)	*je ris* [ri]	*il faut que je rie* [ri]
(1)	*je vois* [vwa]	*il faut que je voie* [vwa]
(2)	*ils dorment* [dɔrm]	*il faut qu'ils dorment* [dɔrm]
(2)	*ils partent* [part]	*il faut qu'ils partent* [part]
(3)	*ils doivent* [dwav]	*il faut qu'ils doivent* [dwav]

Tous les verbes, sauf *avoir, être, faire, aller, savoir, pouvoir* et *vouloir* s'alignent sur la 3ᵉ personne du pluriel de l'indicatif pour former le subjonctif. Les marques orales [m] (*dorment*), [t] (*partent*) et [v] (*doivent*) indiquent le pluriel ou le subjonctif, mais ce ne sont pas des marques spécifiques au mode subjonctif. En français, presque tous les verbes fonctionnent ainsi.

Par contre, les verbes *être, avoir, faire, aller, savoir, pouvoir* et *vouloir* ont au subjonctif des marques spécifiques différentes de celles de l'indicatif:

INDICATIF	SUBJONCTIF
ils sont [sɔ̃]	*il faut qu'ils soient* [swa]
ils ont [ɔ̃]	*il faut qu'ils aient* [ɛ]
ils vont [vɔ̃]	*il faut qu'ils aillent* [aj]
ils font [fɔ̃]	*il faut qu'ils fassent* [fas]
ils savent [sav]	*il faut qu'ils sachent* [saʃ]
ils peuvent [pœv]	*il faut qu'ils puissent* [pɥis]
ils veulent [vœl]	*il faut qu'ils veuillent* [vœj]

Lorsqu'on hésite entre la forme de l'indicatif et la forme du subjonctif, il suffit d'utiliser la 3ᵉ personne du pluriel oral de l'indicatif pour trouver la forme du subjonctif.

– *ils dorment: il faut que je dors/**dorme***
– *ils craignent: il faut que je crains/**craigne***
– *ils prennent: il faut que je prends/**prenne***

On peut aussi remplacer un verbe «incertain» par un verbe plus «sûr» et très courant dans la langue parlée, comme le verbe *être*:

– *de crainte que je dors/dorme: sois* → ***dorme***
– *jusqu'à ce que je dors/dorme: sois* → ***dorme***
– *je doute qu'il dort/dorme: soit* → ***dorme***

La synthèse descriptive que nous avons présentée précédemment et qui portait sur un certain nombre de phénomènes grammaticaux vise non seulement à informer le lecteur, mais aussi à lui transmettre une méthodologie pour le traitement et l'observation des structures de la langue. La grammaire traditionnelle s'attache presque exclusivement à décrire la langue écrite, encore qu'elle «consente» parfois à fournir quelques «règles» de prononciation; de plus, elle cherche tellement à expliquer tous les emplois possibles et imaginables, que l'essentiel se perd dans les cas marginaux et les détails «atomistiques».

Les principes méthodologiques proposés ici reposent, au contraire, sur une approche globale de la grammaire orale appliquée à l'écrit : d'une part, le système oral est déjà connu (au moins dans la pratique); d'autre part, il est plus simple et présente des traits plus homogènes et plus cohérents.

2   LA PERSONNE GRAMMATICALE

Les énoncés peuvent présenter des phénomènes intéressants à plus d'un point de vue. Certains éléments d'un énoncé renvoient au locuteur; d'autres, au contraire, renvoient à des personnes différentes. C'est cette variation que sous-entend la notion de *personne grammaticale* ou de *pronom personnel*. Ainsi, quand je parle, je suis défini dans l'énoncé comme *je*, mais, quand on me parle, je me trouve défini comme *tu*. En d'autres termes, les morphèmes qui expriment la personne grammaticale changent de forme.

Les pronoms personnels sont riches d'information. En effet, ils peuvent désigner le genre (*il/elle*), le nombre (*je/nous*), la personne (1re, 2e, 3e), la fonction (*je/me/moi*). Par le fait même, ils peuvent être redondants dans la mesure où le pronom personnel et le verbe indiquent tous deux la personne.

Le français, l'anglais et le néerlandais possèdent un système oral assez peu développé du côté des flexions verbales : deux ou trois formes différentes tout au plus sur une possibilité de six. Quant aux pronoms personnels eux-mêmes, on en compte cinq en français et en anglais, six en néerlandais.

FRANÇAIS (*porter*)	ANGLAIS (*faire*)	NÉERLANDAIS (*servir*)
[ʒə pɔrt]	[aj me:k]	[ik di:n]
[ty pɔrt]	[ju me:k]	[je di:nt]
[il pɔrt]	[hi me:ks]	[hɛj di:nt]
[nu pɔrtɔ̃]	[we me:k]	[we di:nən]
[vu pɔrte]	[ju me:k]	[y di:nt]
[il pɔrt]	[ðe me:k]	[ze di:nənt]

Remarquons la redondance des marques de la personne en néerlandais; l'anglais, au contraire, est plus économique en ce domaine. Cependant, les morphèmes indiquant la personne grammaticale peuvent être plus nombreux dans d'autres langues. Prenons le cas de l'espagnol, de l'italien, du portugais et du roumain :

	ESPAGNOL (*marcher*)	ITALIEN (*parler*)	PORTUGAIS (*parler*)	ROUMAIN (*faire*)
1)	and*o*	parl*o*	fal*o*	fac
2)	and*as*	parl*i*	fal*as*	fac*i*
3)	and*a*	parl*a*	fal*a*	fac*e*
4)	and*amos*	parl*iamo*	fal*amos*	fac*em*
5)	and*ais*	parl*ate*	fal*am*	fac*eti*
6)	and*an*	parl*amo*	fal*am*	fac

Si le pronom personnel est obligatoire en français, en anglais, en néerlandais ou en allemand, il est généralement omis en italien, en espagnol, en portugais et en roumain: dans ces langues, les flexions verbales sont jugées suffisantes pour marquer la personne.

Dans la plupart des langues indo-européennes, la 3ᵉ personne peut être marquée en genre:

FRANÇAIS	*il/elle*
ITALIEN	*lei/ella*
ANGLAIS	*he/she/it*
ALLEMAND	*er/sie/es*
RUSSE	*on/ono/ona*

Cependant, dans d'autres langues, l'opposition de genre peut être marquée à la 2ᵉ personne. En haoussa, il existe deux formes correspondant à notre *tu* français: *in* (masc.) et *ka* (fém.); en vietnamien, la forme *anh* renvoie à un «tu» masculin, et la forme *chi*, à un «tu» féminin.

La distinction de trois personnes au singulier et au pluriel semble le système le plus courant. Il existe pourtant des sytèmes à quatre personnes. Presque toutes les langues de la famille algonkine (quelque 25 langues) distinguent une 1ʳᵉ personne «inclusive» ne renvoyant qu'aux personnes présentes (nous tous ici) et une autre dite «exclusive» qui englobe les autres personnes en plus de celles présentes (nous tous ici et les autres). Voici un exemple en micmac:

(1ʳᵉ)	[mitʃisii]	«je mange»
(2ᵉ)	[mitʃisin]	«tu manges»
(3ᵉ)	[mitʃisiit]	«il mange»
(1ʳᵉ)	[mitʃisik]	«nous mangeons» (inclusif)
(1ʳᵉ)	[mitʃisiek]	«nous mangeons» (exclusif)
(2ᵉ)	[mitʃisiɔk]	«vous mangez»
(3ᵉ)	[mitʃisitʃik]	«ils mangent»

La langue cree comporte des formes qui indiquent un autre type de distinction de la personne: celle qui est faite entre la 3ᵉ personne *proche* et la 3ᵉ personne *éloignée*. Les deux formes font référence à quelqu'un d'autre que le locuteur. La personne proche correspond au personnage principal, celui qui a été mentionné le premier; la personne éloignée, c'est le personnage secondaire, celui qui a été mentionné en second. Cette variation morphologique intéresse à la fois les verbes et les noms. Voyons ce qu'il en est en cree.

kitotew	«il (proche) parle à lui (éloigné)»
kitotik	«il (éloigné) parle à lui (proche)»
okimaw	«chef (proche)»
okimawa	«chef (éloigné)»
iskwew	«femme (proche)»
iskwema	«femme (éloignée)»
okimaw ikwewa kitotew	«le chef (proche) parle (proche) à la femme (éloignée)»
okimawa iskwew kitotik	«le chef (éloigné) parle (éloigné) à la femme (proche)»

Enfin, d'autres langues sont caractérisées par l'invariabilité formelle de la personne des verbes, les pronoms assumant seuls la personne grammaticale. En créole haïtien, les pronoms sont placés devant le morphème de temps (invariable) suivi du lexème verbal (invariable):

[mwẽ ape mãʒe]	«je mange»
[tu ape mãʒe]	«tu manges»
[li ape mãʒe]	«il mange»
[nu ape mãʒe]	«nous mangeons»
[vu ape mãʒe]	«vous mangez»
[jo ape mãʒe]	«ils mangent»

En créole haïtien, seuls les pronoms portent la marque de la personne. le morphème du présent [ape] se place devant le verbe, qui demeure invariable.

3   LE TEMPS VERBAL

La notion de temps est un phénomène universel. Toutes les langues du monde expriment des références au temps, mais elles le font par des moyens extrêmement variés. De façon générale, le temps concerne surtout le verbe. Celui-ci évoque un caractère historique ou chronologique, réel ou possible, du récit exprimé par le verbe. Dans un énoncé du type *le loup mange l'agneau*, un récit est rapporté, ce qui n'est pas le cas dans l'expression *le loup des bois*. Le temps situe chronologiquement un récit: l'action a-t-elle eu lieu dans le passé? se déroule-t-elle dans le présent? se produira-t-elle demain? C'est ce que les linguistes appellent le «procès verbal».

Dans les langues indo-européennes, le temps est généralement indiqué dans les flexions verbales: *chante/chantait/chantera, canta/cantaba/cantara, sings/sang/has sung/was singing*. On distingue des temps simples obtenus par une flexion (*canta/cantaba/cantara*) et des temps composés qui font intervenir un auxiliaire: *a chanté, avait chanté, aura chanté, has sung, had sung, will sing*.

Des langues slaves comme le russe, le serbo-croate, le slovène, le tchèque, le slovaque et le polonais se distinguent des autres langues indo-européennes du fait que les morphèmes se référant au temps sont très réduits. Ainsi, le russe ne connaît qu'un présent (d'ailleurs ignoré de la moitié des verbes), un présent-futur et quelques passés (parfait, imparfait, plus-que-parfait).

À l'opposé, les langues algonkines comme le micmac ou le cree ont développé de nombreuses flexions verbales à l'intérieur d'un même temps; les flexions varient en fonction des verbes transitifs animés, des verbes transitifs inanimés, des verbes intransitifs animés et des verbes intransitifs inanimés. On compte plus de 2 000 flexions verbales en cree, ce qui est considérable par comparaison avec le français. Mais le turc (langue altaïque) a fait mieux: plus de 3 000 flexions verbales!

Nous savons que la notion de temps se trouve exprimée surtout dans le verbe. Néanmoins, l'exemple du créole haïtien montre que tel n'est pas toujours le cas puisque, dans [mwẽ ape mãʒe] («je mange»), le verbe est invariable et équivaut à un lexème; le morphème de temps *ape* est autonome et distinct du verbe. Pour indiquer le futur, on remplace *ape* par *ava*; pour le passé composé, c'est *te*.

Dans un certain nombre de langues africaines, le temps est indiqué dans le pronom personnel sujet. C'est le cas, par exemple, en swahili avec le verbe *piga* («battre»), qui reste invariable:

PRÉSENT	***ana**mpiga*	«il le bat»
FUTUR	***ata**mpiga*	«il le battra»
PASSÉ COMP.	***ame**mpiga*	«il l'a battu»
PASSÉ SIMPLE	***ali**mpiga*	«il le battit»

Le morphème *m* (devant *piga*) correspond au pronom personnel objet *le*, alors que le pronom personnel sujet varie suivant le temps auquel il est employé.

En micmac, le temps est indiqué non seulement dans le verbe, mais aussi dans le nom sujet et les adjectifs qui s'y rapportent. Dans l'énoncé [ni:nak nuʃak nepkak], le morphème *ak* est répété trois fois, c'est-à-dire après les mots [ni:n] («père»), [nuʃ] («mon») et [nepk] («être mort»). On indique alors dans l'énoncé que tout est dans le passé: «Mon (passé) père (passé) est mort (passé).»

4   LE MODE

Les morphèmes grammaticaux associés au verbe sont rarement des entités indépendantes, sauf dans certaines langues. Ce sont plutôt des composantes d'un même système à corrélations significatives et elles n'ont de sens qu'à l'intérieur du système. Dans un énoncé français, anglais, italien, allemand ou russe, nous pouvons trouver à la fois les marques suivantes: la personne, le temps, le mode, parfois la voix et l'aspect.

Le mode est une notion grammaticale associée au verbe et qui traduit l'attitude du sujet parlant vis-à-vis du «procès» (valeur anecdotique de l'énoncé) exprimé par le verbe. En effet, le récit rapporté dans un énoncé peut être considéré comme possible ou comme réel. Dans l'énoncé *je marche dans ce couloir*, il semble évident que la réalité de l'anecdote ne saurait être mise en doute. Au contraire, dans *que je marche ou non dans ce couloir*, on ne sait pas si l'anecdote est réelle ou non, seule l'expérience pourrait nous l'apprendre. Le mode verbal s'intéresse donc à la réalité du «procès verbal», c'est-à-dire qu'il le présente comme plus ou moins actuel, réel, possible.

Le nombre des modes varie selon les langues. En français et en anglais, on compte traditionnellement six modes: l'indicatif, le subjonctif, l'impératif, le conditionnel, l'infinitif et le participe. Toutefois, dans la version de 1986 du *Bon Usage* de Maurice Grevisse, André Goosse classe le conditionnel dans les temps des verbes. Si la plupart des langues indo-européennes comptent environ six modes, il n'y en a que trois en russe, mais sept en grec (indicatif, impératif, participe, conditionnel, subjonctif, optatif, gérondif). Un mot sur les extrêmes: il n'y a pas de mode en vietnamien, mais le cree en a 15, et le turc, plus de 20.

Dans les langues indo-européennes, la marque du mode est indiquée généralement dans la terminaison du verbe, par l'absence du sujet ou par l'addition d'un morphème syntaxique (en français: *il faut que je mange*). Dans les langues agglutinantes, le mode est identifié par un morphème qui lui est propre. L'énoncé français *ils casseraient* se rend, en turc, par [kiraʒaksalar]. Chacun des morphèmes peut être isolé et identifié:

[kir-]	lexème «casser»
[-aʒak-]	temps futur
[-sa-]	mode conditionnel
[-lar]	3e personne du pluriel

5   LA VOIX ET L'ASPECT

La voix indique de quelle façon le sujet est intéressé par le procès verbal. On distingue habituellement la voix active, la voix passive et la voix pronominale; c'est une distinction courante en français, en anglais, en néerlandais et en allemand. Dans ces langues, la voix active est marquée par la place du sujet dans la phrase:

Jean écrit une lettre.
John writes a letter.
Hans schreibt einen Brief.

Pour indiquer la voix passive, il faut recourir à des formules périphrastiques complexes, car ces langues ne disposent pas de flexions verbales spécifiques. En allemand, en plus de la périphrase, on utilise aussi le verbe *werden* (devenir) que l'on place à la toute fin de la phrase.

*Jean **écrira** une lettre.*
*John **will write** a letter.*
*Hans **wird** einen Brief **schreiben**.*

*Une lettre **sera écrite** par Jean.*
*A letter **will be written** by John.*
*Ein Breif **wird** von Hans **geschrieben werden**.*

La façon de marquer la voix paraissait plus simple en latin, langue qui disposait seulement de flexions verbales: *amant/amantur* («ils aiment/ils sont aimés»). Le système du finnois fonctionne un peu de la même façon avec des suffixes qui varient: [laulaa/lauletaan] («il chante/il est chanté»), [lauloi/lauletɛɛ] (il chantait/il était chanté). Évidemment, cette façon de procéder semble plus économique que les tournures périphrastiques, mais elle n'est possible que dans le cas d'une langue qui n'a recours qu'à des moyens morphologiques.

Le verbe peut être également caractérisé du point de vue de l'aspect. Que le procès soit réel ou non, qu'il soit présent, passé ou futur, le procès envisagé peut être considéré de différentes façons: est-il en train de se faire? est-il considéré dans ses effets? commence-t-on à le réaliser? considère-t-on qu'il se répète tout le temps? La notion d'aspect correspond à toutes ces questions. En d'autres termes, l'aspect s'intéresse à la manière dont le procès s'effectue, ce dernier pouvant être en relation avec une action achevée, inachevée, répétitive, durative, habituelle, ponctuelle, progressive, etc.

On peut exprimer l'aspect de deux façons différentes: d'une façon purement grammaticale ou morphologique, ou en utilisant des tournures périphrastiques ou syntaxiques. Examinons les exemples qui suivent:

(1) *je parle*	*je suis en train de parler*	(aspect duratif)
	j'ai l'habitude de parler	(aspect habituel)
	je commence à parler	(aspect inchoatif)
(2) *j'ai parlé*	*j'ai fini de parler*	(aspect perfectif)
	j'ai passé un certain temps à parler	(aspect imperfectif)
	j'ai parlé à ce moment-là seulement	(aspect ponctuel)
(3) *je parle*	*I speak* = «je parle»	(aspect indéterminé)
	I am speaking = «je suis en train de parler»	(aspect duratif)
(4) *je parlais*	*I spoke* = «je parlais»	(aspect indéterminé)
	I was speaking = «j'étais en train de parler»	(aspect duratif)

En examinant les exemples français (1) et (2), on constate qu'il n'existe pas de marques morphologiques spécifiques pour marquer l'aspect, c'est-à-dire la manière dont s'effectue le procès. Le français doit recourir à des tournures périphrastiques pour indiquer comment s'effectue le procès. Dans *je parle* et *j'ai parlé*, aucune flexion morphologique ne précise de quel aspect il s'agit: duratif, habituel, inchoatif, perfectif, etc.

En revanche, les exemples anglais (3) et (4) révèlent qu'il est possible de rendre compte de certains aspects dans la morphologie même, grâce aux «auxiliaires» *am, was*. À l'opposé du français, l'anglais a donc développé des marques formelles de l'aspect. Dans ce cas, on dit que l'aspect «est de règle», c'est-à-dire qu'il est marqué dans la morphologie. Dans le cas du français, on dit que l'aspect est sémantique et syntaxique parce que ce sont des périphrases qui expriment ces notions.

Le russe va beaucoup plus loin que l'anglais dans ce domaine. L'aspect est une notion capitale en russe et il domine tout le système verbal. Considérons l'exemple suivant:

(1) *Ia protchital roman* («j'ai lu un roman»)
(2) *Ia tchital roman* («j'ai lu un roman»)

Les deux énoncés russes sont traduits en français par «j'ai lu un roman», et ce, bien qu'ils ne soient pas équivalents. Le verbe *protchital* correspond à un aspect perfectif qui indique «le résultat d'une action» et aurait le sens de «j'ai achevé de lire un roman». Quant au verbe *tchital*, il renvoie à un aspect imperfectif qui indique «une action dans son développement» et qui signifierait «j'ai passé un certain temps à lire un roman (sans l'avoir nécessairement achevé)». De façon générale, le russe oppose deux verbes: l'un, perfectif; l'autre, imperfectif. Cela lui donne les moyens d'exprimer des nuances dont le français se passe.

Le fait que le système verbal du russe soit restreint en ce qui concerne les temps et les modes donne à l'aspect une importance primordiale. Le phénomène est analogue pour l'arabe, qui ignore le temps dans les marques formelles; l'aspect revêt alors une importance accrue.

**

Cette description morphologique démontre que les langues possèdent des systèmes grammaticaux qui peuvent différer quant à la manière de découper et d'organiser la perception du réel. L'intérêt des études linguistiques est de montrer que chaque langue est un code et une organisation fonctionnelle adaptée aux besoins de la culture dont elle fait partie.

Qu'un élément grammatical soit plus développé dans une langue ne confère pas à celle-ci une supériorité. Le fait que le chinois ne distingue pas de nombre (singulier/pluriel) et que l'anglais ignore pratiquement les marques du genre ne signifie pas que le chinois et l'anglais soient inférieurs au fidjien qui connaît quatre nombres et au lingala qui dispose de 21 genres ou classes. Le hongrois, avec ses 25 cas, n'est pas plus efficace que l'espagnol qui n'en a pas. Les 20 modes du turc n'expriment pas davantage le réel que le russe qui n'en compte que trois. L'organisation grammaticale d'une langue peut difficilement servir de critère de supériorité ou d'infériorité. Les éléments grammaticaux ne sont pas déterminés par la volonté de donner à la langue des «qualités» qui lui manqueraient. Les différences morphologiques doivent être prises comme des éléments d'un système qui peut paraître plus ou moins complexe. De façon générale, on pourrait dire que les différences grammaticales correspondent à des différences d'organisation du réel plutôt qu'à des différences de qualité.

À RETENIR

▷ Les morphèmes constituent des unités minimales de signification ; ils sont indécomposables.
▷ Le genre est une catégorie formelle qui se rattache plus ou moins explicitement aux différences de sexe, c'est-à-dire à la distinction mâle/femelle.
▷ Le genre est dit *marqué* s'il porte un indice formel, c'est-à-dire un morphème nous permettant de l'identifier ; s'il n'est pas possible de le repérer au moyen de morphèmes, le genre sera appelé *non marqué*. En français oral, les morphèmes du genre sont marqués par addition, par alternance ou par suppression.
▷ De nombreuses langues distinguent formellement trois genres : le masculin, le féminin, le neutre. Là aussi, l'attribution du genre reste arbitraire.
▷ De plus, plusieurs langues opposent les genres animé et inanimé au lieu des genres masculin et féminin. L'opposition animé/inanimé répartit les êtres et les objets en deux catégories : animés et inanimés, ce qui, dans la plupart des cas, entraîne deux systèmes différents d'accords et d'agencements grammaticaux.
▷ La catégorie grammaticale du nombre permet théoriquement de distinguer les êtres et les choses selon la quantité : de un à plusieurs. Comme celles du genre, les marques orales du nombre se font par les procédés d'addition, d'alternance ou de suppression.
▷ L'opposition binaire singulier/pluriel est certainement le type d'opposition le plus répandu dans les langues du monde, mais plusieurs langues opposent plus de deux possibilités de nombre : le singulier (une unité), le duel (deux unités) et le pluriel (plus de deux). Cependant, une autre particularité consiste à opposer un singulier à deux types de pluriel : un pluriel distributif et un pluriel collectif.

▷ Le cas est une catégorie grammaticale associée au nom dont il indique généralement la fonction syntaxique dans la phrase, mais aussi le genre et le nombre. Aucune langue moderne issue du latin n'a conservé l'usage des cas.

▷ En général, les morphèmes reliés au verbe portent des marques indiquant la personne, le temps, le mode, la voix, l'aspect.

▷ Les verbes français se classent en quatre catégories: les verbes à un radical, les verbes à deux radicaux, les verbes à trois radicaux et les verbes à quatre radicaux (ou plus).

▷ Les morphèmes grammaticaux associés au verbe sont rarement des entités indépendantes, sauf dans certaines langues. Ce sont des composantes d'un même système à corrélations significatives et elles n'ont de sens qu'à l'intérieur du système.

▷ L'une des caractéristiques majeures du système oral du français est sa relative simplicité comparativement au système écrit. Celui-ci apparaît en effet beaucoup plus complexe du fait qu'à une forme orale peuvent correspondre plusieurs formes écrites.

▷ Les morphèmes spécifiques au subjonctif sont très peu nombreux; sauf pour quelques verbes fréquents dans la langue, le présent du subjonctif ne possède pas de marques orales propres.

▷ La notion de *personne grammaticale* ou de *pronom personnel* renvoie au locuteur ou, au contraire, à des personnes différentes. Les pronoms personnels peuvent désigner à la fois le nombre, la personne et la fonction; ils peuvent être redondants dans la mesure où le pronom personnel et le verbe indiquent tous deux la personne.

▷ La distinction de trois personnes au singulier et au pluriel semble le système le plus courant, mais il existe des sytèmes à quatre personnes: une 1re personne «inclusive» ne renvoyant qu'aux personnes présentes et une autre dite «exclusive» qui englobe les autres personnes en plus de celles présentes. D'autres systèmes linguistiques distinguent la 3e personne proche et la 3e personne éloignée. Enfin, un certain nombre de langues se caractérisent par l'invariabilité formelle de la personne des verbes.

▷ De façon générale, le temps concerne surtout le verbe. Il évoque le caractère historique ou chronologique du récit exprimé par le verbe; on distingue des temps simples obtenus par une flexion et des temps composés qui font intervenir un auxiliaire.

▷ Le mode est une notion grammaticale associée au verbe et qui traduit l'attitude du sujet parlant vis-à-vis du «procès» exprimé par le verbe. Le mode verbal s'intéresse donc à la réalité du «procès verbal» et présente celui-ci comme plus ou moins actuel, réel, possible.

▷ La voix indique de quelle façon le sujet est intéressé par le procès verbal (valeur anecdotique de l'énoncé); on distingue habituellement la voix active, la voix passive et la voix pronominale.

▷ La description morphologique démontre que les langues possèdent des systèmes grammaticaux qui peuvent différer quant à la manière de découper et d'organiser la perception du réel. L'intérêt des études linguistiques est de montrer que chaque langue est un code et une organisation fonctionnelle adaptée aux besoins de la culture dont elle fait partie.

BIBLIOGRAPHIE

ARRIVÉ, M., F. GADET et M. GALMICHE. *La grammaire d'aujourd'hui: guide alphabétique de linguistique française*, Paris, Flammarion, 1986.

CARATINI, Roger (sous la direction de). *Linguistique*, Paris, Bordas Encyclopédie, n° 12b, «Sciences sociales (2)», 1972.

CLAS, André et Étienne TIFFOU. *Introduction aux études linguistiques*, Montréal, Université de Montréal, 1975.

CSECSY, Madeleine. «Les marques orales du nombre», dans *La grammaire du français parlé*, Paris, Hachette, 1971.

DUBOIS, Jean. *Grammaire structurale du français: nom et pronom*, Paris Larousse, 1967.

DUBOIS, Jean *et al. Dictionnaire de linguistique*, Paris, Larousse, 1973.

DUBOIS, J. et R. LAGANE. *La nouvelle grammaire du français,* Paris, Larousse, 1973.

ÉLUERD, Roland. *Pour aborder la linguistique,* Paris, Les Éditions ESF, 1977.

GERMAIN, Claude et Raymond LEBLANC. «La morphologie», dans *Introduction à la linguistique générale*, Montréal, Les Presses de l'Université de Montréal, 1981.

GLEASON, H.A. *Introduction à la linguistique*, Paris, Larousse, 1969.

GUZMAN, Videa P. de, et William O'GRADY. «Morphology: The Study of Word Structure», dans *Contemporary Linguistic Analysis*, Toronto, Copp Clark Pitman Ltd., 1987, pp. 127-156.

LEROT, Jacques. *Abrégé de linguistique générale*, Louvain-la-Neuve (Belgique), Cabay, 1983, 309 p.

MARTY, Fernand. «Les formes du verbe en français parlé», dans *La grammaire du français parlé*, Paris, Hachette, 1971.

RIGAULT, André (sous la direction de). *La grammaire du français parlé*, Paris, Hachette, 1971.

RIGAULT, André. «Les marques du genre», dans *La grammaire du français parlé*, Paris, Hachette, 1971.

ROBINS, R.H. *Linguistique générale: une introduction*, Paris, Armand Colin, 1973.

ROULET, Eddy. *Théories grammaticales, descriptions et enseignement des langues*, Bruxelles/Paris, Labord/Nathan, 1972.

ROY, Gérard-Raymond. *Contribution à l'analyse du syntagme verbal: étude morphosyntaxique et statistique des coverbes*, Québec/Paris, P.U.L./Klincksieck, 1977.

ROY, Gérard-Raymond. «Orthographe grammaticale et orthographe lexicale», inédit, Montréal, Université de Montréal (P.P.M.F.), 1976, 65 pages dactylographiées.

ROY, Gérard-Raymond. «Système morphologique du genre et du nombre en français oral», version provisoire, Montréal, Université de Montréal, 1978, 240 pages dactylographiées.

*L*ES STRUCTURES DE LA PHRASE FRANÇAISE

LES CLASSES DE MOTS ○ LES SYNTAGMES ET LES CONSTITUANTS: TYPES DE PHRASES ET FORMES DE PHRASES ○ LA REPRÉSENTATION GRAPHIQUE DE LA PHRASE ○ LA PHRASE SIMPLE À DEUX CONSTI- TUANTS ○ LE SYNTAGME PRÉPOSITIONNEL ET SES CONSTITUANTS ○ L'INTERPRÉTATION DES STRUCTURES ET LES AMBIGUÏTÉS SYN- TAXIQUES ○ LES TRANSFORMATIONS COMPLÉTIVES, RELATIVES ET CIRCONSTANCIELLES ○ LES PHRASES COORDONNÉES ○ LES LIENS AVEC L'ÉCRIT

L'ANALYSE DE LA PHRASE DE BASE

Toute étude portant sur la phrase nécessite une analyse des mots, des groupes de mots et des relations qui s'établissent entre eux. Il convient donc de savoir comment la phrase est organisée et comment elle produit du sens. Pour ce faire, il faut être capable d'identifier les constituants d'une phrase. C'est pourquoi nous nous intéresserons aux classes de mots, aux constituants, aux types et aux formes de phrases et, pour terminer, à la représentation graphique des phrases.

1 LES CLASSES DE MOTS

La grammaire traditionnelle nous a habitués à classer les mots par noms, verbes, adjectifs, prépositions, conjonctions, etc. Elle nous propose de distinguer ces diverses «catégories» au moyen de définitions à caractère sémantique. Par exemple, le *nom* désigne une personne, un animal, une chose, une idée; le *verbe* exprime une action ou un état; l'*adjectif* exprime une qualité; etc.

Dans ces conditions, presque tous les mots sont des noms parce qu'ils désignent presque tous soit une personne, soit un animal, soit une chose, soit une idée. De plus, des mots comme *course* et *malade* peuvent être considérés comme des verbes puisque le premier désigne une action (*une course*), et le second, un état (*il est malade*). Par ailleurs, des mots comme *faut* (dans *il faut partir*) et *pleure* (dans *Paul ne pleure jamais*) ne seraient sûrement pas des verbes, car ils n'expriment ni une action ni un état.

Les définitions de ce genre sont rejetées par la linguistique moderne, notamment par la linguistique structurale, parce qu'elles ne réussissent pas à déterminer rigoureusement les différentes classes de mots. Ces dernières ne doivent pas reposer sur des définitions sémantiques ni notionnelles. Cela dit, la linguistique «moderne» n'a pas encore trouvé d'équivalents rigoureusement satisfaisants pour définir des mots comme *nom, adjectif, verbe,* etc. Les tentatives actuelles s'inspirent en partie des définitions à caractère sémantique. De toute façon, le point de départ, ce sont toujours les classes ou les catégories traditionnelles.

La répartition des mots en classes est liée à la manière dont les mots sont en relation les uns avec les autres, à leur *distribution* ou à leur *fonction* dans la phrase. On ne peut déterminer de façon sûre à quelle classe appartient un mot si l'on n'a pas de phrase pouvant assigner à ce mot une «place» spécifique dans un environnement. Afin de démontrer le caractère quelque peu aléatoire des définitions exclusivement sémantiques, considérons les trois phrases suivantes et supposons qu'un morceau de carton nous empêche de lire les mots cachés.

CLASSE	A	B	C	D	E	F
(1)	*Le*	▬	*garçon*	*traverse*	*la*	*rue.*
	A	B	C	D	E	
(2)	*Le*	*facteur*	▬	*nos*	*lettres.*	
	A	B	C	D	E	
(3)	▬	*postiers*	*sont*	▬	*grève.*	

Quels que soient les mots cachés en (3-A), en (1-B), en (2-C) et en (3-D), nous pouvons facilement déterminer à quelle classe chacun appartient, et ce, en considérant les autres mots qui permettent de reconnaître le modèle d'une phrase française: dans la phrase (1), le mot caché (B) ne peut être qu'un ADJEC-TIF; dans la phrase (2), le mot caché (C) est un VERBE; dans la phrase (3), les mots cachés sont respectivement un DÉTERMINANT (A) et une PRÉPO-SITION (D). Même l'énoncé incompréhensible *Li constisses ponquent la driche din li drosses préferges* est analysable sur le plan de la fonction des mots:

Dét.	N	V	D	N	Prép.	D	Adj.	N
Li	*constisses*	*ponquent*	*la*	*driche*	*din*	*li*	*drosses*	*préferges*

En fait, une classe est «un ensemble comportant tous les mots qui peuvent se substituer les uns aux autres dans une phrase sans que celle-ci cesse d'être française[1]». Un mot appartient à la même classe qu'un autre quand nous pouvons lui substituer cet autre mot dans le même environnement (en changeant évidemment le sens de la phrase) ou dans la même *distribution* ou fonction syntaxique, tout en conservant une structure de phrase grammaticalement française (*voir le tableau 12.1*).

CLASSE A	CLASSE B	CLASSE C	CLASSE D	CLASSE E
Le	*concierge*	*monte*	*nos*	*lettres*
Un	*gardien*	*donne*	*les*	*clefs*
Notre	*facteur*	*apporte*	*ces*	*colis*
Deux	*enfants*	*mangent*	*leur*	*tartine*
▬	*Tous*	*regardent*	▬	*Pierre*

TABLEAU 12.1

1. J. DUBOIS et R. LAGANE, *La nouvelle grammaire du français*, Paris, Larousse, 1973, p. 25.

Les classes A et D forment une seule et même classe, celle des déterminants : A et D pourraient être interchangeables si l'on déplaçait les noms. Tout autre mot qui pourrait se substituer à l'une ou l'autre de ces formes serait appelé déterminant. Les classes B et E constituent aussi une seule classe, celle des noms : *concierge, gardien, facteur, tous* appartiennent à la même classe que *lettres, clefs, colis, tartine, Pierre*. Des mots tels *monte, donne, apporte, mangent* et *regardent* forment une troisième classe, celle des verbes. On remarquera que *Tous* et *Pierre* ont un statut particulier : contrairement aux noms « ordinaires », ils ne prennent pas de déterminant.

Le tableau 12.2 illustre toutes les classes de mots : on distingue non seulement des noms (N), des déterminants (D), des adjectifs (Adj) et des verbes (V), mais aussi des adverbes (Adv), des pronoms (Pr), des prépositions (Prép) et des conjonctions (Conj).

Les classes de mots		
Le **FACTEUR** est arrivé.	= nom	[N]
Le facteur **PORTE** les lettres.	= verbe	[V]
CE facteur porte rarement des colis.	= déterminant	[D]
La ferme **LOINTAINE** n'est pas visitée.	= adjectif	[Adj]
Le facteur porte **RAREMENT** des colis.	= adverbe	[Adv]
IL porte les lettres à la ferme lointaine.	= pronom	[Pr]
Le facteur porte les lettres **VERS** la ferme.	= préposition	[Prép]
Le facteur ne l'a pas livrée, **CAR** je n'y étais pas	= conjonction	[Conj]

TABLEAU 12.2

Il arrive que certains mots appartiennent à plus d'une classe, selon le contexte où ils se trouvent. Prenons, par exemple, la série des déterminants *les, des, ces, mes, nos, deux, quelques* (*voir le tableau 12.3*) ; ces mots appartiennent à la même classe, celle des déterminants, puisqu'ils se retrouvent tous dans le même environnement (ou distribution) syntaxique. Cependant, les adjectifs *deux* et *quelques* peuvent se retrouver dans une autre distribution : on pourrait dire *les* (D) *deux* (Adj) *ambulances, les* (D) *quelques* (Adj) *ambulances, les* (D) *grosses* (Adj) *ambulances* ; s'il est possible de substituer *belles* (Adj) à *deux* et à *quelques*, il ne s'agit plus dans ce contexte de déterminants mais d'adjectifs. *Deux* et *quelques* sont des déterminants s'ils sont dans la même distribution que *les, des, ces, mes*, etc. ; ils sont des adjectifs s'ils se retrouvent dans la même distribution que *belles, grosses, grandes*, etc.

Cette façon de distinguer les classes de mots sert à résoudre bien des problèmes relatifs aux homonymes (*voir le tableau 12.4*). Selon la place qu'ils occupent dans la phrase, les mots changent de classe. Ainsi, le mot *ferme* n'est jamais à la fois adjectif, verbe et nom ; il est, selon son environnement, ou adjectif, ou verbe, ou nom.

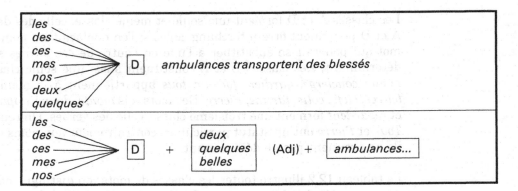

Tableau 12.3

Pr	V	D	N	Adj	Classe
Il	*a*	*une*	*main*	**ferme**	= (**Adj**)
Il	**ferme**	*la*	*porte*	▬▬	= (**V**)
Il	*habite*	*une*	**ferme**	▬▬	= (**N**)

Tableau 12.4

2   LE SYNTAGME ET SES CONSTITUANTS

Les mots ne sont pas des unités isolées, sans liens les uns avec les autres: ce sont des éléments d'un tout. Nous sommes capables d'identifier les classes de mots dans la mesure où nous analysons l'ensemble des mots regroupés. En fait, nous avons affaire à une organisation dont toutes les composantes sont en relation les unes avec les autres. Par exemple, si nous analysons la suite de mots *ce matelot*, nous savons que *ce* et *matelot* sont reliés et qu'ils forment un tout; toutefois, l'un des mots est dans une relation de dépendance, le pivot du groupe demeurant *matelot*. Nous pouvons ajouter d'autres éléments de façon que chacune des unités constitutives forme encore un tout autour du nom considéré comme le pivot: *ce jeune matelot, les deux jeunes matelots, un matelot de la marine canadienne.*

Nous pouvons identifier un autre élément de base: le verbe. Si nous formons la phrase *ce jeune matelot attend l'autobus*, nous aurons affaire à deux éléments de base: un groupe formé autour du nom sujet *matelot*, et un autre groupe formé autour du verbe *attend*. Nous avons ainsi deux constituants principaux formant une phrase. Illustrons ces constituants à l'aide d'une sorte de boîte.

(1)	Ce	jeune	matelot	attend	l'	autobus.
(2)	Ce	jeune	matelot	attend	l'	autobus.
(3)	Ce	jeune	matelot	attend	l'	autobus.
(4)	Ce	jeune	matelot	attend	l'	autobus.

Dans le compartiment (1) de la boîte, toutes les unités de la phrase sont isolées: D + Adj + N + V + D + N. Le compartiment (2) découpe la phrase en trois constituants: le premier groupe du nom [*Ce jeune matelot*], suivi du verbe [*attend*] et d'un deuxième groupe du nom [*l'autobus*]. Étant donné que l'on pourrait, à la rigueur, intervertir les groupes *Ce jeune matelot* et *l'autobus*, cela signifie qu'il s'agit de groupes analogues: des groupes ou syntagmes du nom. Quant au compartiment (3), il montre que l'on peut diviser la phrase en deux grands constituants: le groupe du nom sujet [*Ce jeune matelot*] et le groupe du verbe [*attend l'autobus*]. Le compartiment (4), lui, présente la phrase comme un tout.

Autrement dit, toute séquence d'unités de dimension variable, comme un groupe du nom ou syntagme nominal (SN) ou un groupe du verbe ou syntagme verbal (SV), qui constituent les niveaux intermédiaires d'une structure hiérarchisée dont le sommet est une phrase (P) s'appelle un *syntagme*. On peut définir le syntagme comme «un groupe d'éléments linguistiques formant une unité dans une organisation hiérarchisée[2].

Si nous poursuivons notre investigation, nous découvrirons, d'une part, que les syntagmes peuvent varier et s'allonger à partir d'un même élément de base (ou pivot), et, d'autre part, qu'ils peuvent être formés à partir de plusieurs éléments fondamentaux différents. Si l'élément de base fondamental d'un syntagme est un nom, nous avons affaire à un syntagme nominal (SN); si c'est un verbe, il s'agit d'un syntagme verbal (SV). Cependant, l'élément de base peut être également une préposition ou un adjectif: il faudra alors désigner ces syntagmes soit comme syntagme prépositionnel (SP), soit comme syntagme adjectival (SA). Voyons maintenant comment sont constitués ces divers syntagmes.

Ce jeune matelot	
Mon fils	
Jean	
Il	*attend l'autobus.*
Un matelot de la marine canadienne	
Le facteur avec des moustaches	
Cet homme habile au jeu	

TABLEAU 12.5

2.1   LE SYNTAGME NOMINAL

Le syntagme nominal (SN) a comme élément de base, rappelons-le, le nom. Nous avons vu qu'il pouvait avoir une longueur variable, selon le nombre de ses constituants. Reprenons l'énoncé *Ce jeune matelot attend l'autobus* afin de trouver d'autres variantes (*voir le tableau 12.5*). Tout ce que nous pouvons substituer au SN sujet sera considéré comme des variantes.

---

2. Jean DUBOIS *et al.*, *Dictionnaire de linguistique*, Paris, Larousse, 1973, p. 479.

Globalement, nous pourrions réduire ces variantes à trois. Le SN peut être constitué des éléments suivants: 1) nom ou pronom (en ce cas, il n'y a pas de déterminant); 2) déterminant + nom; 3) D + N + modificateur (adjectif, SP, SA, ou P).

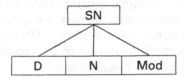

$$SN \begin{cases} \textbf{Nom (N) ou Pronom (Pr)} \\ \textbf{D + N} \\ \textbf{D + N + modificateur} \end{cases}$$

Le modificateur peut prendre la forme d'un adjectif (Adj), d'un syntagme prépositionnel (SP) ou d'un syntagme adjectival (SA); nous verrons plus loin que le modificateur peut être aussi une phrase (P).

```
            SN
        /   |   \
      D     N    Mod
```

D + Adj + N =	*Ce [jeune]* **matelot** / *Ce* **matelot** *[paresseux]*
D + N + SP =	*Un* **matelot** *[de la marine canadienne]*
	Le **facteur** *[avec des moustaches]*
D + N + SA =	*Cet* **homme** *[habile au jeu]*
D + N + P =	*Cet* **homme** *[que vous voyez]*

2.2 LE SYNTAGME VERBAL

Rappelons que, contrairement au syntagme nominal, le syntagme verbal (SV) a comme élément de base le verbe (autre que *être*[3]). Le syntagme verbal peut lui aussi avoir une longueur variable et tout ce que nous pouvons lui substituer sera considéré comme des variantes du SV. Remplaçons donc la séquence [*attend l'autobus*]. Le SV peut prendre les formes suivantes:

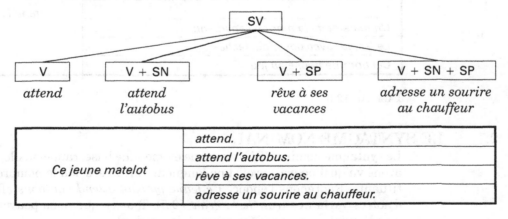

	attend.
Ce jeune matelot	*attend l'autobus.*
	rêve à ses vacances.
	adresse un sourire au chauffeur.

---

3. Les constituants pourront être différents dans le cas du verbe *être*: 1) SV = [*être* + SN]; 2) SV = [*être* + SP]; 3) SV = [*être* + SA]. Nous y reviendrons plus loin.

2.3   LE SYNTAGME PRÉPOSITIONNEL

Comme son nom l'indique, le pivot du syntagme prépositionnel est une préposition; celle-ci sert à relier un N ou un V de qui elle dépend à un SN. Dans les séquences *Un matelot* **de la marine canadienne** et *...rêve* **à ses vacances**, nous trouvons deux SP, et chacun est formé de deux éléments: une préposition (*de/à*) et un SN (*la marine canadienne / ses vacances*).

Un matelot	**de**	**la marine canadienne**	*rêve*	**à**	**ses vacances.**
	Prép	SN		Prép	SN

```
                    SP
                   /  \
              [ Prép | SN ]
```

Cependant, alors que le SN sujet (*Un matelot*) et le SV (*rêve*) sont deux constituants de la phrase [P], les exemples de SP présentés ici montrent d'une part que le SP est constitué du groupe [Prép + SN] et d'autre part que le SP est lui-même un constituant soit du SN sujet (*Un matelot*), soit du SV (*rêve*). Rappelons-nous que le SP sert souvent de modificateur au nom ou au verbe et qu'il peut être commuté:

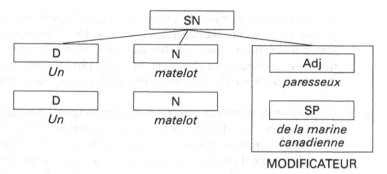

Bref, le SP est nécessairement un complément du nom s'il est rattaché à *matelot*, et un complément (indirect) du verbe s'il est rattaché à *rêve*. La fonction syntaxique du SP est différente selon que ce dernier est constituant du nom ou du verbe.

2.4   LE SYNTAGME ADJECTIVAL

Le SA (syntagme adjectival) présente beaucoup d'analogie avec le SP constituant du nom. L'énoncé *Cet homme **habile au jeu*** correspond à un SN constitué des éléments suivants: [D + N + SA].

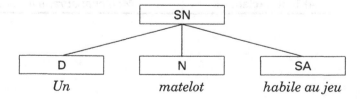

Le SA est constitué d'un Adj (*habile*) suivi d'une Prép + SN (*au jeu = à le jeu*). Ainsi, la préposition sert à introduire un complément de l'adjectif dans le cas d'un syntagme adjectival constituant d'un SN ou un complément du nom dans le cas d'un syntagme prépositionnel constituant d'un SN; enfin, la préposition introduit un complément (indirect) du verbe si le syntagme prépositionnel est constituant d'un SV.

Maintenant que nous pouvons identifier les classes de mots et les groupes ou syntagmes que les mots peuvent constituer, il nous est possible d'analyser la phrase elle-même.

3   LES TYPES DE PHRASES

Rappelons que la phrase française est composée de deux constituants principaux: le syntagme nominal sujet (ou groupe nominal) et le syntagme verbal (ou groupe verbal). Nous venons de voir que, même si le SN et le SV peuvent être formés d'un ou de plusieurs constituants divers, ils sont toujours présents. Bref, la phrase française de base est une structure composée d'un SN suivi d'un SV.

S'il existe une phrase de base, cela signifie que des règles organisationnelles président à la construction des phrases. En effet, nous ne pouvons pas faire ce que nous voulons avec l'ordre des mots dans la phrase; nous risquerions de détruire la phrase ou d'en arriver à des phrases agrammaticales, parfois vides de sens: *Diffuser deux samedi canal de hockey au partie la soir*.

La phrase de base est une phrase simple (à deux constituants) qui ne fait que transmettre une déclaration (ou une assertion). Une telle phrase est appelée *phrase déclarative*. Ainsi, une phrase du type *Ce matelot attend l'autobus* est une *phrase* déclarative. On oppose à une phrase déclarative une phrase interrogative, impérative ou exclamative, car toute phrase française appartient obligatoirement à l'un de ces quatre types. Si la phrase déclarative exprime une déclaration[4], la phrase interrogative transpose en question l'information véhiculée, alors que la phrase impérative transmet un ordre et que la phrase exclamative met en relief les émotions ou les sentiments du locuteur.

Toutes les phrases françaises sont donc construites selon l'un ou l'autre des quatre types suivants:

(1) Type **déclaratif**:	*Mon chat attrape les souris.*
(2) Type **interrogatif**:	*Mon chat attrape-t-il les souris?*
(3) Type **impératif**:	*Attrape les souris!*
(4) Type **exclamatif**:	*Mon chat attrape les souris!*

---

4. C'est-à-dire qu'elle fait connaître l'existence d'une personne, d'une chose, d'un fait.

Les phrases de type interrogatif, impératif et exclamatif résultent de transformations de la phrase initiale de type déclaratif. Ces types de phrases fonctionnent de façon concurrentielle les uns par rapport aux autres; autrement dit, les types de phrases ne sont pas cumulatifs, toute phrase appartenant à l'un *ou* à l'autre de ces types, et à un seul à la fois: une phrase déclarative ne peut être en même temps interrogative, comme une phrase interrogative ne peut être à la fois déclarative, exclamative ou impérative. Ce sont des types de phrases qui s'excluent, mais l'un de ceux-ci est néanmoins obligatoire: aucune phrase ne peut porter à la fois les traits [− déclaratif], [− interrogatif], [− impératif] et [− exclamatif].

On peut donc combiner l'un ou l'autre de ces quatre types obligatoires de phrases au même matériel de base:

Mon chat attrape les souris.	**= phrase de base**
+ déclaratif =	*Mon chat attrape les souris.*
+ interrogatif =	*Mon chat attrape-t-il les souris?*
+ impératif =	*Attrape les souris.*
+ exclamatif =	*Mon chat attrape les souris!*

Ce schéma illustre bien que la phrase de base équivaut à une phrase de type déclaratif. Dès qu'on change de type, la phrase de base se transforme obligatoirement. Cela paraît moins évident pour la phrase exclamative, car on se laisse abuser par la seule présence du point exclamatif; néanmoins, dans la langue parlée, la phrase exclamative est très marquée par une intonation expressive. De plus, la phrase peut prendre d'autres formes; par exemple: *Comme il les attrape, les souris!*

4   LES FORMES DE PHRASES

Les quatre types de phrase que nous avons isolés, il faut le répéter, sont obligatoires parce qu'une phrase française ne saurait être construite autrement qu'en étant déclarative, interrogative, impérative ou exclamative. Cette distinction n'est toutefois pas suffisante puisqu'une phrase interrogative, par exemple, peut être à la fois négative et passive. Cela nous oblige donc à ajouter d'autres éléments qui, contrairement aux types obligatoires de phrases, sont facultatifs et cumulatifs: les formes de phrases.

En plus d'être déclarative, interrogative, impérative ou exclamative, toute phrase française peut se combiner avec l'une ou plus d'une des formes facultatives de phrases et devenir *négative, passive* et/ou *emphatique*. Le tableau 12.6 montre bien qu'une phrase de type déclaratif peut être transformée par la négation (*Mon chat n'attrape pas les souris*), par le passif (*Les souris sont attrapées par mon chat*) ou par l'emphase (*C'est mon chat qui attrape les souris*[5]*!*). On constate aussi qu'une phrase de type déclaratif peut cumuler plus d'une forme, c'est-à-dire se transformer à la fois par la négation et le passif, ou par la négation, le passif et l'emphase.

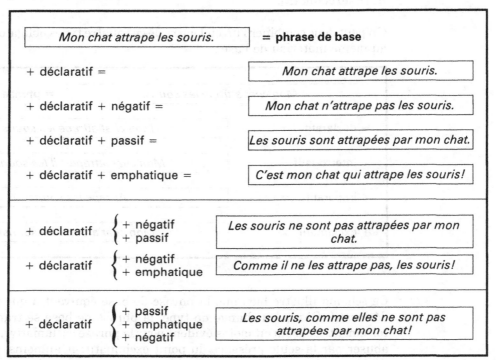

TABLEAU 12.6

Les phrases de type interrogatif, impératif ou exclamatif peuvent, elles aussi, se prêter aux transformations précitées (*tableau 12.6*). Prenons la phrase *Mon chat attrape les souris* et substituons-lui les autres types de phrases possibles (*voir le tableau 12.7*). Interrogatif: *Mon chat attrape-il les souris?* Impératif: *Attrape les souris.* Exclamatif: *Mon chat attrape les souris!* En fait, toutes les combinaisons sont possibles à l'exception peut-être de la forme passive associée au type impératif; on arriverait à une telle combinaison en recourant à des formes emphatiques laborieuses et peu probables (p. ex., *Souris, soyez attrapées par mon chat!*).

---

5. Plusieurs variantes sont possibles: *Les souris, c'est mon chat qui les attrape. Il les attrape, les souris, mon chat. Il y a mon chat qui attrape les souris.* Dans toute phrase emphatique, on met en évidence un élément de la phrase, soit par la présence d'un introducteur (*c'est... qui, voici... que*), soit par le déplacement en tête de phrase de l'élément mis en évidence.

	Négatif	Passif	Emphatique
Déclaratif	oui	oui	oui
Interrogatif	oui	oui	oui
Impératif	oui	non	oui
Exclamatif	oui	oui	oui

TABLEAU 12.7   Les combinaisons possibles à partir de la phrase de base «Mon chat attrape les souris»

Il faut comprendre aussi qu'une phrase qui n'a pas la forme [+ négatif], [+ passif] ou [+ emphatique] devient, par le fait même, une phrase affirmative [− négatif], active [− passif], neutre [− emphatique]. Cela signifie qu'une phrase de base, donc une phrase non transformée, est une phrase déclarative, affirmative, active et neutre. La phrase subit une transformation dès qu'elle acquiert l'un ou l'autre des traits suivants: [+ interrogatif], [+ impératif], [+ exclamatif], [+ négatif], [+ passif], [+ emphatique].

Il se dégage de ces explications une règle syntaxique essentielle: toute phrase peut s'analyser selon un type particulier et une forme particulière. On peut donc affirmer que toute phrase française est ou déclarative, ou interrogative, ou impérative, ou exclamative et qu'elle peut à la fois se combiner avec une forme négative, passive ou emphatique. Si elle ne se combine pas avec l'une de ces formes, elle restera nécessairement déclarative, ou interrogative, ou impérative, ou exclamative, mais affirmative, active et neutre. Il reste maintenant à poursuivre l'analyse de la phrase en faisant ressortir l'organisation structurelle de celle-ci, c'est-à-dire ses constituants.

LA REPRÉSENTATION GRAPHIQUE DE LA PHRASE

Les règles organisationnelles de la langue permettent d'assembler les mots en phrases. On pourrait maintenant, selon le modèle des grammaires traditionnelles, énumérer les principales règles permettant de décrire le fonctionnement du système syntaxique du français. Mais, pour diverses raisons, il semble préférable de tenter de représenter ces règles de manière systématique par des symboles et des graphiques. Ces graphiques ressembleront à des structures arborescentes. Les premiers symboles utilisés sont les suivants :

P	=	phrase
SN	=	syntagme nominal
SV	=	syntagme verbal
→	=	« est formé de »
+	=	« suivi de »

1   LA PHRASE SIMPLE À DEUX CONSTITUANTS

Pour faire l'analyse d'une phrase comme *Cet étudiant attend son amie*, il faut identifier les deux constituants principaux de la phrase à l'aide de la formule générale :

$$\textbf{P} \;\rightarrow\; \text{SN} \;+\; \text{SV}$$

Cela signifie que la phrase est formée d'un syntagme nominal (ou groupe du nom) suivi d'un syntagme verbal (ou groupe du verbe), le SN étant *Cet étudiant*, et le SV, *attend son amie*.

On peut illustrer l'analyse par l'arbre suivant:

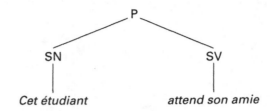

Comme nous l'avons précisé, toute phrase française est constituée d'un syntagme nominal (SN) suivi d'un syntagme verbal (SV); ces deux constituants peuvent prendre des formes variées, mais ils sont toujours présents:

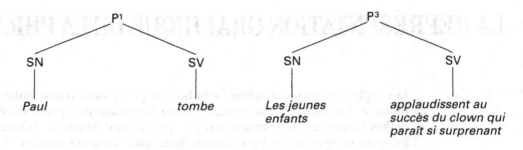

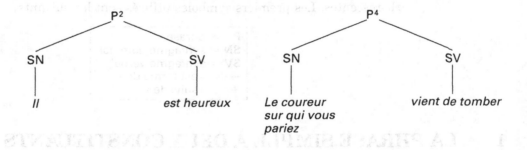

Précisons qu'une phrase est dite *simple* quand aucune autre phrase ne vient s'y greffer. Ainsi, la phrase *Cet élève constate l'augmentation des prix* est une phrase simple alors que les phrases *Cet élève constate que les prix augmentent* et *Cet élève veut acheter des livres* sont des phrases *complexe*s parce que chacune d'elles est formée de deux phrases simples.

1.1   LE SYNTAGME NOMINAL ET SES CONSTITUANTS

Une phrase simple peut n'être composée que de deux constituants principaux: un syntagme nominal sujet et un syntagme verbal. Le SN sujet épouse en français des formes diverses, dont voici les quatre principales:

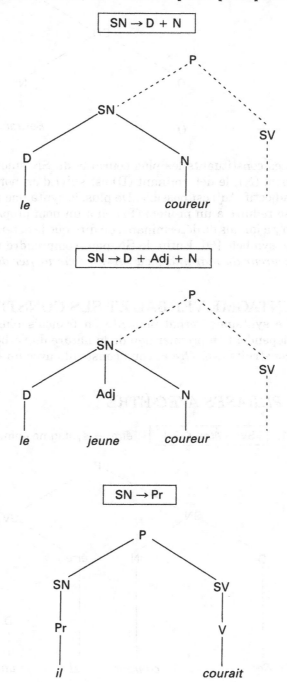

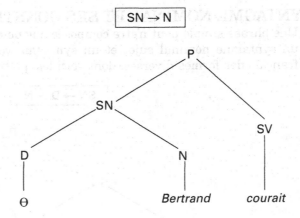

Les constituants les plus courants du SN sujet sont le déterminant (D) et le nom (N); le déterminant (D) est suivi d'un nom (N), mais l'intercalation d'un adjectif (Adj) est possible. De plus, le syntagme nominal (p. ex., *le coureur*) peut se réduire à un pronom (Pr) ou à un nom propre (*Bertrand*) et, dans ce cas, il n'y a jamais de déterminant; on dira que le déterminant est *effacé* et on utilisera le symbole [Θ]. Enfin, le SN peut comprendre un modificateur du type SP (*le coureur du marathon*) ou SA (*un coureur fier de ses prouesses*).

1.2   LE SYNTAGME VERBAL ET SES CONSTITUANTS

Le syntagme verbal présente en français plusieurs formes structurales qui dépendent en premier lieu de la nature du verbe. Il faut distinguer les groupes construits avec *être* et ceux construits avec un «verbe»:

1.2.1   *LES PHRASES AVEC* ÊTRE

(1) $\boxed{\text{SV} \rightarrow \textit{être} + \text{SN}}$ = *être*[1] + syntagme nominal

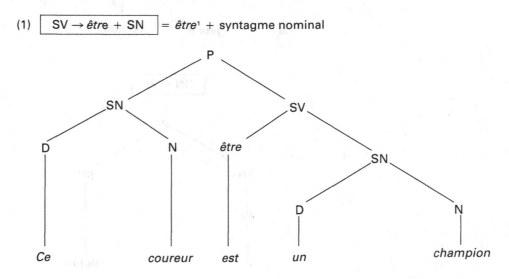

---

1. Le verbe *être* est appelé «copule» lorsqu'il forme le pivot du second constituant d'une phrase avec le SN (par ex., *il est dans la marine*); il est appelé «auxiliaire» lorsqu'il fait partie d'un verbe passif (par ex., *il est passé par ici*).

(2) $\boxed{\text{SV} \rightarrow \textit{être} + \text{Adj}}$ = *être* + adjectif[2]

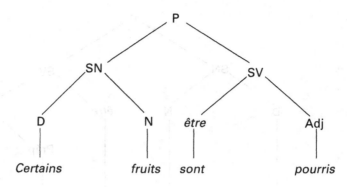

(3) $\boxed{\text{SV} \rightarrow \textit{être} + \text{SA}}$ = *être* + syntagme adjectival

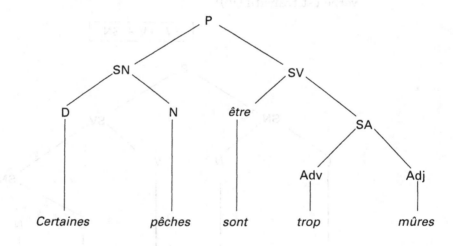

---

2. D'autres verbes peuvent aussi présenter ce type de structure :
   Les enfants reviennent heureux.
   Ma voiture paraît neuve.

(4) | SV → *être* + SP | = *être* + syntagme prépositionnel

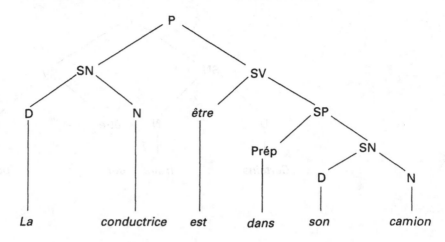

1.2.2 *LES PHRASES AVEC UN VERBE*

Dans les phrases avec un verbe, celui-ci peut être transitif, c'est-à-dire avoir un complément soit direct (il s'agit alors d'un SN), soit indirect (il s'agit d'un SP); si le verbe n'a pas de complément, il est intransitif. Voici les cas types:

(1) Le second constituant du SV est un SN complément direct; en ce cas, le verbe est transitif (V^t):

| SV → V + SN |

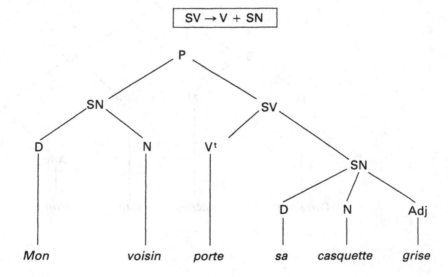

(2) Le second constituant du SV est un SP (syntagme prépositionnel) parce que le SN est complément indirect; le verbe demeure transitif (V^t):

$$\boxed{SV \rightarrow V + SP}$$

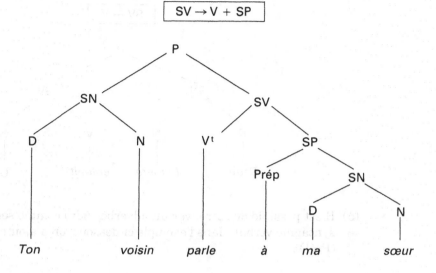

(3) Le syntagme verbal peut avoir trois constituants: le verbe (V^t), un SN (complément direct), un SP (dont le SN est considéré complément indirect).

$$\boxed{SV \rightarrow V + SN + SP}$$

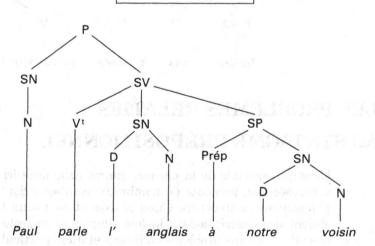

(4) Le syntagme verbal n'a pas de second constituant; le SN complément est alors «effacé» et on a affaire à un verbe intransitif (V^i).

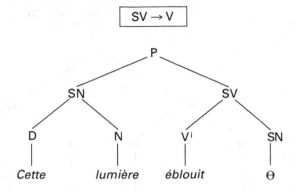

(5) Il est possible de retrouver un adverbe (Adv) comme second constituant du syntagme verbal; dans l'exemple ci-dessous, on a ajouté un prédéterminant (PréD).

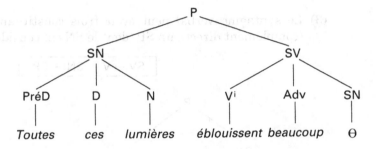

2   LES PROBLÈMES RELATIFS AU SYNTAGME PRÉPOSITIONNEL

L'analyse spatiale de la phrase, comme celle faite ici au moyen de structures arborescentes, présente de nombreux avantages dont celui de visualiser graphiquement la structure d'une phrase et de mieux la comprendre. Ainsi, on obtient des descriptions à la fois simples et approfondies qui permettent de résoudre certains problèmes d'interprétation, particulièrement dans le cas des syntagmes prépositionnels.

2.1   LA RÈGLE DE CONSTITUTION DU SP

Nous avons déjà vu que les constituants fondamentaux de la phrase (syntagme nominal sujet et syntagme verbal) sont toujours présents même s'ils épousent des formes variées; en ce sens, des phrases simples, apparemment très différentes, peuvent présenter une structure identique: [P → SN + SV]. Toutes ces structures sont, d'un certain point de vue, des manifestations de même type.

Il en va de même pour les groupes prépositionnels; ceux-ci peuvent prendre des formes variées tout en respectant la même règle de constitution: [SP → Prép + SN]. Telle est bien la structure des séquences (1), (2) et (4) des syntagmes prépositionnels suivants:

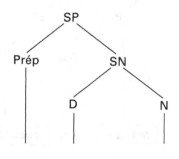

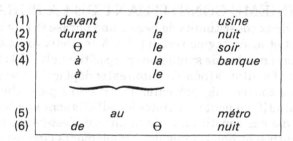

Toutes les séquences (1) à (6) forment des groupes prépositionnels, constituants de P. La préposition est effacée dans la séquence (3) alors que, dans la séquence (6), c'est le déterminant qui l'est; quant à la séquence (5), préposition et déterminant y forment un tout avec l'article contracté *au* mis pour *à* + *le*.

2.2   LE SP COMME CONSTITUANT DU SN, DU SV ET DU SA

Considérons les trois séquences suivantes qui forment des syntagmes prépositionnels: *de l'usine, à leur patron, de leur travail*. La grande mobilité de ces syntagmes prépositionnels fait que ceux-ci peuvent dépendre de constituants différents, notamment d'un SN, d'un SV, d'un SA. Soit cette phrase dans laquelle on compte trois SP: *Deux ouvriers **de l'usine**, fiers **de leur travail**, parlent **à leur patron***. Les syntagmes prépositionnels sont des constituants de groupes différents.

— Constituant d'un SN: *de l'usine*
— Constituant d'un SA: *de leur travail*
— Constituant d'un SV: *à leur patron*

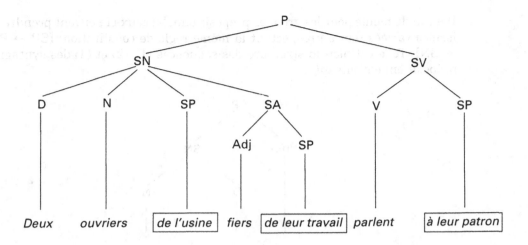

2.3   LE TROISIÈME CONSTITUANT DE LA PHRASE

Les deux constituants de base d'une phrase (P) sont le syntagme nominal (SN) sujet et le syntagme verbal (SV). À ces deux constituants peuvent s'ajouter un certain nombre de syntagmes prépositionnels (SP) qui ont pour caractéristiques d'être facultatifs (non obligatoires) et déplaçables ou permutables dans la phrase. Il est convenu de présenter le SP entre parenthèses pour indiquer qu'il est facultatif; on peut numéroter les SP s'ils sont nombreux. Les SP sont considérés comme des constituants de la phrase, c'est-à-dire comme des compléments de la phrase et non comme des compléments circonstanciels du verbe.

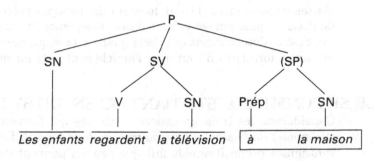

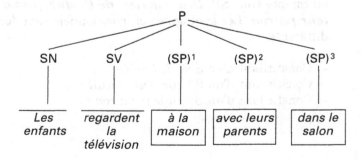

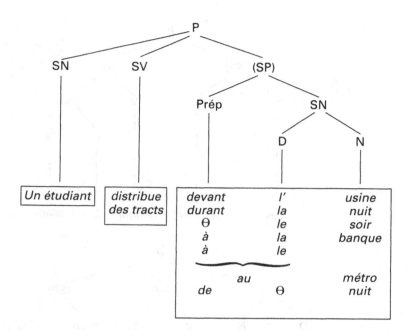

On remarquera que les syntagmes prépositionnels constituants de la phrase sont permutables: on peut les déplacer dans la phrase. Ainsi, les combinaisons suivantes sont possibles:

- *Un étudiant distribue des tracts **devant l'usine**.*
- ***Devant l'usine**, un étudiant distribue des tracts.*
- *Un étudiant, **devant l'usine**, distribue des tracts.*

Même lorsqu'on enlève le SP (*devant l'usine*), le sens de la phrase (*Un étudiant distribue des tracts*) demeure inchangé. Par contre, le SP constituant de la copule (*être*) reste obligatoire et non permutable: *Cet étudiant est dans le pétrin.*

2.4   LES PROBLÈMES D'INTERPRÉTATION DES STRUCTURES

Deux phrases peuvent se ressembler quant à leur structure apparente et correspondre pourtant à des structures tout à fait différentes dans les faits. Considérons deux phrases apparemment identiques:

(1) *Les lapins mangent la salade.*
(2) *Les lapins mangent la nuit.*

La structure superficielle de ces deux phrases laisse croire qu'elles sont semblables. Or, une analyse du sens nous fait vite comprendre qu'un lapin ne mange pas «la salade» comme il mange «la nuit». D'ailleurs, la transformation passive n'est pas possible dans les deux cas. On peut aisément dire *La salade est mangée par les lapins*, mais il est plus difficile d'affirmer que *La nuit est mangée par les lapins*. Une comparaison de ces deux phrases au moyen d'arbres permet de montrer en quoi elles sont différentes:

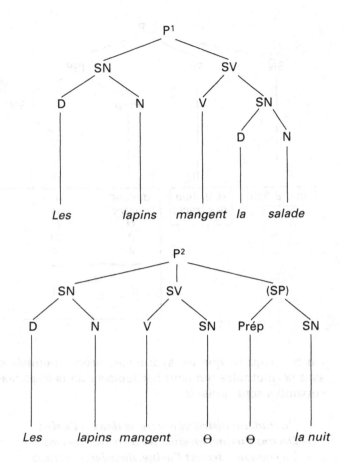

La phrase P¹ correspond à la structure [P → SN + SV], tandis que la phrase P² correspond plutôt à [P → SN + SV + (SP)]. Dans ce dernier cas, il n'y a pas de groupe du nom complément constituant du SV; il est effacé. D'ailleurs, le SN constituant du SV (*la salade*) pourrait s'y retrouver encore:

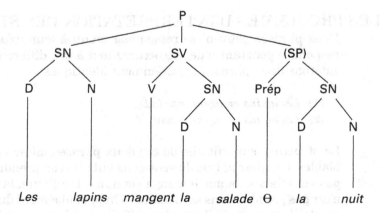

3   LES AMBIGUÏTÉS SYNTAXIQUES

La représentation graphique de la phrase permet de résoudre certaines ambiguïtés syntaxiques. On dit qu'une phrase est ambiguë lorsqu'elle est comprise de plusieurs manières distinctes. Ainsi, la phrase *Madeleine a rapporté un vase de Chine* peut être interprétée comme (1) «elle a rapporté un vase de style chinois» ou (2) «elle a rapporté un vase en provenance de la Chine» (lors de son voyage). Les représentations arborescentes doivent montrer comment cette phrase, selon l'interprétation (1) ou (2), correspond à deux structures différentes.

Interprétation (1): elle a rapporté un vase de style chinois.

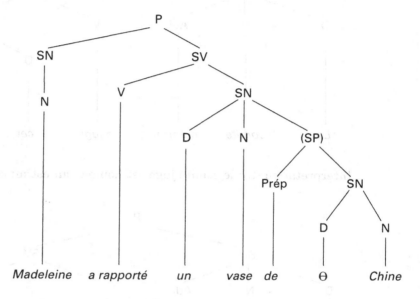

Interprétation (2): elle a rapporté un vase en provenance de la Chine (lors de son voyage).

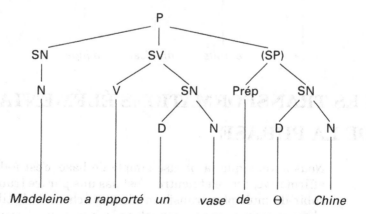

Considérons un dernier exemple: *Le comité médical a jugé cet homme malade.* Une première interprétation nous permet de penser que le comité a estimé que cet homme est atteint par la maladie; selon une seconde interprétation, le comité a prononcé une sentence à l'égard de cet homme qui est malade. Les structures graphiques reflètent ces deux versions.

Interprétation (1): le comité juge que cet homme est malade.

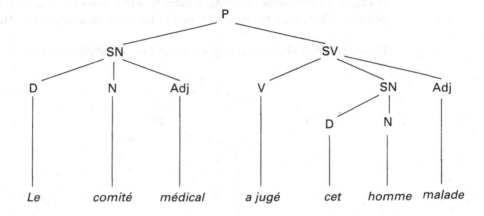

Interprétation (2): le comité juge cet homme qui est malade.

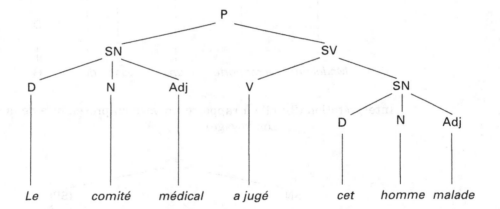

4   LES TRANSFORMATIONS ÉLÉMENTAIRES DE LA PHRASE

Nous savons que la phrase simple de base, c'est-à-dire la phrase déclarative, affirmative, active et neutre, n'est pas une phrase transformée, mais qu'elle peut subir de multiples transformations au choix de l'utilisateur de la langue. Les phrases transformées, rappelons-le, constituent toujours des variantes de la structure de base. En général, ces transformations s'effectuent selon quatre procédés:

4.1   LA TRANSFORMATION PAR ADDITION (T add)

- T nég: *Julie chante.* → *Julie ne chante pas.*
- T interr:*Julie chante.* → *Est-ce que Julie chante?*
- T emph: *Cette jeune fille chante.* → *C'est cette jeune fille qui chante.*
- T pass: *Julie chante une berceuse.* → *Une berceuse est chantée par Julie.*

4.2   LA TRANSFORMATION PAR DÉPLACEMENT (T dépl)

- T pass: *Julie chante une berceuse.* → *Une berceuse est chantée par Julie.*
- T interr:*Elle chante.* → *Chante-t-elle?*
- T pron: *Il apporte un colis.* → *Il l'apporte.*

4.3   LA TRANSFORMATION PAR SUBSTITUTION (T subs)

- T pron: *Le facteur apporte un colis à la dame.* → *Il le lui apporte.*
- T interr:*Comment est-ce que vous allez?* → *Comment c'est que vous allez?*
- T emph: *Julie, elle chante un air.* → *C'est Julie qui chante un air.*

4.4   LA TRANSFORMATION PAR EFFACEMENT (T eff)

- T imp: *Tu chantes.* → *Chante.*
- T nég: *Je ne chante pas.* → *Je chante pas* (langue parlée).
  Je ne peux pas chanter. → *Je ne peux chanter* (langue soutenue).

Comme on l'aura constaté, plusieurs procédés peuvent s'appliquer à une même phrase. Dans la phrase non transformée *La jeune fille chante la pomme à son ami*, on effectue à la fois un déplacement, une addition, une substitution et un effacement: *Ne lui chante-t-elle pas la pomme, la jeune fille?* Encore une fois, ce sont là des procédés à la disposition de l'utilisateur de la langue, qui les emploie à sa discrétion.

Un mot encore sur la pronominalisation. Celle-ci est le résultat d'une transformation qui remplace un syntagme nominal (SN) par un pronom (Pr). La phrase *Le facteur apporte le colis à la dame* est une phrase non transformée de type déclaratif et de formes affirmative, active, neutre, sans pronominalisation; on peut toutefois remplacer les SN (*Le facteur, le colis, la dame*) par des pronoms.

> *Le facteur apporte le colis à la dame.*
> → *Il **l'**apporte à la dame.*
> → *Il **lui** apporte le colis.*
> → *Il **le lui** apporte.*

Ces substitutions supposent plusieurs transformations successives. La substitution d'un SN sujet par un pronom n'occasionne pas de changement dans l'ordre de la chaîne syntaxique (*Le facteur apporte* → *Il apporte*), mais la substitution d'un SN complément par un pronom peut exiger un déplacement syntaxique.

On part de la phrase de base *Le facteur apporte le colis à la dame.*

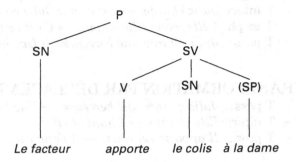

La première opération consiste à remplacer les SN par des pronoms sans faire de déplacements syntaxiques:

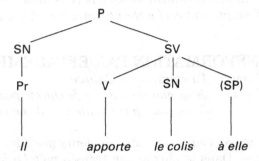

Si l'on veut que la phrase conserve une structure française, il faut, par la suite, déplacer le SN complément direct et le SP tout en substituant *lui* à *elle* et *le* à *colis*: *Il le lui apporte.* La phrase initiale non transformée devient alors une phrase transformée en raison du déplacement des SN compléments devant le verbe.

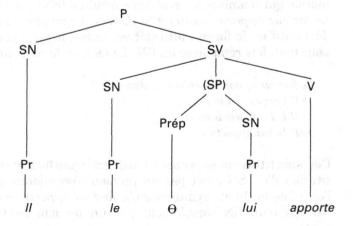

5   LA TRANSFORMATION EN PHRASE COMPLEXE

Une phrase est dite *complexe* quand elle est formée de plusieurs phrases simples. La phrase simple contient un seul verbe conjugué alors que la phrase complexe en contient deux ou plus. Il faut donc qu'une phrase simple vienne se greffer à une autre phrase simple pour qu'on ait une phrase complexe. On parlera alors d'une phrase *enchâssée*. La phrase dans laquelle se fait l'enchâssement est la phrase principale ou *matrice*. Les transformations d'enchâssement sont de trois types: la transformation complétive, la transformation relative, la transformation circonstancielle.

5.1   LA TRANSFORMATION COMPLÉTIVE

La transformation complétive produit une phrase complexe qui contient une phrase enchâssée complétive du type *Deux élèves constatent **que leurs notes baissent*** ou *Ces deux élèves veulent **améliorer leurs notes***. La complétive est souvent mise à la place d'un SN sujet ou complément du verbe; elle est marquée par la conjonction *que* ou *si*, ou bien elle est employée avec un verbe à l'infinitif. Chacune des phrases complexes qui suivent est issue de la réunion de deux phrases simples:

(T compl)

(1) P¹: *Deux élèves constatent* (quelque chose). → *Deux élèves constatent que leurs notes baissent.*

P²: *Leurs notes baissent.*

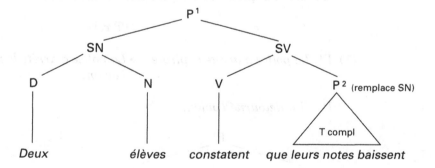

(T compl)

(2) P¹: *Ces deux élèves veulent* (qqch.). → *Ces deux élèves veulent améliorer leurs notes.*

P²: *Qu'ils améliorent leurs notes.*

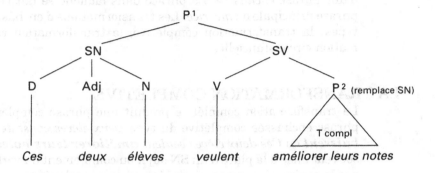

5.2   LA TRANSFORMATION RELATIVE

La transformation relative produit une phrase complexe qui contient une phrase enchâssée à l'intérieur d'un SN. L'enchâssement est marqué par le pronom relatif *qui, que, dont, où*, etc. La phrase enchâssée relative sert de modificateur du nom et remplace l'adjectif.

— *La police a arrêté le pirate **qui a détourné l'avion**.*
— *Les oranges **que j'ai mangées** sont fraîches.*
— *Les maisons **qui sont rustiques** plaisent aux citadins.*

(T rel)

(1) P¹: *La police a arrêté le pirate.* → *La police a arrêté le pirate qui a détourné l'avion.*

P²: *Il a détourné l'avion.*

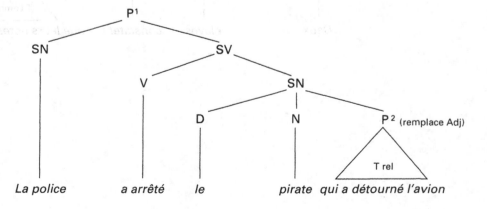

(T rel)

(2) P¹: *Les oranges sont fraîches.* → *Les oranges que j'ai mangées sont fraîches.*

P²: *J'ai mangé les oranges.*

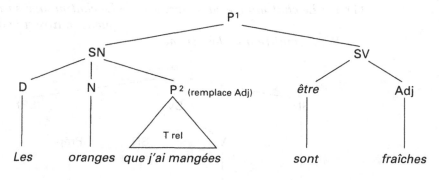

(T rel)

(3) P¹: *Les maisons plaisent aux citadins.* → *Les maisons qui sont rustiques plaisent aux citadins.*

P²: *Elles sont rustiques.*

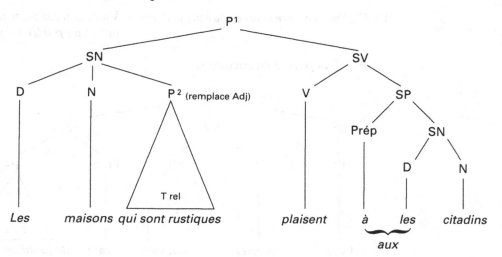

5.3   LA TRANSFORMATION CIRCONSTANCIELLE

La transformation circonstancielle produit une phrase complexe qui contient une phrase circonstancielle enchâssée, introduite par une conjonction de subordination fournissant l'un des renseignements suivants: temps, but, cause, conséquence, manière, condition, etc. La phrase circonstancielle est mise à la place d'un SP facultatif et déplaçable; c'est pourquoi elle peut être déplacée en tête de phrase. Dans ce cas, dans la langue écrite, la circonstancielle est toujours suivie d'une virgule.

*– Le chat mange sa nourriture **pendant que le maître a le dos tourné**.*
*– Vous recevrez votre nouvelle voiture **avant de partir en vacances**.*

(T circ)

(1) P¹: *Le chat mange sa nourriture.* → *Le chat mange sa nourriture pendant que le maître a le dos tourné.*

P²: *Le maître a le dos tourné.*

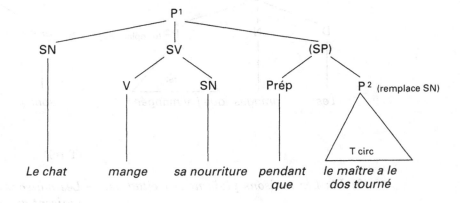

(T circ)

(2) P¹: *Vous recevrez votre nouvelle voiture.* → *Vous recevrez votre nouvelle voiture avant de partir en vacances.*

P²: *Vous partez en vacances.*

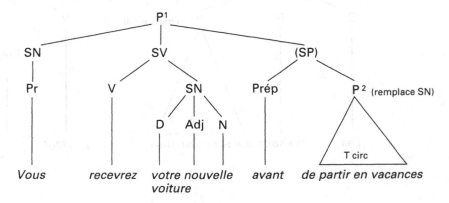

6 LES PHRASES COORDONNÉES

Les phrases coordonnées ne résultent pas d'une transformation même s'il s'agit de deux verbes conjugués. Ces phrases sont effectivement réunies, mais aucune n'exerce de fonction grammaticale de subordination ou de dépendance par rapport à l'autre. Contrairement aux phrases complétives, relatives et circonstancielles, les phrases coordonnées n'ont aucun lien de dépendance; ce sont deux phrases matrices. La coordination est notamment marquée par l'emploi des conjonctions de coordination *et, ou, mais*. Dans tous les cas de phrases coordonnées, on a encore affaire à des phrases simples.

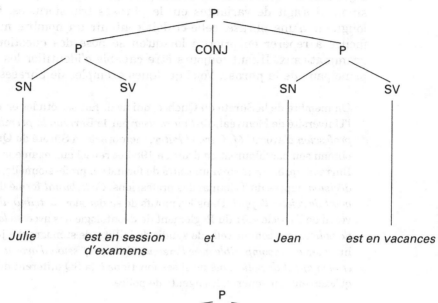

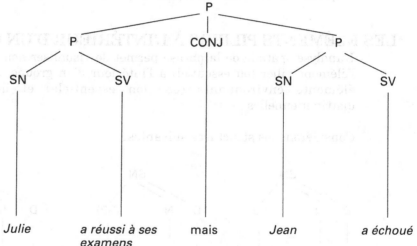

7   LES LIENS AVEC LA LANGUE ÉCRITE

Il convient d'insister sur le caractère assez sommaire de la présente analyse portant sur la phrase française. Bien que plusieurs aspects aient été abordés, ce type d'analyse n'est pas complet s'il ne débouche pas sur des applications à la langue écrite.

7.1   LA PHRASE ET SES DEUX CONSTITUANTS ESSENTIELS

Il n'y a probablement pas de limite maximale précise au nombre de mots que peut contenir une phrase française, mais il existe une limite minimale: le SN sujet et le SV sont nécessairement présents dans une phrase non transformée; sinon, il s'agit de variantes ou de phrases transformées. Quelle que soit la longueur d'une phrase, celle-ci doit contenir un nombre minimal d'éléments faciles à repérer en priorité lorsqu'on se pose des questions sur les accords grammaticaux. Il faut toujours être capable d'identifier les deux constituants principaux de la phrase. Voici quelques exemples de phrases longues:

Un membre de la Sûreté du Québec, qui avait fait ses études en droit à l'Université de Montréal, *s'est vu refuser* par le Barreau *la permission d'exercer la profession* d'avocat. *M. Carmel Patry*, membre de la Sûreté du Québec, qui avait obtenu son baccalauréat en droit en 1984 et réussi aux examens d'admission au Barreau après avoir suivi un cours de formation professionnelle, *en a appelé de la décision* auprès du Tribunal des professions. *Ce tribunal* formé de trois juges *vient de rejeter l'appel*. Dans les motifs de sa décision, *le tribunal rappelle* qu'en vertu de l'article 4.01 du Règlement de déontologie des avocats *la fonction d'agent de police*, tout comme celle de syndic de faillite, de sténographe judiciaire et de huissier, *est incompatible avec l'exercice de la profession d'avocat*. *M. Patry est bel et bien agent de police*, même si ses fonctions à la SQ diffèrent de celles qu'exercent, en général, les agents de police.

7.2   LES ÉLÉMENTS PILIERS À L'INTÉRIEUR D'UN GROUPE

L'analyse spatiale de la phrase permet de visualiser non seulement le rôle de l'élément pilier (ou essentiel) à l'intérieur d'un groupe, mais aussi celui des éléments environnants (ou non essentiels) et de leurs variantes distributionnelles.

Considérons les structures suivantes:

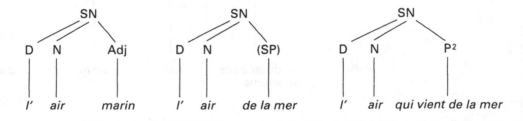

Dans tous les cas, le nom est l'élément pilier, celui sur lequel s'appuie le syntagme. Le déterminant (D) précède obligatoirement le nom (N) et il peut connaître une «expansion» (avant ou après), c'est-à-dire l'addition d'un ou de plusieurs éléments complémentaires et non essentiels. C'est pourquoi seul le nom peut exercer un rôle de «donneur» de marques grammaticales auprès du verbe (par exemple, le pluriel). Bien que de formes variées (Adj, SP ou P²), les expansions (ou modificateurs) n'ont toujours qu'un rôle complémentaire et elles peuvent recevoir les marques du genre et/ou du nombre de la part du nom[3]:

> – Les **ouvriers** *syndiqués* / **se sentent** *protégés.*
> – Les **ouvriers** *de l'usine* / **travaillent** *tard.*
> – Les **ouvriers** *que vous avez vus* / *ne* **travaillent** *plus.*
> – Les **ouvriers** *qui avaient travaillé tard* / **sont** *de retour.*

L'accord des participes passés paraîtra moins arbitraire si l'on pense qu'ils fonctionnent comme de véritables adjectifs, particulièrement lorsque la phrase relative est introduite par *que*:

> – Les **jeunes filles** *(que j'ai)* **interviewées**...
> – Les **chasseurs** *(que vous avez)* **aperçus**...
> – Les **lettres** *(que tu as)* **écrites**...
> – Les **pommes** *(qu'ils ont)* **épluchées**...

7.3   LES OPÉRATIONS DE SUBSTITUTION

Diverses opérations de substitution peuvent avoir lieu sur le plan des expansions du SN, sans pour autant changer le sens général de la phrase. Certains des énoncés précédents en étaient des exemples: *l'air marin, l'air de la mer, l'air qui vient de la mer.*

Bien qu'il ne soit pas toujours possible de procéder ainsi en raison des changements de sens éventuels, il convient quand même d'exploiter ces possibilités, notamment dans le cas des transformations complétives et circonstancielles:

> – *Le ministre annonce* { – *que l'autoroute sera achevée* [P²]
> { – *l'achèvement de l'autoroute* [SN]
>
> – *Les électeurs demandent* { – *d'abroger la loi* [P²]
> { – *l'abrogation de la loi* [SN]
>
> – *Les vacanciers affluent* { – *dès que les beaux jours arrivent* [P²]
> { – *dès l'arrivée des beaux jours* [SN]
>
> – *Mon voisin choisit un terrain pour* { – *construire sa maison* [P²]
> { – *la construction de sa maison* [SN]

La langue est un mécanisme dont tous les éléments concourent à établir la communication. La syntaxe et la morphologie constituent la base de la grammaire, le «centre du mécanisme». C'est pourquoi il est si important d'étudier l'ensemble des règles d'organisation de la langue. Nous étudions la grammaire non seulement pour mieux comprendre la structure et le fonctionnement de cet instrument de communication qu'est la langue, mais aussi pour acquérir une meilleure compétence dans notre langue maternelle, tant orale qu'écrite. Nous parviendrons ainsi à une communication plus efficace.

---

3. Pour tout ce qui concerne les accords morphosyntaxiques, nous renvoyons le lecteur aux chapitres 10 et 11.

À RETENIR

▷ La phrase française est composée de deux constituants principaux : le syntagme nominal sujet (ou groupe du nom) et le syntagme verbal (ou groupe du verbe). Une phrase est dite *simple* quand aucune autre phrase ne vient s'y greffer.

▷ Le syntagme nominal [SN] a pour élément de base le nom. Il peut être constitué des éléments suivants : 1) nom ou pronom ; 2) déterminant + nom ; 3) D + N + Modificateur. Le modificateur, quant à lui, peut prendre la forme d'un adjectif [Adj], d'un syntagme prépositionnel [SP], d'un syntagme adjectival [SA] ou d'une phrase [P].

▷ Les constituants les plus courants du SN sujet sont le déterminant [D] et le nom [N] ; le déterminant [D] est suivi d'un nom [N], mais un adjectif [Adj] intercalé entre les deux est possible. De plus, le syntagme nominal peut se réduire à un pronom [Pr] ou un nom propre, auquel cas il n'y a jamais de déterminant ; on dira que le déterminant est effacé [Θ]. Enfin, le SN peut comprendre un modificateur du type SP ou SA.

▷ Le syntagme verbal [SV] a pour élément de base le verbe (autre que *être*). Il peut être constitué d'un verbe [V] seul, d'un verbe suivi d'un syntagme nominal [V + SN], d'un verbe suivi d'un syntagme prépositionnel [V + SP] ou d'un verbe suivi d'un syntagme nominal et d'un syntagme prépositionnel [V + SN + SP].

▷ Le pivot du syntagme prépositionnel est formé d'une préposition ; celle-ci sert à relier un N ou un V de qui elle dépend à un SN. Les syntagmes prépositionnels constituants de la phrase sont permutables dans celle-ci : on peut les déplacer.

▷ Le SA (syntagme adjectival) présente beaucoup d'analogie avec le SP constituant d'un SN. Le SA est constitué d'un Adj suivi d'une Prép et d'un SN. Ainsi, la préposition sert à introduire un complément de l'adjectif dans le cas d'un syntagme adjectival constituant d'un SN ou un complément du nom dans le cas d'un syntagme prépositionnel constituant d'un SN ; enfin, la préposition introduit un complément (indirect) du verbe si le syntagme prépositionnel est constituant d'un SV.

▷ Toutes les phrases françaises sont construites selon l'un ou l'autre des quatre types suivants : 1) Type déclaratif ; 2) Type interrogatif ; 3) Type impératif ; 4) Type exclamatif.

▷ Les phrases de type interrogatif, impératif et exclamatif résultent de transformations de la phrase initiale de type déclaratif. Ces types de phrases fonctionnent de façon concurrentielle les uns par rapport aux autres ; ils s'excluent mutuellement, mais il faut toujours que l'un d'eux soit présent.

▷ En plus d'être déclarative, interrogative, impérative ou exclamative, toute phrase française peut prendre une ou plus d'une des formes de phrases facultatives et devenir négative, passive et/ ou emphatique.

▷ Une phrase non transformée est une phrase déclarative, affirmative, active et neutre. La phrase subit une transformation dès qu'elle acquiert l'un ou l'autre des traits suivants : [+ interrogatif], [+ impératif], [+ exclamatif], [+ négatif], [+ passif], [+ emphatique].

▷ Deux phrases peuvent se ressembler quant à leur structure apparente et correspondre pourtant à des structures tout à fait différentes dans les faits. La représentation graphique de la phrase permet de résoudre ces ambiguïtés syntaxiques. On dit qu'une phrase est ambiguë lorsqu'elle peut être comprise de plusieurs manières distinctes.

▷ La phrase simple de base, c'est-à-dire la phrase déclarative, affirmative, active et neutre, n'est pas une phrase transformée, mais elle peut subir de multiples transformations. En général, ces transformations s'effectuent selon quatre procédés : 1) Transformation par addition ; 2) Transformation par déplacement ; 3) Transformation par substitution ; 4) Transformation par effacement.

▷ Une phrase est dite *complexe* quand elle est formée de plusieurs phrases simples. La phrase simple contient un seul verbe conjugué alors que la phrase complexe en contient deux ou plus. Il faut donc qu'une phrase simple vienne se greffer à une autre phrase simple pour qu'on ait une phrase complexe. On parlera alors d'une phrase *enchâssée*. La phrase dans laquelle se fait l'enchâssement est la phrase principale ou *matrice*.

▷ Les transformations d'enchâssement sont de trois types : la transformation complétive, la transformation relative et la transformation circonstancielle.

▷ La complétive est souvent mise à la place d'un SN sujet ou complément du verbe ; elle est marquée par la conjonction *que* ou *si*, ou bien elle est employée avec un verbe à l'infinitif.

▷ L'enchâssement de la relative est marqué par le pronom relatif *qui, que, dont, où*, etc. ; la relative sert de modificateur du nom en remplaçant l'adjectif.

▷ La phrase circonstancielle enchâssée est introduite par une conjonction de subordination indiquant le temps, le but, la cause, la conséquence, la manière, la condition, etc. Elle est mise à la place d'un SP facultatif et déplaçable en tête de phrase.

▷ Les phrases coordonnées ne résultent pas d'une transformation même s'il s'agit de deux verbes conjugués. Ces phrases sont effectivement réunies, mais aucune n'exerce de fonction grammaticale par rapport à l'autre. Les phrases coordonnées n'ont aucun lien de dépendance ; ce sont deux phrases matrices. La coordination est notamment marquée par l'emploi des conjonctions de coordination *et, ou, mais.* Dans tous les cas de phrases coordonnées, on a encore affaire à des phrases simples.

BIBLIOGRAPHIE

CHERDON, Christian. *La grammaire facile du français*, Paris/Bruxelles, Marabout/De Boeck-Duculot, 1985.

DAUMAS, M. et R. LAGANE. *Comment apprendre le vocabulaire, niveau 1*, Paris, Larousse, 1974.

DOLBEC, Jean et Conrad OUELLON. *Structures de la phrase française*, Saint-Jean-sur-Richelieu, Éditions Préfontaine inc., 1982.

DUBOIS, Jean. *Grammaire structurale du français: la phrase et les transformations*, Paris, Larousse, 1969.

DUBOIS, J. et R. LAGANE. *Comment apprendre la grammaire*, trois tomes de 64 pages, Paris, Larousse, 1973-74.

DUBOIS, J. et R. LAGANE. *La nouvelle grammaire du français,* Paris, Larousse, 1973.

DUBOIS-CHARLIER, Françoise. *Comment s'initier à la linguistique*, Paris, Larousse, 1975.

ÉLUERD, Roland. *Pour aborder la linguistique,* Paris, Les Éditions ESF, 1977.

GOBBE, R. *La grammaire nouvelle 1, morphosyntaxe de la phrase de base,* Bruxelles/Paris-Gembloux, A. de Boeck/Duculot, 1980.

GROSS, Maurice. *Grammaire transformationnelle du français (syntaxe du verbe)*, Paris, Larousse, 1968.

LYONS, John. *Linguistique générale,* Paris, Larousse, 1970.

MARCHAND, Frank. «Analyse de la phrase: la grammaire», dans *Manuel de linguistique appliquée*, tome 3, Paris, Delagrave, 1975.

NIQUE, Christian. *Initiation méthodique à la grammaire générative,* Paris, Armand Colin, 1974.

O'GRADY, William. «Syntax: The Study of Sentence Structure», dans *Contemporary Linguistic Analysis*, Toronto, Copp Clark Pitman Ltd, 1987, pp. 91-125.

ROULET, Eddy. *Théories grammaticales, descriptions et enseignement des langues*, Bruxelles/Paris, Labor/Nathan, 1972.

RUWET, Nicolas. *Introduction à la grammaire générative*, Paris, Plon, 1967.

CINQUIÈME PARTIE

Le lexique

CINQUIÈME PARTIE

L LEXIQUE

LA LANGUE ET LA PAROLE DANS LE LEXIQUE • L'ORGANISATION DU LEXIQUE • LES STRUCTURES DU LEXIQUE : DÉRIVATION ET COMPOSITION • LES UNITÉS DE SIGNIFICATION • LES RELATIONS DE SENS • LES CHANGEMENTS DE SENS • LE CLASSEMENT DU VOCABULAIRE

LE FONCTIONNEMENT DU LEXIQUE

Le terme *lexique*, rappelons-le, désigne l'ensemble des lexèmes de la langue, c'est-à-dire les unités relatives au vocabulaire (p. ex., *table, grand, mang-[er], demain*, etc.) par opposition aux morphèmes (p. ex., *de, avec, nous, [plant]-ons,* etc.), qui sont essentiellement des unités grammaticales (à sens plus restreint). C'est dans le lexique que réside l'essentiel des significations que doit transmettre une communication linguistique. La discipline qui étudie le vocabulaire, c'est la lexicologie. Le présent chapitre vise à décrire le fonctionnement du lexique dans le système de la langue, alors que le chapitre 15 portera sur les structures morphologiques du lexique; quant au chapitre 16, il traite de la sémantique lexicale, c'est-à-dire des problèmes reliés au sens des mots du vocabulaire.

1   LE LEXIQUE : LA LANGUE ET LA PAROLE

Le français possède un lexique (ou dictionnaire de la langue) qui est régi par une grammaire (ou ensemble des règles d'organisation). L'essentiel des significations repose dans le lexique, mais les lexèmes pris isolément n'ont pas vraiment de valeur significative. Considérons les séquences suivantes :

(1) *Canal soir partie samedi diffuser deux hockey.*
(2) *Partie hockey diffuser canal deux samedi soir.*
(3) *La partie de hockey sera diffusée au canal deux samedi soir.*

La séquence (1) est formée d'un «tas de mots» non organisés selon les lois de la grammaire. La séquence (2) présente les mêmes mots, mais en respectant l'ordre syntaxique exigé par la grammaire; pour cette raison, cette séquence est relativement compréhensible. Dans la séquence (3), on a respecté toutes les autres règles d'organisation de la grammaire en y ajoutant les mots-outils (morphèmes).

Grammaire et lexique sont différents, mais la jonction des deux est nécessaire à la production et à la compréhension des phrases. Il est très difficile d'utiliser la grammaire sans le support sémantique des lexèmes (qui contiennent les unités fondamentales de signification), comme il serait à peu près impossible d'exprimer toutes les nuances de la pensée en employant uniquement des lexèmes.

En situation normale, on ne peut parler sans grammaire ou sans lexèmes. Il n'est pas possible d'apprendre une langue en n'étudiant que les mots de son lexique et en ignorant sa grammaire. Une langue n'est pas un «sac à mots» dans lequel on n'aurait qu'à aller puiser pour exprimer sa pensée: il faut aussi connaître la grammaire ou les règles d'organisation des mots entre eux. Une des difficultés réside dans le fait que, alors qu'on peut apprendre 10, 20, 30, 50, 100, 500 ou 1 000 mots d'une langue, il est pratiquement impossible de «limiter» ses connaissances des règles de la grammaire. Par exemple, quelqu'un pourrait connaître les 500 mots les plus fréquents de l'allemand et ne pas savoir parler cette langue, s'il ne connaît pas toute la syntaxe de base, tout le système de conjugaison du présent, du passé et du futur, à toutes les personnes, à l'indicatif, au subjonctif, à l'impératif, au conditionnel, etc.

Bref, pour parler une langue, il faut connaître presque toute sa grammaire, alors qu'il n'est nécessaire de connaître qu'une quantité limitée de ses lexèmes; deux ou trois mille mots suffisent pour un usage fonctionnel de n'importe quelle langue à la condition de connaître la grammaire de cette langue. Voilà pourquoi grammaire et lexique se complètent et sont nécessaires à la production et à la compréhension de la parole.

Nous savons que les lexèmes n'ont de signification véritable que dans une phrase. C'est même la phrase (ou contexte) qui détermine le sens d'un mot, et ce, d'autant plus que presque tous les mots de la langue commune ont plusieurs sens (on dira que les mots sont *polysémiques*):

(1) — *Le verre est sur la* table.
     — *On organise une* table *ronde sur l'éducation.*
     — *Le garçon apporte un linge de* table.
     — *Il connaît ses* tables *de multiplication par cœur.*
     — *Il n'est pas bon pour un peuple de faire* table *rase de son passé.*
(2) — *Des* rayons *de soleil entrent dans la maison.*
     — *Hélène est chef de* rayon *dans un grand magasin.*
(3) — *Bernard* tire *à la carabine.*
     — *Marie* tire *les oreilles de Jacques.*
     — *François* tire *le diable par la queue.*
     — *Paul* tire *un mouchoir de sa poche.*
     — *Elle se* tire *bien d'affaire.*

Cela veut dire que des mots comme *table, rayon, tire,* etc., pris isolément, ne veulent pas dire grand-chose, car la polysémie des mots nous empêche de savoir le sens qu'il faut choisir; c'est le contexte ou la phrase qui permet de ne retenir qu'un seul sens à la fois, tous les autres étant ignorés momentanément. Encore une fois, on voit que le lexique n'a de signification qu'à l'intérieur d'une phrase.

Un individu connaît sa langue lorsqu'il maîtrise l'ensemble de la grammaire de celle-ci et un nombre minimal de lexèmes. Tout individu réussit à connaître la grammaire de sa langue maternelle parce qu'elle fait partie d'un système fermé et fini: les éléments grammaticaux sont limités (il ne se crée que très peu d'unités grammaticales en un siècle).

En revanche, nul ne peut connaître la totalité des lexèmes de sa langue; ils font partie d'un système très ouvert (on invente en moyenne de 40 à 60 nouveaux mots chaque jour en français) et il est impossible de les dénombrer véritablement. Les dictionnaires nous donnent bien un inventaire des lexèmes du français, mais cet inventaire varie selon les dictionnaires, ceux-ci ne donnant que le «portrait officiel» des mots en usage:

- *Dictionnaire du français fondamental*: 1 000 mots
- *Dictionnaire du vocabulaire essentiel*: 5 000 mots
- *Dictionnaire du français contemporain*: 25 000 mots
- *Dictionnaire Bordas*: 34 000 mots
- *Le Petit Robert*: 55 000 mots
- *Le Lexis*: 70 000 mots
- *Le Grand Larousse encyclopédique*: 200 000 mots
- *Le Trésor de la langue française*: 800 000 mots

Il est facile de comprendre qu'un individu ne puisse mémoriser toute cette masse d'informations linguistiques que contiennent les «gros» dictionnaires. Seul un ordinateur peut «connaître», par exemple, 100 000 mots, 200 000 mots ou plus.

Les lexèmes d'une langue, tels qu'ils apparaissent généralement dans les dictionnaires, ne se présentent pas sous forme d'un ensemble organisé; il s'agit presque toujours d'une nomenclature de plusieurs milliers de mots classés dans un ordre qui permet de les retrouver facilement: l'ordre alphabétique. On a ainsi tendance à croire que tous les mots (lexèmes) sont sur un «pied d'égalité». Or, l'utilisation effective du lexique, c'est-à-dire l'utilisation individuelle qu'en font les usagers (la parole), diffère sensiblement du contenu des dictionnaires (lexique de la langue).

Observons les lexèmes suivants, tirés de la page 194 du dictionnaire *Le Petit Robert* (édition 1984):

bluff	*bobèche*	*bobo*	*bocarder*	*bof!*
bluffer	*bobinage*	*bobonne*	*boche*	*boghead*
bluffeur	*bobine*	*bobsleigh*	*bock*	*boghei*
blutage	*bobiner*	*bocage*	*bodhisattva*	*bogie*
bluter	*bobinette*	*bocager*	*boësse*	*bogue*
blutoir	*bobineur*	*bocal*	*bouette*	*bohème*
boa	*bobinier*	*bocard*	*bœuf*	*bohémien*
bobard	*bobinoir*	*bocardage*	*B.O.F.*	*boille*

Il est fort probable que le lecteur aura lu des mots dont il ignorait jusqu'à présent l'existence: *blutage, bluter, blutoir, bocard, bocardage, bocarder, bodhisattva, boësse, boghead, boille*; d'autres lui sont relativement connus (*boa, bobard, bobèche, bocage, bohème*) ou très familiers (*bobine, bobo, bocal, bock, bouette, bœuf*).

Or, il n'y a pas de commune mesure entre l'emploi de *blutage* (très rare) et celui de *boa* (peu fréquent) ou de *bœuf* (très fréquent). La fréquence des mots étant extrêmement variable, il y a des mots qu'il est plus «rentable» de connaître et d'utiliser. Bref, le lexique de la langue, celui des dictionnaires, ne se présente pas sous la forme d'un système cohérent, alors que le lexique de la parole, celui qu'emploient effectivement les individus, correspond à un système qui varie selon l'âge, les circonstances, les sujets traités, la vie professionnelle, etc.

2   LE FRANÇAIS «FONDAMENTAL»

Les premières recherches statistiques relatives au vocabulaire français ont commencé vers 1953 au moment de l'élaboration du «français fondamental[1]». Ces enquêtes portaient sur la langue parlée et les données étaient recueillies au moyen d'un magnétophone. Une fois transcrit et dépouillé, le vocabulaire était classé par ordre décroissant de fréquence, c'est-à-dire en partant du mot le plus utilisé jusqu'au mot le moins utilisé (de la fréquence 14 083 à la fréquence 1). Le but de cette enquête était d'en arriver à un français «fondamental» constitué des mots les plus courants de la langue et destiné prioritairement à faciliter l'apprentissage du français aux étrangers. On s'aperçut très vite que les résultats pouvaient servir à l'enseignement de la langue maternelle. En effet, on disposait d'indications précieuses sur la «rentabilité» moyenne des mots qui permettaient de distinguer le vocabulaire indispensable (les mots les plus fréquents) de celui qui s'acquiert progressivement selon la diversification des besoins.

2.1   LA NOTION DE FRÉQUENCE DANS LE LEXIQUE

L'enquête sur le français fondamental[2] a permis de recueillir plus de 312 000 mots dont près de 8 000 sont différents. Parmi ces 8 000 mots : 2 700 apparaissent une seule fois; 1 170, deux fois; 694, trois fois. Au total, donc, 4 564 mots (plus de la moitié de la liste) n'ont pas été utilisés plus de trois fois.

Lorsqu'on isole les 38 mots les plus fréquents de la liste, on s'aperçoit qu'ils constituent 50 % des 312 000 mots. Une première constatation s'impose : dans la langue courante, on utilise un petit nombre de mots qui reviennent constamment. La liste des 38 mots les plus fréquents du français fondamental (*voir le tableau 14.1*) ne contient aucun nom et aucun adjectif; on y trouve quelques verbes (*être, avoir, faire, dire, aller*), mais ce sont surtout les mots grammaticaux qui occupent les hautes fréquences.

L'analyse devient plus pertinente lorsqu'on relève les mots apparaissant 20 fois ou davantage. On a alors un stock d'environ 1 000 mots, lesquels peuvent être considérés comme constituant le vocabulaire absolument indispensable du fran-

---

1. *L'élaboration du français fondamental*, Paris, Didier, 1964.
2. Au Québec, deux chercheurs de l'Université de Sherbrooke, MM. Normand BEAUCHEMIN et Pierre MARTEL, ont réalisé une étude semblable dans *Vocabulaire fondamental du québécois parlé* (document de travail n° 13, Sherbrooke, 1979) et leurs résultats confirment ceux obtenus par l'équipe française.

çais de base (par analogie avec le *Basic English*). Ce vocabulaire de base est constitué d'environ 40 % de noms, 25 % de mots grammaticaux, 22 % de verbes et 11 % d'adjectifs.

Les mots grammaticaux sont très nombreux dans les hautes fréquences et décroissent régulièrement à mesure que les fréquences baissent. Le tableau 14.2 donne un certain nombre de ces mots; ce sont principalement des pronoms (*je, il(s), ce, on, vous, ça, qui*, etc.), des déterminants (*la, le, un, les, une, des*, etc.), des morphèmes de relation (*de, à, et*, etc.) et des adverbes.

Numéro d'ordre	Mot	Fréquence
1	*être* (verbe)	14 083
2	*avoir*	11 552
3	*de*	10 503
4	*je*	7 905
5	*il(s)*	7 515
6	*ce* (pronom)	6 846
7	*la* (article)	5 374
8	*pas* (négation)	5 308
9	*à* (préposition)	5 236
10	*et*	5 082
11	*le* (article)	4 957
12	*on*	4 266
13	*vous*	4 202
14	*un* (article)	4 188
15	*ça* (pr. démonstratif)	3 972
16	*les* (article)	3 815
17	*que* (conjonction)	3 537
18	*ne*	3 283
19	*faire*	3 174
20	*qui* (relatif)	3 096
21	*oui*	2 935
22	*alors*	2 854
23	*une* (article)	2 780
24	*mais*	2 768
25	*des* (article indéfini)	2 646
26	*elle(s)*	2 462
27	*en* (préposition)	2 405
28	*dire*	2 391
29	*y*	2 391
30	*pour*	2 076
31	*dans*	2 066
32	*me*	2 014
33	*se*	1 993
34	*aller*	1 876
35	*bien* (adverbe)	1 697
36	*du*	1 658
37	*tu*	1 536
38	*en* (pronom-adverbe)	1 501

Source: *L'élaboration du français fondamental*, Paris, Didier, 1964, pp. 69-70.

TABLEAU 14.1 LISTE DE MOTS PAR FRÉQUENCES DÉCROISSANTES

PRONOMS	DÉTERMINANTS	MOTS DE RELATION (invariables)	ADVERBES
4 *je*	7 *la*	3 *de*	8 *pas*
5 *il(s)*	11 *le*	9 *à*	18 *ne*
6 *ce (ce qui,*	14 *un*	10 *et*	21 *oui*
ce que,	16 *les*	17 *que*	29 *y*
c'est)	23 *une*	22 *alors*	35 *bien*
12 *on*	25 *des*	24 *mais*	40 *là*
13 *vous*	36 *du*	27 *en*	44 *non*
15 *ça*	39 *au*	30 *pour*	53 *très*
20 *qui* (rel.)	49 *l'*	31 *dans*	60 *enfin*
26 *elle(s)*	70 *ce*	42 *comme*	67 *plus*
33 *se*	74 *mon*	47 *puis*	68 *même*
37 *tu*	94 *des*	56 *parce que*	72 *autre*
38 *en*	(= *de les*)	57 *avec*	80 *beaucoup*
46 *nous*	99 *cette*	61 *par*	83 *rien*
51 *moi*	102 *ma*	62 *quand*	87 *un peu*
53 *que* (rel.)	111 *son*	66 *si*	92 *aussi*
58 *lui*	113 *sa*	69 *sur*	93 *encore*
63 *le*	133 *ces*	120 *chez*	98 *toujours*
78 *tout*	138 *votre*	125 *que* (après	106 *après*
89 *les*		compar.)	116 *maintenant*
91 *l'*			118 *tout*
109 *te*			119 *quand*
112 *où* (rel.)			121 *plus*
124 *que* (conj.)			127 *comment*
126 *la*			128 *jamais*
			129 *moins*
			134 *vraiment*
			141 *voilà*
			142 *assez*
			145 *trop*
			146 *d'ailleurs*
			150 *peut-être*

Source: Paul RIVENC, Lexique et langue parlée, dans *La grammaire du français parlé*, Paris, Hachette, 1971.

TABLEAU 14.2   MOTS GRAMMATICAUX LES PLUS FRÉQUENTS SELON L'ENQUÊTE SUR LE FRANÇAIS FONDAMENTAL

Le premier nom de la liste apparaît seulement en 82ᵉ place. À l'inverse des mots grammaticaux, les noms sont de plus en plus nombreux dans la liste à mesure que la fréquence décroît. Le tableau 14.3 montre les noms les plus fréquents; de sens très général, ils ont surtout trait à la localisation dans le temps (*heure, jour, an, temps, moment, mois, soir, année, matin*) ou l'espace (*maison, côté, voiture, école...*) et à la personne (*monsieur, enfant, madame, femme, gens, fille...*).

Les verbes, par contre, sont assez nombreux dans les hautes fréquences. Dans la liste des 25 verbes les plus fréquents du tableau 14.3 (de *être* à *aimer*), 19 ont une conjugaison dite irrégulière; ce sont les verbes essentiels de la langue, bien qu'ils paraissent plus difficiles. Quant aux adjectifs, ils sont peu nombreux et expriment des notions encore plus générales que les noms (*petit, grand, bon, beau, vieux, seul*, etc.).

Comme on peut le constater, l'essentiel du vocabulaire de la langue parlée est constitué d'un très petit nombre de mots, lesquels reviennent constamment dans nos conversations. À part les 271 mots grammaticaux, tous les autres sont des lexèmes dont le «bon fonctionnement» est assuré en grande partie par l'utilisation de ces mots-outils essentiels.

2.2   L'ORGANISATION DU LEXIQUE

Nous avons déjà dit que le lexique de la langue présenté par ordre alphabétique dans les dictionnaires ne correspond pas à un ensemble organisé, parce qu'on ne repère pas les mots les plus fréquents, ni les mots de la langue commune, ni ceux de la langue semi-technique, technique ou scientifique, etc. C'est pourquoi il nous a semblé opportun de reprendre la comparaison de Paul Rivenc concernant le «soleil» du lexique. Ce «soleil» nous permettra de comprendre comment le lexique s'articule au sein de la société et comment il varie selon l'âge, les circonstances, les occupations professionnelles, les sujets traités, etc.

SUBSTANTIFS		ADJECTIFS	VERBES	
82 *heure*	167 *côté*	65 *petit*	1 *être*	151 *aimer*
84 *jour*	173 *matin*	103 *grand*	2 *avoir*	154 *penser*
88 *chose*	194 *travail*	117 *bon*	19 *faire*	159 *rester*
110 *an*	196 *histoire*	171 *beau*	28 *dire*	166 *manger*
122 *moment*	199 *voiture*	191 *vieux*	34 *aller*	176 *appeler*
132 *monsieur*	201 *école*	195 *seul*	43 *voir*	178 *sortir*
136 *franc*	203 *français*	203 *français*	45 *savoir*	185 *travailler*
(monnaie)	219 *fille*	210 *gros*	55 *pouvoir*	202 *acheter*
140 *enfant*	224 *type*	238 *intéressant*	59 *falloir*	205 *laisser*
143 *madame*	236 *coup*	241 *demi*	64 *vouloir*	207 *écouter*
(mesd.)	237 *mot*		76 *venir*	208 *entendre*
148 *maison*	242 *vie*		77 *prendre*	211 *rentrer*
149 *femme*	244 *eau*		79 *arriver*	214 *commencer*
152 *gens*	248 *point*		81 *croire*	215 *marcher*
153 *mois*	250 *film*		85 *mettre*	216 *regarder*
158 *soir*			86 *passer*	218 *rendre*
161 *année*			90 *devoir*	220 *revenir*
163 *exemple*			96 *parler*	225 *lire*
			100 *trouver*	226 *monter*
			105 *donner*	227 *payer* (et
			115 *compren-*	*être payé*)
			dre	231 *chercher*
			131 *connaître*	239 *jouer*
			139 *partir*	245 *paraître*
			144 *demander*	246 *attendre*
			147 *tenir*	247 *perdre*

Source: Paul RIVENC, «Lexique et langue parlée», dans *La grammaire du français parlé*, Paris, Hachette, 1971.

TABLEAU 14.3   NOMS, ADJECTIFS ET VERBES LES PLUS FRÉQUENTS SELON L'ENQUÊTE SUR LE FRANÇAIS FONDAMENTAL

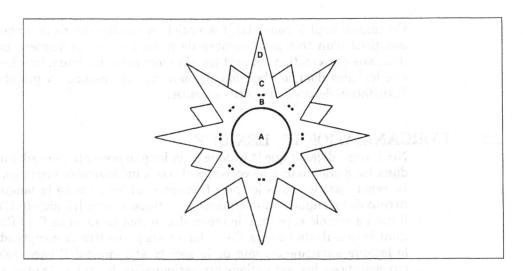

FIGURE 14.1   LE SOLEIL DU LEXIQUE

1) *LE NOYAU DES MOTS FRÉQUENTS*

Au centre du «soleil» (*voir la figure 14.1*), se trouve le noyau (zone A) des mots fréquents. Ce sont les mots fondamentaux communs à tous les francophones, qui les emploient à chaque instant dans leurs conversations. Ce lexique fréquent, commun, fondamental, constitué de 1 000 mots environ, ne suffit pas pour communiquer de façon efficace dans des situations concrètes de la vie sociale. D'une part, il comprend plus de 25 % de mots grammaticaux; or, c'est dans les lexèmes que réside l'essentiel des significations de la langue. D'autre part, les quelque 750 lexèmes qui composent ce noyau se rapportent à des notions trop générales pour satisfaire aux besoins de communication dans des situations particulières de la vie sociale.

2) *LE LEXIQUE DES MOTS DISPONIBLES*

Au-delà de ce noyau fréquent, commun, fondamental, nous trouvons une zone de mots encore commune à tous les locuteurs, mais dont l'utilisation est liée aux circonstances d'usage (zone B). Ce lexique s'organise autour de «centres d'intérêt» comme les parties du corps (*tête, bouche, bras, jambe, ventre, coude,* etc.), les vêtements (*chapeau, foulard, chandail, chemise,* etc.), les aliments (*pomme de terre, carotte, tomate, pêche,* etc.), les moyens de transport (*métro, voiture, autobus, avion,* etc.), la vie professionnelle, les loisirs, etc.

Ces mots ont été qualifiés de «disponibles» en raison de leur fréquence relativement faible, mais ils sont usuels et utiles; en fait, ils sont à notre disposition, selon nos besoins. La zone des mots disponibles comprend environ 3 500 à 4 000 mots (particulièrement des noms, des verbes et des adjectifs).

Ces mots figurent évidemment dans tous les dictionnaires, mais le *Dictionnaire du vocabulaire essentiel* (Larousse), avec ses 5 000 mots, est celui qui se rapproche le plus de cette zone des mots disponibles (incluant le lexique des mots fréquents) commune à tous les locuteurs.

3) LES LEXIQUES SEMI-SPÉCIALISÉS

Une troisième zone (C) regroupe les mots qui font partie de l'usage écrit et parlé de l'«honnête homme» d'aujourd'hui, c'est-à-dire de toute personne qui témoigne d'une certaine instruction. Ces mots ne sont pas à proprement parler «techniques» ni «scientifiques» et n'appartiennent pas nécessairement à un domaine en particulier. C'est la zone des mots polysémiques, synonymiques, antonymiques, reliés éventuellement à la technique ou aux sciences, mais vulgarisés par la presse, la radio, la télévision.

Le mot *fourchette,* en cuisine, fait partie du vocabulaire disponible, mais s'il désigne un «endroit où la couverture d'une lucarne se réunit à la flûte du comble», il s'agit d'un sens semi-spécialisé. De même, *faux* (dans «fausse monnaie») appartient au vocabulaire disponible, mais la série synonymique *contrefait, erroné, fallacieux,* etc., et les contraires *authentique, exact, avéré,* etc., font partie du vocabulaire semi-spécialisé. C'est notamment par le jeu des associations de sens que le vocabulaire commun se «spécialise» pour constituer des ensembles de mots dont les sens se superposent, s'entrecroisent, se complètent et forment une sorte de superstructure sémantique dite «semi-spécialisée».

Il convient de retenir qu'aucun terme des lexiques semi-spécialisés n'est étroitement identifié à un seul domaine ou à une seule science. Ces lexiques peuvent donc couvrir des significations générales rattachées aussi bien à la politique qu'aux arts, à la médecine, à la chimie, à l'architecture, etc.

asocial	diurne
fatidique	misanthrope
mélioratif	protubérant
hypertrophie	septuagénaire
hypotension	obélisque
ostracisme	substitutivité

Les lexiques semi-spécialisés concernent aussi les mots ou sens apparentés aux différents niveaux et registres de langue:

Vocabulaire disponible	Vocabulaire semi-spécialisé
précipice	abîme
mort	trépas
naviguer	voguer
enlèvement	ablation
trou	orifice
nuisible	nocif
changement	mutation
lent	apathique
derrière/postérieur	croupion/panier/verre de montre

Cette zone dite semi-spécialisée est relativement importante, car elle forme un corpus d'environ 25 000 mots. On retrouve la plupart de ces mots dans le *Dictionnaire du français contemporain* (Larousse), lequel compte 25 000 entrées incluant le lexique des mots fréquents et le lexique des mots disponibles.

4) LES LEXIQUES SPÉCIALISÉS

Au fur et à mesure que l'on s'éloigne du noyau central des mots fréquents, les lexèmes deviennent de plus en plus hermétiques et se restreignent à des domaines très spécialisés. La zone des lexiques spécialisés (D) comprend des termes appartenant généralement à une seule science ou à une seule technique.

néritique (géol.)	*dodécaphonique* (mus.)
néoplasie (biol.)	*érésipèle* (méd.)
kali (bot.)	*githagisme* (vétér.)
isobare (météor.)	*chouquage* (énergie nucl.)
mérisme (ling.)	*avitailleur* (aéron.)
ostéoclasie (chir.)	*ligne nodale* (techn. spat.)
amodiation (dr.)	*sélénostat* (astron.)
termaillage (écon.)	*photostyle* (inform.)

Cette zone constitue sans nul doute la masse lexicale la plus imposante. Elle compte probablement plus de 200 000 ou 300 000 lexèmes, mais, comme nous sommes dans le domaine de l'invention et des néologismes (formes nouvelles ou sens nouveaux), il est impossible de les dénombrer avec exactitude. Le *Grand Larousse encyclopédique* (200 000 mots) en recueille certainement une partie importante, mais l'inventaire semble encore insuffisant. De plus, il ne faut pas oublier que la quasi-totalité des mots de cette zone est monosémique; c'est pourquoi un spécialiste qui connaît la totalité du lexique d'un domaine particulier peut ignorer tous les autres qui ne font pas partie de sa spécialité.

***

L'enfant qui arrive à l'école primaire connaît probablement tout le lexique des mots fréquents et un certain nombre des mots «disponibles»; par la suite, il acquerra la plus grande partie du lexique disponible commun et, progressivement, selon son âge et ses besoins, une partie des mots semi-spécialisés. Certaines personnes ne parviendront jamais à utiliser l'un ou l'autre des lexiques spécialisés. D'autres, individus rares et privilégiés, réussiront à connaître tout le lexique d'une spécialité. Entre ces deux extrêmes, divers degrés de spécialisation sont possibles; de plus, il faut distinguer l'acquisition passive (décodage) de l'acquisition active (connaissance et utilisation effective).

Les distinctions que nous venons de faire permettent de mieux comprendre le fonctionnement du système lexical du français. Le lexique, répétons-le, n'est pas une nomenclature (un sac à mots); il constitue un système que nous apprenons à connaître graduellement, tout au long de notre vie, système dont le contenu varie suivant les besoins, l'âge, les circonstances, les régions, les sujets traités, les occupations professionnelles, etc.

LES STRUCTURES DU LEXIQUE

Les mots du lexique entretiennent entre eux des relations de forme. Certains sont formés d'un lexème de base auquel est joint un morphème additionnel (préfixe ou suffixe), d'autres sont formés par la juxtaposition de deux lexèmes (p. ex., *pause-café*). Dans le premier cas, on parle de dérivation préfixale (p. ex., *reformer*) ou suffixale (p. ex., *formation*); dans le second cas, de composition (p. ex., *café crème*). Ce processus de formation lexicale repose sur des règles de combinaison relativement complexes, de telle sorte que l'on peut parler d'une véritable *morphologie lexicale*.

En fait, beaucoup de locuteurs pourraient facilement augmenter leur bagage lexical de 2 000 à 3 000 mots s'ils connaissaient bien une dizaine de préfixes, une trentaine de suffixes et une centaine de radicaux savants fondamentaux. Plutôt que d'essayer d'apprendre les mots un par un, il vaudrait mieux posséder la «machine à fabriquer les mots». Cela exige un effort méthodique de réflexion, mais aussi un entraînement à la manipulation des formes linguistiques dans le but ultime de pouvoir mieux exprimer toutes les nuances de sa pensée et de comprendre celle des autres, grâce à l'usage d'un lexique à la fois riche, nuancé et précis.

1   LA DÉRIVATION

La grammaire traditionnelle laisse croire que la dérivation consiste en la simple addition d'un morphème préfixal ou suffixal à un lexème de base (ou radical). Or, le système dérivationnel du français constitue une véritable organisation et il n'est pas aussi simple qu'il le laisse paraître: d'une part, dans la plupart des cas de suffixation, la dérivation entraîne des changements importants sur le plan de l'organisation syntaxique de la phrase; d'autre part, la dérivation peut entraîner des changements dans le radical même du mot (p. ex., *sel → salière*; *entendre → audible*).

1.1   LES PRÉFIXES

Les préfixes sont des morphèmes que l'on place toujours avant un lexème de base. On en compte une soixantaine qui sont actuellement productifs en français, c'est-à-dire susceptibles d'être utilisés consciemment par toute personne parlant cette langue.

L'adjonction d'un préfixe à un lexème de base est une opération assez simple, car la préfixation laisse inchangée la classe grammaticale du lexème: *sous-alimentation* par rapport à *alimentation, repeindre* par rapport à *peindre, sub-tropical* par rapport à *tropical*, etc.

Sens	Formes
antériorité	*avant-guerre, préhistoire, antidater, antédiluvien, projeter*
postériorité	*arrière-goût, après-guerre, postdater, rétroactif*
contre	*contre-indication, antigel, parapluie*
sur («au-dessus»)	*suralimenter, susmentionné, superposé, hypertension, supranational, épiderme*
sous («au-dessous»)	*sous-alimentation, infrastructure, subtropical, hypotension*
négation	*inconnu, impropre, amoral, malhonnête, illisible, défaire, irresponsable, désobéir, disjoindre, analphabète, non-paiement*
valeur intensive	*suractivité, superpuissance, archiconnu, extra-fin, ultramoderne, hypersexué*

TABLEAU 15.1   LE JEU DES PRÉFIXES

L'une des principales difficultés dans l'emploi des préfixes réside dans le choix des «synonymes», qui sont nombreux et variés; il peut arriver que l'utilisateur ne sache plus lequel choisir (*voir le tableau 15.1*). Pour bien employer ces préfixes, il faut notamment posséder les informations suivantes:

1) Les différentes valeurs de signification pour chacun d'eux.
2) Les valeurs stylistiques de certains d'entre eux: *super-, archi-, extra-, ultra-, hyper-*, etc.
3) Les valeurs antonymiques (les contraires), qui fonctionnent par couple: *sur-/sous-, infra-/supra, hyper-/hypo-*, etc.
4) Les règles orthographiques d'usage, s'il y a lieu.

1.2   LES SUFFIXES

On distingue deux types de suffixes: 1) les suffixes qui ne modifient pas la classe des mots (*il est pâle → il est pâlot; une hache → une hachette; pleurer → pleurnicher*); 2) les suffixes qui la modifient (*la campagne du président → la campagne présidentielle; l'avion a atterri → l'atterrissage de l'avion*).

1.2.1   *LES SUFFIXES NON MODIFICATEURS DE CLASSE*

Les suffixes qui ne modifient pas la classe des lexèmes sont les moins fréquents et les moins nombreux en français. Ce sont essentiellement des suffixes se référant à des domaines très particuliers.

- Des noms de métiers :
  chemise → chemisier
  disque → disquaire
  dent → dentiste

- Des noms d'arbres :
  poire → poirier
  orange → oranger

- Des noms de récipients :
  encre → encrier
  sel → salière

- Des noms expressifs (diminutifs, péjoratifs, atténuatifs) :
  chambre → chambrette
  riche → richard
  lourd → lourdeau
  pâle → pâlot
  bleu → bleuâtre

Ces suffixes fonctionnent comme les préfixes, par simple adjonction au lexème, à la seule différence qu'ils sont placés *après* celui-ci.

1.2.2   *LES SUFFIXES MODIFICATEURS DE CLASSE*

L'emploi du procédé de suffixation est beaucoup moins simple que ne le laissent croire les exemples précédents. En effet, la plupart des suffixes ont pour effet de modifier la classe des lexèmes et certains entraînent des variations du radical, des changements lexicaux (p. ex., *ville → urbain*) ou même des transformations syntaxiques. On distingue les suffixes nominalisateurs (servant à former des noms), les suffixes verbalisateurs (servant à former des verbes) et les suffixes adjectivateurs (servant à former des adjectifs).

Les **suffixes nominalisateurs** servent à former des NOMS à partir d'une base adjectivale (Adj) ou verbale (V) :

(1) **[Adj → N]**
- *Le temps est doux, cela nous rend plus gais.*
  → La douceur du temps nous rend plus gais.
- *Cette maison laide est proche, cela me déplaît.*
  → La proximité de cette maison laide me déplaît.
- *Vous avez agi de façon aveugle, c'est inacceptable.*
  → Votre aveuglement est inacceptable.
- *Il souffre du fait d'être aveugle.*
  → Il souffre de cécité.

(2) **[V → N]**
  – *Le camion a explosé, cela a causé bien des dégâts.*
    → *L'explosion du camion a causé bien des dégâts.*
  – *On répare mon auto, cela va me coûter cher.*
    → *La réparation de mon auto va me coûter cher.*
  – *Il s'occupe de louer des automobiles à l'aéroport.*
    → *Il s'occupe de location d'automobiles à l'aéroport.*
  – *Mon père se met en colère parce que les prix augmentent.*
    → *L'augmentation des prix met mon père en colère.*

Les **suffixes verbalisateurs** servent à former des VERBES à partir d'une base nominale (N) ou adjectivale (Adj):

(1) **[N → V]**
  – *Mon oncle fait des économies.*
    → *Mon oncle économise.*
  – *On a mis du gazon à l'arrière de la maison.*
    → *On a gazonné l'arrière de la maison.*
  – *Les chasse-neige servent à enlever la neige.*
    → *Les chasse-neige servent à déneiger.*

(2) **[Adj → V]**
  – *Son visage est devenu tout bleu.*
    → *Son visage a bleui.*
  – *J'ai rendu la clôture solide.*
    → *J'ai solidifié la clôture.*
  – *Il est devenu triste après ces paroles.*
    → *Il s'est attristé de ces paroles.*
  – *La boîte est devenue lourde.*
    → *La boîte s'est alourdie.*

Les **suffixes adjectivateurs** servent à former des ADJECTIFS à partir d'une base nominale (N) ou verbale (V):

(1) **[N → Adj]**
  – *C'est une personne qui a du charme.*
    → *C'est une personne charmante.*
  – *Les promenades de nuit me font peur.*
    → *Les promenades nocturnes me font peur.*
  – *Les problèmes de la ville s'accentuent.*
    → *Les problèmes urbains s'accentuent.*
  – *L'air qui vient de la mer est rafraîchissant.*
    → *L'air marin est rafraîchissant.*

(2) **[V → Adj]**
  – *L'issue peut en être prévue.*
    → *L'issue est prévisible.*
  – *C'est une composition qu'on ne peut pas lire.*
    → *C'est une composition illisible.*
  – *Cette proposition peut être acceptée.*
    → *Cette proposition est acceptable.*

Ces quelques exemples montrent la complexité du procédé de suffixation. Comme on a pu le constater, il ne s'agit pas seulement de greffer un suffixe à un lexème. Changer la classe grammaticale d'un mot (par exemple, transformer un adjectif en nom) suppose, répétons-le, une transformation syntaxique et, dans certains cas, cette modification nous oblige à fondre deux phrases simples en une seule. De plus, il se produit souvent des modifications dans le radical (p. ex., *mer* → *marin*), sinon des substitutions (p. ex., *aveugle* → *cécité, ville* → *urbain*); il y a enfin des cas où l'on ajoute un préfixe et un suffixe (p. ex., *large* → *élargir, lourd* → *alourdir*).

Un dernier problème peut surgir: celui de la confusion des suffixes différents liés à un même lexème de base. Par exemple, *prolongation* n'est pas synonyme de *prolongement,* ni *observation* de *observance,* ni *déchirure* de *déchirement,* ni *abattement* de *abattage,* ni *inclinaison* de *inclination,* ni *somptueux* de *somptuaire,* etc.

L'exploitation de la suffixation, comme on l'aura sans doute observé, offre toutes sortes de possibilités: enrichir son bagage lexical, améliorer sa performance sur le plan syntaxique et passer de la langue familière à la langue soutenue (p. ex., *on reconstruit le pont, cela va prendre du temps* → *la reconstruction du pont prendra du temps*).

2   LA COMPOSITION

La production d'unités lexicales par composition implique la conjonction de deux ou de plusieurs lexèmes et la création d'une nouvelle signification différente de chacun des concepts désignés par les mots qui forment le composé; ainsi, le syntagme *table ronde* au sens de «réunion de personnes» est un mot composé dit «lexicalisé».

Évidemment, la plupart des mots composés ne sont considérés composés que dans le cadre d'une phrase; comment savoir si le syntagme *table ronde* forme un composé si ce n'est en le situant dans un contexte?

> *J'ai acheté une table ronde.*
> *J'ai participé à une table ronde.*

Les composés servent à former des noms, des adjectifs et des verbes. Dans tous les cas, ils correspondent à plusieurs types de syntagmes (*voir le tableau 15.2*): [N + Adj], [N + N], [N + SP], [V + N], [Adj + Adj], [V + V], [Adv + Adj], [Adj + N], [V + SP], [V + SN]. Évidemment, certains syntagmes sont plus productifs que d'autres, notamment les syntagmes formés par [N + Adj], [N + N], [N + SP], [V + N].

Classes		Exemples types	Variantes
NOMS	N + Adj	*une tête chercheuse* *un conseil municipal* *un coffre-fort* *le code civil*	*un gros plan* *le tiers monde* *un rouge-gorge*
	N + N	*un café crème* *un projet pilote* *une prise rasoir* *un émetteur pirate* *un cas type*	
	N + SP	*une force de frappe* *du sucre en poudre* *un fer à repasser* *une brosse à dents* *un laissé pour compte*	*un missile à* *tête nucléaire* *un opérateur* *de prises de* *vues*
	V + N	*un pare-brise* *un portefeuille* *un presse-agrumes*	
	Adj + Adj	*un sourd-muet* *le clair-obscur*	
	V + V	*un laissez-passer* *un laisser-aller*	
ADJECTIFS	Adj + Adj	*un homme ivre mort* *un œil bleu-vert* *le centre audio-visuel*	
	Adv + Adj	*une fille court-vêtue*	
	Adj + N	*un chandail bleu ciel* *une robe dernier cri* *un camion bon marché* *un disque 33 tours*	
VERBES	V + N	*avoir peur* *prendre froid* *faire pipi*	
	V + SP	*mettre sur pied* *être en flammes*	
	V + SN	*tenir la droite*	

TABLEAU 15.2   LA STRUCTURE DES COMPOSÉS

On dira qu'un mot composé est *lexicalisé* (d'où le phénomène de la *lexicalisation*) lorsqu'il devient une unité sémantique autonome et qu'il contribue clairement à une nouvelle signification globale; on parle parfois d'*expression figée*. Ainsi, le syntagme *pomme de terre* est une expression lexicalisée; de même, *robe de chambre* est lexicalisé alors que *robe d'avocat* ne l'est pas; par contre, *pomme de terre en robe des champs* est encore un syntagme lexicalisé. On constate que le processus de lexicalisation est directement lié à l'évolution de l'usage; c'est pourquoi la lexicalisation est susceptible de varier en degrés. Certaines expressions peuvent être plus lexicalisées que d'autres. On constate qu'un syntagme lexicalisé est parfois remplaçable par un terme unique dans d'autres langues:

FRANÇAIS	ANGLAIS	ALLEMAND	ITALIEN/ ESPAGNOL
pomme de terre	potato	Kartoffel	patata (ital.)
petit déjeuner	breakfast	Frühstück	colazione (ital.)
rouge à lèvres	lipstick	Lippenstift	rosetto (ital.)
fer à repasser	iron	Plätteisen	plancha (esp.)
salle à manger	dining-room	Speisesaal	comedor (esp.)
chemin de fer	railway	Eisenbahn	ferrovia (ital.)

Il faut bien retenir que la signification d'un syntagme lexicalisé est exprimée par le composé pris en bloc et que, à l'intérieur du syntagme, les éléments ont un pouvoir de substitution très réduit. Lorsqu'on change les éléments internes d'un syntagme lexicalisé, on risque de perdre toute la signification engendrée par la lexicalisation. Ainsi, *carotte de terre, grand déjeuner, vert à lèvres* ou *chemin de bois* ne font pas l'objet d'une lexicalisation, et ce, malgré le fait qu'on recourt au même procédé. Comme on le constate, la lexicalisation est intimement liée à la signification.

3   LES COMPOSÉS SAVANTS

La composition du type que nous venons de voir fonctionne avec des mots d'origine française et avec un terme pivot suivi d'un second terme complément du premier, dans les cas où le terme pivot est un [N] ou un [V].

[N + Adj]	*conseil municipal*
[N + N]	*projet pilote*
[N + N]	*pause-café*
[N + SP]	*force de frappe*
[V + N]	*pare-brise*

Contrairement à ce type courant, les composés savants sont formés d'un assemblage de lexèmes empruntés à des langues étrangères (le plus souvent) et l'ordre syntaxique des éléments est inversé par rapport à la syntaxe française; c'est le terme pivot qui est en seconde place et le terme complément en première:

COMPOSÉS COURANTS	COMPOSÉS SAVANTS
culture des huîtres	ostréi**culture**
amateur de livres	biblio**phile**
piste pour bicyclettes	vélo**drome**
train à turbine	turbo**train**

La composition savante semble fonctionner selon le modèle de la composition en anglais, en allemand ou en néerlandais (langues germaniques).

timbre-poste	postage **stamp**	*Briefmarke* (all.)
papier à lettres	letter **paper**	*Briefpapier* (all.)
lame de rasoir	razor **blade**	*scheermesje* (néerl.)
rouge à lèvres	lipstick	*lippenstift* (néerl.)
eau minérale	mineral **water**	*Mineralwasser* (all.)
maillot de bain	bathing **costume**	*Badekostüm* (all.)

En réalité, les composés savants français ne sont pas formés selon un modèle unique, c'est-à-dire de mots d'origine étrangère dont le terme complément est suivi du terme pivot. En effet, bien que le terme pivot apparaisse toujours en second, certains éléments restent néanmoins d'origine française. Les composés savants sont aisément identifiables du fait que les radicaux sont toujours reliés par les voyelles *o, i* ou *a* (rare). Le tableau 15.3 présente quelques exemples des principales combinaisons.

Les mots savants sont très nombreux dans la langue; ils constituent certainement la masse lexicale la plus imposante: des dizaines et des dizaines de milliers de mots. Ces mots sont presque tous *monosémiques* («à un seul sens», par opposition à *polysémique*: «plusieurs sens») et plusieurs sont passés dans le vocabulaire commun par le biais des médias. D'où l'importance d'en connaître un certain nombre, dont ceux qui font partie du vocabulaire de l'«honnête homme» du XXe siècle. Il faut être capable de reconnaître une certaine quantité de racines parmi les plus courantes, car, à partir d'un nombre limité de racines, on peut comprendre et utiliser un nombre de mots quasi illimité. On trouvera, au tableau 15.4, une liste d'éléments grecs et latins (employés comme 1er ou 2e élément) utiles à connaître.

Combinaison d'éléments	Exemples types
latin + latin	*régicide, omnivore, digitigrade, calorifère, multicolore, homonyme*
grec + grec	*photographie, gérontocratie, néologie, pseudonyme, psychologie, bibliothèque, polygone, décamètre, xénophobie*
latin + grec	*radiographie, altimètre, spectroscope, aquariophile*
latin + français	*similicuir, monomoteur, radioactif, unijambiste, horodateur, servofrein*
grec + français	*hydravion, microstructure, aéronaval, futurologue*
anglais + grec **grec + anglais**	*jazzophile, gadgetophile, porno-shop, kilowatt, cyclo-cross*
français + français	*autoroute, auto-école, eurovision, musicassette, alcootest*

TABLEAU 15.3   LA COMPOSITION SAVANTE

1er élément	2e élément
allo- (autre)	-algie (douleur)
acro- (élevé)	-bare (pression)
caco- (mauvais)	-céphale (tête)
calli- (beau)	-cratie (pouvoir)
cardio- (cœur)	-drome (course)
crypto- (caché)	-gamie (mariage)
démo- (peuple)	-gène (qui engendre)
déca- (dix)	-gramme (un écrit)
dermato- (peau)	-graphe (qui écrit)
didact- (enseigner)	-fuge (qui fait fuir)
dodéca- (douze)	-hydre (eau)
entomo- (insecte)	-oïde (qui a la forme de)
gastro- (ventre)	-logie (science)
géo- (terre)	-mane (qui a la passion de)
géronto- (vieillard)	-mètre (mesure)
gluco- (doux)	-onyme (nom)
gyro- (cercle)	-pédie (éducation)
hétéro- (autre)	-pède (pied)
hydro- (eau)	-pare (qui enfante)
hygro- (humide)	-phage (qui mange)
macro- (grand)	-phile (qui aime)
méga- (grand)	-scope (qui voit)
méso- (milieu)	-thèque (armoire)
métro- (mesure)	-therme (chaleur)
micro- (petit)	-tomie (couper)
mono- (seul)	-type (impression)
multi- (nombreux)	-vore (qui se nourrit de)
nano- (un milliard)	
néo- (nouveau)	
octo- (huit)	
ophtalmo- (œil)	
oro- (montagne)	
penta- (cinq)	
pico- (un billion)	
plouto- (richesse)	
poly- (nombreux)	
pyro- (feu)	
proto- (premier)	
pseudo- (faux)	
quinqua- (cinq)	
somato- (corps)	
stéréo- (solide)	
tachy- (rapide)	
tauto- (le même)	
tétra- (quatre)	
théo- (dieu)	
topo- (lieu)	
xéno- (étranger)	

Tableau 15.4   Racines gréco-latines

4   LES PROCÉDÉS PEU PRODUCTIFS

La langue a recours à d'autres procédés que ceux de la dérivation et de la composition, mais ils sont beaucoup moins productifs. Ils se résument à la siglaison, à l'acronymie et à la troncation.

4.1   LA SIGLAISON

Certains mots sont formés par la réunion des initiales de différents mots; il s'agit d'une autre forme de composition (p. ex., *Société de transport de la Communauté urbaine de Montréal*: *STCUM*).

Les règles de prononciation ne sont pas uniformes. Quelquefois, on prononce ces groupes de lettres comme des mots ordinaires (p. ex., *l'Onu*, *l'Unesco*, *le CRIQ* [krik]), mais, le plus souvent, on prononce chacune des lettres:

la CECM (la Commission des écoles catholiques de Montréal)
l'URSS (l'Union des républiques socialistes soviétiques)
un PDG (un président-directeur général)
un HLM (une habitation à loyer modéré)
les HEC (les Hautes études commerciales)
la CEE (la Communauté économique européenne)
le NPD (le Nouveau Parti démocratique)

4.2   L'ACRONYMIE

Certains mots sont formés à partir d'éléments tronqués que l'on combine entre eux. Il s'agit bien d'une structure de mots correspondant à la composition.

eurovision	(télé**vision euro**péenne)
musicassette	(**musi**que en **cassette**)
héliport	(**port** pour **héli**coptères)
restoroute	(**restau**rant + **route**)
abribus	(**abri** + auto**bus**)
lunaute	(astro**naute** + **lun**e)
téléthon	(**télé**phone + mara**thon**)
franglais	(**fran**çais + an**glais**)
brunch (angl.)	(**br**eakfast + l**unch**)

C'est un procédé savant peu productif et particulièrement limité au commerce, à l'industrie et aux sciences.

4.3   LA TRONCATION

La troncation est un procédé qui consiste à abréger les mots polysyllabiques pour les raccourcir. C'est un procédé limité à peu de mots, mais il a la particularité d'avoir une origine populaire.

prof	(**prof**esseur)
pub	(**pub**licité)
lab	(**lab**oratoire)
condo	(**condo**minium = copropriété)
auto	(**auto**mobile)
cinéma	(**cinéma**tographe)

***

Il est avantageux de bien connaître et de bien utiliser les procédés de dérivation et de composition, car ils offrent de très grandes possibilités de performance linguistique. On a sans doute remarqué qu'une grande partie des mots du lexique sont fabriqués en «séries». Le locuteur qui sait fabriquer les mots peut, à tout moment, retrouver ceux dont il a besoin, car les mots ne se composent pas de milliers de formes sans rapport les unes avec les autres.

LA SÉMANTIQUE LEXICALE

Jusqu'ici, l'objet de l'analyse linguistique a surtout porté sur les aspects formels des unités linguistiques, c'est-à-dire sur les signifiants: le phonème, le morphème, le lexème, la phrase. Lorsque nous avons fait référence aux signifiés, c'était pour mieux isoler et identifier les signifiants. Les questions liées à la signification, phénomène beaucoup plus abstrait et plus flou, se prêtent plus difficilement à l'étude systématique.

Dès qu'il s'agit d'aborder les problèmes reliés au sens et à son analyse, la description linguistique fait appel à des concepts très divers, ce qui démontre bien que les linguistes sont en terrain moins sûr. Il est plus facile, en effet, de décrire des unités formelles que d'observer des réalités «immatérielles».

Au-delà de toutes ces considérations, la première question concernant la signification ne devrait-elle pas porter sur l'unité de signification elle-même? Le présent chapitre, consacré aux rapports de sens, esquissera un sommaire des problèmes liés à l'unité de signification, aux relations de sens et aux changements de sens.

1   LES UNITÉS DE SIGNIFICATION

Nous avons parlé à quelques reprises des problèmes liés à la signification. À travers la notion saussurienne de *signifié*, nous abordions un peu cette question dès le chapitre 2; faisant référence aux unités à sens plein (lexèmes) et à sens restreint (morphèmes), le chapitre 5 allait un peu plus loin dans les problèmes de la signification; enfin, au chapitre 15, le phénomène de la lexicalisation était directement lié à celui de la signification. En réalité, dès que l'on traite des problèmes de code linguistique, la signification fait nécessairement partie de la problématique.

Quand on parle de la signification en linguistique, on se demande toujours comment la définir. Et c'est là que les problèmes commencent! Ferdinand de Saussure a certainement été l'un des premiers linguistes à s'intéresser à cet aspect de la langue. Rappelons-nous la notion de *signe linguistique*, cette réalité essentiellement psychique décrite comme une entité à deux faces: l'une, matérielle (le signifiant); l'autre, «immatérielle» (le signifié). Pour Saussure, le signe linguistique résulte de l'association du signifiant (groupe de sons) et du signifié (sens).

Cependant, le fondateur de la linguistique moderne n'est jamais allé très loin dans la définition du sens. Saussure utilisait le terme *signifié* au sens de «concept», parfois de «chose», sinon d'«idée». On comprendra que plusieurs autres linguistes aient voulu apporter davantage de précision à ce sujet, car la notion de signe linguistique ne résout pas tous les problèmes liés à la signification. Par exemple, le mot français *bœuf* renvoie à un signifié à peu près identique au mot anglais *beef*, mais pas complètement puisque l'anglais oppose un autre signe: *ox*. La difficulté provient du fait que l'anglais oppose deux termes pour désigner une réalité identifiée par un seul terme en français. Là où le français emploie le même terme pour désigner l'animal vivant à quatre pattes et la pièce de viande sur la table, l'anglais distingue *ox* et *beef*. Ces deux mots n'ont pas la même valeur en anglais, pas plus que les mots de la série *tuer, assassiner, abattre*, en français.

Où se trouve donc l'unité de signification? En tout cas, pas seulement dans le mot; et l'on connaît, à ce sujet, le statut ambigu de la définition du *mot*. Le mot ne peut couvrir toute la signification d'une réalité. Lorsque nous examinons des mots comme *bœuf, viande, nourriture, manger, nous, avec, des*, nous sommes forcés d'admettre que les significations ne sont pas toutes du même type. La division des unités linguistiques en *morphèmes* et en *lexèmes* nous montre bien que certains mots ont un «sens restreint» alors que d'autres sont dotés d'un «sens plein». De plus, à l'intérieur d'un même mot, on peut isoler deux ou trois unités de sens. Par exemple, dans *nous rechercherons*, l'analyse morphologique nous fait distinguer au moins quatre unités de signification, tandis que *pomme de terre* ne conserve qu'une seule signification sous l'effet de la lexicalisation.

Enfin, l'expérience nous apprend également que le sens d'un mot peut être déterminé par son contexte et par l'ensemble du système sémantique de la langue. Ainsi en est-il d'un mot comme *table* qui admet plusieurs sens distincts, selon le contexte. Par ailleurs, le sens spécifique d'un mot comme *amasser* est déterminé par celui des mots *accumuler, entasser, thésauriser, capitaliser,* aussi bien que celui des mots *disperser, éparpiller, gaspiller, dépenser, dissiper.*

Bref, les unités sémantiques constitutives de la signification linguistique sont exprimées tantôt par des unités lexicales, tantôt par des unités grammaticales, tantôt par des unités lexicales et grammaticales tout à la fois, tantôt par le contexte de la phrase, tantôt par l'ensemble du système sémantique de la langue.

2   LES SÈMES

Les problèmes que l'on vient de soulever quant aux unités constitutives de la signification linguistique démontrent la nécessité de ramener les acceptions à des unités sémantiques plus fondamentales. Ces unités, nous conviendrons de les appeler des *sèmes*. Qu'est-ce qu'un sème? C'est le plus petit élément conceptuel constitutif de la signification de la phrase. À l'exemple du phonème et du morphème, le sème est une unité distinctive minimale du point de vue du contenu. Cependant, il s'agit d'une unité sémantique incomplète en elle-même. Pour identifier un sème, il faut l'appliquer à un certain nombre d'objets individuels et nouer avec eux des liens sémantiques afin d'isoler des éléments de contenu.

Sèmes	S¹ «mâle»	S² «femelle»	S³ «bovin»	S⁴ «volaille»
vache	−	+	+	−
taureau	+	−	+	−
poule	−	+	−	+
coq	+	−	−	+

TABLEAU **16.1**   IDENTIFICATION DES SÈMES

Prenons les lexèmes suivants: *vache, taureau, poule, coq.* Plaçons ces mots dans un tableau *(tableau 16.1)* de façon à isoler les sèmes. Pour ce faire, il faut déterminer les similitudes et les différences. Tous ces mots ont en commun le sème [+ animal], mais ils s'opposent par les sèmes [+ femelle] ou [+ mâle], [+ bovin] ou [+ volaille]. La méthode consiste à trouver des éléments sémantiques différenciateurs et identificateurs. Il est possible d'appliquer cette méthode à d'autres sortes de mots, voire à des phrases:

— *Hugo est impoli.*
— *Hugo n'est pas poli.*

— *La pluie de cette nuit / l'averse de cette nuit / l'ondée de cette nuit*

— *Avoir un différend / avoir un démêlé / avoir un désaccord*

— *Elle a autorisé son fils à prendre la voiture.*
— *Elle a permis à son fils de prendre la voiture.*

— *Ce spectacle m'a plu.*
— *J'ai apprécié ce spectacle.*

— *Il neige souvent.*
— *La neige est fréquente.*

En fait, l'identification des sèmes permet de résoudre des cas de synonymie, d'antonymie, de polysémie, etc.

3   LES RELATIONS DE SENS

Les mots n'ont pas seulement entre eux des relations de forme mais aussi des relations de sens. Certains mots ont des sens communs (*entasser, empiler, amonceler, accumuler*), d'autres ont des sens contraires (*économiser/dépenser*) et certains autres ont des sens totalement inclus dans d'autres mots (*tulipe/fleur, morceler/diviser*). Le tableau 16.2 illustre ces trois types de relations de sens: la synonymie, l'antonymie et l'hyponymie.

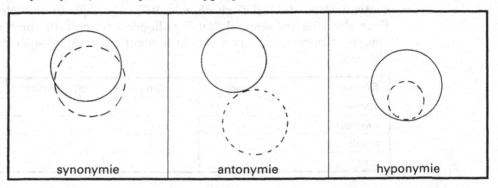

| synonymie | antonymie | hyponymie |

TABLEAU 16.2   SÈMES ET RELATIONS DE SENS

3.1   LA SYNONYMIE

Lorsque deux mots appartiennent à une même classe et qu'ils peuvent être remplacés l'un par l'autre sans que soit changé le sens général de la phrase, on dit que ces deux mots sont synonymes; ils correspondent à des équivalences sémantiques globales tout en conservant des nuances de sens.

> *François **dépense** son argent.*
> *François **dissipe** son argent.*
> *François **gaspille** son argent.*

L'existence de synonymes est contraire au principe d'économie de la langue. Il est inutile, pour la langue, de conserver des mots dont les sens sont absolument identiques. Et, dans les faits, il est assez rare que deux mots soient des synonymes parfaits. Pour l'être, il faudrait qu'ils soient interchangeables dans tous les contextes sans que cela entraîne une modification dans les traits sémantiques. Les synonymes ne sont pas des identités de sens: il y a toujours des nuances de sens, liées à des valeurs expressives ou à des niveaux de langue. L'analyse des sèmes permet de trouver les acceptions différentes.

Valeur neutre	Valeur expressive
manger	*bouffer*
lent	*lambin*
indolent	*nonchalant*
saleté	*crasse*
sapide	*savoureux*

Langue littéraire	Langue soutenue
abîme	*précipice*
clore	*fermer*
voguer	*naviguer*
trépas	*mort*

Langue savante	Langue soutenue
ablation	*enlèvement*
corroder	*ronger*
nocif	*nuisible*
sapide	*savoureux*
orifice	*trou*
mutation	*changement*

3.2   L'ANTONYMIE

Deux mots sont antonymes lorsque le sens de l'un entraîne la négation du sens de l'autre. Autrement dit, des antonymes sont des unités dont les sens s'excluent en principe: *petit/grand, privé/public, espoir/désespoir*, etc.

On peut distinguer deux types d'antonymes, selon que les deux acceptions admettent des valeurs intermédiaires ou non. Les antonymes sont contradictoires si, dans un contexte, ils excluent toute valeur intermédiaire: *coupable/innocent, vivant/mort, présent/absent*, etc. Les antonymes sont simplement opposés si, dans un contexte, ils admettent des valeurs intermédiaires; dans ce cas, la négation de l'un n'entraîne pas nécessairement l'affirmation de l'autre: *petit/grand, beau/laid, légitime/illégitime*, etc. Évidemment, tout dépend du contexte, car des antonymes peuvent être contradictoires dans un contexte précis, opposés dans un autre.

3.3   L'HYPONYMIE

On parle d'hyponymie («en dessous des noms») lorsque les sèmes constitutifs d'un mot sont totalement compris dans un autre mot. Le sens de l'un est alors inclus dans le sens de l'autre. Ainsi, les mots *veau, rose, vert, morceler* sont des hyponymes de *animal, fleur, couleur, diviser*. La relation d'hyponymie est fréquemment employée dans certaines tournures du type suivant:

> *Un veau est un animal.*
> *La rose est une fleur.*
> *Le vert est une couleur.*
> *Morceler est une façon de diviser.*

4   LES CHANGEMENTS DE SENS

Dans son *Cours de linguistique générale*, Ferdinand de Saussure a abordé le problème des changements de sens dans la vie des mots. Ces changements de sens sont reliés à l'altération dans le temps:

« Le temps, qui assure la continuité de la langue, a un autre effet, en apparence contradictoire au premier: celui d'altérer plus ou moins rapidement les signes linguistiques et, en un certain sens, on peut parler à la fois de l'immutabilité et de la mutabilité du signe[1]. »

Selon Saussure, l'altération des signes linguistiques dans le temps affecte non seulement les signifiants mais également les signifiés. Il se produit donc toujours un déplacement du rapport entre le signifiant et le signifié du fait que des changements de sens touchent le signifié. Toutefois, la distanciation face au passé n'est que relative et c'est pourquoi le principe de l'altération se fonde aussi sur celui de la continuité[2]. Une langue est totalement impuissante à se défendre contre les facteurs qui modifient le rapport entre le signifiant et le signifié: c'est l'une des conséquences de l'arbitraire du signe linguistique. L'action du temps se combine avec le déterminisme des forces sociales et fait en sorte que les mots changent de sens. Voyons comment s'effectue ce processus:

4.1   LA POLYSÉMIE

Les mots changent de sens parce qu'ils ont pour caractéristique principale d'être polysémiques (plusieurs sens). Nous savons que, par exemple, le mot *table* admet des sens distincts; on a, en effet, *table de bois, table ronde, table alphabétique, table d'opération, plaisirs de la table,* etc. Lorsqu'un même vocable, c'est-à-dire une même forme sonore et graphique, accepte plusieurs sens qui sont reliés les uns aux autres, on considère que cette forme correspond à un seul mot polysémique.

Presque tous les mots du vocabulaire commun (environ 25 000) sont polysémiques; il est facile de constater dans n'importe quel dictionnaire que beaucoup de mots comportent deux, trois, quatre ou cinq sens, sinon davantage. En fait, plus un mot est fréquent, plus il est polysémique. Si l'on consulte le dictionnaire *Robert*, on constate, par exemple, que le verbe *aller* compte au moins une quarantaine de sens; le verbe *prendre*, près de 80; le verbe *mettre*, près de 90; le verbe *faire*, près de 150; le substantif *main*, plus d'une cinquantaine; le substantif *tête*, une soixantaine. Par contre, des mots comme *cracher, cuillère, cuir, éteint* ou *locataire* cumulent moins d'une dizaine de sens chacun, alors que certains autres mots n'ont qu'un seul sens: *blastomères, blépharite, cinérite, cinéphile, globuline, glottal, lambrusque, lobotomie, ostéoclasie, staphylococcie.* Force est de constater qu'il existe un rapport proportionnel entre la fréquence des mots et le nombre de leurs significations. C'est pourquoi, même s'il ne s'agit pas là d'un phénomène absolu, les mots monosémiques ont tendance à appartenir au vocabulaire technique ou scientifique.

D'aucuns seraient portés à croire qu'une telle polysémie réduit l'efficacité de la communication. En réalité, la polysémie ne cause pas de problèmes dans la mesure où, à l'intérieur d'un contexte donné, les mots n'ont toujours qu'un sens à la fois. C'est même plus économique pour la langue de faire appel à une seule

---

1. Ferdinand de SAUSSURE, *Cours de linguistique générale*, Paris, Payot (1915), édition de 1969, p. 108.
2. *Ibid.*, p. 109.

forme pour plusieurs signifiés que d'utiliser autant de signifiants que de signifiés. De toute façon, dès l'instant où deux sens peuvent être compris en même temps, il en résulte soit une incompréhension, soit un calembour:

— *Je préfère le canard à l'alcool*	= *J'aime mieux le canard que l'alcool.* ou *J'aime mieux le canard flambé à l'alcool.*
— *Ça fait deux mois que je suis au lit avec le docteur et ça n'aboutit à rien*	= *Je suis sous les soins du docteur.* ou *Je couche avec lui.*

Soumis à la polysémie, les mots changent plus facilement de sens que s'ils étaient monosémiques. L'exemple des termes techniques et scientifiques est là pour le démontrer. Toutefois, lorsqu'un mot passe du lexique savant au lexique commun, il devient aussitôt perméable à la polysémie et aux changements de sens.

4.2 L'HOMONYMIE

Le cas de l'homonymie est bien différent. Contrairement aux polysèmes qui désignent un seul vocable avec plusieurs acceptions ou sens, les homonymes sont des unités lexicales distinctes dont la forme graphique ou sonore est accidentellement la même. En d'autres termes, l'homonymie résulte de l'identité de forme de deux mots distincts tandis que la polysémie provient de la multiplication des significations dans un seul mot. Ainsi, dans les séquences *acheter une **ferme***, avoir une main ***ferme*** et *je **ferme** la porte*, on remarque trois homonymes. Les homonymes n'ont évidemment pas de sens communs, ils n'apparaissent pas dans les mêmes contextes, n'appartiennent pas toujours aux mêmes classes de mots (*ferme* peut être nom, adjectif ou verbe) et ne peuvent se substituer les uns aux autres. En fait, ces critères syntaxiques et morphologiques permettent de distinguer les polysèmes des homonymes.

La distinction entre polysèmes et homonymes est facile à établir lorsque les vocables sont *homophones* ou *homographes* et non, comme dans les exemples précédents, à la fois homographes et homophones.

Homophones	Homographes
*du bois **vert***	*le **président** / ils **président***
*un **verre** de vin*	*un **couvent** / elles **couvent***
*un **ver** de terre*	*un vent **violent** / ils **violent***
***vers** Montréal*	*une **vis** / je **vis** bien*

On constate que les homonymes homophones correspondent à une même forme sonore, mais se distinguent par la graphie; quant aux homonymes homographes, ils s'écrivent de façon identique, mais ne se prononcent pas de la même façon.

Il y a cependant un petit nombre de mots (à la fois homographes et homophones) pour lesquels la frontière entre homonymie et polysémie est peu sûre:

— *Je mange une **pêche*** : du lat. pop. *persica* («fruit de Perse»);
— *J'aime aller à la **pêche*** : du lat. pop. *piscare («prendre du poisson»).

– À quatre ans, il apprend à **patiner**: de *patin* («glisser sur la glace»);
– Elle commence à se **patiner**: de l'ital. *patina* («couvrir de patine»).

– C'est un enfant **poli**: du lat. *politus* («élégant, bien élevé»);
– C'est un caillou bien **poli**: du lat. *polire* («rendre lisse et brillant»).

– La machine souffle l'**air**: du lat. *ær* («gaz qui forme l'atmosphère»);
– Il siffle un **air** populaire: de l'ital. *aria* («manière, mélodie»).

– Mieux vaut avoir la **bière** dans le corps (du néerl. *bier*, «boisson») que le corps
dans la **bière** (du germ. **bera*, «civière, cercueil»).

Dans la pratique, il est difficile pour le non-spécialiste de distinguer s'il s'agit d'homonymes (avec des étymologies différentes) ou de polysèmes (sens différents avec même étymologie). En fait, les différents sens de *pêche*, de *patiner*, de *poli*, d'*air* et de *bière* sont tellement distincts qu'aucune relation de sens ne peut être établie. Et parce qu'on ne peut considérer que les acceptions appartiennent aux mêmes signifiés, ces mots sont des homonymes et non des polysèmes. D'ailleurs, dans les dictionnaires de la langue tels *Le Petit Robert* ou le *Lexis*, on propose deux entrées distinctes pour les mots *pêche, patiner, poli, air* et *bière*, afin de bien montrer qu'il s'agit de mots différents et non pas d'un seul mot polysémique; comme on l'aura sans doute remarqué, dans le cas des homonymes homographes et homophones, même les étymologies sont différentes. En somme, les homonymes ne constituent pas des changements de sens puisqu'il ne s'agit pas des mêmes vocables.

C'est toujours l'évolution phonétique du latin qui a favorisé l'apparition de cas d'homonymie. Autrement dit, l'homonymie est le résultat du hasard. Dans certains cas, les conflits homonymiques ont eu pour effet de renommer des vocables en leur donnant de nouvelles acceptions.

Le dialectologue Jules Gilliéron (1854-1926) donne l'exemple du chat et du coq en gascon. L'évolution phonétique a entraîné l'homonymie, en gascon, du nom du chat (du lat. *cattus > gat*) et de celui du coq (du lat. *gallus > gat*). Ce dernier a alors été éliminé par un mot d'origine populaire: *bigey* («vicaire»); la population paysanne avait comparé le curé à un coq au milieu des poules[3]. Le chat et le coq ne pouvaient conserver bien longtemps leur homonymie sans risquer des ambiguïtés contextuelles. L'un a disparu et a été remplacé. L'histoire du français ne foisonne cependant pas d'exemples de ce genre, car les mutations lexicales provoquées par l'homonymie demeurent rares.

4.3   L'EXTENSION, LA RESTRICTION ET LE DÉPLACEMENT DE SENS

Parmi les changements de sens les plus fréquents, on doit mentionner les extensions, les restrictions et les déplacements (ou transferts) de sens. On a affaire à une extension de sens lorsqu'un vocable acquiert un sens plus général dont

---

3. Voir Pierre GUIRAUD, *La sémantique*, Paris, P.U.F., coll. «Que sais-je?», n° 655, 1966, p. 63.

les sèmes sont englobés dans la nouvelle acception. Par exemple, *panier* vient du latin *panarium* («corbeille à pain»); l'idée de pain s'est graduellement effacée puisque le mot s'applique maintenant à toutes sortes de marchandises, d'objets ou d'animaux. Les mots *arriver, aborder* et *accoster* constituent d'autres exemples intéressants. Ces mots appartenaient à la terminologie maritime et signifiaient respectivement «toucher à la rive», «se mettre bord à bord avec un navire» (abordage) et «s'approcher de la côte»; on sait que leur emploi a été étendu à des sens généraux.

On parle de restriction de sens lorsque la portée des sèmes devient moins étendue que dans l'acception d'origine. Étymologiquement, les mots *pondre, couver, muer, traire* possédaient un sens général; ils signifiaient respectivement «déposer» (de *ponere*), «être couché sur» (de *cubare*), «changer» (de *mutare*) et «tirer» (de *trahere*). Ayant été pris dans un sens particulier par les paysans, ces mots ont perdu à la longue leur sens général pour ne conserver qu'un sens «spécialisé»: «déposer des œufs», «être couché sur des œufs», «changer de plumage ou de poil», «tirer le lait». Un autre cas intéressant: celui de *viande*. Du latin populaire *vivenda*, ce mot a désigné jusqu'au XVIIᵉ siècle toute espèce d'aliment (les *vivres*); il s'est par la suite spécialisé en se substituant à la *chair* des animaux.

Enfin, on parle de déplacement ou de transfert de sens lorsque les sens n'ont pas de liens communs: *cœur* au sens de «organe» et de «siège des sentiments», *œillet* au sens de «petit trou pratiqué dans une étoffe, dans du cuir, etc.» et de «plante dicotylédone», *canard* au sens de «oiseau palmipède» et de «fausse nouvelle», *rivière* au sens de «cours d'eau» et de «collier» (de diamants).

4.4   LA PARONYMIE

On parle de paronymie lorsque deux mots sont phonétiquement voisins tout en demeurant distincts. Par exemple, *infecter/infester, conjoncture/conjecture, éminent/imminent, vénéneux/venimeux, éruption/irruption, inclinaison/inclination,* etc. Le phénomène de la paronymie a souvent pour effet de semer la confusion en ce qui concerne la vraie acception de chacun des mots d'une paire paronymique. En raison de la ressemblance phonique, un mot peut être employé à la place d'un autre (p. ex., *stade/stage, conjoncture/conjecture*), lequel risque alors de se faire absorber et de disparaître. Par exemple, nombreux sont les individus qui ne distinguent plus *éruption* de *irruption, effiler* de *affiler, amener* de *emmener, recouvrer* de *recouvrir*, etc.

De plus, l'attraction paronymique a souvent entraîné des changements de sens en raison de fausses étymologies populaires. Beaucoup de mots dont les origines sont différentes ont vu leur sens se modifier parce que les locuteurs faisaient des rapprochements erronés. Voici quelques exemples de ce phénomène appelé l'étymologie populaire:

ouvrable   1) du lat. *operare* («travailler»): se dit d'un jour où l'on travaille;
    2) sous l'influence de *ouvrir*: se dit d'un jour où l'on ouvre les
     magasins, les bureaux, etc.

> *miniature* 1) de l'ital. *miniatura*: lettre tracée avec du vermillon (minium) pour orner les manuscrits
>
> 2) sous l'influence de *minuscule*: peinture de petite dimension servant d'illustration aux manuscrits.
>
> *forain*   1) du lat. *foris* («dehors, étranger»): relatif aux personnes ou aux choses étrangères; *cf.* angl. *foreign* («étranger»), *Foreign Office* («ministère des Affaires étrangères»);
>
> 2) sous l'influence de *foire*: relatif aux foires dans *fête foraine, théâtre forain, marchand forain.*
>
> *hébéter*   1) du lat. *hebetare* («émousser»): enlever toute vivacité, affaiblir, engourdir;
>
> 2) sous l'influence de *bête*: rendre stupide.

On peut rattacher au phénomène de l'étymologie populaire des sens empruntés à des mots étrangers présentant une similitude de forme avec des mots français. Ces emprunts sémantiques peuvent changer le sens de certains mots français existants:

> *couper*   1) «supprimer»: *couper les dépenses*;
>
> 2) sous l'influence de l'anglais *to cut the expenses*: *«réduire« les dépenses.*
>
> *délivrer*   1) «rendre libre»: *délivrer un prisonnier*;
>
> 2) sous l'influence de l'anglais: «remettre», «émettre» (*délivrer un permis*).
>
> *rencontrer* 1) «être mis en présence de quelqu'un»: *rencontrer un ami*;
>
> 2) sous l'influence de l'anglais: «faire face à» (*rencontrer ses obligations*).
>
> *voûte*   1) «partie supérieure arrondie»: *voûte céleste, voûte d'église*, etc.;
>
> 2) sous l'influence de l'anglais: *voûte d'une banque* (chambre forte), *voûte de cimetière* (caveau), etc.
>
> *alternative* 1) «deux possibilités ou deux solutions possibles»;
>
> 2) sous l'influence de l'anglais: «solution unique de remplacement».

Il n'est pas question ici d'aborder la «légitimité» des emprunts sémantiques dans la langue, mais de montrer que ces emprunts, par ailleurs fréquents dans l'histoire de toute langue, résultent du rapprochement que les usagers ont pu faire entre le mot (anglais) emprunté et un mot français de même forme.

4.5   LA MÉTONYMIE

La métonymie est un procédé par lequel on exprime un concept au moyen d'un terme désignant un autre concept qui lui est associé par une relation nécessaire (la cause pour l'effet, le contenant pour le contenu, la partie pour le tout, etc.). Par exemple, *prendre un verre, ameuter la ville, faire rire la salle, avertir Québec, boire une bonne bouteille, se faire tirer l'oreille, se rendre en chirurgie*, etc.

On peut distinguer différentes catégories de métonymies. En voici quelques-unes:

- **La partie pour le tout**: *une mauvaise langue, une forte tête, une fine lame, un cordon-bleu, un violon (violoniste), se faire tirer l'oreille*, etc.
- **Le tout pour la partie**: *porter un castor, acheter un chat sauvage*, etc.
- **Le contenant pour le contenu**: *prendre un verre, ameuter la ville, faire rire la salle, avertir Québec, boire une bonne bouteille, l'école est sur ses gardes*, etc.
- **La cause pour l'effet**: *avoir bon œil, avoir le nez fin*, etc.
- **Le singulier pour le pluriel**: *le jeune (les jeunes), l'homme (les hommes), la Québécoise (les Québécoises), le malade (les malades), l'universitaire (les universitaires)*, etc.
- **L'état pour la personne**: *la jeunesse (les jeunes), la vieillesse (les vieillards), le sexe fort (les hommes), le sexe faible (les femmes)*, etc.
- **Le lieu pour le produit**: *un beaujolais, un camembert, un oka, un cachemire, une canadienne*, etc.
- **L'inventeur pour l'invention**: *barème* (François Barème), *béchamel* (Louis de Béchamel), *braille* (Louis Braille), *macadam* (McAdam), *pasteuriser* (Louis Pasteur), *poubelle* (Eugène-René Poubelle), etc.

4.6   LA MÉTAPHORE

La métaphore consiste à changer le sens d'un mot au moyen d'une image ou d'une représentation mentale associée à ce mot (p. ex., *bouffer du lion*). Il s'agit généralement d'un écart par rapport au sens de base, à partir du procédé de comparaison. En voici quelques exemples:

les dents d'une scie
la bretelle de l'autoroute
le tablier du pont
le pied de la montagne
le dos de l'enveloppe
une bouche de métro
avoir du cœur au ventre

Nombreux sont les phénomènes de polysémie qui tirent leur origine de la métaphore. Celle-ci n'est pas employée uniquement à des fins stylistiques; elle sert également, dans la langue commune, à désigner des réalités usuelles. Dès lors, l'image imposée par la métaphore tend à disparaître de la conscience linguistique de l'utilisateur.

Il en est parfois ainsi dans le cas des métaphores «contaminées» par la xénophobie: *un vandale* (du lat. *Vandalus*: «Vandales», peuple germanique), *un béotien* (du grec *boiôtos*: «habitant de la Béotie»), *un Slave* (du lat. *sclavus*: «esclave»), *hâbleur* (de l'esp. *hablar*: «parler» comme un Espagnol, se vanter), etc.

5   LE CLASSEMENT DU VOCABULAIRE

Il y a plusieurs techniques de classement du vocabulaire: le champ lexical, le champ sémantique, les familles de mots. On entend, par *champ lexical*, un ensemble organisé de vocables possédant en commun un même sème constitutif. Les champs lexicaux constituent davantage une façon de structurer le vocabulaire qu'une méthode pour classer les changements de sens. Ainsi, il est possible d'identifier un sème commun aux mots *luire, briller, étinceler, resplendir, éblouir, scintiller, flamboyer, miroiter,* etc.

On peut également regrouper les sèmes dans un domaine particulier: par exemple, les instruments de musique (*violon, harpe, hautbois, saxophone*), les outils de menuiserie (*marteau, clé à molette, étau, vilebrequin*), les articles de bureau (*porte-timbres, tampon encreur, numéroteur, perforatrice, taille-crayons*), les appareils de vision (*microscope, jumelles à prismes, télescope, radar*), les armes (*arc, épée, canon, mitraillette, pistolet*), etc. C'est ce qu'on appelle parfois le *champ sémantique*.

Une troisième façon de classer le vocabulaire consiste dans le regroupement par *familles de mots*. Ce n'est alors plus le sème qui sert de critère de classement, mais la morphologie des mots. Ainsi, on peut regrouper les mots composés avec le vocable *terre* (*pomme de terre, ver de terre, pied-à-terre, terre à terre,* etc.), les mots commençant par l'élément grec *démo-* (*démocrate, démocratie, démocratique, démocratiquement, démocratisation, démocratiser*), les noms se terminant par le suffixe *-ière* (*volière, fourmilière, tourbière, souricière, luzernière, sapinière,* etc.).

À RETENIR

▷ Le terme *lexique* désigne l'ensemble des lexèmes de la langue, c'est-à-dire les unités relatives au vocabulaire, par opposition aux morphèmes qui sont des unités grammaticales à sens plus restreint. C'est donc dans le lexique que réside l'essentiel des significations de la langue.

▷ L'enquête sur le français fondamental a permis de recueillir plus de 312 000 mots dont près de 8 000 sont différents. Lorsqu'on isole les 38 mots les plus fréquents de la liste, on s'aperçoit qu'ils constituent 50 % des 312 000 mots. On utilise donc, dans la langue courante, un petit nombre de mots qui reviennent constamment: ce sont surtout des mots grammaticaux, puis des verbes et, enfin, des noms ainsi que des adjectifs. Le vocabulaire de base est constitué d'environ 40 % de noms, 25 % de mots grammaticaux, 22 % de verbes et 11 % d'adjectifs.

▷ Le «soleil» du lexique comprend le noyau des mots fréquents, c'est-à-dire les quelque 1 000 mots fondamentaux communs à tous les francophones. Au-delà de ce noyau fréquent, commun et fondamental, nous trouvons une zone de mots dont l'utilisation est liée aux circonstances; ce lexique, qui s'organise autour de «centres d'intérêt», comporte environ 3 500 à 4 000 mots «disponibles», usuels et utiles. La troisième zone est constituée d'environ 25 000 mots polysémiques, synonymiques ou antonymiques, reliés éventuellement à la technique ou aux sciences, mais vulgarisés par la presse, la radio, la télévision. Enfin, la dernière zone comprend des termes appartenant généralement à une seule science ou à une seule technique; elle compte probablement plus de 200 000 ou 300 000 lexèmes.

▷ Les mots du lexique entretiennent entre eux des relations de forme. Certains sont formés d'un lexème de base auquel est joint un morphème additionnel (préfixe ou suffixe), d'autres sont formés par la juxtaposition de deux lexèmes. Dans le premier cas, on parle de dérivation préfixale ou suffixale; dans le second cas, de composition.

▷ Le système dérivationnel du français constitue une véritable organisation dans la mesure où la dérivation entraîne des changements importants sur le plan de l'organisation syntaxique de la phrase ou dans le radical lui-même.

▷ Il faut distinguer les suffixes qui ne modifient pas la classe des mots et ceux qui la modifient. Les suffixes non modificateurs de classe se réfèrent essentiellement à des domaines très particuliers. Tous les autres suffixes ont pour effet de modifier la classe des lexèmes et certains entraînent des variations du radical, des changements lexicaux ou même des transformations syntaxiques; on distingue les suffixes nominalisateurs, les suffixes verbalisateurs et les suffixes adjectivateurs.

▷ La production d'unités lexicales par composition implique la conjonction de deux ou de plusieurs lexèmes et la création d'une nouvelle signification différente de chacun des concepts désignés par les mots qui forment le composé. On dira qu'un mot composé est lexicalisé lorsqu'il atteint une unité sémantique autonome et qu'il contribue clairement à une nouvelle signification globale.

▷ Les composés savants sont formés d'un assemblage de lexèmes empruntés le plus souvent à des langues étrangères et l'ordre syntaxique des éléments y est inversé par rapport à la syntaxe française; c'est le terme pivot qui est en seconde place et le terme complément en première.

▷ La langue a recours à d'autres procédés que ceux de la dérivation et de la composition, mais ils sont beaucoup moins productifs; ils se résument à la siglaison, à l'acronymie et à la troncation.

▷ Les unités sémantiques constitutives de la signification linguistique sont exprimées tantôt par des unités lexicales, tantôt par des unités grammaticales, tantôt par des unités lexicales et grammaticales tout à la fois, tantôt par le contexte de la phrase, tantôt par l'ensemble du système sémantique de la langue.

▷ Le sème est le plus petit élément conceptuel constitutif de la signification de la phrase. Il s'agit toutefois d'une unité sémantique incomplète en elle-même.

▷ Les mots n'ont pas seulement entre eux des relations de forme mais aussi des relations de sens. Certains mots ont des sens communs, d'autres ont des sens contraires et certains autres ont des sens totalement inclus dans d'autres mots. Il s'agit de la synonymie, de l'antonymie et de l'hyponymie.

▷ Les mots changent de sens parce qu'ils ont pour caractéristique principale d'être polysémiques. Presque tous les mots du vocabulaire commun (environ 25 000) sont polysémiques. En fait, plus un mot est fréquent, plus il est polysémique.

▷ Contrairement aux polysèmes qui désignent un seul vocable avec plusieurs acceptions ou sens, les homonymes sont des unités lexicales distinctes dont la forme graphique ou sonore est accidentellement la même. En d'autres termes, l'homonymie résulte de l'identité de forme de deux mots distincts tandis que la polysémie provient de la multiplication des significations dans un seul mot.

▷ Parmi les changements de sens les plus fréquents, on doit mentionner les extensions, les restrictions et les déplacements de sens. On assiste à une extension de sens lorsqu'un vocable acquiert un sens plus général dont les sèmes sont englobés dans la nouvelle acception. On parle de restriction de sens lorsque la portée des sèmes devient moins étendue que dans l'acception d'origine. On a affaire à un déplacement de sens lorsque les sens n'ont rien en commun.

▷ On dit qu'il y a paronymie lorsque deux mots sont phonétiquement voisins tout en demeurant distincts. En raison de la ressemblance phonique, un mot peut être employé à la place d'un autre, lequel risque alors de se faire absorber et de disparaître.

▷ La métonymie est un procédé par lequel on exprime un concept au moyen d'un terme désignant un autre concept qui lui est associé par une relation nécessaire (la cause pour l'effet, le contenant pour le contenu, la partie pour le tout, etc.).

▷ La métaphore consiste à changer le sens d'un mot au moyen d'une image ou d'une représentation mentale associée à ce mot. Il s'agit généralement d'un écart par rapport au sens de base qui consiste à utiliser une sorte de comparaison.

▷ On peut classer le vocabulaire de plusieurs façons: par le champ lexical, par le champ sémantique et par les familles de mots.

BIBLIOGRAPHIE

BASTUJI, Jacqueline. *Comment apprendre le vocabulaire,* niveau 3, Paris, Larousse, 1975.

BEAUCHEMIN, N. et P. MARTEL. *Vocabulaire fondamental du québécois parlé,* Document de travail n° 13, Sherbrooke, 1979.

DAUMAS et LAGANE. *Comment apprendre le vocabulaire,* niveau 2, Paris, Larousse, 1975.

DUBOIS, J. *et al. Dictionnaire du français contemporain,* Paris, Larousse, 1966.

DUBOIS, Jean et Claude. *Introduction à la lexicographie: le dictionnaire,* Paris, Larousse, 1971.

GERMAIN, Claude et Raymond LEBLANC. «La sémantique», dans *Introduction à la linguistique générale,* Montréal, Les Presses de l'Université de Montréal, 1982.

GOUGENHEIM, G. *et al. L'élaboration du français fondamental,* Paris, Didier, 1964.

GUILBERT, Louis. *La créativité lexicale,* Paris, Larousse, 1975.

GUIRAUD, Pierre. *La sémantique,* Paris, P.U.F., «Que sais-je?», n° 655, 1966.

LACOSTE, Michèle. «Lexique et apprentissage du vocabulaire», dans *Manuel de linguistique appliquée,* tome 3, Paris, Delagrave, 1975.

LEDENT, Roger. *Comprendre la sémantique,* Verviers (Belgique), Marabout Université, 1974.

LEROT, Jacques. *Abrégé de linguistique générale,* Louvain-la-Neuve (Belgique), Cabay, 1983.

MARTINET, André. *Éléments de linguistique générale,* Paris, Armand Colin, 1966.

MITTERAND, Henri. *Les mots français,* Paris, P.U.F., «Que sais-je?», n° 270, 1963.

MOUNIN, Georges. *Clefs pour la sémantique,* Paris, Seghers, 1972.

PROMEYRAT, Louis. *Les clés du vocabulaire,* Paris, Hatier, 1975.

REY, Alain. *Le lexique: images et modèles (du dictionnaire à la lexicologie),* Paris, Armand Colin, 1977.

RIVENC, Paul. «Lexique et langue parlée», dans *La grammaire du français parlé,* Paris, Hachette, 1971, pp. 52-69.

ULLMANN, S. *Précis de sémantique française,* Berne, A. Francke AG Verlag, 1952.

INTRODUCTION À LA LINGUISTIQUE HISTORIQUE

En matière de description linguistique, nous pouvons faire des études synchroniques ou diachroniques. On qualifie de *synchroniques* les études qui envisagent l'état d'une langue à un moment donné dans le temps; cet état peut être parfois reculé. Ainsi une étude du latin ou du grec ancien peut être synchronique pourvu qu'elle porte sur un moment précis du passé, sans prendre en considération l'évolution de la langue.

Dans la présente partie, nous nous intéresserons plutôt aux études *diachroniques*. Nous analyserons la langue dans son évolution, nous suivrons les faits de langue dans leur succession, dans leurs changements au fil de l'histoire.

1　LA LINGUISTIQUE HISTORIQUE ET LA LINGUISTIQUE COMPARATIVE

Dans le domaine de l'histoire de la langue, on oppose souvent deux types de linguistique: la linguistique *historique* et la linguistique *comparative* ou *comparée*. La linguistique historique étudie de près l'évolution d'une ou de plusieurs langues et essaie d'expliquer cette évolution. Par exemple, on tentera de trouver des explications concernant la disparition des consonnes finales du latin classique, de comprendre comment s'est produite l'évolution phonétique entre le Ier et le VIe siècle, ou comment s'est manifesté le français alors que le roman s'était déjà fragmenté en de nombreux dialectes locaux.

Et la linguistique comparative? La linguistique comparative ou comparée a souvent pour moyen ou pour fin la linguistique historique. En raison du succès de la linguistique comparée au XIXe siècle, notamment dans l'étude des langues indo-européennes, on a longtemps réduit la linguistique à l'étude historique comparative. La méthode principale de la linguistique comparative consiste à rapprocher les mots de deux et parfois de plusieurs langues données. On peut alors relever des ressemblances entre ces langues:

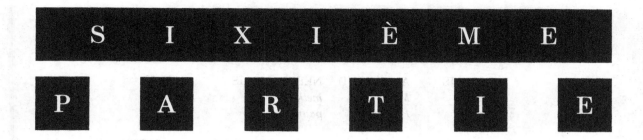

SIXIÈME PARTIE

*L*A LINGUISTIQUE HISTORIQUE

LA LINGUISTIQUE HISTORIQUE ET LA LINGUISTIQUE COMPARATIVE ○ LES MATÉRIAUX LINGUISTIQUES ○ LA FRAGMENTATION LINGUISTIQUE ○ LA RECONSTRUCTION LINGUISTIQUE ○ LA CLASSIFICATION DES LANGUES ○ LA MÉTHODE GÉNÉTIQUE ○ LA FAMILLE INDO-EUROPÉENNE ○ LES LANGUES NON INDO-EUROPÉENNES ○ LANGUE, DIALECTE OU CRÉOLE? ○ LE PHONÉTISME DE L'INDO-EUROPÉEN ○ L'ÉVOLUTION PHONÉTIQUE DU LATIN AU ROMAN

FRANÇAIS	ITALIEN	ESPAGNOL	PORTUGAIS	ROUMAIN
lait	*latte*	*leche*	*leite*	*lapte*
cheval	*cavallo*	*caballo*	*cavalo*	*cal*

ANGLAIS	ALLEMAND	NÉERLANDAIS	DANOIS
milk	*Milch*	*melk*	*maelk*
horse	*Pferd*	*paard*	*hest*

FRANÇAIS	ITALIEN	ESPAGNOL	PORTUGAIS
trois	*tre*	*tres*	*três*
[trwa]	[tre]	[trɛs]	[trɛʃ]

ROUMAIN	ANGLAIS	ALLEMAND	NÉERLANDAIS
trei	*three*	*drei*	*drie*
[trei]	[θrɪ]	[draj]	[dri]

Il peut y avoir des ressemblances de forme et de sens entre certains mots de deux ou de plusieurs langues. On pose alors comme hypothèse que les mots qui présentent des similitudes remontent à une forme unique qui a évolué de manière différente. C'est à ce moment-là que l'on fait intervenir les lois phonétiques qui permettent de retracer les étapes successives par lesquelles la forme unique est passée pour aboutir aux formes modernes. On a ainsi établi des liens de parenté entre deux ou plusieurs langues, ce qui laisse supposer que des langues ont évolué différemment à partir d'une langue mère.

2 LES MATÉRIAUX LINGUISTIQUES

Toute recherche linguistique commence par la collecte de données. Si ces données ont des sources orales, elles seront relevées *sur le terrain* et seront nécessairement le reflet d'une langue vivante. Les données peuvent également provenir de sources écrites dont la langue est ou vivante ou morte. Dans ce dernier cas, les documents ne pourront être qu'écrits.

2.1 LES LANGUES MORTES

Parmi les langues mortes les plus connues, on peut citer le latin et le grec ancien. D'une part, ce sont des langues qui bénéficient d'une masse imposante de documents; d'autre part, elles jouissent d'une continuité unique parce que leur étude ne s'est jamais interrompue du début de leur histoire jusqu'à nos jours. Or, toutes les langues mortes ne bénéficient pas d'une telle continuité culturelle.

Le problème le plus important dans l'étude des langues mortes porte sur l'étalement dans le temps et la résistance des textes littéraires à refléter la langue réelle. L'étalement dans le temps pose un problème lorsque la documentation ne couvre qu'une période relativement limitée; en hittite, par exemple, les textes écrits commencent et finissent au IIᵉ millénaire avant notre ère.

À l'opposé, le latin bénéficie d'un étalement dans le temps. Toutefois, les textes latins ont l'inconvénient de présenter une relative uniformité linguistique parce que ce sont tous des textes littéraires, donc plus conservateurs et plus standardisés quant à leur facture. Le latin parlé est d'un accès encore difficile et l'orthographe conservatrice masque l'évolution réelle de la prononciation. On constatera alors que la linguistique peut être tributaire de la philologie, qui étudie les textes anciens. Seules les langues vivantes se prêtent à une enquête précise et complète grâce au concours des sources orales.

2.2   LES LANGUES VIVANTES

L'objet de l'étude des langues vivantes est infiniment plus vaste, mais une partie seulement des données en cause peut intéresser la linguistique historique. Par ailleurs, on pourrait s'interroger sur l'utilité de la linguistique historique dans l'étude des langues vivantes.

On peut, bien sûr, essayer de sauver de l'oubli les langues en voie de disparition, particulièrement celles qui ne sont plus parlées que par de petites communautés ; c'est le cas des langues amérindiennes, des langues micronésiennes, polynésiennes, mélanésiennes et australiennes, des langues caucasiennes, des langues papoues, etc. Cependant, si l'utilité de la linguistique historique se réduisait à cette activité muséologique, la pertinence de ce type d'étude ne serait pas évidente.

L'analyse des parlers locaux contemporains semble plus utile, car, en étudiant ces langues en évolution, il est possible d'assister à des développements nouveaux. En effet, les parlers dialectaux de France ou d'Italie, l'irlandais, le mannois de l'île de Man, le féroïen des îles Féroé, etc., peuvent nous éclairer sur l'évolution des langues standardisées comme le français, l'italien ou le danois. La comparaison des langues locales, souvent plus conservatrices, permet d'apporter un éclairage nouveau sur d'autres langues voisines.

Il ne faut pas oublier que les études historiques ne concernent pas seulement le passé : elles nous font comprendre certains problèmes que nous vivons aujourd'hui. La comparaison des langues anciennes avec les langues modernes rend possibles ces études. Dans le cas des langues indo-européennes, l'étude du latin, du grec, du sanskrit, du vieil-irlandais, du gothique ou du vieux-bulgare peut être fort utile. Ces langues demeurent aujourd'hui parmi les plus archaïques et les plus anciennement attestées. Le principe consiste à utiliser ces langues comme des témoins du passé et à recourir aux langues vivantes comme compléments.

3   LA FRAGMENTATION LINGUISTIQUE

On constate qu'une langue ancienne peut évoluer sous des formes très diversifiées dans certaines régions, au point où elle donne naissance à de nouvelles langues. C'est ce qui est arrivé au latin après la chute de l'Empire romain. Le latin s'est diversifié à un point tel qu'il a donné naissance aux différentes langues romanes que nous connaissons aujourd'hui : portugais, galicien, espagnol, catalan, français, occitan, franco-provençal, italien, sicilien, sarde, corse, roumain, etc.

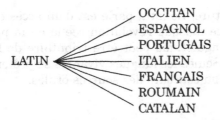

LATIN
— OCCITAN
— ESPAGNOL
— PORTUGAIS
— ITALIEN
— FRANÇAIS
— ROUMAIN
— CATALAN

L'éclatement du latin est dû au fait que des populations se sont retrouvées isolées les unes des autres, sans contacts, et qu'elles ont alors évolué différemment. La fragmentation linguistique résulte de cette absence de contacts entre des populations qui parlaient à l'origine la même langue. Les causes de l'isolement ne sont pas d'ordre linguistique: il s'agit plutôt de famines ou de cataclysmes naturels, mais surtout de guerres, d'ambitions impérialistes, de divisions politiques, de mouvements migratoires, etc.

Le cas du latin n'est pas unique; il existe de nombreux exemples de ce genre dans le monde. C'est le cas de toutes les langues indo-européennes. Considérons l'affiliation des langues slaves:

SLAVE COMMUN
— RUSSE
— UKRAINIEN
— BIÉLORUSSE
— POLONAIS
— TCHÈQUE
— SLOVAQUE
— SERBE
— CROATE
— SLOVÈNE
— BULGARE
— MACÉDONIEN

À la différence du latin, langue attestée par de nombreux textes, le slave commun n'est pas attesté; mais les langues slaves ont entre elles des relations tellement étroites (autant que dans le cas des langues romanes) que nous sommes en droit de supposer que le slave commun a été la langue mère de toutes les langues slaves. Aussi surprenant que cela puisse paraître, les linguistes sont aussi sûrs de l'existence du slave commun qu'ils le sont du latin, et ce, même si le slave commun n'est pas attesté.

Le phénomène est identique pour les langues germaniques. Celles-ci se divisent en trois branches principales, et la langue mère, le germanique (ou protogermanique), n'est pas attestée; la plus ancienne langue germanique attestée demeure le gothique.

GERMANIQUE DE L'EST → GOTHIQUE

GERMANIQUE DU NORD → VIEUX-NORROIS
- DANOIS
- SUÉDOIS
- NORVÉGIEN
- ISLANDAIS

GERMANIQUE COMMUN

ANGLO-FRISON
- VIEIL-ANGLAIS : ANGLAIS
- VIEUX-FRISON : FRISON

GERMANIQUE DE L'OUEST

HAUT-ALLEMAND : ALLEMAND

BAS-ALLEMAND : NÉERLANDAIS

De la même façon, on peut représenter la fragmentation des langues indo-européennes. De l'indo-européen initial, seraient issus l'indo-iranien, l'arménien, l'albanais, le grec, le latin, le celtique, le germanique, le slave, le balte, etc. Comme d'autres langues originelles, l'indo-européen n'est pas attesté.

Peu importe les langues en cause, la méthode reste la même. Il s'agit de faire un tri pour déterminer quels sont les faits de langue communs : en phonétique, en morphologie, en sémantique, en syntaxe, dans le vocabulaire. Le linguiste comparatiste s'efforce ensuite de faire la description de la langue commune initiale. Il a ainsi été possible de reconstituer des langues « originelles » appelées *protolangues*. Les langues reconstruites d'après des analyses comparatives et historiques sont donc des langues hypothétiques. Ce travail de *reconstruction* donne des résultats presque aussi sûrs que si la langue mère était attestée ou s'il s'agissait d'une langue vivante.

4   LA RECONSTRUCTION LINGUISTIQUE

Le travail de reconstruction historique s'appuie avant tout sur des ressemblances entre des langues dont on suppose préalablement la parenté. Ces ressemblances doivent être soumises à un examen minutieux. Il ne faut pas oublier que des mots peuvent être accidentellement semblables d'une langue à l'autre, alors que des mots très différents peuvent avoir la même origine.

Considérons le mot *roi* à partir de trois langues indo-européennes: le sanskrit, le latin et le grec.

SANSKRIT	LATIN	GREC
raja	*rex/regem*	*orego*

La ressemblance entre *raja* et *rex/regem*[1] n'est pas fortuite: les deux mots correspondent par la forme et le sens. Le rapprochement avec le grec est différent. À la forme *orego*, le grec oppose comme sens «étendre en ligne droite»; au sens de «roi», correspondent les formes *basileus* et *wanaks*. De même, on serait tenter de rapprocher le mot sanskrit *rajatam* («argent») à *raja* («roi») et à *rex/regem* («roi»). On serait alors victime d'une homonymie: il faut plutôt rapprocher le mot *rajatam* du mot latin *argentum* et du grec *arguros* qui signifient également tous les deux «argent». On voit donc qu'il faut tenir compte non seulement de la forme, lorsqu'on établit des comparaisons, mais aussi du sens. Lorsqu'il y a conjonction des deux, les risques d'erreur sont moins grands. De plus, en comparant, il faut aussi reconstruire des règles d'évolution.

Ce genre d'étude implique que les comparatistes ont dégagé des règles de changement, c'est-à-dire des lois d'évolution. Le nombre de cas qui confirment l'existence de telles lois d'une langue à l'autre garantit leur validité et leur pertinence. Comment dégage-t-on ces lois? Par la comparaison de mots dans diverses langues parallèles. La comparaison du latin *pater*, du grec *pater*, du sanskrit *pitar* et de l'anglais *father* montre bien que, dans toutes ces langues, le *r* final représente un [*r][2] indo-européen. Si, en sanskrit, en latin et en grec, le *p* et le *t* correspondent, il n'en est pas de même en anglais où *f* correspond à *p* et *th* [θ] à *t* (*father/pater*). Cette constatation donne à penser que les phonèmes de l'indo-européen commun [*p] et [*t] se sont maintenus en grec, en latin et en sanskrit, mais qu'ils sont passés respectivement à [f] et [θ] (= *th*) dans une langue germanique comme l'anglais.

Une fois cette hypothèse vérifiée dans quantité de mots, non seulement en anglais mais dans les autres langues germaniques (allemand, néerlandais, suédois, norvégien, etc.), on est en droit de formuler une loi d'évolution propre aux langues germaniques. C'est le linguiste Jacob Grimm (1785-1863) qui a interprété les correspondances phonétiques comme étant le résultat d'une transformation. D'après la *loi de Grimm*, les occlusives sourdes de l'indo-européen primitif sont devenues constrictives et les occlusives sonores sont devenues sourdes.

OCC. SOURDES → CONSTRICT.:   [*p] → [f]   [*t] → [th]   [*k] → [h]
OCC. SONORES → SOURDES: [*b] → [p]   [*d] → [t]   [*g] → [k]

pater/pitar > father (angl.)

---

1. La forme *rex* correspond au cas nominatif, sujet; la forme *regem*, au cas accusatif, complément d'objet direct.

2. On représente conventionnellement par un astérisque tout élément non attesté reconstruit.

Cette mutation consonantique n'est cependant pas sans exceptions. C'est un autre linguiste, Karl Verner, qui a formulé un complément à la loi de Grimm. Ce complément porte le nom de *loi de Verner*. Selon cette loi, les occlusives sourdes ne deviennent des constrictives que si l'accent indo-européen frappait la voyelle qui précédait immédiatement.

*pa'ter	> *fadar*	(gothique)
	> *vader* [vadər]	(néerlandais)
	> *Vater* [fatər]	(allemand)
	> *fader*	(danois)
	> *far*	(norvégien)

5   LA RECONSTITUTION DES INSTITUTIONS SOCIALES

Les études historiques et comparatives des langues sont particulièrement intéressantes parce qu'elles ont fait naître l'idée qu'un peuple a existé en des temps très anciens: les Indo-Européens. L'existence de ce peuple est prouvée uniquement par des considérations linguistiques: aucun vestige historique (monuments funéraires, œuvres d'art, artisanat, etc.) ne l'atteste de façon sûre. Cela signifie qu'on ne peut pas parler des Indo-Européens comme on parle des Grecs ou des Romains (ou Latins). Nous n'avons d'eux aucun texte, ni même de témoignages contemporains comme pour les Gaulois, les Germains ou les autres «Barbares» connus des Grecs et des Romains. L'existence des Indo-Européens n'est donc pas une donnée de l'histoire, mais une hypothèse.

Les études historiques et comparatives permettent même de jeter une certaine lumière sur la civilisation et les institutions des Indo-Européens. Ces lointains ancêtres auraient fait leur entrée dans l'histoire aux environs du IIIe millénaire avant notre ère, donc vers la fin de la période de la pierre polie. La communauté linguistique s'est sans doute maintenue jusqu'au début de la période des métaux, car les langues utilisaient encore les mêmes mots pour désigner le cuivre. Au début du IIe millénaire, apparaissent déjà des langues différenciées, notamment en Anatolie (l'actuelle Turquie). Ainsi, au moment où l'on a distingué le cuivre du bronze (vers l'an 2000 avant Jésus-Christ), les langues s'étaient déjà fragmentées parce que chacune nommait à sa façon les différents métaux comme le bronze et le fer.

Des études récentes nous révèlent d'où pourraient venir les Indo-Européens. Parmi les termes communs aux diverses langues, pouvant comporter une indication géographique, on relève des mots comme «bouleau», «hêtre», «saumon», etc., bref, des mots de la faune et de la flore. Selon diverses hypothèses, les Indo-Européens viendraient du sud de la république de Russie, c'est-à-dire d'une aire s'étendant du nord de l'Arménie et de la mer Caspienne jusqu'aux steppes de l'Asie centrale. (voir la figure 17.1).

On sait aussi que les Indo-Européens constituaient des tribus guerrières supérieurement organisées. Ils étaient en état de guerre permanente pour conquérir de nouveaux territoires et de nouveaux biens, mais aussi pour défendre

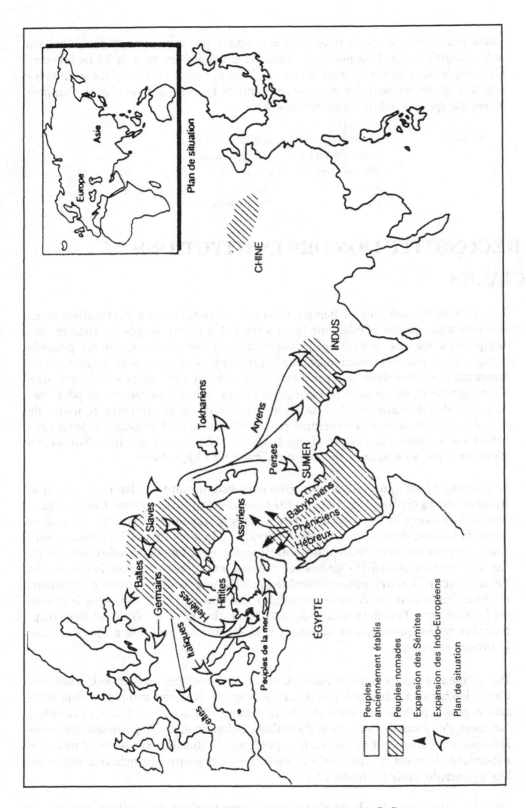

FIGURE 17.1 DISPERSION DES INDO-EUROPÉENS VERS 2500 AV. J.-C.

leurs nouvelles acquisitions et pour réprimer les révoltes. La paix ne devait jamais être de très longue durée. La saison guerrière semblait commencer au printemps et ne s'achever qu'avec l'arrivée de l'hiver. Les Indo-Européens avaient domestiqué le cheval et disposaient de chars de combat d'autant plus puissants qu'ils connaissaient la métallurgie du fer. Entre 2000 et 1500 avant notre ère, grâce à leur puissante machine de guerre, les Indo-Européens purent envahir les grandes aires de civilisation de l'Europe et de l'Asie.

Vers l'an 2000 avant notre ère, en Asie, ce sont les Aryens qui ont pénétré en Inde, puis les Hittites en Asie mineure (Turquie actuelle); la civilisation hittite est elle-même disparue vers 1300, probablement détruite par les Peuples de la Mer, un peuple pirate d'origine indo-européenne. En Europe, vers 1800, les Hellènes se sont installés en Grèce, puis les Latins en Italie. Un peu plus tard, les Slaves, puis les Celtes, les Germains et les Baltes ont envahi le reste de l'Europe. Vers l'an 1000 avant notre ère, la séparation des Indo-Européens était depuis longtemps accomplie.

Tous ces peuples parlaient déjà des langues différentes au moment où ils ont envahi l'Europe et l'Asie. On ignore à quoi ces langues ressemblaient vraiment et comment s'est effectué le processus de fragmentation de la langue commune initiale. On sait que ces langues présentaient de nombreux traits communs et on sait ce qu'elles sont devenues en se différenciant de plus en plus avec le temps: le sanskrit en Inde, le vieux-perse en Iran, le grec en Grèce, le latin en Italie, le celtique en Europe centrale, le germanique en Europe de l'Est, le slave et le balte en Russie.

Il n'y a pas seulement dans le domaine de la phonétique ou de la phonologie que l'étude des langues anciennes est utile. La comparaison du vocabulaire indo-européen a également permis de découvrir une partie des institutions des Indo-Européens: économie, parenté, société, pouvoir, droit, religion, etc. Nous allons nous en tenir à un seul exemple à partir du grec et du latin, mais il permettra de comprendre la méthode utilisée.

	«**naître**»	«**connaître**»	«**genou**»
GREC	*gignomai*	*gignosco*	*gonu*
LATIN	*(g)nascor*	*(g)nosco*	*genu*

Ces mots ont visiblement une racine commune qui apparaît tantôt sous la forme *gon*, tantôt sous la forme *gen*, tantôt sous la forme *gn*. Ils ont donc évidemment la même origine. Toutefois, comment concilier les sens apparemment disparates qu'ils comportent? Comment croire à une relation entre la «naissance», la «connaissance» et le «genou»? Or, il y a bel et bien un lien entre ces trois réalités. Pour s'en convaincre, on lira les deux récits qui suivent. Il s'agit de récits littéraires d'origine hittite dont l'épisode de la naissance est développé en des termes assez semblables:

> «La femme d'Appu, **enfanta** un garçon. La sage-femme souleva le garçon, et le déposa sur les **genoux** d'Appu. Appu se mit à cajoler l'enfant, et à le dorloter. Il lui donna le meilleur **nom**: *"Méchant*. Puisque les dieux [...] ont pris la mauvaise route, et puisqu'ils ont gardé la mauvaise route, que son **nom soit** *Méchant."*»

« Elles le **mirent au monde**, les sages-femmes, ce fils de Kumarbi. Les Parques et les augustes déesses le soulevèrent, sur les **genoux** de Kumarbi elles le déposèrent. Kumarbi se mit à cajoler le garçon, à le dorloter, il se mit à lui donner le meilleur **nom**. Kumarbi se dit à part lui: "Quel nom vais-je lui mettre, à ce fils que les Parques et les augustes déesses m'ont donné? Il a bondi hors du corps comme une flèche. Qu'il aille et que son **nom** soit Ullikummi[3]." »

Ces récits nous apprennent que, chez les Indo-Européens, la *naissance* biologique devait être suivie d'une *reconnaissance* juridique, à défaut de laquelle l'enfant n'aurait pas été intégré au clan et, par voie de conséquence, n'aurait pu survivre. Mais comment le père reconnaissait-il son enfant? En le posant sur ses *genoux*! Le genou est ainsi considéré comme le symbole de l'engendrement juridique. On peut sourire devant une telle conclusion, mais n'oublions pas que l'on peut faire de tels rapprochements dans des centaines de cas de ce genre. Le nombre élevé de ces exemples permet de valider ce type de conclusion.

---

3. Emmanuel LA ROCHE, *Les noms des Hittites*, Paris, Klincksieck, 1966.

LA CLASSIFICATION DES LANGUES

On peut estimer à plus de 6 000 le nombre des langues dans le monde. L'étude d'une telle masse de données nécessite un classement. Ce classement doit reposer sur l'utilisation de certains traits choisis selon les affinités que l'on découvre au fur et à mesure qu'on effectue la classification. L'une des difficultés fondamentales réside dans la définition que l'on donne au mot *langue*. On a attribué à ce mot des valeurs si diverses et la notion de langue est devenue si ambiguë, que les critères devant servir de base à une nomenclature scientifique ne sont pas aisés à circonscrire de façon décisive. Comme il est difficile de définir ce qu'on entend par *langue*, c'est encore par pure convention qu'on peut énumérer les langues du monde. Celles-ci étant fort nombreuses, les linguistes ont établi des systèmes de classement. On distingue généralement deux types de classements des langues : les classements *typologiques* et les classements *génétiques*.

1   LES MÉTHODES TYPOLOGIQUES DE CLASSIFICATION DES LANGUES

La classification typologique des langues a pour but de les décrire et de les regrouper en fonction de certaines caractéristiques communes de leurs structures, sans rechercher nécessairement l'établissement de généalogies ou de familles de langues. La classification génétique s'intéresse plutôt aux familles de langues, c'est-à-dire à un ensemble de langues effectivement parentes, qui descendent d'une langue présumée commune ou originelle.

Dans les classements typologiques, les langues peuvent être caractérisées selon divers traits linguistiques. Par exemple, on peut classer les langues en fonction de critères phonétiques ou phonologiques, morphologiques ou syntaxiques.

1.1   LES CRITÈRES PHONÉTIQUES OU PHONOLOGIQUES

On peut distinguer les langues en fonction de leur système vocalique : les langues à trois voyelles ([i], [u], [a]), les langues à double articulation antérieure (voyelles non arrondies et arrondies), les langues à double articulation postérieure (voyelles non arrondies et arrondies), les langues à double durée vocalique, etc. Du côté des consonnes, certains linguistes ont tenté de classer les langues en fonction des modes d'articulation : les langues à consonnes occlusives limitées (une seule), les langues à consonnes fricatives limitées (seulement le [t]), les langues à consonnes prénasalisées ou postnasalisées, les langues à clicks, les langues à deux modes articulatoires, etc. D'autres distinguent les langues à tons (comme le chinois, le vietnamien, le birman), les langues à accent tonique fixe (tchèque, finnois, hongrois), les langues à accent tonique à valeur phonologique (russe), etc. Comme on le constate, il est possible d'en arriver à de nombreux types de classements.

1.2   LES CRITÈRES MORPHOLOGIQUES

Parmi les systèmes de classement typologique, les critères d'ordre morphologique semblent les plus connus. On distingue ainsi trois types de langues principaux : les langues isolantes, les langues agglutinantes, les langues flexionnelles.

Il est admis de considérer une langue comme *isolante* lorsque les mots sont ou tendent à être invariables. En fait, une langue est isolante lorsque chacun des morphèmes est identifié à des mots graphiques isolables. Cela signifie que les marques du genre et du nombre, par exemple, constituent des morphèmes distincts et séparés du lexème, parce que chacun des mots correspond à un radical unique. Les langues isolantes les plus connues sont le chinois, le cantonais, le vietnamien, le laotien et le cambodgien. Voici un exemple en chinois :

ta	chi	fan	le	ta	chi	le	fan
il	*mange*	*repas*	*passé*	*il*	*mange*	*passé*	*repas*
= «il prit son repas»				= «il prit son repas»			

Dans une langue *agglutinante*, au contraire, on juxtapose au radical une série de morphèmes distincts servant à exprimer les rapports grammaticaux. Dans ce type de langue, chacun des affixes (préfixes, infixes ou suffixes) est clairement analysable et identifie précisément une fonction grammaticale ou syntaxique. En voici quelques exemples en turc, en quechua, en swahili et en créole haïtien.

En turc

ev	= «maison»
evim	= «ma maison»
evlerim	= «mes maisons»
evimden	= «de ma maison»
evlerimden	= «de mes maisons»

En quechua

wasi	= «(la) maison»
wasikuna	= «(les) maisons»
wasip	= «dans la maison»
wasikunap	= «dans les maisons»
wasiykikunap	= «dans tes maisons»

En swahili

penda	= «aimer»
anapenda	= «il aime»
atapenda	= «il aimera»
amependa	= «il a aimé»
atanipenda	= «il m'aimera»
amakupenda	= «il t'a aimé»
utanipenda	= «tu m'aimeras»

En créole haïtien

li mangé	= «il mange» (présentement)
li ape mangé	= «il mange» (intemporel)
li te mangé	= «il a mangé»
li tap mangé	= «il mangeait»
li va mangé	= «il mangera»
li tava mangé	= «il aurait mangé»
li ta mangé	= «il mangerait»

Enfin, dans une langue *flexionnelle*, les radicaux sont pourvus d'affixes grammaticaux variables et exprimant plus ou moins à la fois, par exemple, le genre, le nombre et le cas, ou la personne, le temps, le mode, la voix, etc. La plupart des langues européennes sont des langues considérées comme flexionnelles. Ainsi, en latin, la série *bonus dominus, boni domini, bonos dominos* oppose des morphèmes identifiant à la fois le nominatif (sujet) masculin singulier (*bonus dominus*), ou le génitif masculin singulier (*boni domini*), ou le nominatif masculin pluriel (*boni domini*), ou encore l'accusatif masculin pluriel (*bonos dominos*). De même, le système russe oppose des terminaisons identifiant à la fois le cas, le genre masculin, féminin ou neutre, ainsi que le nombre.

MASCULIN: *dom* («maison»)

	singulier	**pluriel**
Nominatif	*dom*	*domi*
Génitif	*doma*	*domov*
Accusatif	*dom*	*domi*
Datif	*domu*	*domam*
Locatif	*dome*	*domax*
Instrumental	*domom*	*domami*

FÉMININ: *ulica* («rue»)

Nominatif	*ulica*	*ulici*
Génitif	*ulici*	*ulic*
Accusatif	*ulicu*	*ulici*
Datif	*ulice*	*ulicam*
Locatif	*ulice*	*ulicax*
Instrumental	*ulicoy*	*ulicami*

NEUTRE: *tchuvstvo* («sensation»)

Nominatif	*tchuvstvo*	*tchuvstva*
Génitif	*tchuvstva*	*tchuvstv*
Accusatif	*tchuvstvo*	*tchuvstva*
Datif	*tchuvstvu*	*tchuvstvam*
Locatif	*tchuvstve*	*tchuvstvax*
Instrumental	*tchuvstvom*	*tchuvstvami*

Il arrrive parfois que la variante flexionnelle soit interne; on parle en ce cas d'*infixe*. On aura, par exemple, en anglais: *I drink, I drank, I have drunk* («je bois, je buvais, j'ai bu»), et en allemand: *Ich spreche, Ich sprach, Ich habe gesprochen* («je parle, je parlais, j'ai parlé»).

Ces distinctions ne sauraient être considérées comme absolues et il conviendrait de parler en termes de degré. Le français est parfois de type flexionnel (*cheval/chevaux*), parfois de type isolant (*je suis/tu es*), parfois de type agglutinant (*épais/épaisse*). Un syntagme comme *porte-manteau* est isolant alors qu'une opposition du genre *pomme/pommier* est flexionnelle. De même pour les cas suivants:

En français: *pomme → pommier*
En espagnol: *manzana → manzano*   } **TYPE FLEXIONNEL**
En portugais: *maça → macieira*
En italien: *mela → melo*

En anglais: *apple → apple tree*
En allemand: *Apfel → Apfelbaum*   } **TYPE ISOLANT**
En néerlandais: *appel → appelboom*
En danois: *aeble → aebletrae*

Il importe donc de définir, pour chacune des langues, le caractère dominant, car une langue peut être plutôt flexionnelle et présenter, par exemple, des traits isolants et agglutinants.

1.3   LES CRITÈRES SYNTAXIQUES

Un autre critère de classement des langues du monde consiste à recourir à l'ordre des mots dans la phrase. Autrement dit, il s'agit du critère syntaxique. On compare alors l'ordre dans lequel se présentent le sujet, le verbe et le complément dans la phrase. Ainsi, en français, l'ordre syntaxique le plus courant est l'ordre sujet + verbe + complément (SVC). Voyons ce qu'il en est dans d'autres langues, notamment en turc, en gallois, en malais et en hixkaryana (langue amérindienne de l'Amazonie[1]):

---

1. Les exemples qui suivent sont tirés de l'article d'Aleksandra STEINBERGS, «The Classification of Languages», dans *Contemporary Linguistic Analysis*, Toronto, Copp Clark Pitman Ltd., 1987, p. 236.

En français: [SVC]

Cet homme construit une maison.

En turc: [SCV]

Hasan	*ököz-ü*	*aldi.*
Hasan	bœuf (acc.)	a acheté

«Hasan a acheté le bœuf.»

En gallois: [VCS]

Lladdodd	*y ddraig*	*y dyn.*
tua	le dragon	l'homme

«L'homme tua le dragon.»

En malais: [VSC]

Nahita	*ny mpianatra*	*ny vehivavy.*
regarda	l'étudiant	la femme

«L'étudiant regarda la femme.»

En hixkaryana: [CVS]

Toto	*yahosiye*	*kamara.*
homme	saisit	jaguar

«Le jaguar saisit l'homme.»

Ces systèmes de classification typologique présentent certainement un intérêt, mais ils ont tous pour défaut principal de ne pas être très rigoureux. Pour cette raison, beaucoup de linguistes préfèrent classer les langues par familles, c'est-à-dire selon la méthode génétique.

2   LA MÉTHODE GÉNÉTIQUE

La méthode génétique de classification des langues provient d'une conception biologique de la langue qu'avait adoptée Franz Bopp au XIXᵉ siècle. Celui-ci s'était représenté les langues comme des êtres humains dont on pouvait suivre la naissance, la vie et la mort. Selon cette conception, les langues avaient des «parents»; en ce sens, on parle de «langue mère», de «langues sœurs», de «langues cousines», etc. C'est dans cet esprit que le mot *génétique* a été appliqué à la linguistique. Aujourd'hui, ce mot est utilisé de plus en plus dans le sens de *historique*: lorsqu'on recherche des états de langue anciens, il est légitime de penser en termes d'affiliation et de parenté linguistique.

En analysant des milliers de langues parlées dans le monde, les linguistes ont pu établir certains liens de parenté plus ou moins étroits entre des parlers dont plusieurs peuvent représenter des évolutions différentes d'un même prototype (du grec *protos*: «premier, primitif»). Généralement, on réserve le terme de *famille linguistique* à l'ensemble formé de toutes les langues de même origine (p. ex., la famille indo-européenne, la famille sémitique).

Une famille comprend des sous-ensembles appelés *sous-familles* ou *branches* (p. ex., la branche romane, la branche germanique, la branche slave, etc.). Ces branches sont constituées de langues plus étroitement apparentées entre elles.

Ainsi, les langues de la branche romane (français, espagnol, italien, etc.) diffèrent de celles de la branche germanique (anglais, allemand, néerlandais, danois, etc.) et de la branche slave (russe, polonais, tchèque, slovène, etc.), mais elles appartiennent toutes à la même famille : la famille indo-européenne. Cette famille est ainsi appelée parce qu'elle regroupe un grand nombre de langues en usage depuis l'Inde (en passant par le Pakistan, l'Iran, l'Iraq, la Syrie et l'URSS) jusqu'à l'ouest de l'Europe (du Portugal à Moscou, en passant par l'Islande et la Grèce).

On utilise aussi le terme *groupe* (p. ex, les langues du groupe andino-équatorial de l'Amérique du Sud). Il s'applique indifféremment à un ensemble de familles, à une famille, à un ensemble de langues d'une branche. L'utilisation de ce terme sous-entend que le classement n'est pas encore fixé ou n'est pas fixé de façon certaine.

Il ne faudrait pas croire que l'établissement de liens de parenté entre les langues repose toujours sur une langue originelle véritable. Dans certains cas, il s'agit d'hypothèses que l'on formule d'après des analyses comparatives et historiques, afin de constituer des ensembles de langues. Les linguistes ont reconstitué des langues originelles, des protolangues, qui n'ont jamais été attestées et qui, pour cela, demeurent des langues purement hypothétiques. C'est le cas de l'indo-européen ; étant donné qu'aucun document écrit ne permet de confirmer son authenticité, on ne peut que supposer l'existence de cette langue.

Le seul fait dont on soit sûr, c'est qu'il existe, entre un certain nombre de langues diverses, un ensemble de traits communs remarquables qui constitue une parenté indiscutable. On ne sait pas comment était parlé l'indo-européen primitif, mais on connaît les langues qui en sont issues et on sait ce qu'elles sont devenues en se différenciant de plus en plus avec le temps : le sanskrit en Inde, le vieux-perse en Iran et, en Europe, le grec, le latin, le celtique, le germanique, le slave, etc.

3   LA FAMILLE INDO-EUROPÉENNE

Le terme *indo-européen* a été introduit au siècle dernier par l'Allemand Franz Bopp pour désigner un ensemble de langues d'Europe et d'Asie dont la parenté structurale est remarquable. Le sanskrit, le grec, le latin, le hittite, le vieil-irlandais, le gothique, le vieux-bulgare, le vieux-prussien, etc., présentent effectivement des traits communs surprenants. Cela signifie que la plupart des langues d'Europe et une grande partie des langues de l'Iran, de l'Afghānistān, du Pakistan, du Bangladesh et de l'Inde appartiennent à la famille indo-européenne. Cette famille est celle qui a été la plus étudiée ; c'est celle dont on possède le plus de documents anciens, celle qui permet d'établir des liens génétiques absolument sûrs.

Plusieurs raisons expliquent ce phénomène. Les documents en langues indo-européennes sont nombreux et certaines langues sont attestées à une date relativement éloignée, comme le hittite (XVIIe siècle avant notre ère), le grec (XVe siècle), le sanskrit (Xe siècle), l'avestique (VIe siècle) et le latin (VIe siècle).

De plus, ces langues, en dépit d'une évolution considérable, ont toutes conservé des traits archaïques remarquables qui permettent de retrouver des éléments très anciens de la langue mère, l'indo-européen primitif. C'est pourquoi les linguistes ont pu reconstruire cette langue commune initiale avec une très grande précision, si tant est que cette langue ait effectivement existé entre le Vᵉ et le IIᵉ millénaire avant notre ère.

L'indo-européen aurait donné naissance à plus de 1 000 langues. Le tableau 18.1 présente une liste partielle de ces langues, qui se divisent en neuf branches. La plupart des langues indo-européennes sont aujourd'hui disparues[2], dont le sanskrit, l'avestique, l'osque, l'ombrien, le latin, le grec ancien, le dalmate, le cornique, etc. Mais il en reste quelque 200, parlées par environ 2,2 milliards de locuteurs, ce qui en fait la famille linguistique la plus importante au monde.

1 **indo-iranien**	indien	sanskrit*, hindi, goudjarati, pendjabi, bihari, radjasthani, sindhi, konkani, pahari, lahnda, singhalais, bengali, ourdou, etc.
	iranien	avestique*, persan (farsi), afghan (pashtou), kurde, baloutchi, ossète, talysh, tat, etc.
2 **grec**		grec ancien*, grec moderne
3 **italique**		osque*, ombrien*, vénète*
		latin*
		italien, français, espagnol, catalan, portugais, galicien, occitan, sarde, roumain, romanche, dalmate*, sicilien, etc.
4 **celtique**		gaulois*
		irlandais, gallois, écossais, mannois
		breton, cornique*
5 **germanique**		gothique*
		danois, suédois, norvégien, islandais, féroïen
		anglais, frison, allemand, néerlandais, afrikaans
6 **balte**		vieux-prussien*, lituanien, letton
7 **slave**		polonais, tchèque, slovaque
		serbe, croate, slovène, bulgare, macédonien
		russe, biélo-russe, ukrainien
8 **arménien**		arménien
9 **albanais**		albanais
10 **isolats anciens divers**		hittite, tokharien, lycien, lydien, louvite, etc.

TABLEAU 18.1 LA FAMILLE INDO-EUROPÉENNE

---

2. Les langues éteintes sont marquées d'un astérisque.

4   LES FAMILLES NON INDO-EUROPÉENNES

Les milliers d'autres langues du monde n'appartiennent pas à la famille indo-européenne. Il existe certainement un peu plus de 200 familles linguistiques parmi les langues du monde. C'est pourquoi il nous est impossible de les énumérer toutes. Soulignons que neuf grandes familles linguistiques regroupent à elles seules près de 96 % de toute la population de la planète. Ce sont les familles suivantes:

Famille indo-européenne:	48,0 %
Famille sino-tibétaine:	25,0 %
Famille austronésienne:	4,5 %
Famille chamito-sémitique:	4,5 %
Famille dravidienne:	3,7 %
Familles japonaise et coréenne:	3,7 %
Familles altaïque et ouralienne:	2,4 %
Famille bantoue:	2,2 %
Famille nigéro-congolaise:	1,7 %
Autres familles réunies:	4,1 %

Cette liste demeure forcément incomplète. Par exemple, juste en Amérique du Nord, on dénombre pas moins de 50 familles linguistiques; en Amérique du Sud, on en compterait au moins 85.

Après la famille indo-européenne, la *famille sino-tibétaine* est la plus importante avec 25 % de la population mondiale. Elle regroupe quelques dizaines de langues réparties en quatre groupes (*voir le tableau 18.2*): chinois, tibéto-birman, kadai et miao-yao. Certaines de ces langues, tels le chinois, le wu, le cantonais, le min, le xiang, etc., comptent plusieurs millions de locuteurs. Au total, environ 1,2 milliard de personnes parleraient une langue sino-tibétaine.

La *famille austronésienne* est la troisième en importance et regroupe 4,5 % de la population du monde, soit plus de 200 millions de locuteurs. Elle compte plus de 200 langues (*voir le tableau 18.3*) et elle s'étend sur une aire géographique très vaste, partant de l'île de Madagascar dans l'océan Indien, en passant par les îles de l'Indonésie et l'Australie, pour aller jusqu'aux îles du Pacifique, incluant Hawaï et l'île de Pâques.

Certaines langues de la *famille chamito-sémitique*, ont été, au cours de l'histoire, de très grandes langues de civilisation: l'égyptien, le babylonien, le sumérien, le phénicien, le cananéen, l'hébreu, etc. On distingue trois grands groupes linguistiques: les langues chamites avec deux sous-groupes (égyptien et couchitique), les langues sémitiques et les langues tchadiennes. On peut estimer à au moins 200 millions le nombre des locuteurs parlant l'une des langues chamito-sémitiques (*voir le tableau 18.4*).

Cinquième de par le nombre de ses locuteurs, la *famille dravidienne* réunit une trentaine de langues parlées principalement dans le sud de l'Inde; quatre de ces langues regroupent presque toute la population, soit 97 %: le télougou, le tamoul, le kanara, le malayalam.

Le *japonais* et le *coréen* sont deux familles distinctes, mais certains spécialistes croient néanmoins que ces langues partageraient une parenté lointaine. On parlerait alors du *groupe nord-asiatique*, lequel ne compte plus qu'un tout petit nombre de langues: le japonais, le kyukyu, le coréen.

Les quelque 30 langues de la *famille ouralienne* (*voir le tableau 18.5*) rassemblent une population d'environ 25 millions de personnes. Cette famille comprend principalement le finnois et le hongrois. Les peuples ouraliens ont souvent été divisés au cours de leur histoire; ils n'ont plus d'unité ethnique. L'aire géographique des langues ouraliennes s'étend du nord-est de l'Europe à l'ouest de l'Oural et comprend des langues aussi différentes que le finnois et le hongrois, mais aussi l'estonien, le lapon et les langues samoyèdes de Sibérie.

On rattache souvent la famille ouralienne à la *famille altaïque*. Dans ce cas, on parle du groupe élargi des *langues ouralo-altaïques,* ainsi nommées parce que la plupart de ces langues sont parlées entre les massifs montagneux de l'Oural à l'ouest et ceux de l'Altaï à l'est. Au point de vue historique, il est difficile de prouver que les langues ouraliennes et altaïques constitueraient une seule famille. C'est pourquoi il semble préférable de les considérer comme deux familles distinctes. Les langues altaïques font donc partie de la *famille altaïque* qui regroupe une cinquantaine de langues parlées par quelque 70 millions de locuteurs, principalement en Turquie, en URSS et en Chine. Le tableau 18.6 présente une liste partielle de ces langues en distinguant trois groupes: turc, mongol, toungouze.

On compte au moins 400 langues au sein de la *famille bantoue* dont l'aire géographique couvre presque la moitié du continent africain, du Cameroun jusqu'à l'Afrique du Sud en passant par le Kenya. Au total, on estime à quelque 100 millions le nombre de locuteurs des langues bantoues. Les filiations de ces langues ne sont pas encore très bien établies. Les langues les plus importantes sont les suivantes: le swahili, le lingala, le bemba, le shona, le rwanda, le ngala, le luganda, le sotho, le zoulou, etc.

1 **chinois**	chinois (mandarin), wu, min, hakka, cantonais, xiang, gan, etc.
2 **tibéto-birman**	tibétain, itszu, etc.
	birman, kachin, karène, naga, bodi, etc.
3 **kadai**	thaï (siamois), yuan, laotien, zhuang, dong, li, shan, etc.
4 **miao-yao**	miao, yao, etc.

TABLEAU 18.2   LA FAMILLE SINO-TIBÉTAINE

1 **indonésien**	malais, javanais, soudanis, madourais, batak, minangkabaw, bouguinais, makasar, dayak, visayan, bikol, ilongo, malgache, etc.
2 **mélanésien**	fidjien, tonga, etc.
3 **polynésien**	maori, hawaïen, tahitien, samoa, etc.
4 **micronésien**	kiribati, marshallois, trukois, etc.
5 **australien**	260 langues environ

TABLEAU 18.3   La famille austronésienne

1 **chamite**	égyptien:	égyptien*, copte, berbère
	couchitique:	somali, galla, afar, etc.
2 **sémitique**		babylonien* ougaritique* cananéen*, mohabite*, phénicien*, hébreu araméen éthiopien amharique arabe
3 **tchadien**		haoussa, mandara, ngala, etc.

TABLEAU 18.4   La famille chamito-sémitique

1 **finnois**	finnois, lapon
	estonien, carélien, votiak, mordve, permiak, tchérémisse, etc.
2 **hongrois**	hongrois, ostiak, vogoule, etc.
3 **samoyède**	selkoup, nène, etc.

TABLEAU 18.5   La famille ouralienne

1 **turc**	turc, turkmène, ouzbek, ouïgour, azéri, kazakh, kirghiz, tatar, karakalpak, bachkir, yakoute, tchouvache, etc.
2 **mongol**	khalkha, oïrat, bouriat, xorein, etc.
3 **toungouze**	mandchou, lamout, évenki, etc.

TABLEAU 18.6   La famille altaïque

La neuvième et dernière des grandes familles linguistiques, la *famille nigéro-congolaise*, occupe une aire géographique située entre celle des langues chamito-sémitiques au nord et celle des langues bantoues au sud. Les langues de la famille nigéro-congolaise sont réparties en cinq groupes comptant environ 900 langues parlées par plus de 80 millions de locuteurs.

Rappelons-le, ces neuf familles regroupent près de 96 % de toute la population du monde. Les quelque 200 autres familles totalisent environ 4 % de la population de la planète, soit moins de 200 millions d'individus: presque une famille de langues par tranche d'un million d'individus.

Parmi ces familles considérées comme moins importantes, mentionnons la *famille austro-asiatique* dont les langues (vietnamien, khmer, santali, etc.) sont parlées par 55 millions de personnes, la *famille paléo-sibérienne* (une dizaine de langues pour 23 500 locuteurs), la *famille caucasienne* (une quarantaine de langues dont le géorgien, le tchétchène, l'avar, etc., pour un total de 10 millions de locuteurs), la *famille nilo-saharienne* (une centaine de langues pour 20 millions d'individus), la *famille nigéro-kordofanienne* (une trentaine de langues pour 100 000 locuteurs) et la *famille khoïsane* (quatre langues pour 150 000 locuteurs).

1 **ouest-atlantique**	wolof, sérère, foulani, peul, sononké, kissi, baga, bulom, etc.
2 **mandingue**	dioula, malinké, soninké, bambara, mandé, loma, kpellé, mwa, nwa, etc.
3 **gur**	sénoufo, mossi, dogon, éwé, akan, kru, gurma, gwa, abe, etc.
4 **bantoïde**	ibidjo, efik, tiv, bantu, etc.

TABLEAU 18.7   LA FAMILLE NIGÉRO-CONGOLAISE

Par ailleurs, nous devons souligner le cas du basque, une langue isolée et parlée par un million de locuteurs en Espagne et en France; certains linguistes croient que le basque est apparenté aux langues caucasiennes, mais le lien de parenté n'a jamais été démontré avec certitude.

Il reste plusieurs centaines de langues difficilement classables. Il faudrait mentionner les 738 langues papoues réparties en une douzaine de familles (environ trois millions de personnes) en Océanie, les 50 familles amérindiennes d'Amérique du Nord (200 langues pour environ 500 000 locuteurs) et les quelque 85 familles amérindiennes d'Amérique du Sud (2 000 langues pour 25 millions d'individus).

Au Canada et aux États-Unis, on estime qu'une dizaine de langues amérindiennes sont parlées par plus de 10 000 locuteurs; mais, pour la plupart des langues amérindiennes, la moyenne se situe entre 1 000 et 3 000 locuteurs. Il n'est pas rare que certaines d'entre elles ne soient plus parlées que par quelques centaines, voire quelques dizaines d'individus âgés de plus de 50 ans.

En Amérique du Sud, on retiendra surtout le nom des familles *uto-aztèque, maya, otomangue, quechua, guarani, aymara, arawak*. Ces familles rassemblent de 300 000 à huit millions de locuteurs selon l'importance des langues qu'elles comportent; quant aux langues elles-mêmes, seulement cinq d'entre elles sont parlées par plus de 300 000 locuteurs: le quechua, le guarani, l'aymara, le nahuatl et le maya. Le lecteur aurait avantage à consulter la carte des grands groupes linguistiques du monde (*figure 18.1*).

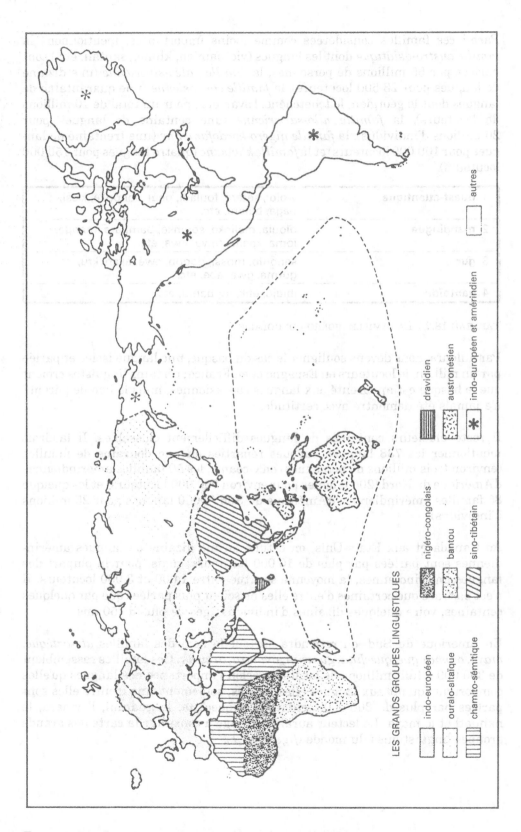

Figure 18.1   Les grands groupes linguistiques du monde

LANGUE, DIALECTE OU CRÉOLE?

Dans le chapitre précédent, le terme *langue* était utilisé pour identifier tous les codes linguistiques employés par les différents groupes ethniques, les différents peuples et les différentes communautés à travers le monde. Aucune hiérarchie n'a été établie entre ces codes, de telle sorte qu'ils n'ont pas été évalués à partir de critères sociaux, culturels, économiques ou géographiques. Cependant, il faut être conscient que bien des usagers ont tendance à établir des classifications relativement à la qualité et à formuler des appréciations. Dans leur utilisation des termes *langue, dialecte, patois, créole*, etc., ils accordent au mot *langue* une valeur «supérieure» à celle des autres termes. Sur quels critères se fondent-ils? Ces critères sont-ils d'égale valeur aux yeux du linguiste et dans l'optique de la linguistique?

Nous évoquerons ici quatre types de critères permettant d'expliquer l'emploi, le sens et la portée de ces différentes dénominations, ainsi que les valeurs qui y sont rattachées.

1   LES CRITÈRES SOCIO-CULTURELS

Les termes *langue* et *dialecte* sont les plus fréquemment employés pour distinguer ce qui est une «langue» de ce qui ne l'est pas. Ainsi, tous admettront sans peine que l'anglais, l'espagnol, le français ou l'allemand sont des langues. Par contre, très nombreux sont ceux qui identifieront comme des dialectes l'alsacien en France, le wallon en Belgique, le luxembourgeois dans le Grand-Duché du Luxembourg, le féroïen aux îles Féroé (Danemark), le votiak et le permiak en URSS, le sindhi et le marathi en Inde, etc. En fait, lorsqu'un idiome (*voir le Glossaire*) connaît une extension géographique ou démographique importante, on s'empresse de dire qu'il s'agit d'une langue; mais lorsqu'un idiome est peu répandu, inconnu ou non reconnu, il n'a droit qu'au titre de dialecte. D'ailleurs, dans ce dernier cas, on entend souvent des commentaires dépréciatifs du genre suivant: «Ce n'est qu'un dialecte.»

Ce faisant, on invoque, consciemment ou inconsciemment, des critères qui ne sont pas d'ordre linguistique mais plutôt d'ordre politique ou social. Ces critères trahissent un jugement de valeur porté sur l'idiome qu'on qualifie de langue ou de dialecte; *langue* correspond à une notion valorisante; *dialecte*, à une notion dépréciative. Un idiome non reconnu juridiquement est souvent méprisé par les usagers eux-mêmes qui en viennent à croire qu'ils parlent un *dialecte*. Il arrive aussi que l'on méprise un groupe utilisant un idiome donné en raison de sa faiblesse numérique, économique ou politique; dès lors, son code linguistique sera considéré comme un instrument de communication «pauvre» qui n'aura plus droit au titre de langue. Par exemple, bien des Québécois se souviendront sans doute du qualificatif «French dialect» que certains anglophones, au surcroît unilingues, ont accolé au français du Québec. En somme, c'est parce qu'une variété linguistique est parlée par un groupe social dominant politiquement ou économiquement qu'elle a droit au titre de langue.

Au fur et à mesure que le mépris croît, les qualificatifs méprisants augmentent: un *dialecte*, un *parler*, un *patois*, un *créole*, un *sabir*, un *charabia*. Ce sont là des distinctions fondées sur l'opinion que des individus ou des groupes se font d'un peuple et, par conséquent, de l'instrument de communication propre à celui-ci.

2   LES CRITÈRES HISTORIQUES OU GÉNÉTIQUES

Il arrive qu'on utilise d'autres critères pour classer des langues. On dira, par exemple, que le français, l'espagnol, le portugais, l'italien, le catalan, le sarde, le roumain, etc., sont des dialectes du latin (langue mère) dont ils sont issus; de même en France, le picard, le berrichon, le saintongeais, le provençal, le limousin, l'auvergnat, etc., sont des dialectes du latin au même titre que le français puisqu'ils dérivent eux aussi du latin. On fait alors appel à des critères d'ordre historique (ou diachronique) qui ne dégagent aucune connotation péjorative ou dépréciative. Dans ce cas, la *langue* désigne l'idiome originel, et le *dialecte*, l'un des parlers résultant de la fragmentation de la langue mère. Le français, le wallon et le picard sont tous trois des dialectes du latin. On aurait dénombré près de 600 dialectes en France au moment de la Révolution et il en existerait encore près de 700 en Italie. Les dialectes du latin ont également été nombreux en Belgique, en Espagne, au Portugal, en Sardaigne, en Suisse et jusqu'en Yougoslavie. Le tableau 19.1 présente une liste très partielle des dialectes issus du latin. N'oublions pas que, depuis le milieu du XIXe siècle, plusieurs sont disparus et que beaucoup d'autres sont menacés d'extinction. Seuls les «dialectes standards» comme le français, l'italien, l'espagnol, etc., sont assurés de se maintenir, parce qu'en acquérant un statut juridique ils ont accaparé toutes les fonctions sociales.

En guise d'exemples de dialectes, on pourra lire les textes reproduits plus loin: une chanson de Noël en creusois et en limousin, un récit en franco-provençal du Val d'Aoste («Lo voyadzo de nosse»), une chanson languedocienne («Las messorgas»), un récit en saintongeais («Gagner à la loterie») et un conte wallon («Les pwach»). Quant à la figure 19.1, elle illustre les aires dialectales.

DIALECTES ESPAGNOLS
asturien   léonais   aragonais
castillan (espagnol)   andalou

DIALECTES PORTUGAIS
galicien   dialecte du Minho
dialecte de la Beira   alentejano
dialecte de Madère   algarvio
dialecte du Haut-Vouga et du Mondego   açorien
dialecte de Castelo Branco et de Portalegre
dialecte du Trás-os-Montes

DIALECTES FRANÇAIS
wallon   champenois   poitevin
picard   franc-comtois   saintongeais
lorrain   bourguignon   gallo
normand   bourbonnais   maine
français   tourangeau   orléanais
berrichon   angevin   creusois

DIALECTES OCCITANS
catalan   languedocien   franco-provençal
limousin   gascon   roussillonnais
auvergnat   occitan   provençal

DIALECTES ITALIENS
piémontais   toscanien   lucanien
lombard   florentin (italien) abruzzien
ligure   corse   marches
émilien-romagnol sicilien   pouilles
vénitien   calabrien   istrien

DIALECTES RHÉTO-ROMANS
– romanche: – ladin   – frioulan
    engadinois
    surselvan

DIALECTES SARDES
campidanien   logoudorien   gallurien

DIALECTES ROUMAINS
daco-roumain (roumain)   macédo-roumain
mégléno-roumain   istrio-roumain

TABLEAU 19.1   LES DIALECTES DU LATIN

Il est arrivé très souvent que des dialectes, notamment ceux provenant du latin, aient évolué plus ou moins différemment au cours des siècles et aient développé des systèmes linguistiques autonomes, distincts, entre lesquels la compréhension devient souvent difficile, sinon nulle.

3   LES CRITÈRES GÉOGRAPHIQUES

Le terme *dialecte* peut aussi être employé pour désigner l'une des variantes régionales d'une même langue (idiome standard). C'est alors qu'intervient la notion d'*intercompréhension*. Ainsi, un parler A et un parler B sont considérés comme deux variétés dialectales ou deux variétés régionales d'une même langue si leur intercompréhension est possible malgré les variantes; de même pour les parlers B et D, D et E, etc. Par contre, si l'intercompréhension est impossible pour les parlers A et D, on a alors affaire à des langues différentes. Donc les parlers A et D sont des langues alors que A et B sont des dialectes. Le parler A est alors considéré comme une langue par rapport au parler D, mais comme un dialecte par rapport au parler B. On s'aperçoit ainsi qu'en regard du critère de l'intercompréhension, la ligne de démarcation entre la langue et le dialecte peut être relativement difficile à déceler. On imagine aussi combien il devient difficile dans ces conditions de dénombrer les *langues,* les idiomes pouvant être à la fois des langues et des dialectes.

Source: Philippe BARBAUD, *Le choc des patois en Nouvelle-France*, Sillery (Québec),
Presses de l'Université du Québec, 1984, p. 122.

FIGURE 19.1   LES DIALECTES EN FRANCE AU XVIIᵉ SIÈCLE

DIALECTES CREUSOIS ET LIMOUSIN

TRANSCRIPTION FRANÇAISE
Nous cherchons l'enfant Jésus
Qui est né dans une grange
Pour embrasser son pied nu.
Monsieur saint Michel Archange,
Agissez comme un ami,
Montrez-nous notre chemin.
Voici des châtaignes,
Des pommes, des poires,
Voici des petits agneaux,
Des œufs frais dans la fougère,
Un couple de pigeons,
La toison de trois moutons.

DIALECTE CREUSOIS (centre de la France)

Ne charchan l'enfant Jésus	[nə ʃarʃɑ̃ lɑ̃fɑ̃ ʒezy]
Que naqui din grange	[kə naki din grɑ̃ʒ]
Par embrassa soun pied nu	[par ɑ̃mbrasa sũn pje ny]
Monsieur saint Michel Archange	[məsjø sẽmiʃɛl arkɑ̃ʒ]
Agissez coum èn ami	[aʒise kũm ɛn ami]
Moutre-nou noutre chami	[mũtrənu nutrə ʃami]
Vétyi da chategna	[vetji da ʃatəɲa]
Da pouma, da péra	[da puma da pera]
Vétyi do peti agné	[vetji do peti aɲe]
Do zo frais di la fôgira	[dozo frɛ di la foʒira]
I coupl de pijou	[ĩ kupl də piʒu]
La twézou de tré motou.	[la twezu de tre motu]

DIALECTE LIMOUSIN (centre-ouest de la France, Charentes)

Nou tcherchan l'enfant Jésou	[nu tʃɛrʃan lɑ̃fɑ̃ ʒezu]
Qué naqui din touno grandgo	[ke naki din tuno grandʒo]
Per embrassé soun pied nou	[pɛr ambrase sun pje nu]
Moutseuz san Michel Archandgo	[mutsøz san mikɛl arkandʒo]
Adgissèy coum oun ami	[adʒisɛj kumunami]
Mountra-nou nostré tchami	[muntranu nɔstre tʃami]
Véqui dé la tchatégna	[veki de la tʃateɲa]
Dé la pouma, dé la péra	[de la puma de la pera]
Véqui di péti dzigna	[veki di peti dziɲa]
Dé zou frès din la fudgèra	[de zu frɛs din la fudʒera]
Ouno couplo do pidgo	[uno kuplo do pidʒo]
La twazo do tré motou	[la twazo do tre motu]

FRANCO-PROVENÇAL (Val d'Aoste, Italie)

Lo voyadzo de nosse

Rènque le reutso poussavon se pèrmèttre lo lusso di nosse et du voyadzo. Le-s-âtre féavon l'eun ou l'âtro et n'avie euncò quaqueun que féave pa ni l'eun ni l'âtro et que apré an maèda ordinéye s'èn allave euncampagne travallì, la véprò.

Cése poca que allavon eun voyadzo, apré messa béavon lo café eun cantigna, saluavon le paèn, poyavon su la vouéiteuva teuriaye di tsiôo et allavon qui eun Veulla, qui à Corméioou, qui trové de paén eun quaque qumée de la Val d'Aousta, à Ivrèa, à Teeun.

An vèntén-a d'an apré, n'avie depi de sou et pouéi gnoavon d'allé pi llouèn; à Venise, à Teeun, à Gène ou pi llouèn, se se mariavon avoui de dzi d'eunfoua qu restavon ba pe l'Italie.

Ayale-s-époou l'an tcheut an machina pi ou mouèn grossa et, apré la nosse, quase tcheut partéisson eun voyadzo et van ooutre pe Pari, ba pe Romma, à la mer, ou beun pe an «crocera» ou eun voyadzo organisò.

Le voyage de noces

Seuls les riches pouvaient se permettre le luxe de faire une fête pour les noces et de faire le voyage. Les autres faisaient l'une ou l'autre et il y avait aussi des gens qui ne pouvaient faire ni l'une ni l'autre et qui, l'après-midi, après un déjeuner ordinaire, s'en allaient travailler aux champs.

Ceux qui allaient en voyage de noces, après la cérémonie, buvaient le café au bistrot, ils saluaient les parents, montaient en voiture et se rendaient qui à Aoste, qui à Courmayeur; ou bien ils allaient rendre visite à des parents dans d'autres communes du Val d'Aoste, à Ivrée, à Turin.

Vingt ans après, on disposait de plus d'argent et on a commencé à aller plus loin, à Venise, à Turin, à Gênes ou plus loin encore si on se mariait avec quelqu'un qui était originaire du fond de l'Italie.

De nos jours, les mariés ont tous une voiture plus ou moins grande et, après les noces, beaucoup partent en voyage. Ils vont à Paris, à Rome, à la mer ou bien en croisière ou en voyage organisé.

CONCOURS CERLOGNE, *Le mariage*, Centre d'études franco-provençales René Willien de Saint-Nicolas, Quart (Aoste), Musumeci Éditeur, 1987, p. 145.

DIALECTE LANGUEDOCIEN (sud de la France)

Las messorgas	**Les mensonges**
Eras valent, davant ta bòria,	Tu étais puissant, devant ta ferme,
Mestre al solelh, mestre del vent,	Maître du soleil, maître du vent,
Daissa aquel camp, aquèla terra	Laisse ce champ, cette terre
Es pas per tu	N'est pas pour toi
E cap al Nòrd dins una usina	Et vers le Nord, dans une usine
Trabalharàs, seras mehor.	Tu travailleras, tu seras mieux.
Sabiàs parlar, e dis ta boca	Tu savais parler, et dans ta bouche
Cantava l'òc, coma un rocàs	L'oc résonnait, comme un rocher
Daissa ta lenga,	Laisse ta langue,
Aquela fòrça	Cette force
Es pas per tu.	N'est pas pour toi.
Crida en francés, e se lo pòdes	Crie en français, et si tu peux
Parla ponchut: fa mai borgés.	Parle pointu: ça fait plus bourgeois.
Coma ton paire, i a plan d'annadas	Comme ton père, il y a longtemps
Eras l'amic d'un dieu calent.	Tu étais l'ami d'un dieu généreux.
Dieu es missant	Dieu est méchant
Aquela jòia	Et cette joie
Es pas per tu.	N'est pas pour toi.
Prega en francés, cal que sofrigas	Prie en français, tu dois souffrir
Lo cap baissant, Dieu es dolent.	le front baissé, Dieu est cruel.
Atal t'an dit de messorgas	Ainsi ils t'ont dit des mensonges
Per te panar l'eime e lo còs,	Pour te voler l'âme et le corps,
E siàs pas mòrt	Mais tu n'es pas mort
E te revelhas,	Et tu te réveilles,
Sarra los punhs,	Serre les poings,
Sèm de milièrs, e per lo mond	Et nous sommes des milliers, et par le monde
Farem plegar los messorguièrs.	Nous ferons s'agenouiller les menteurs.

DIALECTE SAINTONGEAIS (ouest de la France)

Gagner à la loterie

Et si j'gagnai moé tou à la loterie? Voui! Si un jour su l'tubien, le plus biaux jour de ma vie me chéyit moé tou su l'cala. Mon auto aurait cent cylindres, trois cents chevaux et des bondanes, et parsonne ne pourrait m'joindre. Pour moé, tout seul, un citrame. Été, hivar, et mouille covente, je m'serai fout de bellégales et j'mangerai tout mon plein ventre... de la daube de bœus, mon régal. J'mangerai des huîtres et des saucisses... et pour enneyer mes voisins et mes voisines. Sans qu'parsonne me voyise, je foutrai des coquilles dans l'jardin.

Me marierai, et l'diab m'emporte, j'choisirai point un brinborion. Prendrai une femme haute comme une porte et qui serait large en proportion. Et quand j'irai t'à La Rochelle, en la voyant, le monde diriont: «Enfant de loup! la belle fumelle!»

J'serai point riche pour des peurnes, pour enneyer le gouvernement, j'deviendrai maire de la commune, ferai des discours aux enterrements. J'ferai des crés sans que vous épate, mais pas le poireau. Non, c'est point mon goût. Moé, je m'foutrai t'une patate avec un dorifaure au bout. Et pour chasser, j'aurai t'une petoére qui ferait des pés comme un canon. Et j'ferai fuir toutes les brehéres, coumme la bombe cachée au Japon.

Avant d'meuri, dans les cimetiéres, j'me ferai bâti t'une maison à deux étages, et par darriére, une estatue su un balcon; et j'me serons fait une écritoére en grousse lettre, comme su un journaux: «Ci-git t'un ancien milliounaire et conseiller municipaux qu'a pas pardu son chemin d'travarse. Marchand d'gorets, toujours ben vu, sa veuve continue son coumarce aux prix d'en cours, ben entendu.»

DIALECTE WALLON (Belgique)

Les pwach
La mére Norine rétrouve in djou da s'guérni deus bitchéts d'pwach qu'èle avout càzima layi pa(r)ce qu'i n'kœjint-m': ç'atout d'eune movêçe sourte.

«Ma fwa, dit-èle a s'n-oume, pwisqué djé n'lé savans mîdji, djé lés vérâ vade au martchi.

– Djé n'veu-m' qué t'trompiches lés djans, dit-i s'n-oume: on lés bâré putot aus pouchîes.

– Djé n'tromp' râ-m' lés djans.

– Alors té n' sarés lés vade.»

– Djélés vadrâ!»

El vanr'di, èle s'instale su la place avu sés deus bitchets d'pwach et èle rawâ.

Vla én gayârd qui s'arète d'lé lîy: «Combin lés pwach?

– Cent sous l'bitchét.

– Oho! djé v'a baye trwa francs dî sos.

Les pois
La mère Norine retrouve un jour dans son grenier deux bichets de pois qu'elle avait quasiment délaissés parce qu'ils ne cuisaient pas: c'était d'une mauvaise sorte.

«Ma foi, dit-elle à son homme, puisque nous ne pouvons les manger, j'irai les vendre au marché.

– Je ne veux pas que tu trompes les gens, dit son homme: on les donnera plutôt aux pourceaux.

– Je ne tromperai pas les gens.

– Alors tu ne pourras les vendre.

– Je les vendrai!»

Le vendredi, elle s'installe sur la place avec ses deux bichets de pois et elle attend.

Voilà un gaillard qui s'arrête près d'elle: «Combien les pois?

– Cent sous le bichet.

– Oh! Oh! je vous en donne trois francs dix sous.

DIALECTE WALLON (suite)

— En' bacâyéz-m' si fou: si v'lés coun-'chinz, coume mi, vé n'lés mart-chand'rinz-m.

— Ne criez pas si fort: si vous les con-naissiez comme moi, vous ne les mar-chanderiez pas.

— Ah! est-ce qu'i kœjant bin au mwins?

— Ah! est-ce qu'ils cuisent bien au moins?

— Coume dés-us!»

— Comme des œufs!»

L'oume paye et mét' les pwach su sa brouwète, et la mére Norine fout s'camp t-a riyant, aveu sés deus piè-ces dé cent sos da sa potche.

L'homme paye et met les pois dans sa brouette, et la mère Norine s'en va tout en riant avec ses deux pièces de cent sous dans sa poche.

«E-bin? qu'i dit l'oume dé la Norine a sa feume quand-èle ratère: Té lés-és vadœ?

«Eh bien? dit l'homme de la Norine à sa femme quand elle rentre: Les as-tu vendus?

— Oyi, et sans dére dé mante, co! Dj'â dét au çou qui lés r'wàrdint qu'i kœjint coume dés-us; é-bin! c'ést vrâ, noumê? Pus qu'i kœjant, pus' qu'i vnant deurs! Et coume i lés mart-chandout, d'jâ dit qu' s'i lés coun'chout coume mi, i n' lés martchand'rout-m! C'ést co vrâ; i n' lés-arout-m' vélu pou rèn.

— Oui, et sans mentir encore! J'ai dit à celui qui les regardait qu'ils cui-saient comme des œufs; eh bien! c'est vrai, n'est-ce pas? Plus ils cuisent, plus ils deviennent durs! Et comme il les marchandait, j'ai dit que, s'il les connaissait comme moi, il ne les mar-chanderait pas! C'est encore vrai; il ne les aurait pas voulus pour rien.

— Ah! la sacrée gârce, dit-i s'-oum, a térant éne goulâye dé sa pipe: t'és co pus maline qué l'grand diâb.»

— Ah! la sacrée garce, dit l'homme en tirant une bouffée de sa pipe: Tu es encore plus fine que le grand diable.»

4   LES CRITÈRES PROPREMENT LINGUISTIQUES

Pour le linguiste, tout système de communication linguistique propre aux mem-bres d'une communauté ou d'un groupe social donné est une *langue*. Ainsi, tous ces idiomes qu'on appelle *langues, patois, dialectes, créoles, pidgins*, etc., sont des *langues*, parce qu'ils correspondent tous à des *codes servant à communiquer*. Par exemple, le français, le swahili, le créole haïtien et le breton sont des langues sur le plan linguistique, puisqu'ils sont dotés chacun d'un système lexical, pho-nologique, grammatical et syntaxique. Chacune de ces langues possède ses propres règles d'organisation.

Les termes *patois, créole* et *pidgin* ont des connotations sociales dépréciatives, mais le fait que certains idiomes ainsi identifiés ne soient pas reconnus juri-diquement importe peu sur le plan de la linguistique diachronique.

4.1   LE PATOIS

Le terme *patois* n'est plus guère employé par les linguistes contemporains. Il était utilisé auparavant pour désigner une survivance d'un état linguistique antérieur; il référait donc à des parlers archaïques encore en usage, mais dont la disparition n'était plus qu'une question de temps. En France, on disait que le normand, le saintongeais et le berrichon, idiomes tous issus du latin comme le français, étaient des patois parce que seulement quelques milliers d'individus les parlaient encore. En fait, *dialecte* et *patois* étaient alors employés comme synonymes.

4.2   LE CRÉOLE

Rappelons que les créoles se sont formés au XVIe et au XVIIe siècle à l'époque de la traite des Noirs et de leur utilisation comme esclaves par les puissances coloniales: l'Angleterre, la France, l'Espagne, le Portugal, la Hollande. Les conditions ont fait en sorte que les Noirs n'ont pas pu apprendre la langue des Blancs, mais ils ont néanmoins acquis un nouveau vocabulaire qu'ils ont intégré plus ou moins dans une nouvelle langue. Il existe des créoles à base lexicale anglaise, française, espagnole, portugaise, néerlandaise. Les langues créoles sont parlées aux Antilles et en Louisiane, mais aussi dans l'océan Indien, principalement dans l'archipel des Seychelles, dans l'île de la Réunion et dans l'île Maurice.

Sur le plan historique, on parle de *créole* quand deux langues totalement différentes se mélangent pour en former une troisième distincte des deux premières. Par exemple, le vocabulaire français s'est intégré à la morphologie et à la syntaxe africaines pour former le créole haïtien. Connaître le français ou une langue africaine – laquelle? – n'aide en rien à comprendre le créole haïtien; et parler le créole haïtien ne signifie pas non plus pouvoir comprendre le français. En guise d'exemple de créole haïtien, nous présentons la version créole de la chanson de Noël d'origine limousine.

CRÉOLE HAÏTIEN

Texte créole	**Version française**
Nous apé che(r)ché ti Jési	Nous cherchons l'enfant Jésus
Qui té faite nan ion grange	Qui est né dans une grange
Pou(r) bo pied tout ni li	Pour embrasser son pied nu.
Misié saint Michel A(r)change	Monsieur saint Michel Archange,
Fais kon ion zanmi	Agissez comme un ami,
Montrez-nous chémin nous	Montrez-nous notre chemin.
Mé chataignes	Voici des châtaignes,
Pommes, poi(r)es	Des pommes, des poires,
Mé quèqu'ti moutons	Voici des petits agneaux,
Zé fraiche nan fèille	Des œufs frais dans la fougère,
Dé pigeons	Un couple de pigeons,
Laines a t(r)ois moutons.	La toison de trois moutons.

En fait, il existe actuellement une certaine controverse au sujet des origines des langues créoles. Certains linguistes, en effet, contestent l'affirmation voulant qu'une origine commune africaine puisse être attribuée à la fois aux créoles des Antilles et à ceux de l'océan Indien. Ils avancent plutôt l'hypothèse d'une parenté génétique entre les créoles et d'une source indo-européenne; en d'autres mots, il faudrait chercher l'origine des créoles, par exemple, dans le français populaire (ou l'anglais populaire, ou l'espagnol populaire, etc.) du XVIIe siècle.

Sur le plan socioculturel, le terme *créole* véhicule en général une connotation péjorative. Il est synonyme de langue mélangée, non pure, non évoluée, de parler truffé d'emprunts à d'autres langues. Mais, à ce compte, toutes les langues modernes seraient des créoles, puisque toutes ont fait des emprunts, dans certains cas massifs, à d'autres langues. Par exemple, le français s'est approvisionné allègrement, pour son lexique, au francique (germanique), à l'italien et à l'anglais; quant à la langue anglaise, elle a puisé très massivement dans le latin et le français.

Il ne faudrait cependant pas s'y méprendre; le jugement de valeur négatif porté sur les langues créoles n'est pas d'ordre linguistique: il repose sur le fait que ces langues sont parlées par des peuples sous-développés ou peu développés, qui possèdent une littérature (écrite ou orale) peu connue.

Sur le plan linguistique, il est nécessaire de le rappeler, tout créole est une langue, c'est-à-dire un système linguistique qui permet aux membres d'une communauté donnée de communiquer entre eux.

4.3   LE PIDGIN

Le pidgin est une langue mixte qui correspondrait au premier stade du créole. Il devient créole aussitôt qu'il commence à être utilisé comme langue maternelle. Le pidgin serait un système linguistique doté de structures rudimentaires (lexique réduit, structures grammaticales simplifiées) et de fonctions sociales limitées. Le pidgin n'est la langue maternelle d'aucun des locuteurs qui l'utilisent.

Selon un recensement effectué en 1977 par Ian Hancok[1], on dénombrerait 127 créoles ou pidgins dans le monde, dont:

35 à base d'anglais	6 à base d'allemand
15 à base de français	1 à base de slave
14 à base de portugais	6 à base amérindienne
7 à base d'espagnol	21 à base africaine
5 à base de néerlandais	10 à base «asiatique»
3 à base d'italien	

***

1. «Repertory of Pidgin and Creole Languages», dans *Pidgin and Creole Linguistics*, cité par Robert CHAUDENSON, *Les créoles français*, Paris, Nathan, 1979.

On constate donc que les notions de *langue*, de *dialecte*, de *patois*, de *créole* ou de *pidgin* ne correspondent pas à des jugements de valeur dans le domaine de la science linguistique, mais plutôt à ces critères de classification d'ordre historique ou géographique.

L'INDO-EUROPÉEN ET LE LATIN

La description du phonétisme de l'indo-européen et du latin constitue une sorte de retour aux sources pour ceux qui parlent une langue d'origine latine. Rappelons que le phonétisme de l'indo-européen que nous décrivons sommairement dans le présent chapitre demeure purement hypothétique; l'indo-européen n'étant pas une langue attestée, toute description résulte nécessairement d'une reconstruction. Cependant, tel n'est pas le cas du latin dont l'existence est attestée par des milliers de documents. Toutefois, aussi paradoxal que cela puisse paraître, nous sommes aussi sûrs de l'indo-européen reconstruit que nous le sommes du latin.

1 LE PHONÉTISME DE L'INDO-EUROPÉEN

Le système phonétique et phonologique de l'indo-européen reconstruit présente des traits assez particuliers. Certains phonèmes correspondent à des voyelles, d'autres à des consonnes, mais certains autres assument successivement les fonctions vocalique et consonantique au cours de l'évolution.

1.1 LE SYSTÈME CONSONANTIQUE

L'indo-européen comptait 16 consonnes dont /*p/, /*t/, /*k/ et /*b/, /*d/, /*g/. À ces phonèmes, s'ajoutaient deux types de consonnes: des consonnes labialisées et des consonnes aspirées. Les consonnes labialisées étaient /*k^w/ et /*g^w/, consonnes que conservera notamment le latin. Quant aux consonnes aspirées, elles étaient nombreuses si l'on considère qu'on en comptait huit: /*p^h/, /*t^h/, /*k^h/, /*kw^h/, /*b^h/, /*d^h/, /g^h/, /*gw^h/. Le tableau 20.1 présente ces 16 consonnes de l'indo-européen.

SOURDES	*p	*t	*k	*k^w
SONORES	*b	*d	*g	*g^w
ASPIRÉES	*p^h	*t^h	*k^h	*kw^h
	*b^h	*d^h	*g^h	*gw^h

Tableau 20.1   Les consonnes de l'indo-européen

1.2   LE SYSTÈME VOCALIQUE

Le système vocalique de l'indo-européen demeure assez simple à décrire. Ce système comportait six voyelles groupées en deux séries de trois timbres. La première série opposait des voyelles brèves à des voyelles longues à partir des timbres /*ɑ/, /*e/ et /*o/. La seconde série, /*i/, /*u/ et /*ə/, est plus complexe, car ces voyelles étaient, en fait, des variantes vocaliques de /*j/ et de /*w/. Autrement dit, selon leur entourage phonétique, les voyelles /*i/ et /*u/ correspondaient tantôt à des voyelles ([*i], [*u]), tantôt à des consonnes ([*j], [*w]). Quant à /*ə/, il était le représentant vocalique d'une laryngale qui pouvait subir des «effets de coloration».

1.3   LES LARYNGALES ET LES SONANTES

On appelle «laryngales» des phonèmes qui, initialement, sont des consonnes, mais qui subissent un traitement que les spécialistes appellent un «effet de coloration». On représente conventionnellement les laryngales par les symboles /*H1/, /*H2/ et /*H3/. Selon l'entourage phonétique, la voyelle /*ə/ restait [*ə] ou se colorait en [*ɑ] ou en [*o]:

*H1 = pas d'effet de coloration
*H2 = coloration [ɑ]
*H3 = coloration [o]

Quant aux sonantes, ce sont des phonèmes qui, selon le contexte phonique, fonctionnent soit comme consonnes [j], soit comme voyelles [i], ou qui cumulent les deux fonctions [ij]. Cette propriété définit la classe des sonantes, qui rassemble les six phonèmes suivants:

/*j/, /*w/, /*r/, /*l/, /*m/, /*n/

Répétons-le, ce système phonologique est reconstruit mais, bien qu'il ne soit pas attesté, on est presque sûr qu'il a existé. Dans les langues indo-européennes, il aurait connu des évolutions différentes et produit des systèmes différents; les systèmes phonologiques des vieilles langues indo-européennes (sanskrit, grec ancien, latin, vieux-germanique, vieux-slave) sont demeurés tributaires de l'indo-européen primitif.

2   LE PHONÉTISME DU LATIN CLASSIQUE

Pour décrire l'évolution du latin au français, il faut que le linguiste analyse la langue parlée des Romains des premiers siècles. On ne peut pas se contenter des textes écrits: ces textes ne reflètent pas la langue parlée qui, contrairement à la langue écrite, a subi une évolution beaucoup plus marquée. Les textes écrits, essentiellement littéraires, correspondent bien sûr à une langue parlée à une certaine époque par une certaine classe sociale. Il s'agit de la langue parlée par les écrivains du Iᵉʳ siècle avant notre ère. Or, la langue de Virgile, de Cicéron et de César ne donne pas une idée exacte de l'évolution de la langue parlée; c'est une langue littéraire qui est restée figée pendant plusieurs siècles. Au IVᵉ siècle, on écrivait encore comme au temps de Cicéron alors que le latin parlé montrait déjà des signes d'extinction.

2.1   LE LATIN «VULGAIRE»

Ce n'est que vers la fin du XIXᵉ siècle que l'on a introduit, grâce à la comparaison des langues romanes, la notion d'une variante parlée du latin différente du latin dit classique. C'est à cette époque qu'est née l'expression «latin vulgaire» (de *vulgus*: «peuple»). Cette expression consacrée pour désigner le latin parlé par le peuple est devenue aujourd'hui quasi irremplaçable malgré la nuance péjorative qu'elle contient. Le latin vulgaire, ou latin parlé, a certainement varié selon les époques, mais aussi selon l'appartenance sociale, l'instruction et l'origine géographique ou ethnique des Romains. Comme aujourd'hui, il devait y avoir des individus qui parlaient «comme un livre», c'est-à-dire qui s'en tenaient rigoureusement aux normes phonétiques, grammaticales et lexicales du latin littéraire – donc écrit –, alors que la majorité des citoyens devaient avoir des habitudes linguistiques plus «instinctives». Compte tenu de ces considérations, on appellera «latin vulgaire» la langue parlée des couches peu influencées ou non influencées par l'enseignement scolaire et par les modèles littéraires.

N'oublions pas que le latin vulgaire («du peuple») ne devait pas être le même d'un siècle à l'autre; par exemple, celui du Iᵉʳ siècle différait certainement de celui du Vᵉ.

Les causes de la fragmentation du latin vulgaire expliquent en partie pourquoi la romanisation linguistique fut plus lente dans certaines provinces et plus rapides dans d'autres. C'est l'effondrement de l'Empire romain qui va occasionner la fragmentation du «latin parlé» en différentes variétés dialectales. À partir du IVᵉ siècle, les invasions germaniques amorcent le processus de morcellement du latin. Les communications avec l'Italie étant progressivement coupées, les différentes provinces romaines commencent à évoluer chacune de leur côté. Au VIIᵉ siècle, la fragmentation est devenue un fait accompli: le latin n'existe plus comme langue parlée.

Le latin que nous allons étudier est celui de l'époque classique, c'est-à-dire celui du Iᵉʳ siècle avant notre ère. Nous distinguerons les voyelles et les consonnes parce que le traitement a été différent dans un cas comme dans l'autre.

2.2   LE SYSTÈME VOCALIQUE DU LATIN CLASSIQUE

Au Ier siècle avant notre ère, le latin avait un système vocalique simple et équilibré. Il possédait cinq voyelles simples: [i], [e], [a], [o], [u]. Mais chacune de ces voyelles pouvait être longue ou brève. La durée était donc un trait phonologiquement pertinent:

[malum]   = «le mal»   [rosa]   = «la rose» (nominatif sg.)
[ma:lum]   = «pomme»   [ro:sa]   = «par la rose» (ablatif sg.)

[populus]   = «peuple»
[po:pulus]   = «peuplier»

Le système vocalique se présentait donc comme suit:

---

i	i:			u	u:
	e	e:	o	o:	
		a	a:		

Les voyelles /e/ et /o/ pouvaient être ouvertes en [ɛ] ou en [ɔ], ou fermées en [e] ou en [o], mais cette distinction n'avait pas de valeur phonologique. Le latin possédait aussi quelques diphtongues, mais seules les voyelles [au] et [æ] étaient vraiment fréquentes.

[au]   : aurum («or»)
[æ]   : cælum («ciel»)
[œ]   : pœna («peine, douleur»)
[eu]   : neu («et que ne... pas»)

2.3   LE SYSTÈME CONSONANTIQUE DU LATIN CLASSIQUE

Le système consonantique du latin classique était très simple et comprenait 16 phonèmes. Comparativement au système français d'aujourd'hui, les seuls traits particuliers concernaient les labialisées [kʷ] et [gʷ] ainsi que l'absence des constrictives sonores [v] et [z].

---

p		t	k	kʷ	(h)
b		d	g	gʷ	
m		n	(ŋ)		

---

f	s

---

l
r

---

w		j

Quant à [h] et à [ŋ], ils ne constituaient pas des phonèmes distincts en latin: dans le premier cas, il s'agit d'un phonème d'emprunt; dans le second, d'une variante combinatoire résultant du rapprochement de [n] et de [g].

Compte tenu des phonèmes réellement utilisés en latin classique, il convient de prendre soin de prononcer les lettres latines à peu près telles qu'elles étaient articulées à l'époque. À part la lettre *h*, toutes les consonnes écrites se prononçaient en latin classique, quelle que fût leur place (initiale, médiane, finale) dans le mot. On tiendra compte des particularités phonétiques des lettres suivantes:

v   se prononçait [w]: *viride* = [wiride]
g   se prononçait [g]: *frigidu* = [frigidu]
c   se prononçait [k]: *glacia* = [glakia]
s   se prononçait [s]: *rosa* = [rosa]
t   se prononçait [t]: *tertiu* = [tɛrtiu]
j   se prononçait comme yod: *major* = [majɔr]
x   se prononçait [ks]: *sextus* = [sɛkstus]
h   ne se prononçait pas (sauf dans les emprunts): *habere* = [abere]
ng   se prononçaient comme en anglais [ŋ] dans *campi**ng***:
     plangere = [plaŋgere]
gn   se prononçaient distinctement [g] + [n] et jamais [ɲ]: *dignum* = [dignum]
ch   se prononçaient [k]: *chorus* = [korus]
qu   se prononçaient [kʷ]: *quidam* = [kʷidam]
gu   se prononçaient [gʷ]: *anguis* = [aŋgʷis]

Par ailleurs, certains mots latins comportaient des consonnes *géminées*, c'est-à-dire deux consonnes identiques prononcées consécutivement. Par exemple, *carum* («cher») se prononçait [karum], mais *carrum* («char») devait se prononcer avec un [r] redoublé: [karrum]. Comme on le constate, le latin possédait ce que l'on appelle aujourd'hui un *alphabet phonétique*. Toutefois, certaines difficultés se sont présentées lorsque les Latins ont emprunté des mots grecs pour lesquels ils n'avaient pas d'équivalences phonétiques: par exemple, la voyelle que l'on appelle encore aujourd'hui le *i grec* (qui était en réalité un [y] arrondi comme en français dans *rue*) et les consonnes aspirées dont le [h]. Le problème a été résolu de façon on ne peut plus simple: on a ignoré la prononciation grecque.

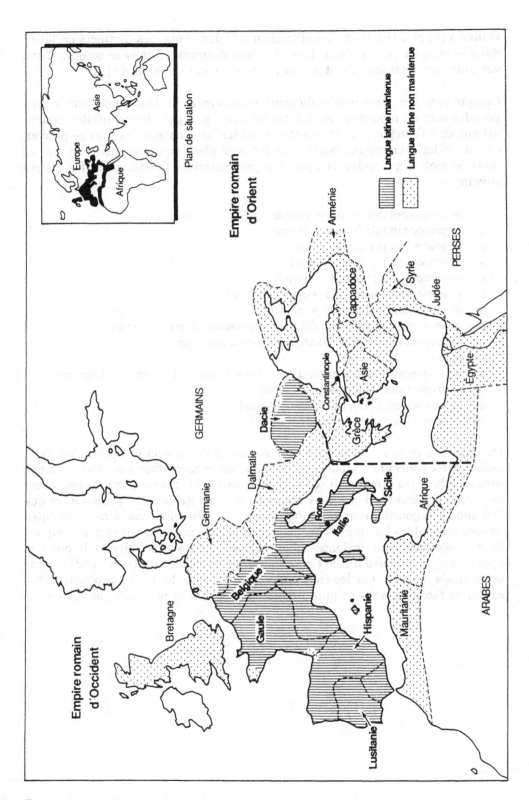

FIGURE 20.1   L'EMPIRE ROMAIN EN 200 APRÈS J.-C.

L'ÉVOLUTION PHONÉTIQUE DU LATIN AU ROMAN

C'est une entreprise téméraire que de présenter l'évolution du phonétisme latin (Iᵉʳ siècle avant notre ère) jusqu'à l'ancien français (Xᵉ siècle), c'est-à-dire toute la période qui s'étend du latin classique à la fin du roman, période précédant l'ancien français. Cette évolution est très complexe et il est presque impossible de couvrir près de 10 siècles en quelques pages. Les spécialistes qui se sont intéressés à cette question ont d'ailleurs dû rédiger de savants ouvrages[1] sur le sujet.

Contrairement aux modifications complexes qu'a subies le système vocalique, les modifications apportées au consonantisme latin semblent plus isolées et plus périphériques. C'est pourquoi nous aborderons l'évolution des consonnes avant celle des voyelles. Il est possible parfois que certaines références concernent l'ancien français, soit la période qui suit le roman, car il n'est pas toujours aisé de départager certains faits d'évolution.

Cette description diachronique couvre plusieurs périodes importantes de l'histoire: la fin de l'Empire romain (IVᵉ siècle), l'ère des invasions germaniques (du Vᵉ au VIIᵉ siècle) et l'époque carolingienne (du VIIIᵉ au Xᵉ siècle). Cela signifie que nous passons du latin classique au latin vulgaire, puis du gallo-roman au roman, qui se distingue définitivement du latin et se stabilise.

---

1. Pensons notamment à Joseph ANGLADE avec *Grammaire élémentaire de l'ancien français*, à Édouard et Jean BOURCIEZ avec *Phonétique française*, à Ferdinand BRUNOT et Charles BRUNEAU avec *Précis de grammaire historique de la langue française*, et à Albert DAUZAT avec *Phonétique et grammaire historique de la langue française*.

1 LA FORMATION DU CONSONANTISME

De façon générale, on peut affirmer que les consonnes latines ont subi des modifications relativement mineures, surtout lorsqu'on les compare aux modifications apportées aux voyelles. Mais, bien que les consonnes latines se soient révélées assez stables, elles ont quand même évolué.

1.1 LA DISPARITION DU [-m] FINAL DE L'ACCUSATIF LATIN

Tous les mots latins se terminaient par -m à l'accusatif singulier. Or, dès le Ier siècle, le [m] final s'affaiblit et disparaît. Il n'y a pas de traces du [m] final dans les autres langues romanes à l'exception du mot «rien» en français: *rem > rien*.

> *bonum > bon*
>   *buono* (it./esp.)
>   *bom* = [bõ] (port.)
> *decem > dix*
>   *diez* (esp.)
>   *dieci* (it.)
>   *dez* = [dɛʒ] (port.)
> *votum > vœu*
>   *voto* (esp./it.)   *voto* = [vɔtu] (port.)
> *confectionem > confection*

1.2 LE [h] LATIN ET LE [h] GERMANIQUE

Si le [h] continuait de s'écrire en latin classique, il ne se prononçait pas dans la langue courante; c'était tout au plus une affectation due à un héritage de mots empruntés au grec. On ne trouve pas plus de traces de prononciation du [h] dans les autres langues romanes; que ce soit en français, en espagnol ou en portugais, le *h* n'est jamais prononcé.

> *hic > ici*
> *habere > avoir* (français)
>   *> avere* (italien)
>   *> haber* (espagnol)
>   *> haver* (portugais)

L'ancien français en viendra même à ne plus écrire le *h* initial dans la graphie; le mot *homme* du français moderne s'écrivait *ome* (du latin *hominem*) en ancien français. Le *h* graphique a été réintroduit dans les siècles suivants soit par souci étymologique (*homme* < lat. *hominem*), soit pour interdire la liaison (*harnais*, *hutte*, etc.).

Cela dit, à l'époque des invasions germaniques, soit vers le Ve siècle dans le nord de la Gaule, un [h] germanique fortement aspiré s'est introduit en latin vulgaire et s'est prononcé longtemps, probablement jusque vers la fin du Moyen Âge. Voici quelques mots d'origine germanique qui ont longtemps conservé ce [h] aspiré dans la prononciation: *hapja > hache, hatjan > haïr, hestr > hêtre, haigiro > héron*. Ce [h] aspiré se serait même fait sentir dans certains mots savants d'origine latine: **harpie, hernie, héros**, etc.

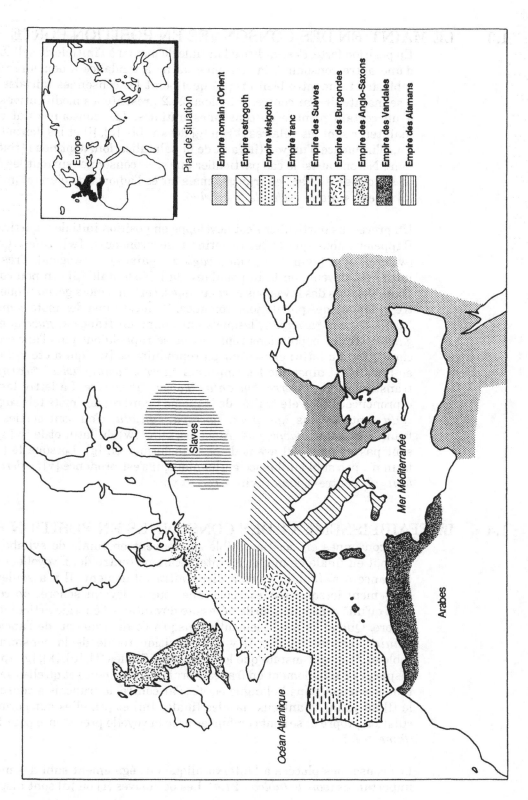

FIGURE 21.1   LA FONDATION DES EMPIRES GERMANIQUES AU Vᵉ SIÈCLE

1.3   LE MAINTIEN DES CONSONNES EN POSITION FORTE

En position forte, c'est-à-dire à l'initiale de mot ou à l'initiale de syllabe précédée d'une autre consonne[2], la consonne latine a tendance à demeurer intacte. Le tableau 21.1 montre bien jusqu'à quel point les consonnes initiales ont réussi à se maintenir. Par contre, le tableau 21.2 présente les modifications apportées à un certain nombre de consonnes initiales. Les consonnes qui n'ont pu se maintenir sont les vélaires [k] ou [g] devant [a], [e], [i] et les dentales [t] ou [d] sous l'influence d'un *yod* (il s'agit de la palatalisation, dont nous traiterons plus loin). Notons aussi le cas particulier du [s] + consonne (surtout les groupes *sc, st, sp*) qui s'est effacé en français mais après l'adjonction d'un [ə] initial devenu [e] (p. ex., *scala > eschielle > échelle).*

Un processus particulier s'est développé en position initiale à partir du son [w]. Rappelons-nous que la lettre latine *v* se prononçait [w]: *valere* («valoir») = [walere], *vinu* («vin») = [winu], *vagina* («gaine») = [wagina]. Très tôt, ce [w] initial est devenu, en latin populaire, la labiodentale [β] (un peu comme [bv]). Toutefois, lors des invasions germaniques, certains mots germaniques ont pénétré la langue des populations romanes. Il en est ainsi des mots comme **werra, *want, *wisa, *warnjan,* lesquels ont donné en français: *guerre, gant, guise, garnir.* Or, les populations romanes ne se rappelaient plus l'ancienne prononciation [w] du latin; elles n'ont pu reproduire ce [w], qui a été redoublé plutôt en [gw]. C'est ainsi que les emprunts **werra, *want, *wisa, *warnjan* se sont transformés en **gwerra, *gwantu, *gwisa, *gwarnire.* La lettre latine initiale *v,* prononcée [w], a été traitée de la même manière; des mots tels *vagina, vespa, vadu* sont devenus **gwagina, *gwespa, *gwadu,* d'où sont sorties les formes françaises *gaine, guêpe, gué.* Ainsi, certains [w] du latin et le [w] germanique sont passés par [gw] avant de se transformer en [g]. Lorsque le [w] (écrit *v*) latin n'a pas subi l'influence germanique, il s'est prononcé [v]: *valere* («**v**aloir»), *ventre* («**v**entre»), *vinu* («**v**in»), *voce* («**v**oix»).

1.4   L'AFFAIBLISSEMENT DES CONSONNES EN POSITION FAIBLE

Les consonnes en position faible se trouvent en finale de syllabe, mais c'est surtout en finale de mot et à l'intervocalique (entre deux voyelles) qu'elles ont tendance à s'affaiblir, voire à disparaître totalement. Il y a seulement affaiblissement lorsque, par exemple, une sourde devient sonore: on considère en effet qu'une consonne sourde nécessite davantage d'énergie articulatoire qu'une sonore. Quand l'affaiblissement va jusqu'à l'amuïssement (de l'ancien français *amuir:* «rendre muet»), il y a disparition totale de la consonne. Dans le tableau 21.3, on constate que les occlusives finales [t], [d], [k], [g], [p] et [b] sont disparues partiellement en français oral (*porcu > porc*) et qu'elles se sont maintenues surtout dans la langue écrite. Par contre, le français a conservé le [r] et le [l] du latin; quant aux nasales finales [m] et [n], elles ont perdu leur articulation propre et se sont combinées avec la voyelle précédente pour la nasaliser (*fame > faim*).

Les consonnes placées à l'intervocalique ont également subi des modifications importantes (*voir le tableau 21.4*). Les occlusives [t] ou [d] sont disparues dans

---

2. Par exemple, *mercede > merci, rancore > rancœur, virtute > vertu,* etc.

cette position (*vita* > *vie*), de même que les labialisées [kʷ] ou [gʷ]. De plus, certaines occlusives sourdes sont devenues des constrictives sonores ([k] > [z], [p] > [v]), alors que la constrictive sourde [s] s'est sonorisée en [z]. Par ailleurs, la latérale [l], la vibrante [r] et les nasales [m] et [n] se sont maintenues en français.

La réduction des groupes de consonnes constitue un autre cas d'affaiblissement articulatoire. Dès le IIᵉ siècle, le latin populaire avait commencé à réduire certains groupes de consonnes dans la prononciation.
En voici quelques exemples:

[x] prononcé [ks] > [s]	*sextus* > *sestus* («sixième»)
[rs] > [ss]	*persica* > *pessica* («pêche»)
[ns] > [s]	*pensare* > *pesare* («peser»)
[pt] > [tt]	*septe* > *sette* («sept»)
[ps] > [ss]	*scripsit* > *scrissit* («écrit»)

À ce phénomène il convient d'ajouter la simplification des consonnes géminées (doublées) du latin. En effet, à partir du VIIᵉ siècle, les consonnes doubles se simplifient et se réduisent à des consonnes simples: **pessica* > *pesica* («pêche» = action de pêcher), *cappa* > *capa* («chape»), *sette* > *sete* («sept»), *attingere* > *ateindre* («atteindre»), *mittere* > *mitere* («mettre»), *illa* > *ele* («elle»), etc. Toutefois, beaucoup de géminées ont été rétablies dans la langue écrite au cours des siècles ultérieurs.

Enfin, lorsque trois consonnes se rencontrent, la première et la troisième ont tendance à se maintenir, alors que la deuxième disparaît généralement: *mast(i)care* > *maschier, blasph(e)mare* > *blasmer, comp(u)tare* > *conter*[3], *dorm(i)torium* > *dortoir*, etc. Par contre, *pers(i)ca* a donné *pesche* (= fruit du pêchier), la première consonne disparaissant au profit des autres.

1.5   LA PALATALISATION CONSONANTIQUE

Il y a palatalisation lorsque le point d'articulation de certaines consonnes non palatales se déplace vers la région palatale et lorsque la langue s'élève vers le palais mou; ainsi, les dentales se trouvent à reculer et les vélaires à avancer. Ce type d'occlusion peut être considéré comme un signe de renforcement articulatoire. Le phénomène de la palatalisation s'est développé en plusieurs étapes; une première palatalisation a commencé entre le IIᵉ et le IVᵉ siècle, une autre s'est produite vers le Vᵉ siècle, et une troisième vers le XIIIᵉ siècle en ancien français; certaines palatalisations moins importantes semblent même avoir eu lieu après le XVIᵉ siècle pour ne se terminer qu'au XIXᵉ siècle. En fait, on peut affirmer que la palatalisation constitue certainement l'un des phénomènes les plus importants de l'évolution phonétique du français. En effet, la palatalisation a touché toutes les consonnes susceptibles d'être palatalisées: les vélaires et les dentales; seules les bilabiales et les labiodentales se sont révélées impalatalisables.

---

3. Dans le sens de *compter*, dont l'orthographe savante a été rétablie par la suite pour des raisons étymologiques.

La palatalisation de [k] et de [g] s'est amorcée dès le IIe siècle pour se généraliser par la suite. Les transformations subies par ces deux occlusives vélaires montrent bien que l'évolution phonétique peut parfois être très complexe, surtout lorsqu'elle s'étend sur plusieurs siècles. Devant les voyelles [e] et [i], la sourde [k] initiale s'est palatalisée en [kj] pour passer ensuite à l'articulation intermédiaire [kʲ] avant d'arriver à [tj], pour aboutir finalement à l'affriquée [ts]; au XIIIe siècle, cette dernière réalisation se transformera pour donner la prononciation [s] encore conservée aujourd'hui: *centu* [kentu] > [*kjentu] > [*kʲentu] > [*tjent] > [*tsãnt] > [sã] («cent»). Quant à la sonore [g], à l'initiale devant [e] et [i], elle est devenue [gj] en se palatalisant, puis [gʲ] et [dj] avant de s'affriquer en [dʒ]; elle s'est réduite en [ʒ] au cours du XIIIe siècle, prononciation conservée depuis. En voici un exemple, à l'initiale de syllabe: *argilla* > [*argjilla] > [*argʲilə] > [*ardʒilə] > [arʒil].

À l'intervocalique, la sourde [k], devant [e] et [i], s'est également palatalisée en [kj], puis en [tsj] (après être passée par les articulations intermédiaires [kʲ] et [tj]); par exemple, *placere* [plakere] > [*plakjere] > [*plakʲere] > [*platjere] > [*platsjere] vers la fin du IVe siècle. Cette consonne sourde, par ailleurs affriquée et palatalisée, est devenue sonore tout en conservant sa mouillure (palatalisation en [dʒj]): [*platsjere] > [*pladzjere]. Par la suite, la mouillure disparaîtra et l'affriquée deviendra constrictive sonore en ancien français: [*plajdzir] > [*plajzir] > [plɛzir] («plaisir»). La sonore intervocalique [g] a subi moins de transformations que la sourde devant [e] et [i]; elle est passée de [g] à [gj], puis à [j] qui, en français, s'est combiné avec les sons environnants: par exemple, *rege* [rege] > [*regje] > [*reje] > [*rei(e)] > [rei] > [roi] (= [rɔj] jusqu'au XIe siècle), puis [rwe] et [rwa].

Si les vélaires palatalisées [k] et [g] sont devenues des affriquées devant les voyelles [e] et [i], elles se sont transformées en chuintantes devant [a]. La palatalisation devant [a] aurait commencé plus tard, soit vers le milieu du VIe siècle:

[k] + [a] > [kja] > [tja] > [tʃa] > [ʃa][4]
carru: [karru] > [*kjarru] > [*tjarru] > [tʃar] > [ʃar] («char»)
[g] + [a] > [gja] > [dja] > [dʒa] > [ʒa][5]
gamba: [gamba] > [*gjamba] > [*djamba] > [*dʒambə] > [dʒãmbə] > [ʒãb] («jambe»)

Il serait possible d'apporter de nombreux autres exemples de palatalisation, et ce, avec beaucoup de précision. Mais les exemples précédents suffisent à donner une idée de la complexité et de l'ampleur du phénomène de la palatalisation dans l'histoire de la langue. Néanmoins, il peut être utile de rapporter, de manière schématique, les cas de palatalisation suivants:

---

4. L'articulation simple en [ʃ] ne s'est produite qu'au cours du XIIIe siècle.
5. L'articulation simple en [ʒ] ne s'est produite qu'au cours du XIIIe siècle.

[n] + [j] > [ɲ]   *montanea* > *montaigne* > *montagne*
[l] + [j] > [λ]   *palea* > [*paλə] > [paj] = *paille*
[t] + [j] > [ts]   *ratione* > [*ratsjone] > [*radzjone] > [*rajzɔn]
                           («raison»)
                           fortia > [*fɔrtja] > [*fɔrtsja] > [*fɔrsə] («force»)
[d] + [j] > [j]   *badiu* > [baiu] > *bai*
[s] + [j] > [z]   *basiare* > *baiser*
[ss] + [j] > [s]   *bassiare* > *baisser*
[kl] + [j] > [λ]   *solic(u)lu* > [*sɔlɛλ] > [sɔlɛj] («soleil»)
[gn] + [j] > [ɲ]   *signu* > *signe*
[r] + [j] > [jr]   *paria* > [*pajrə] > [pɛr] («paire»)
[b] + [j] > [dʒ]   *tibia* > [*tidʒə] > [tiʒ] («tige»)
[p] + [j] > [tʃ]   *sapia* > [*satʃə] > [saʃ] («sache»)
[v] + [j] > [dʒ]   *cavea* > [*kadʒə] > [kaʒ] («cage»)

Ces exemples illustrent des transformations qui ont eu lieu avant l'apparition de l'ancien français, c'est-à-dire avant la dépalatalisation qui s'est produite ultérieurement dans certains cas : les mots français tels *raison, force, bai, baiser, baisser, paire* et *tige* ne conservent plus de traces de la palatalisation. De plus, il faut comprendre que les bilabiales et les labiodentales ne se sont pas réellement palatalisées ; ce sont les dentales de transition [d] et [t] qui ont subi la palatalisation, car les articulations bilabiales et labiodentales sont à peu près impalatalisables. Enfin, le phénomène spécifique de l'affrication ne correspond pas non plus à une palatalisation, car il s'agit plutôt d'une dépalatalisation ou d'une transformation des palatales en affriquées.

[p] **ou** [b]	*patre* > *père*	[f]	*fabula* > *fable*
	pruna > *prune*		*fratre* > *frère*
	branca > *branche*		*flore* > *fleur*
[r]	*rege* > *roi*	[l]	*lamina* > *lame*
	rem > *rien*		*luna* > *lune*
[m] **ou** [n]	*matre* > *mère*	[s] + **voyelle**	
	nasu > *nez*		*salmone* > *saumon*
	nocte > *nuit*		*serpenta* > *serpent*
	minus > *moins*		
[k] **ou** [g] + [o] **ou** [u]	*cor* > *cœur*	[t] **ou** [d]	*terra* > *terre*
	cubitu > *coude*		*tres* > *trois*
	gula > *gueule*		*duru* > *dur*
	gubernare > *gouverner*		*drappu* > *drap*

TABLEAU 21.1   LES CONSONNES INTACTES À L'INITIALE

[k] **ou** [g] + [a] > [ʃ] **ou** [ʒ]
  caballu > cheval
  capra > chèvre
  caru > cher
  cantare > chanter
  gamba > jambe
  gaudia > joie

[k] + [e] **ou** [i] > [kj] > [tj] > [ts] > [s] (= **palatalisation**)
  centu > cent
  cera > cire

[g] + [e] **ou** [i] > [gj] > [dj] > [dʒ] > [ʒ] (= **palatalisation**)
  gelare > geler
  generu > gendre

[t] **ou** [d] + [j] > [tj] **ou** [dj] > [ts] **ou** [dʒ] > [ʃ] **ou** [ʒ] (= **palatalisation**)
  diurnu > djour > jour

[s] + **cons.** > Θ > [e]
  scala > échelle
  spina > épine
  scriptu > écrit

TABLEAU 21.2   Les consonnes modifiées à l'initiale

1) Effacement dans la langue parlée
cons. + [k] **ou** [g] > Θ   *porcu > porc*   *longu > long*
                                                     burgu > bourg

voy. + [t] **ou** [d] > Θ   *donat > donne*   *fide > foi*
                                  amat > aime

cons. + [t] **ou** [d] > Θ   *parte > part*   *grande > grand*
                                  lectu > lit   *cal(i)du > chaud*

[s] > Θ   *cursu > cours*   *grossu > gros*
                                  venis > viens   *cantas > chantes*

[p] **ou** [v] > [f] (derrière une voyelle)
          > Θ (derrière une consonne)
          capu(t) > chef   *campu > champ*   *drappu > drap*
          bove > bœuf   *cervu > cerf*   *servu > serf*

2) Maintien de la consonne
[r] *cor > cœur*   [l] *sal > sel*
     caru > cher   *cælu > ciel*
     ferru > fer   *bellu > bel*

TABLEAU 21.3   Les consonnes placées à la finale

[k] > [kj] > [dz] > [z]	*placere > plaisir*	
	racemu > raisin	
[t] **ou** [d] > Θ	*vita > vie*	
	mutare > muer	
	nuda > nue	
	coda > queue	
[s] > [z]	*causa > chose*	*rosa > rose*
	usura > usure	
[p], [b], [v] > [v]	*ripa > rive*	
	*sapere > savoir	
	sapone > savon	
	caballu > cheval	
	lavare > laver	
[kʷ] **ou** [gʷ] > Θ	*aqua > eau*	
	legua > lieue	
[r] **se maintient**	*corona > couronne*	
	pira > poire	
[l] **se maintient**	*vela > voile*	
	dolora > douleur	
[m] **et** [n] **se maintiennent**	*amat > aime*	
	plana > plaine	
	luna > lune	

TABLEAU 21.4   LES CONSONNES PLACÉES À L'INTERVOCALIQUE

2   LA FORMATION DU VOCALISME

L'évolution des voyelles, rappelons-le, est plus complexe que celle des consonnes. Les voyelles ont en effet connu des transformations considérables et leur évolution fait appel à des règles de phonétique combinatoire difficiles à assimiler pour un non-spécialiste. Cependant, il est possible de s'en tenir aux éléments les plus importants, et ce, même si la description diachronique demeure incomplète.

2.1   LA DISPARITION DES OPPOSITIONS DE DURÉE

Dès le IIIe siècle, la durée disparaît du système vocalique latin. Ce bouleversement quantitatif entraîne une réorganisation des timbres vocaliques. Les changements survenus sont les suivants :

VOYELLES LATINES CLASSIQUES	VOYELLES DU LATIN VULGAIRE
[a] et [a:]	> [ɑ]
[e]	> [ɛ]
[e:] et [i]	> [e]
[i:]	> [i]
[o]	> [ɔ]
[o:] et [u]	> [o]
[u:]	> [u]

Au IIIᵉ siècle, le latin vulgaire était passé de cinq timbres vocaliques à sept, et de dix voyelles à sept, en perdant toutes les oppositions phonologiques de durée :

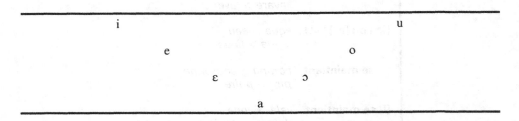

Quant aux diphtongues, elles disparaissent en latin vulgaire, sauf [au] qui se maintient avant de se monophtonguer en [o] un peu plus tard, soit après la palatalisation de [k] devant [a] :

[eu] > disparition
[æ]   > se monophtongue en [ɛ]
[œ]   > se monophtongue en [e]
[au] > reste [au], puis devient [o] : *causa* [kausa] > [*kjausa] > [*tʃauzə] > [ʃoːz]

2.2   L'IMPORTANCE DE L'ACCENTUATION

Le traitement subi par les voyelles sera différent selon que la voyelle est dans une *syllabe accentuée* (ou *tonique*) ou dans une *syllabe inaccentuée* (ou *atone*). Un fort accent d'intensité, parce qu'il concentre l'énergie articulatoire sur la syllabe accentuée, peut provoquer indirectement l'affaiblissement des voyelles inaccentuées. La syllabe accentuée se trouve en position de force ; elle aura tendance à rester accentuée en latin vulgaire et en roman.

Rappelons donc certaines notions fondamentales : l'évolution du phonétisme latin diffère selon qu'elle touche les voyelles *toniques* (accentuées) ou les voyelles *atones* (inaccentuées). Les voyelles atones subissent des transformations importantes, certes, mais qui sont loin d'égaler celles touchant les voyelles toniques.

2.3   LES VOYELLES ATONES

Une voyelle est dite *atone* lorsqu'elle ne porte pas l'accent *tonique*. Parce que les voyelles atones se trouvent dans une position de faiblesse, elles vont subir un affaiblissement généralisé. La voyelle [a], plus ouverte que les autres, est celle qui se maintient le mieux. On peut regrouper les voyelles suivant trois positions principales : les voyelles pénultièmes[6], les voyelles finales, les voyelles initiales.

– À LA PÉNULTIÈME > DISPARITION

Toutes les voyelles pénultièmes atones tombent (du IVᵉ au VIIᵉ siècle), car elles sont en position de faiblesse :

vetulu > [vɛtl̥o] > [vɛklo] > [vjɛλ] > [vjɛj] (« vieille »)
femina > [femna] > [fẽmə] > [fãmə] > [fam] (« femme »)
frigidu > [freit] > [frɛt] > [frwa] (« froid »)
tabula > [tablə] > [tabl] (« table »)

– EN FINALE > DISPARITION

Toutes les voyelles finales atones disparaissent (entre les VIᵉ et VIIIᵉ siècles), sauf [a] qui devient [ə̥] sourd avant de devenir [ə] muet plus tard dans la langue parlée.

[a] > [ə] > Θ   *canta* > [ʃantə] > *chante*
                  rosa > [rozə] > *rose*
[e] > Θ   *cantare* > *chanter*
[i] > Θ   *muri* > *mur*
[o] > Θ   *canto* > *chant*
[u] > Θ   *bonu* > [buen] > [bɔ̃n] > *bon*

– À L'INITIALE

Les voyelles initiales atones sont en position de force et c'est la raison pour laquelle elles se maintiennent davantage. Les voyelles [i], [u] et [a] sont particulièrement résistantes, probablement parce qu'elles sont ou très ouvertes ou très fermées, ce qui suppose une plus grande dépense articulatoire ; par contre, les voyelles [o] et [e] subissent des altérations.

[i] > se maintient   [u] > se maintient
   liberare > *livrer*   *lucore* > *lueur*
   ciconia > *cigogne*   *fumare* > *fumer*

[a] > se maintient   [o] > [u]
   valere > *valoir*   *volere* > *vouloir*
   salute > *salut*   *dolere* > *douleur*

[e] > [ə] (en syllabe libre) > Θ
   venire > [vənir] > [vnir]
   securu > [seyr] > [syr]

---

6. Pénultième atone : avant-dernière syllabe inaccentuée.

2.4   LES VOYELLES TONIQUES

Rappelons qu'une voyelle tonique correspond à une syllabe accentuée. À l'opposé des voyelles atones dont les transformations sont relativement simples, les voyelles toniques subissent des transformations majeures qui se révèlent très complexes. Pour chacune des voyelles toniques, il faut tenir compte de trois variables : les voyelles toniques évoluent différemment selon qu'elles se trouvent en position libre, en position entravée ou sous l'influence d'un *yod*. À partir du Xe siècle, les voyelles subiront aussi l'influence des consonnes nasales, mais nous aborderons cette question dans le chapitre suivant qui porte spécifiquement sur l'ancien français.

2.4.1   *VOYELLES LIBRES ET VOYELLES ENTRAVÉES*

Une voyelle tonique est en position *libre* lorsqu'elle termine la syllabe dont elle fait partie ; par exemple, dans ***ma****re*, la voyelle [a] est libre. Par opposition, on parlera de voyelle *entravée* lorsqu'une consonne termine la syllabe : dans ***a****rbore*, la voyelle [a] est entravée.

En consultant les tableaux 21.5 à 21.11, on constate que, sauf exceptions, toutes les voyelles toniques libres se sont maintenues en français mais avec des altérations ; seule la voyelle [i] allongée est restée intacte (*voir le tableau 21.8*). Les transformations ont été plus manifestes dans les voyelles entravées. Les voyelles [a] (*tableau 21.5*), [i:] (*tableau 21.8*), [u] (*tableau 21.10*) et [o] (*tableau 21.9*) sont demeurées intactes, mais les voyelles [e] (*tableau 21.6*), [e:] / [i] (*tableau 21.7*), [o:] (*tableau 21.10*) et [u:] (*tableau 21.11*) ont subi d'importantes modifications.

2.4.2   *L'INFLUENCE DU YOD*

Nous savons le rôle qu'a joué le *yod* dans l'évolution des consonnes, notamment dans la palatalisation. Il a également exercé une grande influence dans l'évolution des voyelles. Ainsi, le *yod* a pu provoquer l'apparition de nouvelles diphtongues ([a] + [j] > [ai], [o] + [j] > [oi]) ou favoriser la création de triphtongues (p. ex., [eau]), mais il a permis aussi la production de nouvelles voyelles (dont [ø] et [œ]) ainsi que l'arrivée d'une semi-consonne inconnue du latin : le [ɥ] dans *cuir* (< *coriu*) et dans *fruit* (< *fructu*), pour ne rapporter que ces exemples (*voir les tableaux 21.9 et 21.11*).

2.4.3   *LA DIPHTONGAISON*

Le processus de diphtongaison ne vise que les voyelles accentuées libres [e] et [o], brèves ou longues. La première manifestation de ce phénomène remonterait au IIIe ou au IVe siècle et serait liée aux invasions germaniques ; seules les voyelles brèves [e] et [o] ont alors été touchées.

[e] > [ie] *pedem* > [*piede] («pied»)
[ɔ] > [uɔ] *bovem* > [*buɔve] («bœuf»)

La langue romane a connu une seconde diphtongaison au VIe et au VIIe siècle ; celle-ci s'est produite devant un *yod* ou devant un groupe palatalisé.

[e:] > [ie]	*melius* > [*miejlus]	(«mieux»)
	pejus > [*piejus] > [*pijos]	(«pis»)
	legit > [*liejit]	(«lit»)
[ɔ] > [ɔi] > [uɔ]	*noce* > [*nɔidzet] > [nuɔjdzet]	(«nuit»)

Ce sont là les seules diphtongues de la période romane, mais, quelques siècles plus tard, l'ancien français développera de nombreuses autres diphtongues. Par ailleurs, à la même époque, la vieille diphtongue latine [au] s'est monophtonguée en [o]: *causa* > [*tʃozə].

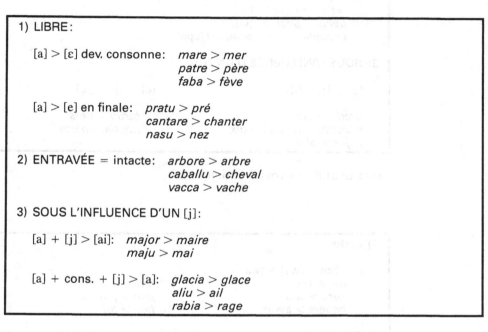

1) LIBRE :

   [a] > [ɛ] dev. consonne :   *mare* > *mer*
                                      patre > *père*
                                      faba > *fève*

   [a] > [e] en finale :   *pratu* > *pré*
                                    cantare > *chanter*
                                    nasu > *nez*

2) ENTRAVÉE = intacte :   *arbore* > *arbre*
                                      caballu > *cheval*
                                      vacca > *vache*

3) SOUS L'INFLUENCE D'UN [j] :

   [a] + [j] > [ai] :   *major* > *maire*
                                      maju > *mai*

   [a] + cons. + [j] > [a] :   *glacia* > *glace*
                                      aliu > *ail*
                                      rabia > *rage*

TABLEAU 21.5   LA VOYELLE TONIQUE [a]

```
1) LIBRE:

   [e] + cons. > [jɛ]:   heri > hier
                         feru > fier
                         febre > fièvre
2) ENTRAVÉE:

   [e] + cons. > [ɛ] ou [jɛ]:   ferru > fer
                                *testa > tête
                                herba > herbe

   [e] + [λ] (l mouillé) > [o] (= triphtongue [eau])
       bellus > beau > [bo]
       pellis > peau > [po]
       cappellus > tchapeau > [ʃapo]

3) SOUS L'INFLUENCE D'UN [j]:

   [e] + [j] > [i]                    [e] + [j] > [jɛ]

   pretiu > prix                     tertiu > tiers
   dece(m) > [dekje] > dix           neptia > nièce
   pejor > pire
```

TABLEAU 21.6   La voyelle tonique [e]

```
1) LIBRE:

   [e] libre > [we] > [wa]
       me > moi               pira > poire
       seru > soir            pilu > poil
       habere > avoir         fide > foi

2) ENTRAVÉE:

   [e] entravé > [ɛ]   virga > verge
                       illa > elle
                       fissa > fesse

   [e] + [l] ou [kl]/[gl] > [ɛj]   auric(u)la > oreille
                                   vig(i)lat > veille
                                   consilu > conseil

   [e] + [λ] mouillé > [ø]   capillos > cheveux
                            illos > eux

3) SOUS L'INFLUENCE D'UN [j]:

   [e] + [j] > [ei] > [oi] > [wɛ] > [wa]
       feria > [feire] > [fwer] > [fwar] = foire
       rege > roi
       lege > loi
```

TABLEAU 21.7   Les voyelles toniques [e:] et [i]

```
1) LIBRE = intacte    venire > venir
                      filu > fil
                      nidu > nid
                      amicu > ami
                      filia > fille

2) ENTRAVÉE = intacte    villa > ville
                         mille > mil
                         argilla > argile

3) SOUS L'INFLUENCE D'UN [j]: sans objet
```

TABLEAU 21.8   LA VOYELLE TONIQUE [i:]

```
1) LIBRE :

    [o] > [œ]    soror > sœur
                 bove > bœuf
                 novu > neuf

    [o] + [l] + cons. > [u]    sol(i)dus > [solz] > sou
                               mel(e)re > [moldre] > moudre

2) ENTRAVÉE :

    [o] = intact    porta > porte
                    morte > mort
                    *coccu > coq

3) SOUS L'INFLUENCE D'UN [j]:

    [o] + [j] > [ɥi]    coriu > cuir
                        ho(d)ie > [aujourd']hui
                        ostrea > huître
                        nocte > nuit
                        octo > huit

    [o] + [j] + [l] > [œj]    folia > feuille
                             oc(u)lu > œil
                             soliu > seuil
```

TABLEAU 21.9   LA VOYELLE TONIQUE [o]

```
1) LIBRE :
    [o] dev. cons. > [œ]    flore > fleur
                           sapore > saveur

    [o] finale > [ɸ]        duos > deux

2) ENTRAVÉE :

    [o] > [u]               corte > cour
    [u] = intact            crusta > croûte

3) SOUS L'INFLUENCE D'UN [j]:

    [o] + [j] > [oi] > [wɛ] > [wa]    rasoriu > rasoir
```

TABLEAU 21.10   LES VOYELLES TONIQUES [o:] ET [u]

```
1) LIBRE ou 2) ENTRAVÉE :

   [u] > [y]   muru > mur
               mula > mule
               nullu > nul
               purgat > purge

3) SOUS L'INFLUENCE D'UN [j] :

   [u] + [j] > [ɥi]   fructu > fruit
                      tructa > truite
```

Tableau 21.11   La voyelle tonique [u:]

N'oublions pas qu'il s'agit là d'une évolution couvrant près de dix siècles. Le survol d'une aussi longue période en quelques pages ne peut que tronquer la description historique. C'est pourquoi cette description diachronique ne saurait être exhaustive, car elle ne tient pas compte de toute l'évolution du phonétisme latin. Néanmoins, elle reflète la complexité de l'évolution du phonétisme latin qui est devenu le roman, langue mère du français, du portugais, de l'espagnol, de l'italien, du catalan, etc., bref, de ce que l'on appelle les *langues romanes*.

À RETENIR

▷ On distingue la linguistique historique de la linguistique comparative. La linguistique historique étudie de près l'évolution d'une ou de plusieurs langues et essaie d'expliquer cette évolution, alors que la linguistique comparative ou comparée a souvent pour moyen ou pour fin la linguistique historique. La méthode principale de la linguistique comparative consiste à rapprocher les mots de deux et parfois de plusieurs langues données.

▷ Le problème le plus important dans l'étude des langues mortes porte sur l'étalement dans le temps et la résistance des textes littéraires à refléter la langue réelle.

▷ La fragmentation linguistique résulte de l'absence de contacts entre des populations qui parlaient à l'origine la même langue. Les causes de l'isolement ne sont pas d'ordre linguistique : il s'agit plutôt de famines ou de cataclysmes naturels, mais surtout de guerres, d'ambitions impérialistes, de divisions politiques, de mouvements migratoires, etc.

▷ Le travail de reconstruction historique s'appuie avant tout sur des ressemblances entre des langues dont on suppose préalablement la parenté. Ces ressemblances doivent être soumises à un examen minutieux, car des mots peuvent être accidentellement semblables d'une langue à l'autre, alors que des mots très différents peuvent avoir la même origine.

▷ Les études historiques et comparatives des langues sont particulièrement intéressantes parce qu'elles ont fait naître l'idée qu'un peuple a existé en des temps très anciens : les Indo-Européens. L'existence de ce peuple est prouvée uniquement par des considérations linguistiques : aucun vestige historique ne l'atteste de façon sûre. Cela signifie qu'on ne peut pas parler des Indo-Européens comme on parle des Grecs ou des Romains (ou Latins) : nous n'avons d'eux aucun texte et leur existence n'est donc pas une donnée de l'histoire mais une hypothèse.

▷ On peut estimer à plus de 6 000 le nombre des langues dans le monde. L'étude d'une telle masse de données nécessite un classement. Ce classement doit reposer sur l'utilisation de certains traits choisis selon les affinités que l'on découvre au fur et à mesure qu'on l'effectue.

▷ La classification typologique des langues a pour but de les décrire et de les regrouper en fonction de certaines caractéristiques communes de leurs structures, sans rechercher nécessairement l'établissement de généalogies ou de familles de langues. La classification génétique, quant à elle, s'intéresse plutôt aux familles de langues, c'est-à-dire à un ensemble de langues effectivement parentes, qui descendent d'une langue présumée commune ou originelle.

▷ Dans les classements typologiques, les langues peuvent être caractérisées selon divers traits linguistiques. Par exemple, on peut classer les langues en fonction de critères phonétiques ou phonologiques, morphologiques ou syntaxiques.

▷ Généralement, on réserve le terme de *famille linguistique* à l'ensemble formé de toutes les langues de même origine. Une famille comprend des sous-ensembles appelés *sous-familles* ou *branches*. Ces branches sont elles-mêmes constituées de langues plus étroitement apparentées entre elles. L'utilisation du terme *groupe* sous-entend que le classement n'est pas encore fixé ou n'est pas fixé de façon certaine.

▷ L'indo-européen aurait donné naissance à plus de 1 000 langues. En cette fin du XXᵉ siècle, il en resterait quelque 200, parlées par plus de deux milliards d'individus, ce qui en fait la famille linguistique la plus importante du monde.

▷ Les milliers d'autres langues du monde appartiennent à un peu plus de 200 familles linguistiques. Les familles les plus importantes par le nombre des locuteurs sont les familles sino-tibétaine, austronésienne, chamito-sémitique, dravidienne, japonaise et coréenne, ouralienne et altaïque, bantoue, nigéro-congolaise. Toutes ces familles regroupent, avec la famille indo-européenne, environ 96 % de la population du monde.

▷ Lorsqu'un idiome connaît une extension géographique ou démographique importante, on s'empresse de dire qu'il s'agit d'une langue ; mais lorsqu'un idiome est peu répandu, inconnu ou non reconnu, il n'a droit qu'au titre de dialecte. Ce faisant, on invoque, consciemment ou inconsciemment, des critères qui ne sont pas d'ordre linguistique mais plutôt d'ordre politique ou social. Ces critères trahissent un jugement de valeur porté sur l'idiome qu'on qualifie de langue ou de dialecte ; *langue* correspond à une notion valorisante, *dialecte*, à une notion dépréciative.

▷ Pour le linguiste, les mots *langue, patois, dialecte, créole, sabir*, etc., veulent tous dire la même chose : *langue*. Qu'on les appelle *langue, patois, dialecte, créole, sabir*, etc., tous les idiomes correspondent à des codes servant à communiquer.

▷ Le linguiste fait appel à des critères d'ordre historique (ou diachronique) qui ne dégagent aucune connotation péjorative ou dépréciative. La *langue* désigne l'idiome originel, et le *dialecte*, l'un des parlers résultant de la fragmentation de la langue mère.

▷ L'indo-européen possédait un système phonologique qui nous est peu familier aujourd'hui : 16 consonnes, et six voyelles groupées en deux séries de trois timbres, trois laryngales et six sonantes.

▷ Au Iᵉʳ siècle avant notre ère, le latin possédait un système vocalique de cinq voyelles simples, mais chacune de ces voyelles pouvaient être longue ou brève, la durée étant un trait phonologiquement pertinent. Quant au système consonantique, il comprenait 18 phonèmes.

▷ À part la lettre *h*, toutes les consonnes écrites se prononçaient en latin classique, quelle que fût leur place (initiale, médiane, finale) dans le mot.

▷ De façon générale, on peut affirmer que les consonnes latines ont subi des modifications relativement mineures, surtout lorsqu'on les compare aux modifications apportées aux voyelles. Les principales transformations consonantiques sont les suivantes : la disparition du [-m] final de l'accusatif singulier, la disparition du [h] et sa réintroduction germanisante, le maintien des consonnes en position forte et leur affaiblissement en position faible, la palatalisation.

▷ Du côté des voyelles, on remarque la disparition des oppositions de durée, l'affaiblissement généralisé des voyelles inaccentuées, le maintien relatif des voyelles toniques libres, les transformations majeures des voyelles entravées, l'apparition des diphtongues et des triphtongues.

BIBLIOGRAPHIE

ALLIÈRES, Jacques. *La formation de la langue française*, Paris, P.U.F., coll. «Que sais-je?», n° 1907, 1982.

ANDERSON, James M. «Historical Linguistics», dans *Contemporary Linguistic Analysis*, Toronto, Copp Clark Pitman Ltd., 1987, pp. 193-226.

ANGLADE, Joseph. *Grammaire élémentaire de l'ancien français*, Paris, Librairie Armand Colin, 1965.

ARLOTTO, Anthony. *Introduction to Historical Linguistics*, Boston, Houghton Mifflin Co., 1972.

BOURCIEZ, E. et J. *Phonétique française, étude historique*, Paris, Éditions Klincksieck, 1971.

BRETON, Roland. *Géographie des langues*, Paris, P.U.F., coll. «Que sais-je?», n° 1648, 1976.

BRUNOT, Ferdinand et Charles Bruneau. *Précis de grammaire historique de la langue française*, Paris, Masson et Cie. 1949.

CAMPROUX, Charles. *Les langues romanes*, Paris, P.U.F., coll. «Que sais-je?», n° 1562, 1974.

CHAUDENSON, Robert. *Les créoles français*, Paris, Nathan, 1979.

DELOFFRE, Frédéric et Jacqueline HELLEGOUARC'H. *Éléments de linguistique française*, Paris, Éditions C.D.U. et SEDES réunies, 1983.

GLEASON, H.A. *Introduction à la linguistique*, Paris, Larousse, 1969.

HAUDRY, Jean. *L'indo-européen*, Paris, P.U.F., coll. «Que sais-je?», n° 1798, 1979.

HAUDRY, Jean. *Les Indo-Européens*, Paris, P.U.F., coll. «Que sais-je?», n° 1965, 1981.

HERMAN, Joseop. *Le latin vulgaire*, Paris, P.U.F., coll. «Que sais-je?», n° 1247, 1970.

LECLERC, Jacques. *Langue et société*, Laval (Québec), Mondia, 1986.

LOCKWOOD, W.B.A. *A panorama of Indo-European Languages*, Londres, Hutchinson University Library, 1972.

MALHERBE, Michel. *Les langages de l'humanité*, Paris, Seghers, 1983.

MANIET, Albert. *La phonétique historique du latin*, Paris, Klincksiek, 1975.

POTTIER, Bernard. «Les langues dans le monde», dans *Le langage*, Paris, Centre d'Étude et de Promotion de la Lecture, 1973, pp. 226-249.

STEINBERGS, Aleksandra. «The Classification of Languages», dans *Contemporary Linguistic Analysi*s, Toronto, Copp Clark Pitman Ltd., 1987, pp. 227-258.

SEPTIÈME PARTIE

HISTOIRE DE LA LANGUE FRANÇAISE

L'ÉVOLUTION PHONÉTIQUE DE L'ANCIEN FRANÇAIS AU FRANÇAIS MODERNE ○ UNE ÉTUDE PHONÉTIQUE DU FRANCO-QUÉBÉCOIS ○ L'ÉVOLUTION DE LA GRAMMAIRE: LA DÉCLINAISON, LE GENRE ET LE NOMBRE, LA CONJUGAISON ○ L'HISTOIRE DU VOCABULAIRE: LE FONDS HÉRÉDITAIRE ET LES EMPRUNTS AUX LANGUES MODERNES ○ LES MOTS FRANÇAIS DANS LES AUTRES LANGUES ○ LE VOCABULAIRE DU FRANCO-QUÉBÉCOIS ○ LES RÉGIONALISMES DE LA FRANCOPHONIE

L'ÉVOLUTION PHONÉTIQUE DE L'ANCIEN FRANÇAIS AU FRANÇAIS MODERNE

Le présent chapitre retrace l'histoire phonétique du français, du XIe siècle jusqu'à la fin du XVIIIe siècle. Il couvre donc les périodes de l'ancien français, du moyen français, du français classique et du français moderne. La quatrième partie de ce chapitre est consacrée à une description phonétique du franco-québécois.

1   L'ANCIEN FRANÇAIS

L'ancien français présente un système phonétique de transition très complexe qui ne devait pas durer. Il possède de nombreux sons ignorés aussi bien du latin et du roman que du français moderne. Comme une description complète du phonétisme de l'ancien français risquerait d'être fastidieuse, nous nous limiterons aux phénomènes marquants et à une description synchronique de cet état de langue que nous situerons vers la fin du XIe siècle et au début du XIIe siècle.

1.1   LE SYSTÈME CONSONANTIQUE DE L'ANCIEN FRANÇAIS

L'ancien français du XIIe siècle se caractérise par la surabondance sur le plan phonétique. Il s'agit bien de surabondance plutôt que de richesse fonctionnelle, car si le nombre des voyelles et des consonnes demeure élevé, leur rendement phonologique s'avère faible.

L'ancien français avait conservé à peu près toutes les consonnes du latin à l'exception de [kʷ] et de [gʷ] pour les occlusives (*voir le tableau 22.1*). Par ailleurs, il en possédait d'autres : par exemple, la constrictive [v], inconnue en latin, ainsi que les dentales constrictives [θ] et [δ]. De plus, l'ancien français avait développé quatre affriquées ([ts], [dz], [tj] et [dʒ]), mais il ignorait encore les chuintantes [ʃ] et [ʒ]. Ce qui donne neuf occlusives, neuf constrictives, quatre affriquées et deux semi-consonnes, pour un système de 22 consonnes (contre 17 aujourd'hui).

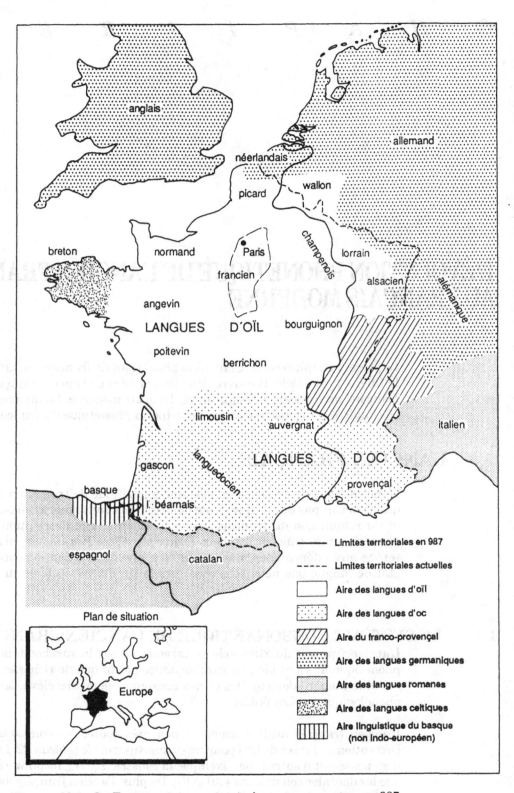

Figure 22.1   La France linguistique à l'aube du français, en 987

La prononciation des consonnes de l'ancien français présente des différences notables avec celle du français contemporain. Nous retiendrons particulièrement les phénomènes relatifs aux consonnes finales, aux affriquées, aux constrictives dentales et aux nasales, et nous ajouterons quelques précisions sur le [l] et le [r].

			p		t		k
			b		d		g
			m		n	ɲ	
				ts	tʃ		
				dz	dʒ		
	f	θ	s				
	v	δ	z				
			l		λ		
			r				
	w					j	

TABLEAU 22.1   LES CONSONNES DE L'ANCIEN FRANÇAIS (XIᵉ SIÈCLE)

1.1.1   *LA PRONONCIATION DES CONSONNES FINALES*

En finale de mot, la règle était de prononcer toutes les consonnes écrites. Cependant, les lettres n'avaient pas la valeur qu'on leur donne actuellement. Ainsi, le *-t* final s'est prononcé [θ] (comme le *th* sourd de l'anglais) jusqu'à la fin du XIᵉ siècle, dans des mots comme *aimet*, *chantet* et *vertut*; toutefois, ce [θ] constrictif est tombé en désuétude et il devait être rare dès le début du XIIᵉ siècle. Contrairement à ce qui se passe en français moderne, tous les *-s* du pluriel se faisaient entendre.

Par exemple, *chevaliers* et *les omes* («hommes») se prononçaient [tʃəvaljɛrs] et [lɛsɔ̃məs]. La lettre finale *-z* des mots tels *amez* («aimez»), *chantez*, et *dolz* («doux») avait la valeur de l'affriquée [ts]. Enfin, la lettre *-l* était mouillée (palatalisée) en [λ] en fin de mot: *il* = [iλ], *soleil* = [sɔlɛλ], *peril* = [periλ].

1.1.2   *LES AFFRIQUÉES*

L'un des traits caractéristiques de cet état de langue ancien résidait dans la présence des affriquées. Au nombre de quatre, elles correspondaient aux sons [ts], [dz], [tʃ] et [dʒ]. Dans la graphie, elles étaient rendues respectivement par *c* (devant *e* et *i*[1]) et *-z* en finale, par *z* à l'intérieur du mot, par *ch*, et par *g* (devant *e* et *i*[2]) ou *j* (devant *a, o, u*[3]). On trouvera des exemples dans le tableau 22.2. La prononciation des affriquées a commencé à tomber en désuétude dès le XIIᵉ siècle, notamment celle en [dz]; puis, au cours du XIIIᵉ siècle, les articulations [tʃ], [dʒ] et [ts] ont été réduites en [ʃ], [ʒ] et [s], l'élément dental ayant

---

1. Devant une voyelle autre que *e* ou *i*, la lettre *c* se prononçait [k]: *camelot* = [kaməlot] (étoffe de poil de chameau).

2. Devant une voyelle autre que *e* ou *i*, la lettre *g* était prononcée [g].

3. Devant les autres voyelles, la lettre *j* était prononcée comme un *yod*.

lettre	son	mot anc. fr.	prononciation	équivalent fr. moderne
ch-	[tʃ]	*chief*	[tʃiɛf]	*chef*
		sache	[satʃə]	*sache*
		riche	[ritʃə]	*riche*
c + i	[ts]	*cire*	[tsirə]	*cire*
c + e		*place*	[platsə]	*place*
-z		*amez*	[amɛts]	*aimez*
		marz	[marts]	*mars*
g + e	[dʒ]	*gesir*	[dʒezir]	*gésir*
g + i		*argile*	[ardʒilə]	*argile*
j + a		*jambe*	[dʒãmbə]	*jambe*
j + o		*jorn*	[dʒɔrn]	*jour*
j + u		*jugier*	[dʒydʒjɛr]	*juger*
-z-	[dz]	*treize*	[treidzə]	*treize*
		raizon	[raidzɔ̃n]	*raison*

TABLEAU 22.2   Graphie et prononciation des affriquées

disparu. Toutefois, si le phénomène de l'affrication est disparu de la langue cultivée, il s'est vraisemblablement prolongé encore pendant quelques siècles dans les parlers populaires et dialectaux.

1.1.3   *LES CONSTRICTIVES DENTALES [θ] ET [ð]*

Les constrictives dentales [θ] et [ð] avaient été introduites lors de la période romane ; il s'agissait sans aucun doute d'une influence germanique. Mais, dès le Xᵉ siècle, la consonne [θ] commençait déjà à se réduire en [t] ; quant à la consonne [ð], particulièrement employée à l'intervocalique, elle s'est également affaiblie, puis complètement effacée vers la fin du XIᵉ siècle : lat. *vita* > [viðə] > [viə] > [vi]. C'est à cette époque que l'on a eu en ancien français *muer, suer*, etc., au lieu de *muðer (< *mutare* : « changer »), *suðer (< *sudare* : « suer »). Notons que les scribes des plus anciens textes écrits en « français », notamment les *Serments de Strasbourg* (842) et la *Vie de saint Alexis* (vers 1045), ont tenté de rendre compte des sons [θ] et [ð] par la graphie ; on trouve dans les *Serments* la graphie *dh* (p. ex., *aiudha, cadhuna*) pour [ð], alors que dans la *Vie de saint Alexis* les lettres *th* servent parfois à identifier le son [θ] (*espethe, contrethe*). L'influence germanique est donc indéniable : le texte des *Serments* a été rédigé à la fois en « français » et en germanique (et proclamé en français par le roi Louis le Germanique), tandis que les manuscrits de 1045 ont été écrits en Angleterre par des scribes d'origine normande.

1.1.4   *LES CONSONNES NASALES*

Les consonnes nasales [m] et [n] du français contemporain perdent parfois leur articulation propre à la finale dans des mots comme *pain, faim, pont, blanc, brun*, etc. En fait, la consonne nasale s'est combinée avec la voyelle qui la précède et on ne la prononce pas, même si elle est conservée dans la graphie : *pain* = [pɛ̃], *bon* = [bɔ̃], *faim* = [fɛ̃], etc. Par contre, dans l'adjectif *bonne*, la consonne nasale est prononcée : [bɔn].

Or, en ancien français, toutes les consonnes nasales gardaient leur articulation propre et n'étaient pas nasalisées avec la voyelle précédente: on prononçait distinctement la voyelle nasale et la consonne nasale. Par exemple, on prononçait les mots *bien, bon, jambe, sentir, rompre*, etc., en faisant bien sentir la consonne [n] ou [m]: [bjẽn], [bõn], [dʒãmbə], [sãntir], [rõmprə].

1.1.5   *LES CONSONNES* [l] *ET* [r]

En ancien français, la consonne [l] subissait un traitement assez complexe. Ainsi, à l'initiale, le [l] correspondait au [l] du français moderne (*laid, las, laisse*), mais il était mouillé en finale et à l'intérieur des mots; écrit *ll* ou *ill*, comme dans *fille, croisille, maille*, il était prononcé [λ].

Précédé des voyelles [a], [i], [e], [o], mais suivi d'une consonne, le [l] s'est transformé en voyelle; on dit qu'il s'est vocalisé en produisant un [u] qui s'est combiné avec la voyelle précédente pour former une diphtongue en [au], en [ou] ou en [eu]:

> *alba > aube*
> *talpa > taupe*
> *pulmone > poumon*
> *multone > mouton*
> *caball(o)s > chevals > chevaus, chevaux*
> *capill(o)s > chevels > cheveus, cheveux*
> *ill(o)s > els > eux*

La graphie *x* n'était qu'un signe abréviatif pour transcrire [-us]; on prononçait [tʃəvaus], [tʃəveus], [eus]. Avec le temps, on en est venu à confondre le *-x* avec la marque du pluriel; c'est ainsi que *chevaus* et *cheveus* ont fini par s'écrire *chevaux* et *cheveux*. Cette vocalisation de [l] se serait produite entre les Xᵉ et XIᵉ siècles et se serait terminée au début du XIIᵉ.

Un dernier mot sur les consonnes: précisons que le [r] de l'ancien français était dental et roulé, alors que le [ʀ] standard contemporain est uvulaire et «grasseyé».

1.2   LE SYSTÈME VOCALIQUE DE L'ANCIEN FRANÇAIS

Le système vocalique de l'ancien français du XIIᵉ siècle est encore plus complexe que le système consonantique. En fait, on a peine à imaginer aujourd'hui cette surabondance des articulations vocaliques qui caractérisait l'ancienne langue française. De plus, il est difficile de déterminer si ces articulations étaient toutes des phonèmes ou si plusieurs correspondaient plutôt à des variantes combinatoires; certains spécialistes n'hésitent pas à croire qu'il s'agissait d'un système phonologique plutôt que simplement phonétique.

Les voyelles de l'ancien français étaient les suivantes:

– 9 voyelles orales:
[i], [e], [ɛ], [a], [o], [ɔ], [u], [y], [ə]

- 5 voyelles nasales :
  [ɑ̃], [ɛ̃], [ĩ], [ũ], [ỹ]

- 11 diphtongues orales :
  [ie], [ue], [ei], [ɔu], [ai], [yi], [oi], [ɑu], [eu], [ɛu], [ou]

- 5 diphtongues nasalisées :
  [ɑ̃i], [ɛ̃i], [iɛ̃], [uɛ̃], [yɛ̃]

- 3 triphtongues :
  [ieu], [uou], [eau]

Ce qui donne un total impressionnant de 33 voyelles. Le français moderne en compte maintenant 16 et, par rapport aux autres langues, on peut considérer que c'est déjà beaucoup. Il s'agit là d'un système que l'on pourrait qualifier d'«anormal» dans l'histoire; d'ailleurs, il sera simplifié au cours des XIIe et XIIIe siècles.

1.2.1   *LE* [ə] *NEUTRE*

En ancien français, le *e*, aujourd'hui appelé «*e* muet», était toujours prononcé, et ce, un peu comme la voyelle finale d'un mot allemand tel *Güte* («bonté») : [gytə]. C'était un [ə] sourd prononcé assez énergiquement, mais son articulation s'est affaiblie progressivement au cours du Moyen Âge pour disparaître à partir du XIVe siècle. Au XIIe siècle, il était encore prononcé dans *vie* [viə], *gerre* [gɛrə], *cheval* [tʃəval], *peril* [pəriλ], etc.

1.2.2   *LES DIPHTONGUES*

Au début du XIIe siècle, les voyelles notées avec deux lettres correspondaient à des diphtongues. On en comptait 16 dont 11 orales et 5 nasales. Autrement dit, toutes les lettres écrites se prononçaient en ancien français. Le groupe *oi* était diphtongué en [oi], comme dans le mot anglais *boy* que l'on transcrirait phonétiquement par [bɔj] ou [bɔi]; par exemple, *roi* se prononçait [rɔi] (ou [rɔj]). Pour les autres diphtongues, il fallait prononcer en une seule émission les deux «parties» de la voyelle : [ie], [ue], [ei], [ɔu], [ai], [yi], [ɑu], [eu], [ɛu], [ou]. Il en était de même pour les diphtongues nasalisées : [ɑ̃i], [ɛ̃i], [iɛ̃], [uɛ̃], [yɛ̃].

Voici des exemples d'anciennes diphtongues dont on retrouve encore des traces dans la graphie d'aujourd'hui : *fou, voir, feu, sauver, saut, douleur, chaise, causer, truite*, etc. La diphtongue [au] était prononcée [ao] plutôt que [ɑu] et elle est demeurée diphtonguée durant tout le début du Moyen Âge dans des mots comme *saut, sauver*, etc. Elle se réduira à [o] au cours du XVIe siècle.

L'ancien français possédait aussi des triphtongues : [ieu], [uou], [eau]. On en retrouve des vestiges dans des mots contemporains en *-eau* comme *oiseau, beau, drapeau*; en ancien français, ces mêmes voyelles étaient triphtonguées.

1.2.3   LA NASALISATION

La nasalisation constitue l'une des caractéristiques du vocalisme de l'ancien français. Lorsque les consonnes se trouvaient en position finale derrière une voyelle, elles conservaient leur articulation propre et ne se combinaient pas avec la voyelle (précédente) pour la nasaliser. Cela signifie que, contrairement à aujourd'hui, un mot comme *comancerai* était prononcé [kɔmãntsərai], de même pour *blanc* [blãnk], *bien* [bjɛ̃n], *an* [ãn], etc. En fait, la voyelle et la consonne ont été nasalisées distinctement durant presque tout le Moyen Âge.

La nasalisation a touché à peu près toutes les voyelles et un grand nombre de diphtongues. En effet, il y avait non seulement des [i], des [u] et des [y] nasalisés ([ĩ], [ũ], [ỹ]), mais aussi des diphtongues : [ãi], [ɛ̃i], [iɛ̃], [uɛ̃], [yɛ̃]. Ce n'est qu'à partir du XVe siècle que commencera la dénasalisation des voyelles avec pour conséquence qu'un mot comme *blanc* se prononce aujourd'hui [blã]. Les tableaux 22.3 à 22.9 présentent l'évolution des voyelles latines qui se sont nasalisées en ancien français, puis dénasalisées en français moderne.

Ce sont là quelques-uns des traits les plus importants du système phonétique du XIIe siècle qui, comme on le constate, se distingue de celui du français actuel à bien des égards, notamment en ce qui concerne les affriquées, les diphtongues ainsi que la double nasalisation des voyelles et des consonnes. Contrairement au français d'aujourd'hui, l'ancien français possédait un système graphique qui correspondait à la prononciation de l'époque. En fait, toutes les lettres se prononçaient, y compris, rappelons-le, les consonnes finales ; il s'agissait d'une écriture pour ainsi dire phonétique et relativement perfectionnée et unifiée, ce qui paraît d'autant plus étonnant que les seuls textes écrits dans cette langue étaient rédigés par les jongleurs et quelques rares poètes, lesquels venaient des différentes régions d'une France morcelée en plusieurs dialectes distincts.

[a] + nas. libre > [ai] > [ɛ] *amat > aime* *lana > laine* *vana > vaine*	[a] + nas. entravée > [ã] *annu > an* *grande > grand* **blancu > blanc*
[a] + nas. libre finale > [ɛ̃] *fame > faim* *pane > pain* *manu > main*	[a] + [ŋ] + cons. > [ɛ̃] *sancta > saignte > sainte* *plang(e)re > plaindre*
[a] + [ŋ] + voy. > [a] = reste intact *montanea > montagne*	

TABLEAU 22.3   LA NASALISATION DE LA VOYELLE [a]

[e] + nas. finale > [jɛ̃]	*venit > vient* *bene > bien*
[e] + nasale + cons. > [ã]	*tempus > temps* *ventu > vent* *pendere > pendre*

TABLEAU 22.4   LA NASALISATION DE LA VOYELLE [e] BRÈVE

[e] + nasale > [ɛ] (= ei)   *plena > pleine*
                            vena > veine

[e] + nasale finale > [ɛ̃] (= ein)   *plenu > plein*
                                     sinu > sein
                                     signu > seing

[e] + nasale + cons. > [ɑ̃]   *vendera > vendre*
                             prendera > prendre
                             cin(e)re > cendre

TABLEAU 22.5   LA NASALISATION DES VOYELLES [e:] LONGUE ET [i] BRÈVE

Devant nas., [i] = [i]   *farina > farine*
                         vicina > voisine

Mais en finale, [i] > [ɛ̃]   *linu > lin*
                             pinu > pin

En syllabe entravée, [i] + nas. + cons. > [ɛ̃]   *vinti > vingt*
                                                 principe > prince

TABLEAU 22.6   LA NASALISATION DE LA VOYELLE [i:] LONGUE

[o] + nasale > [ɔ]	En finale > [ɔ̃]	
bona > bonne	*bono > bon*	*ponte > pont*
tonat > tonne	*homo > on*	*contra > contrée*

TABLEAU 22.7   LA NASALISATION DE LA VOYELLE [o] BRÈVE

[o] + nasale > [ɔ]   En finale > [ɔ̃]
  poma > pomme   *nomen > nom*
  corona > couronne   *donu > don*

[o] + nas. + cons. > [ɔ̃]   *monte > mont*
                           fundu > fond
                           fundere > fondre

[o] + [ŋ] > [wɛ̃]   *longe > loin*
                   punctu > point

TABLEAU 22.8   LA NASALISATION DES VOYELLES [o:] LONGUE ET [u] BRÈVE

[u] + nasale > [y]   En finale > [œ̃]
  pluma > plume   *commune > commun*
  luna > lune   **brunu > brun*

TABLEAU 22.9   LA NASALISATION DE LA VOYELLE [u:] LONGUE

On lira avec intérêt le texte 1, tiré de la *Vie de saint Alexis*. Cette œuvre du milieu du XIᵉ siècle est d'origine anglo-normande et raconte comment l'ermite saint Alexis, revenant d'Orient, est recueilli par son père qui ne le reconnaît pas.

On notera, dans cet extrait, la présence des diphtongues (*vait, dreit, Deu, maison, fai, pais, dolour, amour, soue*) et des doubles nasales (*edrant, bien, cointes, son, encontret, ensemble*, etc.); précisons aussi que le [l] de *altre* n'était pas encore vocalisé en *autre* et que le *-t* final (*encontret, nomet, degret, dreit*) se prononçait [θ] tandis que le *-d-* intervocalique était constrictif et se prononçait [δ] (*edrant, pedre*).

Au cours des XIIIᵉ et XIVᵉ siècles, l'ancien français continue d'évoluer. Ainsi, la graphie *oi* est passée de la prononciation [oi] à [oe], puis [oɛ] et finalement [wɛ]: des mots comme *roi, moi, loi, toi*, etc., étaient donc prononcés [rwɛ], [mwɛ], [lwɛ], [twɛ], etc. La prononciation [wa] est attestée dès le XIIIᵉ siècle, mais elle n'est pas généralisée; certains critiquent cette prononciation, car elle est surtout employée par les classes modestes.

Les graphies *eu* et *ue* se prononcent [œ] dans des mots comme *fleur, heure, cuer* (*cœur*): [flœr], [œr], [kœr]. Les affriquées, pour leur part, commencent à disparaître: [tʃ] > [ʃ] dans *char, cheval*; [dʒ] > [ʒ] dans *jambe*; [ts] > [s] dans *cire, face*. Il faudrait noter aussi la chute de [s] devant une consonne sourde: *hoste* > *hôte, maistre* > *maître, teste* > *tête, coustume* > *coutume, forest* > *forêt*.

TEXTE 1

La vie de saint Alexis
(1045)

Texte original	**Traduction libre**
Ist de la nef e vait edrant a Rome:	Il part du navire et s'en va sans tarder à Rome:
Vait par les rues dont il ja bien fut cointes,	Il s'en va par les rues qu'il avait bien connues déjà [jadis],
Altre puis altre, mais son pedre i encontret,	Il va de l'une à l'autre, mais il rencontre son père,
Ensemble o lui grant masse de ses omes;	accompagné d'une grande troupe de ses hommes;
Sil reconnut, par son dreit nom le nomet:	Il [Alexis] le reconnut et l'interpelle par son nom propre:
«Eufemiiens, bels sire, riche om,	«Euphémien, cher seigneur, puissant homme,
Quer me herberge por Deu en ta maison:	Héberge-moi au nom de Dieu dans ta maison:
Soz ton degret me fai un grabatum	Sous ton escalier, fais-moi un grabatum [lit]
Empor ton fil dont tu as tel dolour.	En souvenir de ton fils pour lequel tu éprouves une telle douleur.
Toz sui enfers, sim pais por soue amour.»	Je suis bien malade, nourris-moi donc pour l'amour de lui.»

Enfin, de façon générale, à l'exception de [r], les consonnes finales ont tendance à disparaître (sauf dans la graphie): *lit* = [lit] > [li]; *savon* = [savɔn] > [savɔ̃]; *porc* = [pɔrk] > [pɔr]. Bref, à la fin du XIIIᵉ siècle, l'ancien français s'est tellement transformé qu'il est devenu un état de langue différent; dès le début du XIVᵉ siècle, on parle du *moyen français*.

2   LE MOYEN FRANÇAIS

Linguistiquement, la période du moyen français s'étend de la première moitié du XIVᵉ siècle (début de la guerre de Cent Ans vers 1328-1346) à la fin du XVIᵉ siècle (vers la fin des guerres de religion en 1598). Mais les transformations ont été si importantes au cours de cette période que certains n'hésitent pas à parler de deux types de moyen français. Celui que nous décrirons correspond approximativement à la langue du début du XVᵉ siècle. Il s'agit, dans l'ensemble, d'un état de langue en pleine mouvance, sans fixité aucune.

2.1   LE TRAITEMENT DES CONSONNES

Le système consonantique du moyen français (19 phonèmes) se révèle plus simple que celui de l'ancien français; si ce n'était du [λ] mouillé, du [h] et du [r] roulé (dental), il se rapprocherait beaucoup de celui du français moderne (17 phonèmes) auquel il faut ajouter les trois semi-consonnes [w], [ɥ] et [j]. Le moyen français comprenait les consonnes suivantes:

p	t	k	h	
b	d	g		
m	n	ɲ		
f	s	ʃ		
v	z	ʒ		
	r			
	l	λ		

Si les affriquées sont disparues en moyen français, le [λ] mouillé et le [r] dental se sont maintenus, alors qu'on assiste à la réintroduction du [h] aspiré. En fait, on ne constatait plus de trace du [h] aspiré dans la langue populaire, mais la langue savante conservait encore à cette époque une légère aspiration héritée des influences germaniques; on la retrouvera jusqu'à la fin du XVIIᵉ siècle chez les gens instruits. Pour ce qui est du [λ] mouillé, il s'est maintenu surtout en finale de mot (p. ex., *soleil*) et dans les géminées écrites (p. ex., *famille*).

Le phénomène le plus marquant reste l'affaiblissement de plus en plus généralisé des consonnes finales, du moins dans la prononciation populaire. Cette tendance à ne plus prononcer les consonnes finales était mal perçue par les érudits de l'époque et ceux-ci insistaient pour qu'on respecte le «bon usage». Les classes populaires n'ont pas suivi cette recommandation puisque la plupart des effacements ont été sanctionnés par l'usage: *blanc, clef, gentil, outil, champ, bras, gros, grand* (écrit *grant*), *amis, hommes, aiment, fait, petit, monsieur, chanter, premier*, etc. Ce phénomène de l'effacement a même gagné des mots comme *menteu(r), dormi(r), miroi(r), voi(r), plaisi(r)*, etc., qui étaient prononcés sans [r] final. Par contre, certains mots vont conserver leur consonne finale: *lac, sac, chef, neuf, cheval, péril, cap, six* [sis], *huit*, etc. En somme, il n'y a pas beaucoup à dire sur l'évolution des consonnes de cette époque si ce n'est que l'orthographe correspondante n'a pas été modifiée en conséquence et qu'elle témoigne encore aujourd'hui des anciennes prononciations.

Il convient, enfin, d'ajouter quelques précisions sur la prononciation dialectale et populaire qui avait cours en France à cette époque. En français populaire de Paris et dans maints parlers régionaux, il était encore possible de retrouver des prononciations archaïsantes telles la palatalisation de [k] et [g] ou de [t] et [d], l'affrication de [t] et [d] en [ts] et [dz], l'aspiration de [ʃ] et de [ʒ] en [ʃʰ] ou [ʒʰ], etc. Ces phénomènes ne sont pas toujours rapportés par les historiens de la langue parce qu'ils sont considérés comme marginaux.

2.2   LE TRAITEMENT DES VOYELLES

Au XIVᵉ siècle, le système vocalique s'est grandement simplifié. Il conserve les neuf voyelles orales de l'ancien français ([i], [e], [ɛ], [a], [o], [ɔ], [u], [y], [ə]⁴), mais il perd la plupart des nombreuses voyelles nasales et la quasi-totalité des diphtongues. De 33 voyelles, le moyen français passe à 16: neuf orales, six nasales ([ɑ̃], [ɛ̃], [ĩ], [ũ], [ỹ], [ɔ̃]) et une dernière diphtongue [ao] qui se réduira ensuite à [o]. Les diphtongues vont demeurer plus longtemps dans les parlers régionaux, probablement jusqu'au XVIIIᵉ siècle.

En réalité, les deux changements importants qui ont caractérisé l'aboutissement de l'ancien français ont été la réduction de la diphtongaison (en monophtongaison) et la réduction des nasales. Ces phénomènes ont laissé de nombreuses épaves dans l'orthographe du lexique.

2.2.1   *LA RÉDUCTION DES DIPHTONGUES*

Toutes les diphtongues se sont monophtonguées, mais cette transformation de la langue parlée n'a pas été suivie d'une réforme de l'orthographe; on a continué d'écrire *bœuf, œil, fleur, sauver, oiseau, chapeau, eau, feu, fou*, etc., alors que la graphie ne correspondait plus à la langue parlée.

La graphie *oi* demeure un cas particulier. À l'imparfait et au conditionnel, *oi* est prononcé [ɛ]: *je avoie* [avɛ], *tu avoies* [avɛ], il *avoit* [avɛ]. Dans les autres mots, le groupe *oi* était prononcé [wɛ] ou [ɛ]: *roide* («raide») est prononcé [rɛd], mais *roi* se prononce [rwɛ]. À partir du XVIᵉ siècle, une double évolution se dessine. À l'imparfait et au conditionnel, puis dans les adjectifs «ethniques» en *oi*, par exemple *François, Danois* ou *Anglois*, le *oi* se transforme en [wɛ]; pour les autres mots, une prononciation [wa] au lieu de [wɛ] est attestée au sein des classes populaires, mais elle ne se généralisera qu'au XVIIIᵉ siècle.

2.2.2   *LA RÉDUCTION DES VOYELLES NASALES*

La réduction des voyelles nasales a entraîné une situation analogue. En ancien français, rappelons-le, la voyelle et la consonne se nasalisaient; par exemple, *bonne* se prononçait [bɔ̃nə], le premier *n* servant à représenter une voyelle nasale,

---

4. La voyelle [ə] est devenue [œ] en moyen français.

le second, la consonne nasale. Or, en moyen français, lorsque la voyelle s'est dénasalisée, le premier *n* est demeuré parasitaire: par exemple, le double *n* dans *bonne* ne représentait pas une prononciation [nn], mais la marque d'une ancienne prononciation nasale. Il en est résulté une orthographe qui s'est de plus en plus éloignée de la langue parlée.

La situation est devenue encore plus compliquée lorsque les érudits se sont mis à emprunter directement des mots au latin. Par exemple, le mot latin *ratione(m)* a donné *raison* en ancien français, mais *rationnel* a été formé au XIIᵉ siècle sur le modèle de *ratione*, et avec deux *n*, parce que, à cette époque, la voyelle était nasalisée. Or, au XVIᵉ siècle, on a créé *rationaliste* sans double *n* parce que la dénasalisation était un fait accompli et surtout parce que l'on désirait rester fidèle à l'étymologie latine. Mais, paradoxalement, on a conservé à la fois *rationnel* et *rationaliste*. Il existe de nombreux autres cas de ce genre.

Cela dit, n'oublions pas que, malgré la réduction des voyelles nasales, le XVᵉ siècle a vu naître trois nouvelles nasalisations:

[in] > [ɛ̃n] > [ɛ̃]: *brin, cousin, cinq, vin(g)t*
[ɥin] > [ɥɛ̃n] > [ɥɛ̃]: *juin*
[yn] > [ỹ] > [œ̃]: *un, brun, chacun, aucun*

2.2.3   *L'OUVERTURE DE* [ɛ] *SOUS L'INFLUENCE DE* [r]

L'ouverture du [ɛ] constitue l'une des transformations propres à cette époque. Sous l'influence de [r], la voyelle [ɛ] s'ouvre en [a]. Ainsi, des mots comme *asperge, serpe, perche, guerre*, etc., deviennent *asparge, sarpe, parche, guarre*, etc. Il s'agit là d'un phénomène dont on retrouvera des exemples jusqu'à aujourd'hui, surtout dans les parlers régionaux et populaires, notamment au Canada français.

2.2.4   *LA DISPARITION DU* [ə] *SOURD*

Le moyen français supprime le [ə] sourd qui est remplacé par le «e muet», voyelle dont l'articulation peut se réaliser phonétiquement ou ne pas se réaliser; lorsqu'elle se réalise, c'est sous la forme d'un [œ]. En finale de mot, le -*e* ne se réalise pas, ni après une voyelle, ni entre consonnes:

vie [viə] > [vi] = *vie*
etourdiement [eturdiəmã] > [eturdimã] = *étourdiment*
vraiement [vraiəmã] > [vrɛmã] = *vraiment*
larrecin [larətsɛ̃] > [larsɛ̃] = *larcin*
serement [sɛrəmã] > [sɛrmã] = *serment*
souverain [suvərɛ̃] > [suvrɛ̃] = *souverain*
carrefour [karəfur] > [karfur] = *carrefour*
envelopper [ãvələpe] > [ãvlɔpe] = *envelopper*
esperit [ɛspərit] > [ɛspri] = *esprit*

Ces quelques exemples suffisent à démontrer le caractère arbitraire de l'orthographe. Pourquoi a-t-on supprimé le *e* écrit dans *esprit, serment, étourdiment, vraiment*, mais non dans *souverain, carrefour, envelopper*? Comme aujourd'hui, ce *e* était parasitaire.

2.3   UNE ORTHOGRAPHE ÉTYMOLOGIQUE

L'écriture était phonétique en ancien français. À partir du XIVe siècle, l'orthographe médiévale devient résolument étymologique, c'est-à-dire fondée sur la graphie latine. Cette orthographe étymologique est imposée par les grammairiens de l'époque, mais surtout par les hommes de loi et les fonctionnaires, c'est-à-dire tous ces greffiers, ces notaires, ces copistes qui s'approprient le domaine de l'écriture. Au lieu de débarrasser la langue des parasites occasionnés par l'évolution de celle-ci et d'aménager l'alphabet en conséquence, les érudits, obsédés par l'orthographe étymologique, ont contribué à compliquer une situation déjà passablement obscure, accroissant ainsi le fossé entre la langue écrite et la langue parlée.

À cette époque, la transcription des actes et des manuscrits officiels est confiée à des copistes professionnels. Ceux-ci, tous de véritables bilingues (français-latin), ne peuvent que constater l'écart entre les mots latins d'origine et leurs transformations en moyen français. La tendance est grande de rétablir la graphie originale. Rendre l'écriture technique grâce à la connaissance du latin, c'est, d'une part, une façon pour les scribes d'affirmer leur érudition et c'est, d'autre part, une manière efficace d'augmenter leurs émoluments, étant donné qu'ils sont payés à la ligne d'après un taux officiel; on peut soupçonner en effet qu'ils avaient tout intérêt à charger la graphie pour augmenter leurs gains. Ainsi, au lieu d'opérer une réforme de l'orthographe, ces professionnels de l'écriture se sont laissé gagner par le snobisme et l'appât du lucre avec le résultat que la langue écrite est devenue un système compliqué, illogique, bourré de lettres parasites. En somme, une situation qui préfigure l'orthographe moderne!

De nombreux exemples attestent cette manie de latiniser l'écriture. Ainsi, on refait *povre* en *pauvre* sous prétexte qu'il provient de *pauper*. Voici quelques autres exemples:

autre	> *aultre*	(de *alter*)
set(t)e	> *sept*	(de *septus*)
vint	> *vingt*	(de *viginti*)
fruit	> *fruict*	(de *fructu*)
nu	> *nud*	(de *nudu*)
dete	> *debte*	(de *debita*)
devoir	> *debvoir*	(de *debere*)
doit	> *doigt*	(de *digitu*)
ni	> *nid*	(de *nidu*)

De plus, on reconstruit parfois des mots de façon abusive à partir de fausses étymologies latines. Il en est ainsi des mots comme: *savoir*, refait en *scavoir* pour le rattacher à *scire*, alors que le mot vient de *sapere*; *pois*, refait en *poids* et attribué à *pondus* (le mot vient plutôt de *pensum*); *lais*, refait en *legs* et attribué à *legare* (le mot vient de *laxare*). Heureusement, certains mots ont échappé à l'action des latiniseurs ou bien ont retrouvé leur forme ancienne au XIXe siècle: *nu, devoir, dette, fruit*, etc. Il n'en demeure pas moins que le français actuel est encore tributaire de cette graphie capricieuse héritée du moyen français.

Précisons aussi que c'est vers les années 1530 que plusieurs érudits proposèrent de nouveaux signes graphiques destinés à rendre compte du nouvel état de la langue. Dès lors, se répand l'usage des accents aigus, des accents graves, des accents circonflexes, de la cédille, de l'apostrophe, du tréma, des traits d'union, des guillemets et de bien d'autres signes qui n'ont pas tous fait fortune.

Les textes que nous reproduisons ici rendent compte de l'évolution de la langue entre le XIIIᵉ et le XVIᵉ siècle. Le texte 2 est écrit par Joinville au début du XIVᵉ siècle. Au retour de la septième croisade (1249-1254), le vaisseau du roi Louis IX heurte un banc de sable au large de Chypre; le roi refuse de descendre du bateau, voulant courir les mêmes risques que ses compagnons.

Ce texte sur saint Louis est intéressant parce qu'il se situe au début du moyen français: on prononçait encore la diphtongue [au] en [ao] et les voyelles nasales (suivies de consonnes nasales) n'étaient pas dénasalisées; de plus, la séquence graphique *oi* correspondait à la prononciation [we]. Enfin, comme on l'a vu, la graphie ne reflétait pas toujours la prononciation de l'époque.

TEXTE 2

Vie de saint Louis (1306)
Jean de Joinville (1224-1317)

Seigneurs, je voi que se je descens de ceste nef, que elle sera de refus, et voy que il á ceans huit cens personnes et plus. Et pource que chascun aime autretant sa vie comme je faiz la moie, n'oseroit nulz demourer en ceste nef, ainçois demourroient dans Cypre, pour quoi, se Dieu plait, je ne mettrai ja tant de gent comme il a ceans en peril de mort. Ainçois demourrai ceans pour mon peuple sauver.

Traduction:
Seigneurs, je vois que si je descends de ce navire, on refusera d'y rester, et je vois qu'il y a ici dedans huit cents personnes et plus. Et parce que chacun aime autant sa vie que moi la mienne, nul n'oserait demeurer en ce navire, mais ils demeureraient à Chypre, c'est pourquoi, s'il plaît à Dieu, je ne mettrai vraiment pas autant de gens qu'il y en a ici en péril de mort. Mais je demeurerai ici dedans pour sauver mon peuple.

Le texte 3 provient des récits de voyage de Jacques Cartier (1491-1557) et date donc de deux siècles plus tard. Originaire de Saint-Malo, Jacques Cartier a dirigé deux expéditions (1534 et 1535) et participé à une troisième vers Terre-Neuve et le Canada en 1542. C'est François 1ᵉʳ qui les a lancées et c'est à lui que Jacques Cartier dédie le récit de son second voyage. Il exprime son émerveillement devant ce qu'il découvre dans le nouveau monde: objets insolites, richesses inouïes, coutumes étranges de ces peuples innocents. À l'exemple de ses contemporains, Jacques Cartier utilise une orthographe relativement instable.

TEXTE 3

Deuxième voyage de Jacques Cartier
1535-1536

Cedict peuple vyt quisi en communaulté de biens, assez de la sorte des Brézillians[5] et sont tous vestuz de peaulx de bestes sauvaiges, et assez pouvrement. L'yver, ils sont chaussez de chausses et solliers[6], et l'esté vont deschaulx[7]. Ilz gardent l'ordre de mariage, fors que[8] les hommes prennent deulx ou troys femmes. Et despuis que le mary est mort jamays les femmes ne se remarient, mais font le deul[9] de la dite mort toute leur vye, et se tiagnent[10] le visaige de charbon pillé et de gresse, comme l'espesseur d'un cousteau, et à cela congnoist on qu'elles sont veufves.

Ilz ont vne aultere coustume, fort mauvaise, de leurs filles; car despuis qu'elles sont d'aige d'aller à l'homme, elles sont toutes mises en vne maison de bordeau, habandonnées à tout le monde qui en veult, jusques ad ce qu'elles ayent trouvé leur party. Et tout ce avons veu par expérience; car nous avons veu les maisons aussi plaines desdictes filles comme est vne escolie de garçons en France. Et davantaige le hazart, selon leur modde, tient esdictes maisons, où ilz jouent tout ce qu'ilz ont, jusques à la couverture de leur nature. Ilz ne sont poinct de grand travail, et labourent leur avecques petits boys[11], comme de la grandeur d'vne demye espée, où ilz font leur bled, qu'ilz appellent «ozisy»; lequel est gros comme poix; et de ce mesme bled en croist assez en Brésil. Pareillement ilz ont assez de gros mellons et concombres, courges, poix et febvres de toutes couleurs, non de la sorte des nostres.

Ilz ont aussi vne herbe[12], de quoy ilz font grand amas durant l'esté pour l'yver, laquelle ilz estiment fort, et en vsent les hommes seullement[13] en la façon qui ensuict[14]. Ilz la font sécher au soleil, et la portent à leur col en vne petite peau de beste, en lieu de sac, avecques vng cornet de piere, ou de boys. Puis à toute heure, font pouldre de ladicte herbe[15], et la meptent en l'vn des boutz dudict cornet, puys meptent vn charbon de feu dessus et soufflent par l'aultre bout tant qu'ilz s'emplent[16] le corps de fumée, tellement, qu'elle leur sort par la bouche et les nazilles[17] comme par vng tuyau de chemynée; ilz disent que cela les tient sains et chaudement, et ne vont jamays sans avoyr cesdictes choses. Nous avons expérimenté ladicte fumée, après laquelle avoyr mys dedans nostre bouche, semble y avoyr de la pouldre de poyvre, tant est chaulde[18].

Second Voyage, 1535-1536

---

5. *assez de la sorte des Brézillians* = «comme le font les Brésiliens».

6. *solliers* = «souliers».

7. *deschaulxs* = «déchaussés».

8. *fors que* = «sauf que».

9. *deul* = «deuil».

10. *se tiagnent* = «se teignent».

11. *boys* = «bois».

12. Le mot *tabac* n'apparaît en français qu'en 1599, 64 ans après le voyage de Jacques Cartier. Emprunté par l'espagnol à la langue des Arawaks d'Haïti, il désigne d'abord le tuyau destiné à inhaler la fumée de tabac.

Le texte suivant est écrit par le roi Henri IV (1553-1610). Il date de l'année 1598, c'est-à-dire de la toute fin de la période du moyen français. En 1598, Henri IV promulgue l'édit de Nantes qui accorde aux protestants la liberté de culte. Pour obtenir l'enregistrement de cet édit, il fait une intervention devant le Parlement de Paris.

TEXTE DU ROI HENRI IV:

« La necessité m'a faict faire ces edicts pour la mesme necessité que j'ay faict celluy-cy. J'ay aultrefois faict le soldat; on en a parlé, et n'en ay pas fait semblant. Je suis Roy maintenant et parle en Roy. Je veulx estre obéï. A la vérité les gens de justice sont mon bras droict, mais si la gangrenne se met au bras droict, il fault que le gauche le coupe. Quand mes regimens ne me servent pas, je les casse. »

Le 17 octobre 1604, François Myron, prévôt des marchands, écrit à Henri IV. L'échange de lettres entre les deux hommes témoigne de la simplicité de leurs rapports:

« Je le répète à mon cher maistre et Souverain bien-aimé: c'est une malheureuse idée de bastir des quartiers à l'usage exclusif d'artisans et d'ouvriers. Dans une cappitalle où se trouve le Souverain, il ne faut pas que les petits soyent d'un côté et les gros et dodus de l'autre, c'est beaucoup et plus sûrement mélangés; vos quartiers pôvres deviendraient des citadelles qui bloqueraient vos quartiers riches. Or, comme le Louvre est la partye belle, il pourroit se faire que les balles vinssent ricocher jusques sur votre couronne... je ne veulx pas, Syre, estre le complice de cette mesure. »

Voici la réponse du roi Henri IV:

« Compère, vous estes vif comme un hanneton, mais en fin de compte, ung brave et loyal sujet. Soyez content. On fera vos vollontez, et le Roy de France ira longtemps à votre écolle de sagesse et de prud'homie, [...] je vous attends à soupper et vous embrasse. »

On remarquera l'écriture de ces textes; elle est devenue très complexe et elle ne reflète plus l'état de la langue parlée. Les lettres parasites sont très nombreuses, elles témoignent du goût de l'époque pour l'écriture étymologique.

---

13. *et en vsent les hommes seullement* = « les hommes sont seuls à en user ». Le sujet est inversé.

14. *en la façon qui ensuict* = « de la façon suivante ».

15. *font pouldre de ladicte herbe* = « font de la poudre avec ladite herbe ».

16. *tant qu'ilz s'emplent* = « tant qu'ils s'emplissent ».

17. *nazilles* = « narines ».

18. *tant est chaulde* = « tant elle est chaude ». Le pronom personnel sujet est encore parfois omis au XVIe siècle.

3   LE FRANÇAIS DU XVIIIᵉ SIÈCLE

Avec le XVIIIᵉ siècle, la langue française dite *post-classique*, tout en se rapprochant beaucoup de l'état actuel, s'en distingue néanmoins par quelques traits. Le système phonologique est, dans ses grandes lignes, à peu près identique à celui du français contemporain. Le système consonantique, lui, est en tous points identique avec ses 17 consonnes, et le système vocalique s'apprête à devenir ce qu'il est aujourd'hui. Toutefois, le traitement de certaines consonnes et de certaines voyelles diffère quelque peu, notamment dans la prononciation populaire et régionale.

3.1   LA CHUTE DÉFINITIVE DU [λ] MOUILLÉ

On assiste à la chute définitive du [λ] mouillé : ou bien il devient un *yod* (*soleil* [sɔlɛλ] > [sɔlɛj]), ou bien il est rétabli en [l] après quelque temps (*péril* [periλ] > [peril]). On rétablit tardivement (fin XVIIIᵉ s.) certains *s* à la finale parce qu'ils étaient prononcés à nouveau : *tous, fils, jadis, sens*, etc.

3.2   LA PRONONCIATION DE [r]

L'articulation de la dentale [r] passe au [ʀ] uvulaire ou «grasseyé» ; à Paris, seuls les comédiens continuent à rouler les [r], mais cet usage désormais désuet demeure courant dans les parlers régionaux. À la finale des mots, les [r] qui avaient disparu en moyen français sont revenus : on prononce à nouveau *couriR, dormiR, cuiRe, trottoiR*, etc. En fait, à l'exception de certains mots en *-er* [19], on s'est remis à prononcer les [r] à la finale, mais des [ʀ] uvulaires cette fois. Cependant, à la toute fin du XVIIIᵉ siècle, certains groupes ont tenté de remettre à la mode l'amuïssement du [r] ; il était bien vu de dire, par exemple, *paole d'honneu, c'est incoyable, hoïble*, etc. Cette tentative n'a toutefois pas laissé de traces. Enfin, au début du XVIIᵉ siècle, on avait eu tendance, surtout dans la bonne société de Paris, à transformer le [r] en [z] : *père > pèze, mère > mèze, chaire > chaize*, etc. ; cette mode n'a pas duré longtemps, mais elle a laissé quelques rares vestiges, notamment dans *chaise* (de *carne*) et *nasiller* (de *nariculare*), que l'on avait prononcé auparavant [ʃɛr] et [narije].

N'oublions pas que, durant cette même période, la suppression du [r] à la finale est demeurée en usage dans les parlers régionaux. Pendant qu'à Paris on prononçait *miroiR, voleuR, menteuR*, etc, beaucoup de Français disaient encore, en province, *miroi, voleu(x), menteu(x)*, etc. ; la prononciation en *-eux* a laissé quelques traces dans des mots péjorés (*gâteux, pleureux, ricaneux, violoneux, morveux*, etc.) ainsi que dans *monsieur* et *messieurs* (prononcés [məsjø] et [mɛsjø]).

3.3   L'INFLUENCE DE LA GRAPHIE

Un autre phénomène important provient de l'influence de la graphie sur la prononciation. Contrairement aux siècles précédents où la prononciation influençait la graphie, la tendance au XVIIIᵉ siècle est de calquer la prononciation sur

---

19. Par exemple, *aimer, gager, juger, parler, rocher, léger, oranger, premier*, etc., mais *cher, hier, mer, fier, hiver, enfer*, etc.

la graphie, notamment en prononçant les lettres «étymologiques». La passion latinisante, nous l'avons déjà noté, avait fait introduire des lettres parasites qui n'avaient de raison d'être que le souci étymologique: *obscur*, *abstenir*, *administrer*, *corruption*, *calomnier*, *affection*, *registre*, *ministre*, *hospitalier*, *science*, *hymne*, *adverbe*, *adjectif*, *substantif*, *accepter*, *postposer*, *exact*, *rapt*, etc. On connaît le sort de ces mots: on prononce aujourd'hui des lettres qui, en moyen français, étaient strictement étymologiques et, dans les faits, tout à fait inutiles.

3.4   LE TRIOMPHE DE LA PRONONCIATION EN [wa]

Avec le XVIIIe siècle, avec la Révolution française, la prononciation en [wa] (issue de la graphie *oi*) supplante définitivement la prononciation en [we], en [wɛ] ou en [ɛ], sauf dans les régions rurales où elle est encore en usage aujourd'hui (par exemple, *croire* prononcé [krɛʀ], *moi* prononcé [mwe], etc.). Plusieurs écrivains adoptent la graphie *ai* plus proche de la prononciation et les deux écritures *oi* et *ai* coexistent sous la Révolution, mais la graphie *ai* l'emporte au XIXe siècle: par exemple, *François*, *roide*, *toie*, *connoitre*, etc., s'écrivent dorénavant *Français*, *raide*, *taie*, *connaître*, etc. Toutefois, l'ancienne aristocratie conserve encore pendant quelque temps la prononciation en [we]; lors du rétablissement des Bourbons sur le trône de France au XIXe siècle, Louis XVIII et Charles X se nommaient eux-mêmes le «roué», comme au temps de Louis XIV.

3.5   LES OPPOSITIONS PHONOLOGIQUES

C'est au XVIIIe siècle également que naissent les oppositions phonologiques du type [o]/[ɔ], [ø]/[œ] et [a]/[ɑ]. La voyelle [ə] ne constituait pas encore un phonème distinct de [œ]. Par ailleurs, l'un des traits caractéristiques des XVIIe et XVIIIe siècles concernait les oppositions de longueur. On distinguait des voyelles longues et des voyelles brèves: [u]/[u:], [y]/[y:], [i]/[i:], [e]/[e:]. Selon André Martinet[20], cette opposition coïncidait le plus souvent avec une distinction de genre. Au féminin, on employait la longue, au masculin, la brève: *ceci est joli* [ʒɔli], *cette femme est jolie* [ʒɔli:], *le bout* [bu], *la boue* [bu:].

Cette opposition des longueurs assurait également la distinction entre certains mots: *mettre/maître*, *renne/reine*, *tache/tâche*, *pomme/paume*, *dégouttant/dégoûtant*, etc. À la fin du XVIIIe siècle, ce type d'opposition a commencé à perdre du terrain, mais il s'est néanmoins perpétué jusqu'à aujourd'hui dans les parlers locaux, et ce, même au Canada. Il faut toujours se souvenir qu'au XVIIIe siècle le français est certes parlé par tous les milieux cultivés en France, mais que l'immense majorité de la population use encore de parlers régionaux, souvent fort différents du français. À une époque où il est considéré comme une langue universelle, le français est parlé tout au plus par cinq millions de personnes en France, pour une population qui en compte 25 millions. Voici ce que déclare l'abbé Grégoire dans son célèbre rapport en 1790:

---

20. André MARTINET, *Le français sans fard*, Paris, P.U.F., 1969, pp. 12-13.

«Nous n'avons plus de provinces, et nous avons encore trente patois qui en rappellent les noms. [...] On peut assurer sans exagération qu'au moins six millions de Français, surtout dans les campagnes, ignorent la langue nationale; qu'un nombre égal est à peu près incapable de soutenir une conversation suivie; qu'en dernier résultat, le nombre de ceux qui la parlent purement n'excède pas trois millions; et probablement le nombre de ceux qui l'écrivent correctement est encore moindre[21].»

3.6   LA RÉFORME DE L'ORTHOGRAPHE

Au XVIIIe siècle, il n'y avait pas encore de véritable norme orthographique pour le commun des mortels. À moins d'être grand seigneur ou écrivain célèbre, on ignorait quelle était «la bonne orthographe». La norme orthographique s'est fixée sous la Révolution sur les bases de la réforme de 1740 entreprise par l'Académie française.

La réforme de l'orthographe était rendue nécessaire, car l'écart entre la langue écrite et l'usage réel de la langue parlée était trop considérable et il s'était même accentué depuis le XVIe siècle. Mais l'entreprise n'était pas facile puisque les érudits ne pouvaient s'entendre sur les bases fondamentales de la réforme: devait-on seulement simplifier l'orthographe, éliminer les vestiges étymologiques ou entreprendre une réforme méthodique? Quoi qu'il en soit, lorsque l'Académie française publia son *Dictionnaire* en 1740, elle proposa une orthographe très conservatrice qui ne tenait compte que des évolutions les plus évidentes: seulement 5 000 mots avaient été touchés sur une possibilité de 18 000 «réformables». Selon Albert Dauzat[22], l'erreur de l'Académie fut d'avoir examiné chacun des mots séparément, au lieu de procéder par séries. On a ainsi fermé la porte à toute possibilité de réforme méthodique globale.

Bien que la réforme de 1740, complétée par quelques ajustements en 1762, se soit révélée insatisfaisante, l'orthographe de l'Académie a été respectée au nom de l'autorité et de la commodité. La pression unificatrice a fini par imposer l'usage établi par l'Académie et celui-ci est devenu, à peu de choses près, le code qui nous régit aujourd'hui.

Pour conclure sur cette période, nous proposons quelques textes anciens. Le premier document (*voir le texte 4*) date de 1674; c'est une lettre du roi Louis XIV destinée au comte de Frontenac, gouverneur de la Nouvelle-France (de 1672 à 1682 et de 1689 à 1698). Le texte est rédigé selon la graphie de l'époque, c'est-à-dire celle d'avant les réformes. Louis XIV met Frontenac au courant des affaires de l'Europe et lui demande de maintenir la Nouvelle-France en paix. Comme

---

21. «Rapport sur la nécessité et les moyens d'anéantir les patois et d'universaliser l'usage de la langue française», cité par Frank Paul BOWMAN, dans *L'abbé Grégoire évêque des Lumières*, Paris, Éditions France-Empire, 1988, pp. 130-131.
22. Cité par J.-P. SÉGUIN, dans *La langue française au XVIIIe siècle*, Paris, Bordas, 1972 p. 53.

TEXTE 4

Lettre du Roy à M. le Comte de Frontenac

Paris, le 17 May, 1674

Monsieur,

Vous pouvez facilement vous persuader que Sa Majesté ayant esté abandonnée par le Roy d'Angleterre et estant obligée d'entretenir d'aussy grandes armées que celles qu'elle a à présent sur pied, elle ne peut pas avoir la mesme puissance sur mer; et comme elle s'est contentée d'y mettre quarante vaisseaux dans l'océan et 30 et 24 galères dans la Méditerranée, les Hollandois seront maistres de toutes les mers, et pour cet effet ils ont mis diverses flottes en mer; et il y a mesme lieu de croire qu'ils y ont formé quelqu'entreprise sur le Canada, et sy, avant que les vaisseaux qui porteront cette depesches partent, j'en puis avoir quelques nouvelles, je ne manqueray pas de vous le faire sçavoir.

Voylà en peu de mots l'estat des affaires de l'Europe sur lequel Sa Majesté veut que vous formiez vostre conduitte, et par conséquent que vous vous appliquiez uniquement à bien penser et bien examiner touttes les entreprises que les Hollandois peuvent former ou par mer ou par terre sur ce païs là, et à préparer tous les moyens que vous estimerez pouvoir les empescher d'y réussir en cas qu'ils en prennent résolution; encore que Sa Majesté m'ordonne de vous dire sur ce subject qu'elle n'y voyt aulcune apparence, d'autant qu'ils ne peuvent pas diviser leurs forces en tant d'endroits et qu'ils attaqueront bien plustost les Isles de l'Amérique que le Canada.

Vous cognoistrez facilement parce que je viens de dire et plus encore par l'estat des affaires de l'Europe que je vous ay expliqué au commencement de cete lettre, que l'intention de Sa Majesté n'est pas que vous fassiez de grands voyages en remontant le fleuve, ny mesme qu'à l'advenir les habitans s'estendent autant qu'ils ont faict pour le passé; au contraire, elle veut que vous travailliez incessamment et pendant tout le temps que vous resterez dans ce païs là, à les resserrer et à les assembler et en composer des villes et des villages pour les mettre avec d'autant plus de facilité en estat de se deffendre bien, en sorte que quand mesme l'estat des affaires de l'Europe seroit changé par une bonne et advantageuse paix à la gloire et à la satisfaction de Sa Majesté, elle estime bien plus convenable au bien de son service de vous appliquer à bien faire deffricher et bien habiter les endroits les plus fertiles, les plus proches des costes de la mer et de la commmunication avec la France, que non pas de pousser au loing des descouvertes au dedans des terres des païs sy esloignez qu'ils ne peuvent estre habitez ny possédez par des François.

LOUIS

l'usage le prescrivait, le roi écrit à la troisième personne, comme s'il parlait d'une autre personne que lui-même.

Le second document est écrit par Voltaire en 1752, soit presque un siècle plus tard. Invité par Frédéric II de Prusse, Voltaire reste à Berlin de 1750 à 1753. Les relations entre les deux hommes, excellentes au début, se sont dégradées rapidement, comme en fait foi cette lettre de Voltaire à Madame Denis, datée du 18 décembre 1752 :

Je vais me faire, pour mon instruction, un petit dictionnaire à l'usage des rois[23].

Mon ami signifie «mon esclave».

Mon cher ami veut dire «vous m'êtes plus qu'indifférent».

Entendez par *je vous rendrai heureux*, «je vous souffrirai tant que j'aurai besoin de vous.»

Soupez avec moi ce soir[24] signifie «je me moquerai de vous ce soir.»

Le dictionnaire peut être long : c'est un article à mettre dans l'Encyclopédie.

Les philosophes, dont Voltaire, ont préparé la Révolution française de 1789. Dans ce texte plutôt prophétique, Voltaire a conscience de l'importance de son action :

«Tout ce que je vois jette les semences d'une révolution qui arrivera immanquablement, et dont je n'aurai pas le plaisir d'être témoin. Les Français arrivent tard à tout, mais enfin ils arrivent ; la lumière s'est tellement répandue de proche en proche, qu'on éclatera à la première occasion et alors ce sera un beau tapage ; les jeunes gens sont bien heureux, ils verront de belles choses.»

Le dernier texte est de Napoléon et il a été rédigé en 1805, donc après la Révolution, ce qui signifie que la prononciation en [wa] avait supplanté celle en [we].

La seule graphie laisse croire que cet état de langue est identique à celui d'aujourd'hui. C'est le cas, à l'exception de la prononciation en [wɛ]. Fort heureusement, l'écriture s'est simplifiée, mais cela ne signifie pas qu'elle ait perdu son caractère étymologique.

---

23. À cette époque, la graphie *oi* était encore prononcée [we]. *Roi* était donc prononcé [rwe].

24. *Soir* se prononçait [swɛr].

Avec la Révolution, la langue française ressemblera au français d'aujourd'hui, du moins dans son usage standard. Après la victoire d'Austerlitz (le 2 décembre 1805), Napoléon fait lire à son armée la proclamation suivante:

«Soldats, je suis content de vous. Vous avez, à la journée d'Austerlitz, justifié tout ce que j'attendais de votre intrépidité; vous avez décoré vos aigles d'une immortelle gloire. Une armée de 100 000 hommes, commandée par les empereurs de Russie et d'Autriche, a été en moins de quatre heures, ou coupée ou dispersée. Ce qui a échappé à votre fer s'est noyé dans les lacs. Quarante drapeaux, les étendards de la garde impériale de Russie, cent vingt pièces de canon, vingt généraux, plus de 30 000 prisonniers, sont le résultat de cette journée à jamais célèbre.

«Soldats, lorsque tout ce qui est nécessaire pour assurer le bonheur et la prospérité de notre patrie sera accompli, je vous ramènerai en France; là vous serez l'objet de mes plus tendres sollicitudes. Mon peuple vous reverra avec joie, et il vous suffira de dire: "J'étais à la bataille d'Austerlitz", pour que l'on réponde: "Voilà un brave."»

4   UNE ÉTUDE PHONÉTIQUE DU FRANCO-QUÉBÉCOIS

Contrairement aux analyses précédentes qui avaient emprunté une approche résolument diachronique, nous adopterons une approche à la fois diachronique et synchronique pour étudier les traits phonétiques du franco-québécois. L'intérêt d'une telle étude tient surtout au fait que la prononciation des Québécois francophones illustre assez bien un état de langue correspondant encore en grande partie à des usages du français des siècles précédents. De fait, le système phonétique et phonologique de ces francophones d'Amérique présente un certain conservatisme hérité du français des époques antérieures.

L'inventaire des variations présentées ici ne couvre pas toutes les réalisations propres au français populaire du Québec, mais il est suffisamment représentatif pour donner une idée de son caractère relativement archaïque.

4.1   LE TRAITEMENT DES CONSONNES

Les unités phonologiques consonantiques du français québécois correspondent à celles du français standard. La plupart des consonnes ne connaissent que les réalisations du français dit *standard*: par exemple, [p], [b], [m], [n], [f], [v], [w], [j], [ɥ]. On peut relever cependant des variations propres au français populaire d'ici ou de France ([ɲ], [s], [l], [r]); d'autres proviennent d'archaïsmes phonétiques que l'on observe encore en maints parlers régionaux de France ou des Antilles.

4.1.1   L'AFFRICATION

Le phénomène le plus important à souligner est l'affrication. L'affrication constitue certainement l'un des traits caractéristiques du français québécois. Elle est d'ailleurs très généralisée au Québec et se produit systématiquement avec [t] et [d] devant les voyelles [i] et [y], de même que devant les semi-consonnes correspondantes [j] et [ɥ]:

petit	[pətˢi]
tu	[tˢy]
dire	[dᶻɪʀ]
endurer	[ãdᶻyre]
diable	[dᶻjɑb] ou [dᶻjɔb]

Les réalisations affriquées n'ont pas de valeur phonologique; elles correspondent à des variations d'ordre combinatoire. Selon Jean-Denis Gendron[25], cette tendance à l'affrication est héritée du français de France; elle représente la continuation d'une prononciation ancienne qui s'était perpétuée dans les parlers régionaux jusqu'au XVIIIᵉ siècle. Elle a donc été transmise par les colons français arrivés au Canada au XVIIᵉ siècle.

On pourrait parler aussi d'une autre variante du phénomène de l'affrication qui est, il est vrai, moins répandue. Il s'agit de la tendance qui consiste à affriquer [t] / [d] et [k] / [g] en [tʃ] / [dʒ]. Cette prononciation est en usage dans la région de la Beauce et en Acadie[26].

parti	> [partʃi]
endurer	> [ãdʒyre]
tiède	> [tʃjɛd]
culotte	> [tʃylɔt]
inquiète	> [ẽtʃjɛt]

Ici encore, c'est une prononciation qui tire son origine des parlers français du XVIIᵉ siècle.

4.1.2   LA PALATALISATION

Une palatalisation est, rappelons-le, une articulation reportée vers la zone du palais dur: par exemple, [n] > [ɲ], [k] > [kʲ], [g] > [gʲ], [g] > [j], etc. Ce phénomène[27] semble assez courant dans certains parlers dialectaux et régionaux, de même qu'en français populaire de Paris. Il n'est donc pas surprenant de le retrouver dans le français du Québec quand on sait que celui-ci puise sa tradition phonétique dans le français dialectal du XVIIᵉ siècle.

---

25. Dans *Tendances phonétiques du français parlé au Canada*, Paris/Québec, Klincksieck/Presses de l'Université Laval, 1966, pp.112-138.

26. Denis DUMAS, *Nos façons de parler*, Sillery (Québec), Presses de l'Université du Québec, 1987.

27. Jean-Denis GENDRON, *op. cit.*, p. 111.

La palatalisation de la consonne [n] en franco-québécois se produit particulièrement devant [j] dans des mots comme *niaiseux, panier, manière,* etc., qui sont
prononcés [ɲɛzø], [paɲe], [maɲer], etc. Cette articulation n'est pas sans rappeler
celles en usage au XVIIe siècle dans des mots comme *manière, bannière, fanion*
prononcés [maɲe], [baɲe(r)], [faɲɔ̃]. En réalité, la réalisation québécoise n'est
rien d'autre, selon Jean-Denis Gendron, que «la continuation des tendances
phonétiques du français parlé avant le départ des colons pour le Nouveau
Monde[28]».

Une autre palatalisation concerne les consonnes vélaires [k] et [g]. Son degré
peut varier beaucoup selon les individus, mais elle est particulièrement sensible
devant les voyelles antérieures et en finale (avec [g]). On remarque cette tendance
dans des mots comme *piquer, paquet, écœurer, guêpe, baguette, drogue, psychologue,* etc., que l'on prononce [pikʲe], [pakʲɛ], [ekʲœre], [gʲɛp], [bajɛt], [drɔj],
[psikɔlɔj]. La palatalisation peut être plus ou moins atténuée, notamment avec
[k], mais elle peut être très accentuée avec [g]. Il importe aussi de souligner la
palatalisation de [t] et de [d]. Elle se produit surtout devant [j] dans certains
mots: *le bon Dieu* > [lbɔ̃jø], *c'est pas l'diable* > [sepaldjɔb], *chaudière* > [ʃɔjer],
etc. Ces palatalisations, lorsqu'elles sont assez accentuées, sont considérées
comme patoisantes au Québec.

Le phénomène de la palatalisation n'est évidemment pas propre au français
québécois. Il tire son origine du Moyen Âge, alors que la palatalisation était une
caractéristique des parlers populaires; cette situation s'est perpétuée jusqu'au
XVIIe siècle, époque où a commencé la colonisation du Canada.

4.1.3   *L'ASPIRATION*

Rappelons-nous que l'aspiration a été une tendance courante au cours du Moyen
Âge. On la retrouve notamment en franco-québécois bien qu'elle ne soit pas d'un
usage très fréquent. En voici quelques exemples: *chez vous* > [ʃʰəvu], *ta jupe*
> [tahyp], *chaudière* > [ʃʰɔjeʀ].

4.1.4   *LES CONSONNES FINALES*

Nombreux sont les Québécois qui prononcent le [t] final de certains mots: *lit,
nuit, plat, bout, debout,* sont prononcés [lɪt], [nɥɪt], [plat], [bʊt], [dəbʊt]. Il s'agit
là d'une prononciation archaïsante dont les origines remonteraient à l'ancien
français; elle a été maintenue dans les parlers régionaux durant quelques siècles, c'est-à-dire avant la colonisation du Canada. Ajoutons que de nombreux
noms propres québécois sont manifestement des archaïsmes phonétiques, et ce,
peu importe s'ils se terminent en *-t* ou en *-tte: Huot, Forget, Talbot, Pouliot,
Drolet, Beaudet,* etc. À ces exemples pourraient s'ajouter les cas suivants:

---

28. *Op. cit.,* p. 115.

froid	[frwa] > [frɛt]
droit	[drwa] > [drwɛt] ou [drɛt]
laid	[lɛ] > [lɛt]
boue	[bu] > [bwɛt]
pourrie	[puri] > [purɪt]
crue	[kry] > [krʏt]
ici	[isi] > [isɪt]

On trouve toutes ces formes en ancien français du XIIIᵉ siècle; ces mots pouvaient s'écrire *fret, dret, lait, bouete* ou *boete, porite, crute, ycite,* etc. Bref, il s'agit encore d'archaïsmes phonétiques[29].

On peut rattacher à ce phénomène qui touche les consonnes finales la tendance inverse: l'élision d'une consonne dans un groupe final. Ainsi, *table, capable, langouste, fantasque,* etc., deviennent [tab], [kapab], [lɑ̃gus], [fɑ̃tas]. C'est là un phénomène courant dans le langage familier non seulement au Québec, mais à peu près dans toute la francophonie.

4.2   LE TRAITEMENT DES VOYELLES

Les variations franco-québécoises qui touchent les voyelles sont plus importantes que celles touchant les consonnes. Ce sont ces variations vocaliques qui donnent un aspect bien particulier à la prononciation d'ici. Les phénomènes marquants concernent l'ouverture de [i], [y] et [u], la diphtongaison, l'opposition phonologique de longueur ainsi que certains archaïsmes phonétiques.

4.2.1   *L'OUVERTURE DE* [i], [y] *ET* [u]

En franco-québécois, l'ouverture systématique de [i], [y] et [u] en [ɪ], [ʏ] et [ʊ] en syllabe entravée constitue une caractéristique digne d'être soulignée. C'est une tendance généralisée chez les francophones du Québec, tant dans les milieux cultivés que populaires. On la retrouve encore aujourd'hui dans certains parlers régionaux de France qui l'ont, comme au Québec, héritée du XVIIᵉ siècle.

facile	> [fasɪl]
racine	> [rasɪn]
ruse	> [rʏːz]
insulter	> [ɛ̃sʏlte]
loupe	> [lʊp]
langouste	> [lɑ̃gʊs]

4.2.2   *LA PERSISTANCE DE CERTAINES OPPOSITIONS PHONOLOGIQUES*

Les Québécois ont conservé les oppositions phonologiques de timbre ou, selon le cas, de durée entre /ɛ/ et /ɛː/, entre /a/ et /ɑ/, entre /œ̃/ et /ɛ̃/. En nette régression dans la grande région parisienne depuis le début du XIXᵉ siècle, ces oppositions

---

29. François GROU et Paul PUPIER, «Le [t] standard et les alternances vocaliques du français de Montréal», dans *Cahier de linguistique*, nº 4, Montréal, Les Presses de l'Université du Québec, 1974, p. 60.

sont maintenant en voie de disparition. Étant donné que le franco-québécois, comme d'ailleurs les parlers régionaux de France, a évolué moins rapidement que le français européen, il a maintenu ces distinctions entre *renne/reine, patte/ pâte, un/hein*. On peut donc affirmer que ces distinctions demeurent l'un des derniers vestiges des oppositions de durée en usage au XVIIᵉ siècle.

4.2.3   *LA DIPHTONGAISON*

Comme le français québécois présente plus de durées vocaliques que le français standard, il n'est pas surprenant qu'il ait privilégié la diphtongaison. En principe, toutes les voyelles peuvent se diphtonguer, mais il semble bien que [ɛ:], [ɑ], [ɔ], [œ], [ɛ̃] et [ɔ̃] soient les plus diphtonguées, et ce, en position entravée. Voici quelques exemples:

[ɛ]	> [ai]	*neige*	[naiʒ]
[e]	> [eⁱ]	*tête*	[teit]
[ɑ]	> [ɑu]	*pâte*	[pɑut]
	[ɔ] > [ɔu]	*l'âge*	[lɔuʒ]
[ɔ]	> [aɔ]	*dehors*	[dəwaɔʀ]
[œ]	> [œy]	*beurre*	[bœyʀ]
[ɛ̃]	> [aɛ̃]	*pinte*	[pæɛ̃t]
[ɔ̃]	> [aɔ̃]	*raconte*	[ʀakaɔ̃t]

Certains pourraient croire que le phénomène de la diphtongaison en français québécois provient de l'influence de l'anglais, mais tel ne semble pas être le cas. La diphtongaison appartient de façon plus prononcée «au parler populaire, alors que ce sont plutôt les gens cultivés qui ont des contacts avec l'anglais parlé[30]». Soulignons que les Acadiens de la ville de Moncton, au Nouveau-Brunswick, sont en contact continu avec l'anglais et que la diphtongaison ne se retrouve pratiquement pas dans leur parler. Rappelons aussi que les diphtongues québécoises ne se produisent qu'en syllabe entravée, alors que les diphtongues anglaises apparaissent également en syllabe libre.

Pour Claude Poirier[31], il s'agit d'une vieille influence française, plus précisément gallo-romane: «La diphtongaison de [ɛ] est selon toute probabilité de souche gallo-romane [et on la retrouve encore] de la Normandie jusqu'aux Charentes.» Les linguistes Gilles Bibeau[32], Jean-Paul Vinay[33] et Jean-Denis Gendron[34] sont à peu près du même avis; Laurent Santerre[35], spécialiste en phonétique québécoise, ne croit pas non plus à une influence anglaise en ce qui concerne nos diphtongues. Les Québécois ont simplement développé une tendance ancestrale, celle de la durée vocalique, qu'ils ont systématisée dans les voyelles en position

---

30. Claude POIRIER, «L'anglicisme au Québec et l'héritage français», dans *Travaux de linguistique québécoise*, nº 2, Québec, Presses de l'Université Laval, 1978, p. 75.

31. *Op. cit.*, p. 74.

32. Gilles BIBEAU, «Joual en tête», dans *La Presse*, Montréal, 16 juin 1973.

33. Jean-Paul VINAY, *Le français au Canada, II. Phonétique et vocabulaire*, C.L.F., vol. 6, nº 6, 1956.

34. Jean-Denis Gendron, «Le phonétisme du français canadien face à l'adstrat anglo-américain», dans *Étude de linguistique franco-canadienne*, Paris/Québec, Klincksieck/ Presses de l'Université Laval, 1967, pp. 15-67.

35. Cité par Claude POIRIER, *op. cit.*, p. 74.

entravée ; ils utilisent donc la diphtongaison comme mode de réalisation privilégié de la durée.

4.2.4   *LE GROUPE OI*

Le traitement phonétique du groupe *oi* est assez varié en français québécois.
Certains mots sont toujours prononcés de la façon standard en [wa] ; d'autres
s'articulent en [wa] (rare), en [wɑ] ou en [wɔ] ; d'autres se réalisent en [wɑ] ou
en [wɛ] ; d'autres enfin connaissent les variations [wa], [we], [wɛ].

Notons tout d'abord qu'un certain nombre de mots ne connaissent que la prononciation du français international ; ce sont des mots où le groupe *oi* se retrouve
toujours en position finale : *loi, doigt, roi, croix, fois, foie, emploi, québécois,* etc.
Aucun Franco-Québécois ne prononcerait ces mots autrement qu'en [wa] sauf
parfois dans le cas des noms de peuple ([kebekwɛ], [ʃinwɛ], etc.) en situation
non surveillée.

Par ailleurs, une demi-douzaine de mots seulement[36] se prononcent presque
toujours en [wɔ] dans la conversation familière ou en [wɑ] en situation «surveillée» ; il s'agit de *bois, pois, poids, trois, mois, noix* que l'on prononce [bwɔ],
[pwɔ], [twɔ], [mwɔ], [nwɔ]. Cette prononciation date du XVIIᵉ siècle, c'est-à-dire
avant l'arrivée des colons français au Canada.

Quelques verbes en *-oir*, deux pronoms et quelques adjectifs sont également
touchés ; ils peuvent être prononcés selon la forme standard en [wa] ou selon
les variantes archaïsantes (XIVᵉ siècle) en [we], en [wɛ], en [ɛ] ou en [e] :

il voit	[ilvwa] > [ivwe] ou [iwe]
tu bois	[tybwa] > [tsybwe]
il s'aperçoit	[ilsapɛrswa] > [isaparswe]
je boirai	[ʒbware] > [ʒbwɛre]
vouloir	[vulwar] > [vulwɛr]
pouvoir	[puvwar] > [puvwɛr]
crois-le	[krwalə] > [krele]
croire	[krwar] > [krɛr]
s'asseoir	[saswar] > [saswɛr]
moi	[mwa] > [mwe]
toi	[twa] > [twe]
droit	[drwa] > [drwɛt]
froid	[frwa] > [frɛt]

On remarque le même phénomène dans quelques noms, ainsi que dans certains
participes passés et certains verbes en syllabe libre, mais dans ce cas la forme
est toujours en [wɛ] ou parfois légèrement diphtonguée en [weⁱ] :

---

36. Denis DUMAS, *Nos façons de parler*, Sillery (Québec), Presses de l'Université du
Québec, 1987, p. 23.

boisson	[bwasɔ̃] > [bwɛsɔ̃] ou [bweⁱsɔ̃]
voisin	[vwazɛ̃] > [vwɛzɛ̃] ou [vweⁱzɛ̃]
toilette	[twalɛt] > [twɛlɛt] ou [tweⁱlɛt]
moisi	[mwazi] > [mwɛzi] ou [mweⁱzi]
soigner	[swaɲe] > [swɛɲe]
boiteux	[bwatø] > [bwɛtø] ou [bweⁱtø]

Il ne faudrait pas passer sous silence le cas de la voyelle allongée en [ɑ] qui peut se fermer en [wɛ] ou se diphtonguer en [ai] dans des mots comme *boîte, poivre, framboise, noir, déboîter*, etc. Contrairement à la prononciation en usage en France, un Québécois aura tendance à utiliser la prononciation longue en [wɑ], sinon [wɛ:] ou [waⁱ], vestige d'une tendance allongeante du XVIIᵉ siècle:

boîte	[bwɑt], [bwɛ:t], [bwaⁱt]
poivre	[pwɑvr], [pwɛ:v], [pwaⁱv]
framboise	[frɑ̃bwaz], [frɑ̃bwɛ:z], [frɑ̃bwaⁱz]
noir	[nwɑr], [nwɛ:r], [nwaⁱr]
déboîter	[debwɑte], [debwɛ:te], [debwaⁱte]

Peu importe les variantes phonétiques du groupe *oi*, il s'agit toujours d'une tendance archaïsante qui se perpétue au Québec, mais également dans certaines régions du nord et de l'ouest de la France. La diphtongaison, bien que plus particulière au Québec, résulte tout de même d'une vieille tendance à l'allongement, courante au XVIIᵉ siècle.

Les prononciations archaïsantes sont mal perçues socialement au Québec. Les personnes qui emploient ces variantes le font généralement dans un contexte familier; mais si la situation l'exige, beaucoup n'hésiteront pas, par exemple, à passer de la prononciation en [wɛ] à la prononciation en [wɑ] ou en [wa]. En fait, la prononciation du groupe *oi* est l'une des plus révélatrices des distinctions sociales.

4.3   LES PHÉNOMÈNES PROSODIQUES

Les traits prosodiques du français québécois concernent principalement la durée, la force de l'énergie articulatoire, le rythme et l'accent d'intonation. Lorsque certains Québécois de passage en France se plaignent de ne pas être compris des Français, ils ne se rendent pas toujours compte que cette incompréhension, bien relative, résulte davantage de phénomènes prosodiques tels que la *durée* (répartition de l'énergie articulatoire entre voyelles et consonnes), le *rythme* syllabique dans la phrase et l'*intonation*. Certains esprits malicieux diront sans doute que c'est le problème des Français et non le nôtre. Il n'en demeure pas moins que les Québécois sont simplement tributaires de leur histoire et des événements socio-politiques, comme le sont d'ailleurs toutes les communautés linguistiques. Le reste relève des préjugés, dont les fondements ne sont pas d'ordre linguistique.

4.3.1   *LA DURÉE ET L'ÉNERGIE ARTICULATOIRE*

Toutes les affirmations voulant que les Québécois aient la «bouche molle» ou qu'ils possèdent une «phonétique gélatineuse» sont dénuées de fondement et font plutôt sourire le linguiste. Les francophones du Québec, nous venons de le voir, ont conservé les anciennes habitudes françaises de durée qu'ils ont développées, notamment par la diphtongaison. Le français québécois fait un plus grand usage de la durée vocalique que le français européen; il use donc en fait d'une plus grande force d'énergie articulatoire pour les voyelles que le français standard. Mais l'énergie dépensée pour les voyelles défavorise celle dépensée pour les consonnes; selon Jean-Denis Gendron: «Les voyelles canadiennes sont généralement plus longues que les voyelles françaises, tandis que les consonnes canadiennes, sans exception, semblent plus brèves[37]».

Les études expérimentales de Jean-Denis Gendron sont très concluantes à ce sujet: les voyelles québécoises (canadiennes) prédominent dans la perception globale des mots. C'est donc la répartition de l'effet articulatoire qui n'est pas la même en franco-québécois et en français. Le phénomène se vérifie notamment dans les cas de réduction morphologique, où ce sont toujours les consonnes qui tombent parce qu'on privilégie les voyelles.

	QUÉBÉCOIS	FRANÇAIS
sur la table	[su̜atab]	[syrlatabl]
sur la table	[sa:tab]	[syrlatabl]
à la maison	[a:mezɔ̃]	[alamɛzɔ̃]
dans les mains	[dɛ̃:mɛ̃]	[dɑ̃lemɛ̃]
tous les jours	[twe:ʒuʀ]	[tuleʒuʀ]

Comme on le constate, la «faiblesse» articulatoire n'est qu'un mythe, une *différence* dans la répartition de la force articulatoire qui ne signifie pas *absence*. D'ailleurs, il n'a été donné à aucun peuple sur terre d'avoir une bouche plus «molle» que d'autres. La nature a doté tous les êtres humains des mêmes organes phonatoires et chacune des langues privilégie certains aspects articulatoires pour en délaisser d'autres.

4.3.2   *LE RYTHME*

La répartition de l'énergie articulatoire est également responsable de la distribution des longueurs syllabiques (syllabes brèves / syllabes longues) dans la phrase. En français européen, toutes les syllabes sont prononcées avec la même énergie, sauf la syllabe finale sur laquelle tombe l'accent tonique; ce qui donne la répartition suivante:

	syllabes brèves	syllabe longue (tonique)
FS	[il--a--rɛ--tɛ]	(*il arrêtait*)

Le français québécois favoriserait davantage la syllabe initiale et l'avant-dernière syllabe, de sorte que la dernière est plus brève qu'en français européen; la répartition est la suivante:

---

37. Jean-Denis GENDRON, *Tendances phonétiques du français parlé au Canada*, Paris/ Québec, Klincksieck/Presses de l'Université Laval, 1966, p. 137.

syllabes longues

FQ   [ja--rɛ--tɛ]   (il arrêtait)

Dans certains cas, le schéma peut se présenter autrement, mais le patron est toujours caractérisé par la répartition inégale de l'énergie articulatoire dans les syllabes: «Le rythme du français canadien suit un patron différent de celui du français standard[38].»

4.3.3   L'INTONATION

D'après les recherches de J.-D. Gendron portant sur l'intonation en français québécois[39], le registre de la voix ou hauteur musicale serait deux fois plus étendu chez les sujets parisiens que chez les sujets franco-québécois: 210 cycles par seconde contre 100 cycles par seconde environ. Donc, chez les Québécois, l'écart entre la note la plus basse et la note la plus haute serait moindre, et les modulations de la voix seraient également moins prononcées. Cela signifie que l'intonation québécoise serait moins variée que celle des Français. Ce phénomène est sans doute héréditaire, car il rappelle l'intonation des Normands, qui présente la même uniformisation.

***

Lorsqu'on tente d'isoler les traits phonétiques qui sont censés caractériser le français québécois, on se trouve devant peu de phénomènes spécifiques qui ne seraient pas «hérités», de près ou de loin, du français de France ou, du moins, de l'une de ses variétés régionales. Quoi qu'il en soit, le système phonologique demeure le même. Aucun des traits phonétiques, pris isolément, ne constitue en soi une différence majeure si on compare le français des Québécois avec le français européen, mais *réunis*, ils contribuent à donner à la prononciation franco-québécoise un aspect assez distinctif qui a fait naître bien des préjugés de part et d'autre de l'Atlantique, alors que cette prononciation n'est que le résultat d'une «rupture» qui a duré plus d'un siècle et demi.

Bref, les Québécois, comme les francophones des autres provinces canadiennes, ont un système phonologique identique à celui du français standard et un système phonétique caractérisé par des formes archaïques (ou archaïsantes) que l'on retrouve aussi, parfois, en français régional ou populaire de France, voire des Antilles.

---

38. ROBINSON, Linda, «Étude du rythme syllabique en français canadien et en français standard», dans *Recherches sur la structure phonique du français canadien*, Paris, Didier, 1968, p. 174.

39. *Op. cit.*, pp. 153-160.

LA GRAMMAIRE DU FRANÇAIS

L'évolution de la grammaire du français n'est pas simple. C'est pourquoi il ne saurait être question d'en présenter ici un tableau exhaustif. Nous nous limiterons donc à quelques éléments, surtout ceux qui ont laissé des traces dans la langue d'aujourd'hui.

1   L'INDO-EUROPÉEN

L'indo-européen constitue la préhistoire du latin. En nous rappelant quelques-uns des faits de cet état de langue, nous comprendrons mieux ce que sont devenus le latin et, par voie de conséquence, le français.

Le système morphologique (ou morpho-syntaxique) d'une langue est l'ensemble des morphèmes grammaticaux de cette langue et les règles qui en régissent l'organisation. Ce qui caractérise le système morphologique de l'indo-européen, c'est son exceptionnelle complexité. Un seul signifiant peut correspondre à plusieurs signifiés successifs. Par exemple, une désinence peut désigner à la fois le genre et le nombre, parfois le génitif singulier et le nominatif pluriel, etc.

Les «mots» indo-européens prennent la forme d'une *racine* qui présente souvent des aspects variés. On distingue des racines *à deux consonnes* (**ped-* «tomber») et *à trois consonnes* (**lewk-* «être lumineux»). On pourrait ajouter des préfixes et des suffixes.

> **ama:si-* > **ama:si-bhwa:m* = «j'étais à aimer»

L'indo-européen possédait des noms, des adjectifs, des verbes, des particules («préverbes»: «dans», «sur», «sous», «vers», etc.), des prépositions et quelques rares adverbes. Il possédait aussi un système de déclinaison comportant les cas suivants: nominatif, vocatif, accusatif, locatif, datif, génitif, instrumental. Plusieurs langues indo-européennes ont conservé, en totalité ou en partie, le système de la déclinaison.

$$
\left.
\begin{array}{ll}
\text{N.} & \textit{*pHte(r)} \\
\text{V.} & \textit{*pHter} \\
\text{A.} & \textit{*pHter}\text{-m} \\
\text{L.} & \textit{*pHter}\text{-i} \\
\text{D.} & \textit{*pHter}\text{-ej} \\
\text{G.} & \textit{*pHter}\text{-os} \\
\text{I.} & \textit{*pHter}\text{-eH}_1
\end{array}
\right\} \quad \text{SINGULIER}
$$

Au point de vue strictement grammatical, l'indo-européen possédait trois genres (masculin, féminin, neutre) et trois nombres (singulier, pluriel, duel). L'opposition masculin/féminin correspondait à l'opposition mâle/femelle, tandis que l'opposition neutre/masculin correspondait à l'opposition animé/inanimé. Si plusieurs langues indo-européennes ont perdu l'opposition animé/inanimé, presque toutes ont conservé au moins l'opposition masculin/féminin.

En ce qui concerne le verbe, de nombreuses désinences, neuf au total, indiquaient le présent, le parfait, l'infinitif, l'impératif, la voix et l'aspect.

Quant à la syntaxe de l'indo-européen, elle devait être très différente de celle que nous connaissons en latin et, en ce qui nous concerne, en français. En général, les formes atones (en position de faiblesse) étaient placées avant les formes toniques. Le verbe de la proposition principale (toujours inaccentué) était placé après son complément; par contre, le verbe de la proposition subordonnée (toujours tonique) se trouvait souvent à la fin de la phrase. En règle générale, l'ordre des éléments de l'énoncé était chronologique: l'origine, les circonstances, puis le verbe; enfin, le but ou la conséquence.

2 LA DISPARITION DE LA DÉCLINAISON LATINE EN FRANÇAIS

Le latin était une langue à déclinaison qui variait selon le genre du substantif. On comptait trois genres (le masculin, le féminin et le neutre) et cinq types de déclinaison différents: type I (*Terra, -æ*), type II (*Dominus, -i*), type III (*Miles, militis*), type IV (*Senatus, senatu:s*), type V (*Res, rei*). De plus, dans chaque type de déclinaison, les cas étaient au nombre de six: nominatif, vocatif, accusatif, génitif, datif, ablatif. Cinq déclinaisons, six cas et trois genres, cela signifiait plus de 90 flexions pour les seuls noms; dans le cas des adjectifs, on en comptait six types distribués en deux classes, pour un total de 216 flexions. Noms et adjectifs formaient donc au moins 306 flexions.

L'ancien français n'a conservé que trois des cinq déclinaisons du latin, et ce, dès la période romane:

— la première déclinaison regroupe presque tous les noms masculins;
— la seconde déclinaison comprend quelques noms qui se terminent par -*e* en français;
— la troisième déclinaison comporte une cinquantaine de mots à double forme.

De plus, des six cas latins, il n'en subsiste plus que deux en ancien français : le cas sujet (CS) et le cas régime (CR) issu de l'accusatif latin.

Déclinaison I :	CS	*li murs*	*li mur*
	CR	*le mur*	*les murs*
Déclinaison II :	CS	*li pere*	*le pere*
	CR	*le pere*	*les peres*
Déclinaison III :	CS	*li cuens*	*li comte*
	CR	*le comte*	*les comtes*

De façon générale, c'est le cas régime qui a persisté en français, car la déclinaison à deux cas a commencé à s'affaiblir dès le XIIIe siècle ; à la fin du XIVe siècle, le processus était rendu à son aboutissement : il ne restait plus qu'un seul cas, le cas régime. C'est sur celui-ci que repose la forme de nos mots d'aujourd'hui.

Néanmoins, le français moderne a conservé des traces des anciennes déclinaisons latines, notamment dans la classe grammaticale des pronoms personnels, en particulier ceux employés au singulier :

	1re pers.	2e pers.	3e pers.		
CS	*je (ego)*	*tu (tu)*	*il elle (ille, illa)*		
CR dir.	*me (me)*	*te (te)*	*le la (ille, illa)*	}	SINGULIER
CR ind.	*moi (mei)*	*toi (tui)*	*lui lui (illi)*		
CS	*nous*	*vous*	*ils elles*		
CR dir.	*nous*	*vous*	*les les*	}	PLURIEL
CR ind.	*nous*	*vous*	*leur leur*		

Un système sans déclinaison supposerait des formes identiques pour chacune des personnes grammaticales, et ce, peu importe les fonctions syntaxiques ; un système à déclinaison, au contraire, oppose des formes différentes : *je/me/moi, tu/te/toi, il/le/lui*, etc. Ces exemples démontrent que la déclinaison latine s'est maintenue dans les pronoms jusqu'en français contemporain ; à la première personne, par exemple, les pronoms latins *ego, me* et *mei* sont devenus *je, me, moi*, mais ils avaient aussi donné, en ancien français, les formes *eo, io, jo, jou* et *gié*. Par ailleurs, si nous constatons l'absence de formes différentes au pluriel des première et deuxième personnes, c'est que le latin ne connaissait qu'une seule forme tant au cas sujet qu'à l'accusatif pour chacun des pronoms correspondants : *nos* et *vos*. Les formes latines *nos, nostrum, nobis* ont été, en ancien français, uniformisées en *nos*, puis en *nous*.

Les pronoms relatifs du français *qui, que, quoi* sont également des vestiges des déclinaisons latines. La déclinaison du relatif latin à trois genres, à deux nombres et à six cas s'est simplifiée au point que l'ancien français n'a gardé que les formes *qui* (CS), *que* (CR direct), *cui* (CR indirect) au masculin/féminin et *quoi* au neutre. La forme *qui* [ki] provient du latin *qui* ; la forme *que* [kə] est issue des nominatifs *quid/quod* et de l'accusatif *quem* ; la forme *cui* [kwi] est celle du datif latin *cui* ; enfin, le nominatif neutre *quid* s'est transformé en *qued* en ancien français avant d'aboutir à *quoi*.

Quant aux formes *dont* et *où*, elles proviennent d'emprunts faits au latin par l'ancien français au IXe et au Xe siècle: *dont* est issu de *de* + *unde* («d'où») devenus *dont* employé au génitif et à l'ablatif, alors que *où* est issu de *ubi* («où») devenu *où* employé au locatif.

3   L'ÉVOLUTION DU GENRE ET DU NOMBRE

Le latin possédait trois genres, le masculin, le féminin et le neutre, et deux nombres, le singulier et le pluriel. Déjà en latin classique, le genre ne représentait plus guère qu'une catégorie grammaticale purement formelle; il n'était plus lié à une distinction mâle/femelle ou animé/inanimé. L'opposition sexuelle entre les hommes et les femmes était marquée par le masculin et le féminin, mais les objets pouvaient être indistinctement des genres masculin, féminin ou neutre.

De façon générale, la marque du genre se trouvait, en latin, dans la désinence des noms et des adjectifs, c'est-à-dire dans leur terminaison. Dans l'évolution du latin vers le français, les marques du genre ont perdu leurs caractéristiques d'origine. Pour simplifier la description, on indiquera les grandes tendances suivantes:

1) La déclinaison féminine en *-as* a donné des mots du genre féminin en français: *rosam > rose; rosas > roses*.

2) Les pluriels neutres latins en *-a* ont également donné des mots au féminin en français: *folia > feuille; arma > arme; labra > lèvre*.

3) Les mots masculins latins en *-is* sont devenus masculins en français: *canis > chien; panis > pain; rex/regis > roi; pes/pedis > pied*.

4) Les noms latins en *-er* sont aussi devenus masculins: *pater > père; frater > frère; liber > livre; magister > maître*.

Pendant la période romane, le latin a perdu le neutre qui a été absorbé par le masculin; par exemple, *granum > granus > grain* (masc.). Du neutre latin, *granum* et *lactis* sont passés au masculin en français; du masculin latin, *floris* est passé au féminin en français; par contre, *gutta* et *tabula* sont restés au féminin; mais *burra* («bure») a conservé le féminin du latin pour passer au masculin lorsqu'il a désigné le «bureau» en français.

Beaucoup de mots de l'ancien français ont changé de genre au cours du Moyen Âge. Ainsi, étaient féminins des mots comme *amour, art, évêché, honneur, poison, serpent*; aujourd'hui, ces mots sont masculins. À l'opposé, des mots aujourd'hui féminins étaient alors masculins: *affaire, dent, image, isle (île), ombre*, etc.

L'ancien français était une langue moins sexiste que le français contemporain, du moins si l'on se fie à certaines formes qui existaient à l'époque. Ainsi, au mot masculin *empereur* correspondait le mot féminin *emperiere* (pour *emperière*); à *devin* correspondait *devine*; à *medecin, medecine*; à *lieutenant, lieutenande*; à *chef, chevetaine*; à *apprenti, apprentisse*; à *bourreau, bourelle*; etc. Notons aussi l'opposition *damoiselle* (fém.) / *damoisel* (masc.) ou *damoiselle/damoiseau* pour désigner les jeunes nobles (femmes ou hommes) qui n'étaient pas encore mariés; au cours des siècles, seul le mot *demoiselle* est resté dans la langue alors que les formes masculines *damoisel* et *damoiseau* sont disparues. Après tous ces changements, on ne se surprendra pas qu'on en soit arrivé à une répartition arbitraire des genres en français moderne.

4   L'APPARITION DE L'ARTICLE EN ANCIEN FRANÇAIS

Le latin n'avait pas d'article; le système de déclinaison latin pouvait se passer de ce mot-outil. L'ancien français a développé un système d'articles à partir des démonstratifs *ille/illa/illud* qui ont donné les déterminants appelés «articles définis».

	Masc. sing.	plur.	Fém. sing.	plur.
CS	*li*	*li*	*la*	*la*
CR	*lo > le*	*les*	*la*	*les*

À quelques exceptions près, les articles *le* et *les* se sont soudés à la préposition qui les précède:

a + le > al, au   *a + les > as, aus, aux*
de + le > del, du, dou   *de + les > des*
en + le > el, eu, ou, u   *en + les > ès*

Les articles définis n'étaient pas toujours exprimés systématiquement comme en français moderne. On les employait surtout pour les noms déjà identifiés, c'est-à-dire les noms dont on avait déjà parlé; ce qui était normal puisque l'article provenait du démonstratif latin *ille* «celui-ci, celui-là». L'article défini ne sera employé systématiquement que vers la fin du XVIe siècle.

Quant à l'article indéfini, il provient du *unus* latin signifiant «un seul» ou «un même». Bien qu'étant peu courant, il s'employait au pluriel pour désigner des collectifs: paire d'objets, série d'objets, etc.

	Masc. sing.	plur.	Fém. sing.	plur.
CS	*uns*	*un*	*une*	*unes*
CR	*un*	*uns*	*une*	*unes*

5   LA NUMÉRATION

Les noms de nombre en français moderne ne proviennent qu'en partie du latin. Les nombres hérités du latin correspondent aux nombres de *un* à *seize*. Le nombre *dix-sept*, par exemple, est le premier nombre formé d'après un système populaire (logique) qui sert pour tous les nombres suivants: *dix + sept, dix + huit, dix + neuf...*

En ce qui concerne les noms des dizaines, le système latin possédait un système décimal; ainsi, *dix, vingt, trente, quarante, cinquante, soixante* sont d'origine latine.

decem > dix
viginti > vingt
tringinta > trente
quadraginta > quarante
quinquageni > cinquante
sexaginta > soixante

Il en est de même pour les formes latinisantes *septante, octante* ou *huitante*, et *nonante*, formes que l'on emploie encore en Belgique et en Suisse:

septuaginta > septanta > septante
octoginta > octante (Belgique), *huitante* (Suisse)
nonaginta > nonante
centum > cent

L'ancien français a adopté très tôt le système normand (d'origine germanique) qui était un système vicésimal, ayant pour base le nombre *vingt*. Ce système était courant chez les peuples d'origine germanique. L'ancien français employait couramment *quatre vint, six vint, dix vint, quinze vint*, etc., jusqu'à *dix-huit vint*. Encore au XVIIe siècle, des écrivains employaient le système vicésimal. Ainsi, Racine écrivait à Boileau: «Il y avait hier *six vingt* mille hommes ensemble sur quatre lignes.» Quant à un numéral comme *soixante-dix*, c'est un mot composé (*soixante* + *dix*) de formation populaire; le numéral *quatre-vingt-dix* est d'origine germanique (normande) auquel s'ajoute le composé populaire [+ 10].

En fait, les deux systèmes, c'est-à-dire le système décimal d'origine latine et le système vicésimal d'origine germanique, ont été employés concurremment jusqu'à la Révolution. On emploie encore aujourd'hui, notamment en Belgique et en Suisse, la numération latinisante: par exemple, *septante-trois, octante-neuf, nonante-cinq,* etc.

6   LES CHANGEMENTS DE CONJUGAISON À L'INFINITIF

Les verbes latins se répartissaient en cinq catégories plus ou moins égales et bien caractérisées par la voyelle de l'infinitif: les verbes en *-a:re*, les verbes en *-e:re*, les verbes en *-ere*, les verbes en *-ire*, les verbes en *-i:re*.

En français, plusieurs milliers de verbes se conjuguent selon la forme en *-er*, comme *chanter* (< lat. *cantare*). Au cours de l'histoire, plusieurs centaines de verbes sont passés à la conjugaison en *-er* parce que la puissance d'attraction de cette forme a toujours été très considérable. On compte aussi quelques centaines de verbes conjugués suivant le modèle de *finir*; les autres, une centaine, sont des verbes irréguliers en *-oir* et en *-re*.

Toutefois, encore au XVIe siècle, plusieurs verbes avaient des infinitifs différents de ceux d'aujourd'hui. Ainsi, certains infinitifs actuellement en *-er* étaient en *-ir*: *abhorrir, aveuglir, colorir, fanir, sangloutir, toussir*, etc. On trouvait aussi des infinitifs tout à fait inexistants au XXe siècle: les verbes *tistre* («tisser»), *benistre* («bénir») et *benire* («bénir»).

De plus, de très nombreux verbes, fréquents au Moyen Âge, sont aujourd'hui disparus:

> *ardoir* < *ardere*: brûler
> *chaloir* < *calere*: avoir chaud
> *doloir* < *dolere*: souffrir
> *enfergier* < *en fierges* < *ferrum*: mettre aux fers
> *escheler* < *eschiele* < *scala*: monter dans une échelle
> *estovoir*: falloir
> *férir* < *ferire*: combattre
> *loisir* < *licere*: être permis
> *maindre* < *manere*: demeurer, habiter
> *nuisir* < *nocere*: nuire
> *oiseler* < *oisel*: chasser aux oiseaux
> *oisever*: être oisif
> *paroir* < *parera*: paraître
> *plaisir* < *placere*: plaire
> *soloir* < *solere*: avoir coutume
> *toster* < **tostare*: rôtir
> *vesprer* < *vesperare*: faire nuit
> *bruire* < **brugere*: faire du bruit
> *circuir* < *circum (circire)*: faire le tour

7   LES TEMPS DU VERBE

En français, comme en latin, le verbe est classé comme présent, passé ou futur. D'une manière générale, le français a conservé le système des temps du latin, mais il a tout de même opéré plusieurs transformations.

L'ancien français a fait disparaître certains temps du latin: le plus-que-parfait de l'indicatif (*j'avais eu chanté*), le futur antérieur (*j'aurais eu chanté*), l'impératif futur (?), l'infinitif passé (*avoir eu chanté*), l'infinitif futur (*devoir chanter*).

En revanche, l'ancien français a créé deux nouvelles formes: le **futur** en *-rai* et le **conditionnel** en *-rais*. Le latin avait, pour le futur et le conditionnel, des formes composées du type *cantare habes* (mot à mot: «tu as à chanter» > *chanteras*), *cantare habebas* (mot à mot: «tu avais à chanter» > *chanterais*). Fait important, l'ancien français a introduit le «que» pour marquer le subjonctif; il faut dire que la plupart des verbes étaient semblables au présent et au subjonctif (p. ex., *j'aime* / il faut que *j'aime*).

Finalement, le français a gardé de l'**indicatif** latin le présent, l'imparfait, le parfait (passé simple); du **subjonctif**, le présent, l'imparfait et le plus-que-parfait; de l'**infinitif**, le présent (qui n'est alors plus un temps); du **participe**, le présent et le passé.

Cependant, la conjugaison en ancien français ne s'écrivait pas comme aujourd'hui. Jusqu'au moyen français, on n'écrivait pas de -e ni de -s à la finale des verbes de l'indicatif présent: *je dy, je fay, je voy, je supply, je rendy*, etc. De plus, l'emploi du futur n'a pas toujours été ce qu'il est devenu aujourd'hui. Beaucoup écrivaient *je priray* («prier»), *il noura* («nouer»), *vous donrez* («donner»), *j'envoirai* («envoyer»), *je mouverai* («mouvoir»), *je cueillirai* («cueillir»), *je fairai* («faire»), *je beuvrai* («boire»), *je voirai* («voir»), *j'arai* («avoir»), *je sarai* («savoir»), *il pluira* («pleuvoir»).

Au subjonctif présent, certaines formes sont disparues:

qu'il voise > qu'il aille
que je preigne > que je prenne
qu'il doint > qu'il donne
que je tieigne > que je tienne

8   LA RÉDUCTION DES RADICAUX DES VERBES

La position de l'accent latin avait favorisé un traitement différent des voyelles accentuées (toniques) et inaccentuées (atones). Dans un mot de deux syllabes, l'accent tonique portait toujours sur la première syllabe; dans un mot de trois syllabes ou plus, il portait sur l'avant-dernière syllabe (si la voyelle était longue) ou sur celle qui précèdait la pénultième (si la voyelle était brève).

Il en est résulté des *radicaux différents* pour les verbes de l'ancien français dont nous trouvons encore des traces aujourd'hui. Par exemple:

je meurs	*nous mourons*
tu meurs	*vous mourez*
il meurt	*ils meurent*
je dois	*nous devons*
tu dois	*vous devez*
il doit	*ils doivent*
je prends	*nous prenons*
tu prends	*vous prenez*
il prend	*ils prennent*

En ancien français, ces formes à deux radicaux étaient tout à fait normales et courantes. Voici quelques exemples d'alternances:

je treuve/nous trouvons
je cœuvre/nous couvrons
j'aim/nous amons
je pleure/nous plourons
je lievre/nous levons
je haï/nous hayons
tu paroles/vous parlez
tu desjunes/vous disnez

Il s'agissait en quelque sorte de deux verbes dont les formes provenaient du déplacement de l'accent tonique latin. Par exemple, *ámas* a donné *(tu) aimes*, mais *amátis* s'est transformé en *(vous) amez*. Dans la conjugaison d'un verbe, la tendance à l'unification du radical a été très forte. La forme la moins employée est devenue de plus en plus rare et a fini par disparaître. Au XVIe siècle, les grammairiens ont éliminé certaines alternances inutiles, mais en ont imposé d'autres tout aussi futiles. Les verbes extrêmement fréquents ont gardé aujourd'hui les formes à deux radicaux ou plus: *être, avoir, devoir, faire, savoir, tenir, vouloir, pouvoir, venir*, etc.

> *Je suis/tu es/nous sommes/vous êtes/ils sont.*
> *J'ai/tu as/nous avons/ils ont.*
> *Je dois/nous devons/ils doivent.*
> *Je fais/nous faisons/ils font.*
> *Je sais/nous savons/ils savent.*
> *Je tiens/nous tenons/ils tiennent.*
> *Je veux/nous voulons/ils veulent.*
> *Je peux/nous pouvons/ils peuvent.*
> *Je viens/nous venons/ils viennent.*

9   LE PARTICIPE PASSÉ

Le participe passé (avec *avoir* et avec *être*) existait en ancien français, mais il n'y avait pas de règles d'accord systématique. On pouvait faire accorder le participe passé employé avec *être* ou sans auxiliaire, mais on n'accordait que rarement le participe employé avec *avoir*.

> ANC. FR.: Passée *a la première porte.*
> FR. MOD.: *Elle a* passé *la première porte.*

En général, le participe passé ne s'accordait pas avec un nom qui le suivait:

> *Si li a rendu sa promesse.*

C'est au XVIe siècle qu'apparaît la règle actuelle de l'accord du participe passé employé avec *avoir*. Nous la devons à Clément Marot (1496-1544); celui-ci l'avait empruntée à un professeur italien qui, enseignant le français à des Italiens, essayait de trouver un système sous-jacent au fonctionnement du participe passé. Marot[1] a formulé ainsi la règle du participe passé employé avec *avoir*:

---

1. *À ses disciples*, tome III, p. 32, cité par Georges GOUGENHEIM dans *Grammaire de la langue française du 16e siècle*, Paris, Éditions Picard, 1974, pp. 251-252.

Nostre langue a ceste façon
Que le terme qui va devant
Voluntiers regist le suyvant.
Les vieux exemples je suyvray
Pour le mieulx: car, à dire vray;
La chanson fut bien ordonnée
Qui dit *m'amour** vous ay donnée.
Et du bateau est estonné
Qui dit: *M'amour vous ay donné.*
Voilà la force que possède
Le femenin quand il precede.
Or prouvray par bons temoings
Que tous pluriels n'en font pas moins:

Dieu en ce monde nous a faictz;
Faut dire en termes *parfaictz:*
Dieu en ce monde nous a faictz;
Faut dire en parolles *parfaictes:*
Dieu en ce monde les a faictes;
Et ne fault point dire en effect:
Dieu en ce monde les a faict.
Ne *nous a fait* pareillement,
Mais *nous a faictz* tout rondement.
L'italien, dont la faconde
Passe les vulgaires du monde,
Son langage a ainsi basty
En disant: *Dio noi a fatti.*

**Amour* était du genre féminin.

C'est cette règle, fondée sur l'opposition entre le participe passé employé avec *être* et le participe passé employé avec *avoir*, que nous observons aujourd'hui. À l'époque de Clément Marot, elle n'a connu, semble-t-il, qu'un succès relatif: les écrivains suivaient plus ou moins cette nouvelle règle. Même le grand grammairien Vaugelas (1585-1650), qui avait étudié la question, signalait de curieuses exceptions. Selon lui, le verbe étant placé après, le participe ne doit pas s'accorder – on n'appliquerait pas la règle ainsi aujourd'hui. De toute façon, les écrivains du XVIIe siècle, comme Molière, Racine ou La Fontaine, se souciaient peu du fameux participe passé, lequel était fort discuté par les grammairiens.

Mais, à la fin du XVIIIe siècle, les grammairiens ont commencé à accorder une très grande importance à la règle du participe passé. Elle servait à distinguer les personnes «instruites» des personnes «ignorantes». L'écrivain et philosophe Jean-Jacques Rousseau (1712-1778) était très sévère à ce sujet et, comme beaucoup d'autres, il méprisait ce qu'il considérait comme des «fautes de participe». Au XIXe siècle, l'Université de Paris a entériné cette tradition qui avait commencé avec Marot. Les écoles ont malheureusement suivi et, aujourd'hui, il ne serait pas exagéré de dire que nous sommes «pris avec».

Si on avait laissé l'usage se poursuivre normalement, on en serait arrivé à considérer le «participe passé employé avec *être*» comme un adjectif *variable* (donc que l'on accorde), et le «participe passé employé avec *avoir*» comme une forme verbale *invariable* (donc que l'on n'accorde pas). C'est d'ailleurs la règle qui prévaut le plus souvent dans la langue parlée familière:

L. PARLÉE: *La lettre est bien* écrite. / *La lettre que j'ai* écrit.
L. ÉCRITE: *La lettre est bien* écrite. / *La lettre que j'ai* écrite.

10   LA GRAMMAIRE DU FRANÇAIS POPULAIRE

La grammaire du français populaire est à certains égards similaire et à d'autres différente de celle du français standard. Elle est semblable parce qu'elle utilise les mêmes classes de mots (noms, verbes, adjectifs, etc.) et possède les mêmes règles grammaticales et syntaxiques. Elle diffère dans la mesure où elle a conservé plus de simplicité et plus d'homogénéité que la grammaire «officielle». La grammaire du français populaire a hérité de certains traits archaïsants, mais elle obéit aussi à des lois plus naturelles qui préfigurent jusqu'à un certain point les tendances de la grammaire de demain. Que ce soit en France ou en Amérique, la grammaire du français populaire est présente dans toutes les classes de la société et ses variantes constituent des traits d'évolution.

10.1   L'INSTABILITÉ DU GENRE

Par rapport à la grammaire «officielle», l'instabilité du genre de certains noms est un phénomène fréquent en français populaire. Des noms ordinairement masculins sont employés au féminin : *une accident, une incendie, une indice, une ulcère, une hôpital, une autobus, une été, une escalier, une pétoncle*, etc. À l'inverse, des noms féminins deviennent masculins : *un erreur, un affaire, un auto, un histoire*, etc. En fait, dans la langue populaire, les mots commençant par une voyelle ont souvent tendance à prendre le genre féminin. Selon Pierre Guiraud[2], ce phénomène proviendrait d'une prononciation archaïque qui dénasalise le déterminant *un* lorsque celui-ci est devant un mot à initiale vocalique.

Il est possible aussi que certains mots soient des traces d'un usage ancien des genres masculin et féminin. Ainsi, étaient employés au féminin au XVIIe siècle les mots suivants : *âge, aigle, arbre, espace, honneur, échange, ouvrage, ongle, mensonge*, etc. Par contre, des noms aujourd'hui féminins étaient employés au masculin au XVIIe siècle : *affaire, alarme, apostrophe, artère, asperge, énigme, humeur, image, odeur, ombre, personne, fanfare*, etc.

Notons aussi la confusion du genre ou, plutôt, sa neutralisation dans les constructions syntaxiques de forme emphatique :

> *Les filles, i(ls) sont pas contentes.*
> *Les filles, eux-autres, i(ls) viennent.*

Dans ce cas, l'emploi du pluriel a pour effet d'annuler le genre féminin. Précisons que, en moyen français, le masculin des pronoms personnels était souvent employé au lieu du féminin ; en réalité, la forme plurielle *ils* étaient régulièrement employée comme pronom personnel indéfini. Il s'agit là d'un emploi encore fréquent aujourd'hui dans la langue populaire, que ce soit au Québec, aux Antilles ou en France ; en effet, le pronom *ils* sert à désigner des êtres indéterminés :

---

2. Pierre GUIRAUD, *Le français populaire*, Paris, P.U.F., coll. «Que sais-je?», n° 1172, 1965, pp. 31-32.

– *En Grèce*, **ils** *ont de bien belles îles.*

– *Dans le journal*, **ils** *disent que les impôts vont augmenter.*

– *Aux services aux étudiants du collège*, **ils** *ont un grand nombre de possibilités pour aider un étudiant.*

– *Regardez comme la route qui mène à la présidence des États-Unis est semée d'embûches.* **Ils** *font une petite faute et leur vie peut être ruinée à jamais.*

10.2   LES FORMES DU VERBE

En français populaire, il arrive que le verbe s'accorde avec l'idée de pluralité contenue dans un sujet singulier; on parle aussi d'accord sémantique: p. ex., *le monde sont fous, le reste ont fini par partir*. Rappelons à cet égard que le pluriel après des noms collectifs au singulier était extrêmement fréquent en ancien et moyen français.

On relève également dans le domaine du verbe l'usage de certaines formes archaïsantes: *assisez-vous, il faut que je soye, il faut que je l'aye, il faut qu'on le voye, j'envoirais, je voirais, j'arais, viendre, tiendre, s'assir,* etc. Notons certaines créations analogiques courantes en français populaire: *ils jousent, ils risent, vous disez, vous faisez, ils sontaient,* etc. Enfin, l'emploi de l'infinitif avec le conditionnel relève aussi d'un usage archaïsant: par exemple, *avoir su, je (ne) serais pas venu*; on trouve en effet dans la littérature ancienne des énoncés du type *être malade, je le serais*.

Remarquons aussi que, dans la conversation courante, le français populaire a pratiquement remplacé les formes du futur simple (p. ex. *je verrai*) dans les phrases affirmatives par le futur proche: *je vais voir, je vais y aller, tu vas travailler,* etc. Le futur n'a tendance à subsister que dans les phrases négatives: *j'irai pas, je verrai pas, tu travailleras pas,* etc. Ainsi, à l'exemple de l'ancien français, la langue populaire a tendance à simplifier les formes verbales. C'est cette même tendance à la simplification des formes verbales qui favorise l'emploi du pronom *on* au lieu du pronom *nous*, ce qui a pour effet d'éliminer la désinence en *-ons*.

10.3   LE PRONOM

Le français populaire et familier a généralisé l'emploi de la forme élidée de *il*, soit [i], aussi bien devant une consonne que devant une voyelle: *l'autre, i est pas arrivé encore; mon père, i peut pas venir*. Quant au pronom *elle*, dans certains parlers populaires, il est systématiquement remplacé par [a] devant une consonne et par [al] ou [a:] allongé devant une voyelle: *la fille*, **a** *lance le ballon;* **al** *a cassé une vitre; la femme*, **a** *arrive* [a:aʀiv]. Avec le verbe *être*, l'alternance [a]/[al] disparaît pour laisser la place à un [ɛ:] allongé: *est malade, est belle*. Ces usages sont particulièrement fréquents au Québec, mais ils ne sont pas disparus davantage dans certains parlers régionaux de France.

Le pronom *lui* en position sujet a tendance à ne s'employer que dans une phrase de forme emphatique (*lui, i veut pas venir*); en fonction complément, *lui* est systématiquement remplacé par [i]:

*Je lui dis > J'**i** dis* [ʒidi] ou [ʒidᶻi]
*Dis-lui > Dis-**i*** [dizi] ou [dᶻizi]
*Donne-lui > Donne-z-**i*** [dɔnzi]

Cet usage n'est pas sans rappeler celui du XVIᵉ siècle alors que la forme *y* s'employait comme équivalent de «à lui» représentant un nom de personne. L'utilisation des pronoms réfléchis est généralisée dans les phrases de forme emphatique et le français populaire a développé un véritable système:

Nous autres, on se bat.
Vous autres, vous vous fatiguez.
Eux autres, i s'en fichent (fém. et masc.).
Les filles, eux autres, i pensent pas ça (fém.).
Lui, i s'en vient (masc.).
Elle, a s'en va (fém.).

On peut aussi retracer l'origine des pronoms emphatiques de ce type dans la langue des XVIᵉ et XVIIᵉ siècles, où ils étaient très fréquents.

Mais il peut arriver que les pronoms soient tout simplement omis:

Sont déjà arrivés.
Faut l'faire.
N'avez qu'à pas aller là.

Même si cet emploi semble moderne, il ne faut pas oublier que, jusqu'à la toute fin du XVIᵉ siècle, le pronom personnel sujet (atone) n'était pas obligatoire.

À ces pronoms, ajoutons l'emploi de *leur*, pronom personnel pluriel prononcé [lø] (devant consonne) ou [løz] (devant voyelle) lorsqu'il est complément indirect:

Ça leu fait peur.
I(l) leu-z a demandé.
Je leu-z ai dit.

Ces mêmes formes s'emploient également comme déterminants:

C'est leu bureaux.
C'est leu-z affaires.

Cet usage était courant au XVIIᵉ siècle et il en est resté des vestiges dans les anciennes provinces de l'ouest et du nord de la France.

10.4   LES ADVERBES D'INTENSITÉ

L'un des phénomènes assez fréquents en franco-québécois concerne l'emploi des adverbes *assez* et *don(c)* employés dans le sens de «très» et exprimant un haut degré d'intensité. Là où on aurait, en français populaire européen, *ben beau* ou *vachement beau*, on a, en franco-québécois, *i est **assez** beau* ou *i est **don(c)** beau*, formes employées concurremment avec *ben beau* ou *super beau*. Les adverbes *assez* et *don(c)* peuvent se placer après un verbe: *il l'aimait **assez**; a jouait*

don(c) *avec nous autres.* L'emploi de *assez* et de *donc* prononcé [dɔ̃] comme adverbes d'intensité tire son origine du XVIe siècle. L'adverbe *assez* était couramment utilisé par certains écrivains tels Du Bellay et Montaigne ; quant à *donc,* il est encore utilisé en France, surtout dans les milieux littéraires. En fait, ce qui distingue l'emploi de ces adverbes au Québec, c'est surtout sa très grande fréquence.

10.5   LES RÉDUCTIONS MORPHOLOGIQUES

Les cas de réduction morphologique, assez fréquents dans la langue populaire, entraînent à la fois l'omission du déterminant et un allongement vocalique :

Tu restes à [a:] *maison.*
J'y ai maudit ma main dans [dã:] *face.*
Y a reçu des coups de bâton dans les [dɛ̃:] *jambes.*

Certaines formes démonstratives du déterminant méritent également d'être signalées. On observe plusieurs formes suivies de la particule *-là* :

Au masculin : *C'est c'te gars-là.*
C'est c't'arbre-là.
C'est çui-là (celui-là).

Au féminin : *C'est c'te fille-là.*
C'est c'ta maudite-là.
C'est c'telle-là (celle-là).

Il s'agit ici de formes archaïsantes que l'on retrouve non seulement en français populaire, mais aussi dans maints parlers régionaux de France, particulièrement dans le Poitou, l'Anjou, le Maine, le Berry et la Normandie.

10.6   LES TRANSFERTS DE CLASSE GRAMMATICALE

Un transfert grammatical se produit lorsqu'un mot change de classe grammaticale. L'un des transferts grammaticaux les plus fréquents est l'utilisation de l'adverbe *pis* (c'est-à-dire « puis » dans le sens de « et ») comme conjonction de coordination :

De la belle eau chaude pis *du savon.*
A nous a donné des cuillères pis *des fourchettes* pis *des couteaux.*

Cet usage est courant au Québec, mais on le retrouve également dans tout l'ouest et le nord de la France, de même qu'en Belgique et en Suisse. Pierre Guiraud[3] signale que ces phénomènes sont très fréquents en français populaire et que, conformément aux tendances du vieux français, la langue populaire use très librement de ce procédé des transferts grammaticaux.

---

3. *Op. cit.,* pp. 56-61.

Adj > Adv   *On va y aller* certain.

On est pas riche, mais on sait vivre pareil.

Prép > Adv   *C'est fait* pour.

Je suis pris avec.

Avant, *je vais étudier.*

Je n'ai rien contre.

10.7   LA PHRASE

Les études portant sur les structures de phrases semblent peu fouillées et en général peu connues. C'est pourquoi toutes les affirmations au sujet de la syntaxe supposément «déficiente» des Québécois, par exemple, ne reposent sur aucun fondement sérieux : il ne s'agit que d'opinions. En 1972, l'un des rares linguistes québécois à avoir effectué une enquête sur la syntaxe du français montréalais populaire, Jean-Claude Corbeil, déclarait dans une interview qu'il accordait à *Maclean*[4] :

> «On s'est rendu compte qu'au plan des anglicismes syntaxiques... eh bien ! il n'y en a pas. C'est une syntaxe populaire, typiquement française, avec tout ce que cela signifie quand on parle de syntaxe. Toute la manipulation de l'appareil syntaxique est là. On relève de petites erreurs, par exemple des *que* au lieu de *dont*. L'ensemble, en fait, n'est même pas québécois, c'est français ; on peut retrouver ces phénomènes dans toutes les banlieues françaises. Ça nous a surpris... Les seuls anglicismes sont des anglicismes de vocabulaire qui ont trait surtout au domaine du travail : le *boss*, les outils, etc.»

L'enquête de Guy Labelle[5] devait confirmer celle de Jean-Claude Corbeil. Après avoir comparé 4 800 phrases d'enfants montréalais et parisiens, l'auteur conclut :

> «En somme, les écarts entre les corpus des deux communautés paraissent bien marginaux ; si l'on ajoute que l'étude des pauses-hésitations, des reprises et des autocorrections nous révèle que les enfants des deux groupes se trompent aux mêmes endroits et réagissent de la même façon, même si les Parisiens ont une tendance plus prononcée à s'autocorriger, on peut postuler qu'ils apprennent une même langue et de la même manière ; de plus, les jeunes Montréalais n'ayant employé aucun anglicisme de structure, on peut aussi postuler que la langue apprise au foyer, puisqu'il s'agit de la langue maternelle d'enfants de cinq ans, demeure essentiellement du français, mis à part des dialectalismes qui ne touchent qu'à des points de surface et qui ont peu d'incidence sur le plan syntaxique.»

---

4. Jean-Claude CORBEIL, cité par Jacques BENOIT dans «Le joual ou le français québécois?», *Maclean*, Montréal, avril 1972.

5. «La langue des enfants de Montréal et de Paris», dans *Langue française*, n° 31, Paris, Larousse, 1976, pp. 55-73.

Les variations qui s'écartent le plus du français standard ont été recensées pour la plupart dans *Le français populaire* de Pierre Guiraud[6]. La morpho-syntaxe québécoise reflète évidemment une langue de niveau populaire, mais ses racines s'alimentent essentiellement dans le vieux fonds français. Et nous savons que la différence entre le niveau populaire et le niveau soutenu est d'ordre sociologique, non d'ordre linguistique.

Cette étude sommaire de l'évolution de la grammaire démontre que celle-ci se transforme au cours des siècles, mais que, comparativement à la phonétique, les transformations se font moins rapidement. De plus, les dialectalismes demeurent tenaces dans certains parlers, et ce, même après plusieurs siècles, alors qu'ils sont tombés en désuétude dans la langue standard. Enfin, l'étude de l'histoire de la langue nous apprend qu'un bon nombre des «particularités» du franco-québécois ne sont pas spécifiques au Québec ou au reste du Canada, car elles sont des reliques d'un usage qui remonte à l'ancien et au moyen français.

---

6. *Op. cit.*

HISTOIRE DU VOCABULAIRE FRANÇAIS

La langue est un organisme qui naît, évolue, se transforme en permanence, puis meurt. Cependant, contrairement aux organismes biologiques, le processus conduisant à la mort d'une langue n'est pas irréversible parce que celle-ci est avant tout une réalité sociale. C'est pourquoi de nombreux mots sont disparus au cours de l'histoire du français, puis sont réapparus parfois après quelques siècles d'absence. Selon les besoins de la communication, les usagers de la langue créent sans cesse de nouveaux mots et en délaissent d'autres qui finissent par tomber en désuétude.

Les locuteurs d'une langue sont généralement incapables de retracer l'histoire des mots. Lorsqu'ils parlent, ils n'ont pas le temps de s'interroger sur l'origine des mots. L'important est de communiquer et il importe peu que le mot *chef* soit un archaïsme dans le sens de «tête» (dans *couvre-chef*), que *occulter* soit un néologisme, que *escadron* et *sucre* viennent de l'italien (*squadrone, zacchero*), de l'arabe (*sukkar*), du sanskrit (*çarkarâ*) ou du latin (*saccharum*).

Le présent chapitre retrace l'histoire du vocabulaire du français. Nous verrons que le vocabulaire est passé du latin au français en évoluant phonétiquement; nous montrerons le rôle qu'ont joué les emprunts de mots étrangers et de mots dialectaux; nous montrerons également comment le français a transmis ses propres mots aux autres langues, comment il a intégré les noms propres dans le vocabulaire commun, et, dans le cas du français du Québec, comment le vocabulaire s'est modifié après la Conquête anglaise.

1   LE PATRIMOINE HÉRÉDITAIRE

Le patrimoine héréditaire comprend les mots de la préhistoire du français, c'est-à-dire ceux qui sont entrés dans la langue latine ou dans la langue romane avant que ne naisse la langue française. Il s'agit d'un certain nombre de «reliques gauloises», mais aussi de mots constituant le fonds latin lui-même, auxquels il faut ajouter les emprunts grecs faits par le latin et les emprunts germaniques faits par le roman.

1.1 LES «RELIQUES GAULOISES»

Le français n'a pas emprunté de mots directement de la langue gauloise. C'est plutôt le latin qui a emprunté un certain nombre de mots gaulois à l'époque des conquêtes romaines. Une fois adoptés par les Romains, les mots gaulois ont continué d'évoluer comme des mots latins; seul l'historien de la langue peut en reconnaître les origines celtiques.

Le fonds gaulois est certes le plus ancien, mais c'est aussi le plus pauvre. Moins d'une centaine de mots (environ 80 probablement) sont parvenus jusqu'à nous. Ils désignent des végétaux, des animaux, des objets de la ferme, etc. En voici une liste non exhaustive:

alouette < alauda	cervoise < cervesia	lieue < leuga
arpent < arepennis	char < carru	lotte < lotta
balai < banatto	charpente < *carpentu	mouton < multo
benne < benna	charrue < *carruca	quai < caio
barde < bard	chêne < cassanus	sapin < sappus
boisseau < bosta	cloche < cloc	soc < soccos
bouc < bucco	druide < druida	suie < sudia
boue < bawa	galet < gallos	talus < talo
bouleau < betulus	if < ivos	valet < vasso
briser < brissim	jarret < garra	vassal < gwas
bruyère < bruko	lande < landa	

1.2 LE FONDS GRÉCO-LATIN

Le fonds latin correspond en premier lieu à la masse du vocabulaire hérité du «latin vulgaire», c'est-à-dire à l'ensemble des mots d'origine latine qui ont subi une transformation phonétique entre les IVe et IXe siècles. C'est le fonds proprement originel de la langue, celui qui provient du latin parlé populaire. À partir d'un examen des dictionnaires modernes, on peut estimer ce fonds roman à environ 12 000 mots.

Le fonds roman comprend également les mots du latin classique, c'est-à-dire du latin qui était surtout utilisé par les nobles et les écrivains, mais aussi des emprunts techniques du gaulois, du grec et du germanique déjà intégrés au latin vulgaire. Certaines nouveautés méritent d'être signalées: les nombreux changements de sens, l'abondance de dérivations diminutives et le grand nombre de provincialismes hérités du latin vulgaire.

Voici quelques exemples de provincialismes issus du latin vulgaire et qui ont même fini par supplanter les termes du latin classique:

LATIN CLASSIQUE > LATIN VULGAIRE

anus	> *vetulo*	(«vieux»)
caput	> *testa*	(«crâne, tête»)
edere	> *manducare*	(«jouer des mâchoires, manger»)
ictus	> *colpus*	(«coup»)
jecorem	> *ficato*	(«foie»)
mares	> *masculi*	(«masculin»)
pignus	> *wadus*	(«gage»)
plaustra	> *carru*	(«char»)
pueros	> *infantes*	(«enfants»)
pulcra	> *bella*	(«belle»)

Alors que le latin littéraire s'était maintenu presque sans changement pendant quelques siècles après la chute de l'Empire romain, le latin vulgaire continuait d'évoluer, et ce, de façon différente selon les régions.

Ce fonds primitif compte aussi des mots grecs. Le latin parlé a largement puisé dans la langue grecque, particulièrement à l'époque où le sud de la Gaule subissait la colonisation grecque (Ier siècle av. J.-C.); les mots grecs ont été par la suite latinisés par le peuple. Par exemple, *gond* (lat. *gomphus* < gr. *gomphos*), *ganse* (gr. *gampsos*), *dôme* (gr. *dôma*), *lampe* (lat. *lampada* < gr. *lampas*), etc., sont des termes qui ont été transformés phonétiquement au cours de leur passage du grec au latin et du latin au français.

Retenons bien que ce fonds primitif latin ne constitue pas à proprement parler un phénomène d'emprunt. Les mots dont il est ici question n'ont pas eu à être empruntés puisqu'ils n'ont jamais cessé d'être employés, et ce, depuis que la langue latine s'est substituée aux langues celtiques de la Gaule.

1.3   LE FONDS GERMANIQUE

La dislocation de l'Empire romain commence avec le début des grandes invasions germaniques au IVe siècle et entraîne le morcellement du latin dans toute l'Europe. Pendant quelques siècles, cohabitent au sein des empires germaniques les langues de ces peuples vainqueurs, le latin classique confiné à l'écriture et les divers latins vulgaires utilisés par les populations autochtones. Parmi les peuples germaniques, les Francs sont sortis grands vainqueurs de ces affrontements et ont imposé leur suprématie à toute l'Europe et particulièrement à la Gaule romaine.

Il n'est pas surprenant que le latin vulgaire (devenu du roman) se soit alors alimenté aux langues germaniques. Dans le cas de la Gaule, c'est l'influence francique (la langue des Francs) qui s'est fait le plus sentir, et le pays portera désormais le nom de *France* («le pays des Franks»). Il est probable que près d'un millier de mots se soient implantés dans la langue romane, mais seulement quelque 400 d'entre eux sont restés jusqu'à aujourd'hui. Contrairement aux mots provenant du latin vulgaire, les mots d'origine germanique peuvent être considérés comme de véritables emprunts. Mais ce n'est pas encore le français qui a effectué ces emprunts, c'est plutôt le roman, qui est devenu par la suite le français, le picard, le saintongeais, l'occitan, etc., en France, le florentin, le piémontais, etc., en Italie, et le catalan, le castillan, le galicien, etc., en Espagne.

Les mots empruntés par le roman de France reflètent le type de rapports ayant existé entre les Gallo-Romans et les Francs: il s'agit de contacts reliés à la guerre, à l'agriculture, à l'organisation sociale, à la vie quotidienne, etc.

— TERMES DE LA VIE MILITAIRE: *dard, heaume, écharpe, guerre, épieu, bande, blason, convoi, éperon, étrier, flèche, hache, fourbir, fourreau, lice, rang, gain, [re]garder, attraper, frapper, taper, guetter, saisir, équipe, gant, bord, trêve,* etc.

— TERMES DE L'AGRICULTURE: *blé, cresson, bois, bûche, gerbe, germe, grappe, épervier, harde, héron, houx, jardin, bâtiment, botte, cotte, chouette, hanneton, coiffe, cruche, hutte, aulne, tas, haie, marcher, marais, osier, hêtre, hameau, mésange, crapeau,* etc.

— TERMES DE L'ORGANISATION SOCIALE: *marquis, baron, maréchal, gage, gars, garçon, félon, échanson, chambellan, sénéchal, fief, échevin,* etc.

— TERMES DE LA VIE QUOTIDIENNE: *bleu, blanc, blond, fauve, gris, franc, allemand, anglais, riche, gauche, banc, beignet, cruche, fauteuil, falcon, poche, soupe, laid, long, danser, guérir, héberger, rôtir, téter, trépigner,* etc.

Bon nombre de ces mots ont évidemment perdu leur sens originel au cours de l'histoire, notamment les mots relatifs à l'organisation sociale. Prenons quelques exemples:

baron: «homme en général» ou «mari», puis «homme en service de guerre»
comte: «compagnon du prince»
duc: «comte pourvu d'un commandement militaire»
seneschal: «doyen des serviteurs»
conestable: «comte des écuries», puis «commandant militaire»
mareschal: «serviteur chargé des chevaux», puis «commandant d'un corps de cavalerie»
echevin: «juge», puis «magistrat du tribunal comtal»
chambellan: «chambre», puis «gentilhomme chargé des services de la chambre du roi»
echanson: «serviteur chargé de verser à boire dans les festins»
gars/garçon: «guerrier à la solde de l'étranger», puis «homme de basse condition»
fief: «bétail», puis «bien concédé par le seigneur à son vassal»
franc: «libre»
fourbir: «nettoyer»
marcher: «fouler au pied», puis «battre au fléau (instrument à battre le blé)»
cotte: «manteau de laine grossière», puis «habillement de chevalier»
[re]garder: «action de garder, de protéger»
attraper: «prendre au piège (lacet)»

À cet apport francique il convient d'ajouter une autre série d'emprunts d'origine germanique: ceux reliés aux invasions des Normands, ces Vikings venus surtout du Danemark au IXe siècle. En effet, ces «hommes du Nord» qui se sont installés en Normandie ont contribué à enrichir le vocabulaire des Francs avant que leur parler se soit assimilé aux idiomes locaux. Cette série d'emprunts est constituée en fait d'un petit nombre de termes relatifs à la vie maritime: *bateau, cingler, havre, turbot, crabe, marsouin, homard,* etc.

2   LES APPORTS CLASSIQUES

À ce fonds primitif composé principalement de mots du latin vulgaire, de mots gaulois et de mots germaniques sont venus s'ajouter au cours des siècles une masse imposante d'emprunts d'origine latine et d'origine grecque, emprunts faits aux langues dites classiques. Contrairement au fonds primitif où les mots latins provenaient d'une lente évolution phonétique du latin populaire, ce groupe de mots correspond à de véritables emprunts au latin et au grec classiques. Ceux-ci ont été faits par les clercs, les lettrés et les savants du Moyen Âge et, par la suite, ont été adaptés phonétiquement à l'ancien français. Il s'agit donc de mots savants qui se sont intégrés à la langue commune; ce sont, par exemple, *abside* qui vient du latin *absis/-idis, allégorie* qui vient du latin *allegoria, légataire* qui vient du latin *legatarius,* etc.

2.1   L'APPORT DU LATIN

Tous les clercs, les lettrés et les savants du Moyen Âge étaient de véritables bilingues. Ils s'exprimaient en français dans la vie courante, mais parlaient et écrivaient en latin dans leur vie professionnelle. Cette situation n'est pas sans rappeler ce qui se passe aujourd'hui dans le monde scientifique, où une grande partie des savants travaillent dans leur langue nationale, mais écrivent et parlent en anglais dans les colloques internationaux. Le français a commencé à être une langue scientifique à partir du XVIe siècle et le restera jusqu'au milieu du XXe siècle; il demeure encore un bon véhicule de communication pour la plupart des domaines scientifiques, mais il est définitivement supplanté par l'anglais comme langue scientifique à l'échelle de la planète. Cela dit, revenons au Moyen Âge...

Dès le IXe siècle, c'est-à-dire dès l'apparition du plus ancien français, la langue puise directement dans le latin les mots qui lui manquent. Il était normal que l'on songe alors à recourir au latin, langue que tout lettré connaissait. Dans de nombreux cas, le mot emprunté vient combler un vide; dans d'autres cas, il double[1] un mot latin d'origine et les deux formes (celle du latin populaire et celle de l'emprunt savant) coexistent avec des sens et des emplois toujours différents. Commençons par les mots nouveaux qui ne viennent pas doubler une forme déjà existante.

Afin de combler de nouveaux besoins terminologiques, l'Église catholique a elle-même donné l'exemple en puisant dans le vocabulaire latin pour se procurer les mots qui lui manquaient: *abside, abomination, autorité, discipline, glorifier, majesté, opprobe, pénitence, paradis, quotidien, résurrection, humanité, vérité, virginité,* etc. La philosophie a fait de même et est allée chercher des mots

---

1. On parle alors de «doublet».

comme *allégorie, élément, forme, idée, matière, mortalité, mutabilité, multiplier, précepte, question, rationnel, substance,* etc. Nous devons aux juristes des termes comme *dépositaire, dérogatoire, légataire, transitoire,* etc. Mais c'est dans le domaine des sciences que l'ancien français a dû puiser le plus abondamment dans le fonds latin: *améthyste, aquilon, aromatiser, automnal, azur, calendrier, diurne, emblème, équinoxe, fluctuation, occident, solstice, zone,* etc. Les emprunts au latin classique comptent sûrement quelques dizaines de milliers de termes.

L'une des manifestations du renouvellement du vocabulaire a été la création d'un grand nombre de *doublets*. Un doublet correspond à deux mots de même origine étymologique dont l'un a suivi l'évolution phonétique normale alors que l'autre a été emprunté directement au latin (ou au grec). Ainsi, *hôtel* et *hôpital* sont des doublets; ils proviennent tous les deux du latin *hospitalis*, mais l'évolution phonétique a abouti à *hôtel* alors que l'emprunt a donné *hospital*, puis *hôpital*. Le mot d'origine populaire est toujours le plus éloigné, par sa forme, du mot latin. On compte probablement quelques centaines de doublets qui ont été formés au cours de l'histoire. Nous n'en donnons ici que quelques-uns[2]; on constatera que les doublets ont toujours des sens différents, parfois très éloignés l'un de l'autre:

MOT LATIN	> FR. POP./MOT SAVANT	MOT LATIN	> FR. POP./MOT SAVANT
rigidus	> *raide/rigide*	*advocatum*	> *avoué/avocat*
parabola	> *parole/parabole*	*singularis*	> *sanglier/singulier*
fragilis	> *frêle/fragile*	*acer*	> *aigre/âcre*
pendere	> *peser/penser*	*masticare*	> *mâcher/mastiquer*
integer	> *entier/intègre*	*senior*	> *sieur/seigneur*
legalis	> *loyal/légal*	*capsa*	> *châsse/caisse*
liberare	> *livrer/libérer*	*ministerium*	> *métier/ministère*
fabrica	> *forge/fabrique*	*scala*	> *échelle/escale*
auscultare	> *écouter/ausculter*	*causa*	> *chose/cause*
absolutum	> *absous/absolu*	*porticus*	> *porche/portique*
capitalem	> *cheptel/capitale*	*simulare*	> *sembler/simuler*
captivum	> *chétif/captif*	*operare*	> *œuvrer/opérer*
potionem	> *poison/potion*	*strictum*	> *étroit/strict*
frictionem	> *frisson/friction*	*pedestrem*	> *piètre, pitre/pédestre*
claviculum	> *cheville/clavicule*	*tractatum*	> *traité/tract*

En fait, cet apport du latin classique n'a jamais cessé d'être productif au cours de l'histoire du français. Le mouvement, qui a commencé même un peu avant le IXe siècle, s'est poursuivi non seulement durant tout le Moyen Âge, mais aussi à la Renaissance et au XVIIIe siècle pour se continuer encore aujourd'hui. On ne distingue plus maintenant les mots d'origine savante et ceux de la langue populaire; à peu près seuls les historiens de la langue savent que *régiment, imbécile, fatiguer, imaginer, hôpital,* etc., sont des mots savants.

---

2. Le premier terme correspond au mot latin, le second, au mot français d'origine populaire, le troisième, au mot savant.

2.2 L'APPORT GREC

Le mouvement d'emprunts au grec a commencé à être productif seulement à la Renaissance (XVIe siècle). Le grec a alors fait une vive concurrence au latin comme langue d'appoint. Toutefois, cette langue n'a donné que très peu de vocables entiers au français, puisque les mots grecs ont fourni surtout des racines plutôt que de véritables mots simples, ce qui a eu pour effet d'enrichir les procédés de construction des mots savants. Certains termes simples proviennent directement du grec avec une adaptation graphique au français (p. ex., *gramme, mythe, phrase, thèse, politique,* etc.), mais la plupart des nouveaux mots d'origine grecque ont été construits à partir de racines de cette langue: *bibliothèque, polygone, philosophie, anthropophage, démocratie, géographie, carnivore,* etc.

Le recours à l'étymologie grecque a connu une très grande expansion au XVIIIe siècle; cette expansion semble se perpétuer aujourd'hui non seulement en français, mais également dans d'autres langues indo-européennes. Le vocabulaire scientifique est en effet devenu quasi universel: fr. *polytechnique,* angl. *polytechnic,* all. *polytechnik*; fr. *démocrate,* angl. *democrat,* all. *demokrate,* esp. *democrata*; fr. *polygamie,* angl. *polygamous,* etc. En somme, le français ne vient pas du grec; à l'exemple de bien d'autres langues, il a simplement emprunté au grec. Le latin classique et le grec ont donc fourni au français les éléments dont il avait besoin pour se doter d'un lexique technique et scientifique. Mais un grand nombre de mots n'ont jamais existé dans ces langues; les Romains et les Grecs de l'Antiquité ont toujours ignoré les mots *téléphone* et *hydrofuge*; ce sont cependant des éléments de leurs langues qui ont permis de créer ces mots au XXe siècle.

3 LES EMPRUNTS DU FRANÇAIS AUX LANGUES ÉTRANGÈRES

La langue française compte aussi une grande quantité de termes empruntés aux langues étrangères modernes. Ce processus a été amorcé au XIe siècle (surtout avec l'arabe et le néerlandais) et, bien que les langues prêteuses aient changé, il ne s'est jamais interrompu depuis. La quantité et les domaines d'emprunts reflètent la puissance et le prestige d'une nation à une époque donnée, mais aussi le type de relations entre deux nations. Le statut prestigieux de la civilisation arabe au début du Moyen Âge lui a permis d'influencer toutes les langues de l'Europe sur le plan lexical; au XVIe siècle, c'est l'italien qui inonde l'Europe de ses mots; au XVIIe et au XVIIIe siècle, c'est le français; au XXe siècle, l'anglais supplante toutes les langues, et ce, à l'échelle de la planète. On peut affirmer que, de façon générale, toutes les langues en contact s'échangent des mots.

Les emprunts causent parfois d'importants problèmes d'intégration à la langue d'arrivée (emprunteuse). Le problème de l'intégration se pose sur les plans phonétique, morphologique, grammatical et sémantique. Lorsque l'emprunt est intégral, on dit qu'il est direct: par exemple, le mot *open,* repris tel quel en français. Par contre, l'emprunt est intégré phonétiquement s'il est adapté: ainsi, *disgrazia* s'est transformé en *disgrâce* en français et *riding-coat* en *redingote.* On ne reconnaît généralement plus un emprunt intégré dans la langue d'arrivée.

Parfois, un emprunt peut être intégré grammaticalement tout en conservant une partie de sa forme originelle; en voici des exemples à partir du français du Québec: *vous startez* (< *to start*), *il était stallé* (< *to stall*), *on reshootait* (< *to shoot*), etc. On peut observer qu'un emprunt ancien tend à être plus facilement intégré qu'un emprunt récent; il semble qu'il soit moins aisé d'intégrer un emprunt contemporain, et ce, surtout si les locuteurs de la langue d'arrivée connaissent la langue de départ. Enfin, on peut également emprunter le sens d'un mot étranger et l'intégrer à un mot qui existe déjà; on dit alors qu'il s'agit d'un emprunt sémantique. Ainsi, *gradué* existe en français mais avec le sens de «divisé en degrés» (*une bouteille graduée*); lorsqu'un francophone du Canada parle d'*un étudiant gradué*, il utilise un sens emprunté à l'anglais. Étant donné que les emprunts sémantiques nécessiteraient de longues explications, nous ne traiterons pour le moment que des emprunts de forme, c'est-à-dire de ceux qui ne font intervenir que l'aspect extérieur du mot.

3.1   LES MOTS ARABES

Selon Pierre Guiraud[3], les mots arabes constituent l'une des principales sources d'emprunts pour le français après les mots italiens et les mots anglais. Peuple de commerçants et de scientifiques, les Arabes nous ont transmis dès le VIIe siècle environ 270 mots se rapportant principalement au commerce et à la science. Au XIe siècle, les plus grands noms de la littérature, de la philosophie et de la science sont arabes. Les sciences modernes, particulièrement la médecine, l'alchimie, les mathématiques et l'astronomie, sont d'origine arabe. Dans ces conditions, il était normal que la langue arabe exerce très tôt une influence importante sur les autres langues. Cependant, l'arabe n'a transmis directement au français qu'un petit nombre de mots; la plupart des mots arabes nous sont parvenus par l'intermédiaire du latin médiéval, de l'italien, du provençal, du portugais et de l'espagnol. De plus, les Arabes avaient eux-mêmes emprunté un certain nombre de mots au turc, au persan ou au grec. Comme on le voit, les mots «voyagent» et prennent parfois de longs détours avant de s'intégrer dans une langue donnée.

alambic (grec)	*alchimie* (grec)	*timbale* (esp.)	*sofa* (turc)
algarade (esp.)	*arsenal* (it.)	*zéro* (it.)	*sorbet* (it.)
carafe (it./esp.)	*gilet* (esp.)	*abricot* (port.)	*fakir*
coton (it.)	*douane* (it.)	*alezan* (esp.)	*harem*
gazelle	*épinard* (lat.)	*arabesque* (it.)	*moka*
guitare (esp.)	*nénuphar* (lat.)	*assassin* (it.)	*récif* (esp.)
laquais (esp.)	*raquette* (lat.)	*bédouin*	*safran* (persan)
talisman (grec)	*satin* (esp.)	*azimut*	*couscous*
jupe (it.)	*zénith*	*cheik*	*lilas* (it.)
échec (persan)	*calife* (it.)	*estragon* (grec)	*goudron*
balais (lat.)	*chiffre* (it.)	*girafe* (it.)	*sucre* (it.)
élixir (grec)	*jarre* (prov.)	*hachisch*	*momie*
orange (prov.)	*laque* (prov.)	*imam* (turc)	*amiral*
algèbre (lat.)	*matelas* (it.)	*minaret* (turc)	*algorithme*
alcool (lat.)	*tamarin* (lat.)	*mosquée* (it.)	

---

3. *Les mots étrangers*, Paris, P.U.F., coll. «Que sais-je?», n° 1166, 1965.

Les emprunts à l'arabe ont été faits entre les XIIe et XIXe siècles, mais les XVIe et XVIIe siècles ont été particulièrement productifs. Après 1830, c'est-à-dire après la conquête de l'Algérie par la France, d'autres mots arabes (une cinquantaine environ) ont pénétré la langue française: *zouave, razzia, casbah, maboul, barda, kif-kif, toubib, bled, matraque*, etc.

3.2   LES MOTS NÉERLANDAIS

C'est par l'industrie et le commerce que nous sont venus quelque 210 mots néerlandais. L'apport le plus important a eu lieu surtout entre les XIVe et XVIIIe siècles, au moment où les Pays-Bas formaient l'une des puissances maritimes dominantes et alors que la culture flamande était florissante. Si une grande partie de la terminologie maritime est néerlandaise, c'est parce que tout le commerce du nord de l'Europe se faisait par les Hollandais: par la mer, les fleuves et les canaux. Les Hollandais ont alors transmis au français des termes relatifs aux types de bateaux, à la construction navale, aux cordages et à la voilure, aux manœuvres, à l'armement, aux digues, aux outils et aux poissons.

havre	*quille*	*manne*	*frise*
échoppe	*beaupré*	*corvette*	*raban*
haler	*aiglefin*	*gruger*	*espiègle*
vacarme	*vase*	*démarrer*	*bâcler*
fret	*kermesse*	*lambrequin*	*flûte* (navire)
amarrer	*drogue*	*varlope*	*vrac*
maquereau	*buse*	*caravelle*	*affaler*
éperlan	*hourque*	*pompe*	*tanguer*
choquer	*matelot*	*chaloupe*	*dock*
plaquer	*vilebrequin*	*frelater*	*crosse*
dalle	*houppe*	*bourset*	*berne*
godet	*grabuge*	*babord*	*polder*
boulevard	*rame*	*tribord*	*foc*
paquet	*locman*	*mannequin*	*blague*
digue	*bière*	*hisser*	*risban*
blocus	*houblon*	*cauchemar*	*hublot*

3.3   LES MOTS ALLEMANDS

Pierre Guiraud[4] estime à environ 170 le nombre de mots d'origine allemande dans la langue française. Le français ne semble pas avoir beaucoup emprunté de mots allemands avant le XVe siècle. Les emprunts à l'allemand ont trait aux réalités spécifiquement germaniques (p. ex., *landgrave, bourgmestre, margrave, mark*, etc.), à la faune et à la flore, à la gastronomie, à l'industrie minière et à la terminologie militaire (les plus nombreux). C'est entre les XVIe et XIXe siècles que l'apport de l'allemand a été le plus important.

---

4. *Op. cit.*, p. 30.

sarrau	rosse	nouille	cran
brèche	arquebuse	calèche	kirsch
brelan	lansquenet	zinc	choucroute
hanse	fifre	havresac	vasistas
landgrave	hamster	cromorne	vermouth
bride	trinquer	foudre	valse
bretelle	huguenot	potasse	képi
blafard	renne	cible	accordéon
bourgmestre	margrave	obus	blockhaus
hutte	halte	édredon	lied
butin	sabre	cobalt	bock
haillon	hère	meringue	krach
burgrave	hussard	quartz	aspirine
aurochs	brandebourg	quenelle	croissant
cric	bivouac	nickel	putsch

3.4   LES MOTS SCANDINAVES

Une cinquantaine de mots constitue l'apport des langues scandinaves comme l'islandais, le vieux-norrois, le danois, etc. Toutefois, la plupart des mots qui nous sont parvenus jusqu'à aujourd'hui sont passés auparavant par le normand et le néerlandais. Il s'agit presque exclusivement de termes maritimes auxquels on peut ajouter quelques mots reliés à des réalités diverses: *geyser, tungstène, rutabaga, ski, slalom,* etc.

cingler	hune	marsouin	eider
dran	ralingue	bidon	écarver
crabe	touer	étrave	geyser
duvet	turbot	homard	tungstène
guinder	crique	vibord	rutabaga
hauban	tille (hache)	harfang	ski

3.5   LES MOTS ESPAGNOLS ET PORTUGAIS

Le français a emprunté de l'Espagne (et du Nouveau Monde) quelque 300 mots, et du Portugal, une cinquantaine de mots. Ces emprunts sont entrés en français à partir de la Renaissance jusqu'au XVIIe siècle; c'est dire que le Moyen Âge espagnol n'a pas exercé une influence importante sur le français, et ce, en incluant les termes d'origine arabe dont une partie est passée dans les emprunts du français à l'espagnol. Cependant, avec la découverte de l'Amérique par l'Espagne et le Portugal, l'espagnol et le portugais ont transmis un nombre important de termes exotiques.

satin (arabe)	canari	alcôve (arabe)	avocat
moresque	écoutille	pépite	mandarine
toque	chocolat	caracoler	picador
nègre	casque	toréador	aubergine
savane	condor	cortes	ocelot
cannibale	tabac	mélasse	cacahuète
hamac	romance	vanille	boléro
hidalgo	bizarre	cédille	mayonnaise

alezan	*camarade*	*créole*	*mirador*
parade	*fanfaron* (arabe)	*marron*	*pampa*
bandoulière	*lama*	*quadrille*	*gitane*
anchois	*parer*	*caramel*	*tornade*
abricot	*toucan*	*estampille*	*dingue*
pastille	*goyave*	*matamore*	*gaucho*
ouragan	*indigo*	*passacaille*	*intransigeant*
maïs	*palabre*	*sieste*	*cascabelle*
embarcation	*safran*	*adjudant*	*coyotte*
cacao	*moustique*	*pacotille*	*canyon*
ananas	*canot*	*flottille*	*lasso*
eldorado	*mulâtre*	*embarcadère*	*tango*
junte	*jonquille*	*cigare*	*rumba*
alguazil (arabe)	*embargo*	*tomate*	*estudiantin*
castagnette	*pirogue*		

Le français a emprunté au portugais, rappelons-le, une cinquantaine de mots dont la majorité ont été acquis au XVIe, au XVIIe et au XVIIIe siècle. À l'exemple de l'Espagne, le Portugal a joué un rôle important dans la transmission de mots exotiques.

calambour (malais)	*palanquin*	*cornac* (hindi)	*albinos*
mangue (hindi)	*banane*	*fétiche*	*caste*
acajou	*zèbre*	*vigie*	*paria* (hindi)
mandarin (malais)	*bambou* (malais)	*cachalot*	*cobaye*
cobra	*marmelade*	*autodafé*	*lascar* (hindi)
pintade	*jaguar*		

3.6   LES MOTS ITALIENS

À la Renaissance, l'Italie avait tout pour exercer une très grande fascination sur les Français; elle était en avance sur tous les plans: économique, militaire, culturel, etc. Les emprunts linguistiques constituent un reflet fidèle de la prépondérance de l'Italie à cette époque. Ferdinand Brunot[5] décrit ainsi cette fascination qu'exerçait l'Italie sur l'Europe:

«Au XVIe siècle, l'Italie domine intellectuellement le monde; elle le charme, l'attire, l'instruit, elle est éducatrice. N'y eût-il eu ni guerres d'Italie, ni contact avec les populations d'au-delà des Alpes, ni mariages italiens à la cour de France, que l'ascendant de l'art, de la science, de la civilisation italienne se fût néanmoins imposé.»

Selon Pierre Guiraud[6], plus de 800 mots italiens sont parvenus au français contemporain (sur plusieurs milliers de mots empruntés). Toutefois, une étude de Mariagrazia Margarito[7] portant sur six dictionnaires français actuels révèle

---

5. Cité par Bartina Harmina WIND dans *Les mots italiens introduits en français au XVIe siècle*, Deventer (Pays-Bas), AE. E. Kluwer, 1928, p. 26.

6. *Op. cit.*, p. 64.

7. «Les italianismes: une machine à rêver», dans *La linguistique fantastique*, Paris, Joseph Clims/Denoël, 1985, p. 260.

que les italianismes seraient bien plus nombreux: environ 1 510. C'est tout dire de l'ampleur de l'influence italienne sur la langue française quand on sait que, dans les faits, l'italien du XVIᵉ siècle aurait donné peut-être quatre à cinq mille mots. Tous les domaines ont été touchés: l'architecture, la peinture, la musique, la danse, les armes, la marine, la vie de cour, les institutions administratives, le système pénitencier, l'industrie financière (banques), le commerce, l'artisanat (poterie, pierres précieuses), les vêtements et les objets de toilette, le divertissement, la chasse et la fauconnerie, les sports équestres, les sciences, etc. Ainsi, non seulement l'influence italienne s'est étendue à tous les domaines de la vie publique, sociale et privée, mais elle a été durable puisqu'un bon nombre de mots introduits au XVIᵉ siècle sont encore utilisés aujourd'hui.

En fait, l'apport de l'italien dépasse en importance toutes les influences étrangères qui ont agi sur le français jusqu'au milieu du XXᵉ siècle. Cette influence a été non seulement importante, mais très profonde: en effet, presque tous les mots se sont intégrés phonétiquement au français, beaucoup ont formé des dérivés ou ont subi des altérations de sens.

buffle	*caresser*	*fugue*	*caleçon*
riz	*citadelle*	*pommade*	*stalle*
tournesol	*embusquer*	*balcon*	*carosse*
porcelaine	*escadron*	*spadassin*	*carton*
citrouille	*estrade*	*stuc*	*fantassin*
perle	*esplanade*	*grotte*	*attaquer*
florin	*estropier*	*colonel*	*carnaval*
galerie	*médaille*	*piston*	*façade*
trafic	*tribune*	*casemate*	*majordome*
canon	*infanterie*	*piédestal*	*semoule*
cavalcade	*escorte*	*pilastre*	*strapontin*
brigand	*moustache* (turc)	*sentinelle*	*tirade*
baldaquin	*révolter*	*parapet*	*trombone*
barrette	*banderolle*	*désastre*	*gazette*
lavande	*violon*	*arabesque*	*salsifis*
police	*radis*	*camisole*	*burlesque*
arsenal	*poltron*	*duo*	*corridor*
alarme	*masque*	*parasol*	*basson*
banquet	*panache*	*bagatelle*	*berlingot*
brigade	*bémol*	*buste*	*cortège*
estamper	*mosaïque*	*ballon*	*bombe*
perruque	*balustre*	*gondole*	*fortin*
guirlande	*mousquet*	*lampion*	*trombe*
escrime	*ballet*	*cavale*	*opéra*
escalade	*lagune*	*macaron*	*couci-couça*
saccager	*fleuret*	*caporal*	*polichinelle*
plage	*incognito*	*sorbet*	*miniature*
banque	*cartouche*	*vermicelle*	*fresque*
cavalier	*gamelle*	*sérénade*	*store*
partisan	*stylet*	*mascarade*	*coupole*
rotonde	*ombrelle*	*appartement*	*socle*
calibre	*figurine*	*brocoli*	*costume*
plastron	*piastre*	*concert*	*carafon*

lustre	estafette	cabriole	postiche
banqueroute	intermède	aquarelle	régate
cantine	violoncelle	forte (piano)	malaria
ghetto	gouache	patine	maffia
bandit	piano	fiasco	piccolo
parmesan	mandoline	libretto	agrume
solo	ténor	quintette	pizza
cantate	soprano	crinoline	spaghetti
adagio	alto	trémolo	macaroni
allegro	presto	tombola	ravioli
sonate	prestissimo	mæstro	analphabétisme
oratorio	solfège	fascisme	

3.7   LES MOTS ANGLAIS

Jusqu'au XXᵉ siècle, les mots anglais empruntés par le français n'avaient jamais été massifs. Toutefois, l'histoire contemporaine peut témoigner que les emprunts anglais seront probablement encore plus nombreux que les emprunts italiens. Comme ils sont beaucoup plus récents, on ne peut savoir combien d'entre eux vont demeurer dans la langue française. Contrairement aux emprunts italiens qui proviennent d'un seul pays, les emprunts anglais sont issus d'abord de la Grande-Bretagne, puis des États-Unis d'Amérique.

L'apport anglais est récent dans l'histoire du français. On peut même dire que jusqu'au XVIIᵉ siècle l'influence anglaise a été insignifiante: 8 mots au XIIᵉ siècle, 2 au XIIIᵉ, 11 au XIVᵉ, 6 au XVᵉ, 14 au XVIᵉ, puis 67 au XVIIᵉ, 134 au XVIIIᵉ et 337 au XIXᵉ. Tous les emprunts antérieurs au XVIIIᵉ siècle ont été intégrés au français de telle sorte qu'on ne les perçoit plus de nos jours comme des mots étrangers: *est, nord, ouest, sud, paletot, rade, contredanse, pingouin, paquebot, comité, boulingrin, interlope, rosbif, allégeance,* etc.

C'est vers le milieu du XVIIᵉ siècle que l'influence de l'anglais a commencé à se faire sentir. Les mots empruntés concernaient le commerce maritime, les voyages exotiques et coloniaux, les mœurs britanniques, les institutions parlementaires et judiciaires, les sports hippiques, les chemins de fer, les produits industriels. À partir du XXᵉ siècle, les États-Unis ont relayé la Grande-Bretagne et inondé de leurs mots le cinéma, les produits industriels, le commerce, le sport, l'industrie pétrolière, l'informatique et à peu près tout le vaste domaine des sciences. En 1965, Pierre Guiraud ne dénombrait encore que 75 mots anglais passés au français depuis la fin de la Première Guerre mondiale. Outre le fait que ce calcul soit probablement conservateur, le nombre des emprunts à l'anglais s'est vraisemblablement multiplié par plusieurs dizaines depuis ce temps. Toutefois, à la différence de l'influence italienne qui a subi l'épreuve du temps, l'influence anglo-américaine est encore trop récente pour que nous puissions évaluer ce qu'il en restera dans 50 ou 100 ans. Comme on le sait, la plus grande partie des emprunts à une époque donnée est appelée à disparaître, mais nous reviendrons sur ce fait plus loin. Quoi qu'il en soit, il y a fort à parier que l'influence de la langue anglaise restera assez marquante dans l'histoire du français (comme dans celle de bien d'autres langues). Voici une liste de mots d'origine anglaise acceptés dans les dictionnaires français:

nord	hall	ventilateur	touriste
sud	pudding	spleen	confort
est	interlope	exporter	rail
ouest	jury	cottage	tramway
paletot	rhum	véranda	lunch
milord	punch	toast	soda
dogue	coroner	partenaire	poney
typhon	sterling	gentleman	handicap
shilling	rosbif	affidavit	match
puritain	boxe	kangourou	tunnel
yacht	wagon	magazine	bungalow
pingouin	football	congrès	studio
contredanse	vote	dollar	absentéisme
paquebot	standard	jockey	tennis
flanelle	club	box	pyjama
comité	sinécure	whisky	viaduc
tonnage	redingote	bifteck	électrode
stock	square	chèque	exhaustif
boulingrin	humour	curling	terminus
conformiste	pickpocket	sélection	station
importer	minorité	sandwich	excavateur
corporation	meeting	bridge	daltonisme
boy	aberration	émission	tweed
quorum	bouledogue	aluminium	stopper
revolver	exerciseur	ketchup	sticker
snob	palace	slogan	burger
poker	week-end	offset	tipper
cocktail	cargo	pick-up	sniffer
lock-out	bowling	sex-appeal	flop
mohair	puzzle	short	background
car	autocar	bacon	zipper (v.)
stand	fox-trot	standing	dispatcher
boycott	vitamine	bulldozer	scanner
test	tank	blazer	gym
docker	jazz	taximan	marshmallow
label	flash	dropper (v.)	best-seller
ballast	pull-over	catcher (v.)	cool
dumping	supporter	team	jogger (v.)
périscope	gangster		

Cette liste pourrait s'étendre sur plusieurs pages juste pour le vocabulaire usuel ou semi-technique. Le développement de la technologie et la domination de l'anglo-américain dans les sciences actuelles laissent présager une suprématie encore plus considérable de la langue anglaise, et ce, à l'échelle planétaire. La langue anglaise est devenue la *lingua franca* du monde contemporain, c'est-à-dire la langue véhiculaire des relations internationales tant sur le plan commercial que scientifique, technologique et diplomatique, avec tout ce que cela suppose en ce qui a trait aux emprunts.

3.8   LES LANGUES EXOTIQUES

Peuvent être considérées comme vraiment exotiques les langues non indo-européennes et les langues indo-européennes des pays non industrialisés : par exemple, les langues amérindiennes (quechua, guarani, tupi, etc.), l'hindi, le tamoul, le télougou, le malais, le chinois, le japonais, le swahili, le wolof, etc. Le terme *exotique* s'applique à tout ce qui sert de point de référence avec les pays qui entretiennent peu de contact avec le français. En ce sens, le français est une langue exotique pour les Japonais et les Chinois, alors que le malais et l'anglais leur sont des langues familières.

Au cours des siècles s'est développé tout un vocabulaire exotique qui a touché le français, mais aussi bien d'autres langues. N'oublions pas que les mots voyagent et qu'ils peuvent passer par plusieurs langues avant de s'intégrer dans un idiome donné. Ainsi, un mot de la langue quechua passe presque obligatoirement par l'espagnol avant d'arriver au français ; un mot persan peut être emprunté par le tamoul pour passer ensuite à l'anglais qui le transmet au français ; le néerlandais peut emprunter un mot malais et le refiler ensuite au français, etc. Toutes sortes de détours et de combinaisons sont possibles.

– *L'AMÉRIQUE*

Les langues amérindiennes de l'Amérique du Sud comptent certainement parmi les langues exotiques les plus importantes. La colonisation des Caraïbes et de l'Amérique du Sud par les Espagnols et les Portugais, sans compter les incursions des Hollandais, des Anglais et des Français, a favorisé l'apport d'un nombre important de mots venant de cette région du monde. Ainsi, le français a recueilli (par l'espagnol) quelque 25 mots de l'arawak (*hamac, ouragan, tabac, patate, pirogue, avocat,* etc.) et une trentaine de mots du quechua et du nahuatl (*cacao, chocolat, lama, cacahuète, pampa,* etc.) ; par l'intermédiaire du portugais nous sont parvenus une quinzaine de mots du tupi (*toucan, acajou, maringouin, cougar, jaguar,* etc.) et quelques mots du guarani (*ananas, cobaye,* etc.).

Du côté de l'Amérique du Nord, les mots amérindiens demeurent rares et ceux qui ont été adoptés par le français standard sont venus par l'anglais : *manitou, caribou, tomahawk, mocassin, carcajou, totem, pemmican.* Selon Pierre Guiraud[8], le Canada français n'aurait fourni aucun mot amérindien au français de France.

– *L'ASIE*

Si l'on fait exception de la France et des Pays-Bas, les deux grandes puissances coloniales de l'Asie ont été le Portugal et l'Angleterre. Les mots exotiques venant de cette partie du monde sont donc passés par le portugais et l'anglais. Une soixantaine de mots nous sont venus de l'Inde par l'anglais (*cari, cachemire, véranda, pyjama, jute, shampoing, bungalow, kaki,* etc.) ou par le portugais (*mangue, pagode, lascar, cachou,* etc.). La Malaisie a transmis à notre langue une quarantaine de mots par les Portugais des Philippines (*rotin, thé, pagaie, orang-outang, batik, calambour,* etc.). La liste des mots provenant de la Chine

---

8. *Op. cit.*, p. 56.

et du Japon est encore plus réduite: une vingtaine de mots (*bonze, ginseng, soya, kimono, judo, hibachi,* etc.).

– *L'AFRIQUE*

Le nombre des mots venant de l'Afrique noire est très restreint. La plupart sont passés directement au français, mais quelques-uns ont fait le détour par le portugais, l'italien ou l'anglais: *négus, chimpanzé, gnou, vaudou,* etc. Enfin, on pourrait ajouter quelques rares mots empruntés surtout aux langues créoles par l'intermédiaire de l'espagnol et du portugais: *colibri, morne, nègre, métis, mulâtre,* etc.

3.9   LES MOTS DIALECTAUX DE FRANCE

Il ne faudrait pas oublier l'apport des langues régionales de France. Le provençal, le normand, le breton, le picard, le lorrain, l'alsacien, le limousin, le gascon, le catalan et le languedocien ont également fourni des mots au français commun. Pierre Guiraud[9] a recensé environ 1 200 mots régionaux qui ont ainsi enrichi la langue française. De toutes les langues régionales, il semble que ce soit le provençal qui ait apporté le plus grand nombre de mots.

Au provençal, nous devons notamment *abeille, anchois, aubade, auberge, barque, cadenas, casserole, cigale, daurade, jarre, langouste, muscade, salade, tortue, troubadour, truffe,* etc. De l'ancien normand, nous avons emprunté des mots de la vie maritime comme *bouquet, câble, crabe, crevette, enliser, falaise, garer, girouette, grésiller, harpon, houle, marécage, pieuvre, quille, varech,* etc. Le savoyard nous a donné quelques mots relatifs à la montagne: *alpage, avalanche, chalet, luge, mélèze,* etc. Le saintongeais, le poitevin et le tourangeau nous ont transmis *cagibi, califourchon, crachin, dupe, gaspiller, lessive, palourde,* etc. Les langues du Nord, comme le wallon et le picard, nous ont laissé *boulanger, caboche, cingler, écaille, estaminet, grisou, houille, houlette,* etc. Enfin, de façon générale, les langues régionales de France ont légué une partie du vocabulaire relatif aux spécialités gastronomiques de ce pays: *choucroute* (alsacien), *quiche* (alsacien), *kouglof* (alsacien), *quenelle* (alsacien), *cassoulet* (languedocien), *rémoulade* (picard), *escargot* (provençal), *garbure* (gascon), *pibale* (poitevin), *piperade* (béarnais), *tripoux* (auvergnat), *pauchouse* (bourguignon), *croustade* (provençal), *bouillabaisse* (provençal), etc.

3.10   LES EMPRUNTS AUX NOMS PROPRES

La langue française a également puisé dans le répertoire des noms propres. Certains désignaient à l'origine des noms de ville, d'île ou de pays et ils sont devenus des noms communs. D'autres désignaient des individus qui, pour toutes sortes de raisons, ont laissé leur nom dans la langue. Dans les deux cas, il s'agit d'une sorte d'emprunt dans la mesure où les langues étrangères ont fourni une bonne part de ces noms propres (devenus noms communs).

---

9. Dans *Patois et dialectes français*, Paris, P.U.F., coll. «Que sais-je?», n° 1285, 1968.

3.10.1   *LES NOMS GÉOGRAPHIQUES*

Si un grand nombre de noms géographiques constituent des emprunts dont on retrouve les formes originales dans la langue française, plusieurs ont plutôt laissé des formes dérivées qui ne se laissent pas découvrir au premier coup d'œil. Voici quelques-uns de ces emprunts géographiques[10] :

cachemire	< *Kasmîr*, région de l'Inde
canari	< îles *Canaries* (Espagne)
moka	< *Moka*, ville du Yémen du Nord
mousseline	< *Mossoul*, ville d'Iraq
rugby	< *Rugby*, ville de Grande-Bretagne
berline	< *Berlin*
épagneul	< *Espagne*
cordonnier	< *Cordoue*, ville d'Espagne
xérès	< *Jerez*, ville d'Espagne
zouave	< *Zwâwa*, tribu kabyle d'Algérie
bougie	< *Bougie*, ville d'Algérie
limousine	< *Limousin*, région de France
denim	< toile de *Nîmes* (ville de France)
mayonnaise	< *Port-Mahon*, archipel espagnol des Baléares
sardine	< *Sardaigne*, île italienne au sud de la Corse
baïonnette	< *Bayonne*, ville basque du sud de la France
javel	< *Javel*, village de France et quartier de Paris
landau	< *Landau*, ville d'Allemagne
jean	< *Gênes* (Italie)
bistouri	< *Pistoia* (Italie)
crémone	< *Crémone* (Italie)
faïence	< *Faenza* (Italie)
cravate	< *Croatie* (Yougoslavie)
macédoine	< *Macédoine* (ancienne région de la Grèce)
angora	< *Ankara* (Turquie)
méandre	< *Méandre*, fleuve sinueux de la Turquie
magnésie	< *Magnésie* (Turquie)
truie	< *Troie* (Turquie)
turquoise	< *Turquie*
lesbienne	< *Lesbos*, île grecque
galerie	< *Galilée* (Israël)
capharnaüm	< *Capharnaüm* (Galilée)
échalote	< *Ascalon*, port de la Palestine
hermine	< *Arménie* (république d'URSS)
dinde	< *d'Inde*

3.10.2   *LES PATRONYMES*

Un certain nombre de personnages historiques ont laissé leur nom à la langue commune. Ce sont le plus souvent des inventeurs ou des savants, mais il peut s'agir également de dieux, de rois, de seigneurs, d'architectes, d'écrivains, etc.

---

10. Henriette WALTER, *Le français dans tous les sens*, Paris, Robert Laffont, 1988, pp. 270-276.

Ces personnages ont donné leur nom à des plantes, à des unités de mesure, à des inventions, à des objets usuels, etc.

ampère	< André-Marie *Ampère*, physicien français (1775-1836).
barème	< François *Barrême*, mathématicien français (1638-1703).
béchamel	< Louis de *Béchamel*, courtisan de Louis XIV, amateur d'art et fin gourmet.
bégonia	< Michel *Bégon*, intendant à Saint-Domingue (XVIIe siècle).
binette	< *Binet*, coiffeur de Louis XIV.
bourse	< Van der *Burse*, banquier flamand du Moyen Âge.
bottin	< Sébastien *Bottin*, statisticien du XIXe siècle.
boycott	< Charles Cunningham *Boycott* (1832-1897), propriétaire foncier; les fermiers de ses domaines organisèrent un blocus pour protester contre la dureté de sa gestion.
braille	< Louis *Braille* (1809-1852), inventeur de l'écriture pour aveugles.
calepin	< Ambrogio *Calepino* (1435-1511), lexicographe italien auteur d'un volumineux dictionnaire de la langue latine.
décibel	< Alexander Graham *Bell*, physicien américain inventeur du téléphone (1876).
dédale	< *Dédale*, membre de la famille royale athénienne; architecte, il construisit un labyrinthe pour le roi Minos (XVe siècle av. J.-C.).
draconien	< *Dracon*, législateur grec qui rédigea un Code pénal tellement sévère que tous les crimes étaient sanctionnés par la peine de mort.
faune	< *Faunus*, dieu des champs, dans la Rome antique, qui protégeait les troupeaux.
flore	< *Flora*, déesse romaine des fleurs.
guillemet	< *Guillemet*, imprimeur du XVIIe siècle qui introduisit le signe des *guillemets* et son usage en typographie.
guillotine	< Joseph-Ignace *Guillotin* (1738-1814), médecin et politicien français; il proposa une «machine à supplice» qui abrégerait les souffrances des condamnés.
hertz	< Heinrich *Hertz* (1857-1894), physicien allemand.
lavallière	< Louise Françoise de *La Vallière* (1644-1710), maîtresse de Louis XIV qui lança la mode des cravates à grand nœud.
macadam	< John Loudon *McAdam* (1756-1836), ingénieur écossais qui inventa un système de revêtement pour les routes.
mansarde	< François *Mansart* (1598-1666), architecte français qui généralisa la construction des combles «à la Mansart».
martial	< *Mars*, dieu de la guerre chez les Romains.
masochisme	< Léopold von Sacher-*Masoch* (1836-1895), romancier autrichien qui a dépeint l'érotisme de la volupté par la souffrance.
mausolée	< *Mausolos*, roi antique qui vécut au IVe siècle av. J.-C. et dont le tombeau était considéré comme l'une des sept merveilles du monde.
mécène	< Caius Cilnius *Mæcenas* (né en 69 av. J.-C.), chevalier romain de grande naissance et hautement cultivé qui consacra sa vie et sa fortune à des poètes et à des philosophes.

moïse	< *Moïse*, personnage des Saintes Écritures qui fut découvert par la fille du pharaon dans une corbeille sur les bords du Nil.
morphine	< *Morphée*, dieu des Songes ; un médecin français du nom de Mathieu Joseph Bonaventure Orfila imagina de baptiser *morphine* un analgésique soporifique inventé par Seguin en 1804.
nicotine	< Jean *Nicot* (1530-1600), ambassadeur français au Portugal qui introduisit en France « l'herbe à Nicot », c'est-à-dire le tabac, dont on extrait la *nicotine*.
pantalon	< *Pantaleone*, personnage de la comédie italienne habillé traditionnellement avec des « chausses » d'une seule pièce.
poubelle	< Eugène-René *Poubelle* (1831-1907), préfet de Paris qui instaura un règlement obligeant les Parisiens à utiliser des boîtes à ordures (ou « boîtes à Poubelle ») pour disposer des détritus ménagers.
praline	< Plessis-*Praslin*, duc de Choiseul et maréchal de France (1598-1675) qui inventa la friandise qui devint une célébrité gastronomique.
sadisme	< Donatien Alphonse François de *Sade* (1740-1814), marquis de son état, qui passa 27 ans de sa vie en prison en se consacrant à la littérature comme moyen de défense et d'illustration de l'érotisme axé sur la souffrance.
sandwich	< John Montagu, comte de *Sandwich* (1718-1792), amiral anglais ; passionné et absorbé par le jeu, il refusait de quitter sa table pour le temps du repas ; c'est alors que son cuisinier eut l'idée de lui servir du jambon entre deux tranches de pain.
saxophone	< Adolphe *Sax* (1814-1894), inventeur d'un instrument de musique, le saxophone.
silhouette	< Étienne de *Silhouette* (1709-1767), contrôleur des Finances tellement impopulaire que son nom devint une injure : il n'occupa le poste que quatre mois ; retiré dans son château, il dessinait des profils de visage sur les murs (sortes de « silhouettes »).
vespasienne	< Flavius *Vespasianus*, empereur romain qui fit construire des édicules (pissotières) élevés sur la voie publique afin que les messieurs puissent se soulager.
volt	< Allessandro *Volta* (1745-1827), physicien italien.
watt	< James *Watt* (1736-1819), ingénieur écossais.

4   LES MOTS FRANÇAIS DANS LES AUTRES LANGUES

Le français n'a pas seulement emprunté des mots, il a également contribué à l'enrichissement d'autres langues en prêtant un certain nombre de ses mots à l'anglais, à l'espagnol, à l'allemand, à l'italien, au roumain, au russe, au vietnamien, etc. Il peut être intéressant de souligner que les locuteurs de ces langues ignorent bien souvent qu'ils utilisent des mots français dans leur conversation, car la plupart des mots empruntés ont été intégrés dans la langue d'arrivée.

Ici, nous nous limiterons aux emprunts de mots français faits par les pays voisins tels la Grande-Bretagne, l'Allemagne, l'Italie, l'Espagne et le Portugal. La France a été souvent en guerre avec ces pays, mais elle a également commercé avec eux. D'où les nombreux emprunts faits par ces langues au français.

4.1   LES MOTS FRANÇAIS EN ANGLAIS

Parmi les langues modernes prêteuses, le français est certainement la langue étrangère qui a donné le plus à la langue anglaise. L'influence française sur l'anglais a commencé avec la conquête normande de l'Angleterre. Lorsque Guillaume le Conquérant quitta la Normandie pour envahir l'Angleterre en 1066, il y introduisit le français, qui demeura la langue de la classe dirigeante pendant quelques siècles. Des milliers de mots français sont alors entrés dans la langue anglaise. Il semble que 60 % du vocabulaire anglais soit effectivement d'origine française, ce qui n'est pas peu. Toutefois, la masse de l'apport français provient surtout de l'ancien et du moyen français des XIᵉ, XIIᵉ, XIIIᵉ et XIVᵉ siècles. En voici quelques exemples:

abundant < abundant	*blank < blanc*	*to abandon < abandoner*
actual < actuel	*brief < brief*	*to chase < chasser*
common < commun	*duty < duete*	*to command < comander*
cruel < cruel	*fester < feste*	*to demand < demander*
double < double	*flower < flour*	*to delay < delaier*
feeble < feble	*fuel < fouaille*	*to dispose < disposer*
fierce < fiers	*honor < honor*	*to engage < engagier*
foreign < forain	*joy < joie*	*to gain < gaignier*
gentle < gentil	*maneuver < maneuvre*	*to guard < garder*
honest < honeste	*match < meiche*	*to level < livel*
meagre < megre	*mutton < mouton*	*to limit < limite*
moist < moiste	*pork < porc*	*to merit < meriter*
noise < noise	*purchase < porchacier*	*to move < movoir*
poor < povre	*reason < raison*	*to note < noter*
safe < sauf	*savor < savour*	*to number < nombre*
single < sengle	*secret < secret*	*to oblige < obliger*
strange < estrange	*stranger < estranger*	*to observe < observer*
bargain < bargaignier	*story < estorie*	*to order < ordre*
beef < bœuf	*veal < veau*	*to paint < peint*
constable < cunestable	*chief < chief*	*to return < retourner*
counsel < conseil	*clear < cler*	*to serve < servir*

S'il est impossible de citer la totalité des termes qui sont entrés dans la langue anglaise, il demeure cependant plus aisé de cerner d'un peu plus près les domaines d'emprunts au français. En fait, presque tous les domaines ont été touchés: domaines juridique et militaire, économie, titres et fonctions, religion, vie intellectuelle et artistique, description de la nature, alimentation, construction, vêtements, ornementation, etc.

Après le Moyen Âge, le français a continué de donner des mots à l'anglais mais de façon moins massive, que ce soit au XVIᵉ siècle (*promenade, colonel, portmanteau, scene, vogue*, etc.), au XVIIᵉ siècle (*dishabille, liaison, bureau, cabaret, fiacre, faux pas*, etc.), au XVIII⁰ siècle (*boulevard, liqueur, envelope, souvenir, carte blanche*, etc.) ou au XIX⁰ siècle (*format, cliché, menu, restaurant, gourmet, blasé, bête noire*, etc.). Bref, un grand nombre de mots français appartiennent à la langue anglaise contemporaine comme en fait foi la courte liste d'expressions que voici:

(le) beau monde	*par excellence*	*pis-aller*
(très) chic	*c'est magnifique*	*tour de force*
comme ci, comme ça	*pied à terre*	*femme fatale*
coup d'État	*savoir faire*	*laisser faire*
ménage à trois	*tête-à-tête*	*coup d'œil*
faux pas	*(the) vis-à-vis*	*coup de grâce*
déjà vu	*qui sait?*	*à la mode*
fait accompli	*pièce de résistance*	

Le français a aussi donné un certain nombre de mots à l'anglo-américain; on en compterait[11] même 299. Plusieurs mots contemporains sont empruntés et employés par snobisme, mais les plus anciens attestent de la présence française en Amérique. L'expression *coureur de bois* (sic) demeure l'un des très rares emprunts au français canadien de la part des Anglo-Américains; en effet, outre *coureur de bois*, les francophones du Canada n'auraient donné, au cours du XIX⁰ siècle, que *cajun* (< *Acadien*), *acadian* (< *Acadien*), *chaudière* (adapté en *chowder*) et *chantier* (adapté en *shanty*)[12]. Outre les mots français adoptés par l'anglais britannique, l'anglo-américain a également emprunté du français *caribou* (de l'amérindien), *cent, dime, coulee, depot, mardi gras, shivaree* (< *charivari), to sashay* (< *chasser*), etc. Bref, selon Guy Jean Forgue[13], le français viendrait au second rang (après le latin) des langues étrangères productrices de néologismes américains; de façon générale, les domaines touchés concernent la mode, la cuisine, la parfumerie, la politique et certaines notions abstraites.

Afin d'illustrer l'influence d'une langue sur une autre, nous proposons deux textes, l'un provenant d'un journal anglophone («La lingua franca»), l'autre, d'un journal francophone («Petite histoire en franglais»). Il s'agit, bien sûr, de textes quelque peu artificiels, parce qu'ils sont construits délibérément pour illustrer respectivement les gallicismes en anglais et les anglicismes en français. Quoi qu'il en soit, ils démontrent éloquemment l'influence réciproque des deux langues.

---

11. Guy Jean FORGUE, *Les mots américains*, Paris, P.U.F., coll. «Que sais-je?», n⁰ 1660, 1976, p. 51.

12. Guy Jean FORGUE et Raven I. McDAVID, *La langue des Américains*, Paris, Aubier Montaigne, 1972, pp. 163-164.

13. *Loc. cit.*

TEXTE EN *FRENGLISH*

La lingua franca

By Gillian Cosgrove

ADIEU: I am leaving Quebec because I can't speak French.

It started as a little CONTRETEMPS with a FEMME FATALE but my RISQUÉ LIAISON might well become a CAUSE CÉLÈBRE, had I not realized my terrible FAUX PAS.

I met MADAME X at the VERNISSAGE of a young sculptor whose AVANT-GARDE OBJETS D'ART are popular in NOUVEAU RICHE MILIEUS. She seemed to be little more than a BOURGEOIS BELLE DAME SANS SOUCI, wearing a CHIC HAUTE COUTURE ENSEMBLE and a tantalizing EAU DE COLOGNE. Little did I know that she was the ÉMINENCE GRISE in a MACABRE scenario which reeked of a political ABATTOIR.

She appeared to be part of the ENTOURAGE of the cultural affairs minister (his press ATTACHÉ, a FONCTIONNAIRE, or maybe even his PROTÉGÉE?) and she handled her COURTIERS with such FINESSE that I was struck by a sense of GAUCHERIE.

Finally, overcoming my MALAISE, I asked her to a RENDEZ-VOUS at a BISTRO near PLACE VILLE MARIE. When she accepted, I felt I had scored a COUP DE GRÂCE PAR EXCELLENCE. It was the DÉBUT, I thought, of a naughty AFFAIRE DE CŒUR.

Wanting to impress her with my LARGESSE and SAVOIR FAIRE, I consulted the MAÎTRE D' about a GOURMET meal. He suggested with a CERTAIN HAUTEUR that most AU COURANT HABITUÉS merely gave the CORDON BLEU CHEF CARTE BLANCHE.

My worries were DÉPASSÉ when the CHEF produced a TOUR DE FORCE – PATÉ DE FOIE HORS D'ŒUVRES, VOL-AU-VENT and SOUFFLÉ. The PIÈCE DE RÉSISTANCE was CREPES FLAMBÉES, topped off by CRÈME DE MENTHE PARFAIT and a DEMI-TASSE of CAFÉ AU LAIT.

During our TÊTE-À-TÊTE, she told me she was a DIVORCÉE who had once written BELLES LETTRES under the NOM DE PLUME of Gigi. Then she took to the stage in a CORPS DE BALLET. She remembered how their presentation of LES SYLPHIDES brought shouts of «ENCORE» from the LOGES of PLACE DES ARTS.

Throughout our amatory PAS DE DEUX, I played the BON VIVANT oozing with JOIE DE VIVRE. In short, a man whose RAISON D'ÊTRE was to be amused by her FOLIES.

So when she had the PANACHE to ask me back to her PIED À TERRE for a LIQUEUR and a little JE NE SAIS QUOI, I accepted with great ÉLAN.

[...] The next day I phoned MADAME X to put an end to our RAPPORT in time. I was struck by a sense of DÉJA VU when she said that if I had spoken French, I would have known that she and the minister were merely indulging in a BANAL JEU DE MOTS. I replied that if such a DÉBÂCLE always results from that genre of DOUBLE ENTENDRE (not to mention my lack of French), I was leaving Quebec for good. With REGRET, she wished me from BON VOYAGE.

Just ENTRE NOUS, it will be DRÔLE to be in Ontario where the lingua franca is English.

The Montreal Star, Montréal, 1er décembre 1977

TEXTE EN FRANGLAIS

Petite histoire en franglais

Dans un PUB situé pas loin du LOFT que j'avais racheté d'un LORD désargenté pour quelques PENNYS (ou PENNIES ou PENCE), un SPEAKER vêtu d'un SMOKING prononçait un SPEECH verbeux pour présenter un YANKEE venu chanter quelques MUSICALS. Et la STAR apparut, l'air COOL. BLAZER bleu, cravate CLUB, ce n'était pas le genre BEATNIK ou PUNK, FREAK ou HIPPY. C'était plutôt le style CROONER très IN et GIRLS et BOYS l'entourèrent aussitôt qu'il commença son SHOW par un SLOW.

C'est à ce moment que la porte du HALL d'entrée gardée par un GROOM laissa le passage à une LADY escortée d'un jeune DANDY très SMART. Ils avaient garé leur SPIDER dans le PARKING. La LADY, rajeunie par un LIFTING et un PEELING, portait un SPENCER en JERSEY et ses épaules étaient recouvertes d'un PLAID en HOMESPUN. Un BRUSHING avait mis ses cheveux AUBURN en valeur. Elle avait été élevée sur les bords d'un LOCH écossais où son père, un LORD reconnu, jouissait d'un PANORAMA magnifique.

[...] Pendant ce temps, un groupe de JAZZMEN vêtus de JEANS interprétait sous les SUNLIGHTS des airs de DIXIE, de RAGTIME ou de BLUES. Ça SWINGUAIT beaucoup. Le BARMAN remuait avec frénésie son SHAKER rempli de GIN et d'autres alcools pour préparer les boissons que la BARMAID de service allait bientôt poser sur le FORMICA de leur table.

Lui avait un bon JOB, c'était un CRACK dans son domaine; il était MANAGER et faisait partie du STAFF d'un gros HOLDING. Il revenait d'un MEETING où il avait essayé de convaincre un TRUSTEE de lui consentir un DISCOUNT de quelques DOLLARS de plus sur l'achat de quelques GADGETS. C'était un sacré BUSINESS et il avait dû faire le FORCING pour réussir dans son entreprise, ce qui l'avait beaucoup STRESSÉ. Elle travaillait dans le cinéma et était en train de REWRITER un SCRIPT pour un REMAKE d'un célèbre THRILLER. Et parce que le BRIEFING avec son BOSS avait mal tourné, elle avait ce soir le SPLEEN.

Après son WHISKY, il bourra sa pipe d'un mélange fait de MARYLAND et de VIRGINIE. Puis ils se levèrent sous les accents d'un GOSPEL entonné par une VAMP envoûtante! Ils sortirent dans l'air frais du soir et, sur le trottoir, appuyé à un LAVATORY, un DEALER, du genre ROCKER, qui SQUATTAIT non loin de là, leur proposa une OVERDOSE pour plusieurs LIVRES STERLING. Ils montèrent dans leur COACH, regagnèrent leur HOME et sortirent leur jeu de... SCRABBLE.

La Presse, Montréal, 7 janvier 1988

4.2   LES MOTS FRANÇAIS EN ALLEMAND

En raison des contacts que l'Allemagne a toujours eus avec la France, il aurait été surprenant que la langue allemande – à ne pas confondre avec le francique des VIᵉ et VIIᵉ siècles – n'ait pas emprunté de mots au français. En voici quelques exemples[14] dont plusieurs ont gardé une forte coloration française:

à propos	*chaise longue*	*gourmand*
bonbon	*châle*	*mode*
boutique	*champignon*	*pardon!*
cache-nez	*chignon*	*parfum*
calembour	*cordon-bleu*	*porte-monnaie*
canaille	*toilette*	*s'il vous plaît*
carte blanche	*cravate*	*soldat*
chacun à son goût	*croissant*	*voyeur*
chagrin	*dame*	*trottoir*
ingénieur	*gendarmerie*	*chef*

Toutefois, de très nombreux mots ont moins conservé leur «allure française» (prononciation): *General, Kapitän, Leutnant, Offizier, Regiment, Garnison, Fassade, Balkon, Nische, Kostüm, Perrüche, Frikasse,* etc.

4.3   LES MOTS FRANÇAIS EN ITALIEN

Comme il l'a fait avec l'allemand, le français a fourni à la langue italienne plusieurs dizaines de mots. La plupart ont été italianisés, mais certains ont conservé leur forme française d'origine en italien contemporain[15]:

à la page	*crème de la menthe* (sic)	*marrons glacés*
boutique	*croissants*	*mousse* (culinaire)
cachet (médicament)	*défilé* (de mode)	*palto* (paletot)
champignon	*dernier cri*	*pardon*
charlotte (pâtisserie)	*dessert*	*puré* (< *purée*)
chic	*grandeur*	*robe-manteau*
console (tourne-disque)	*gratin* (culinaire)	*toilette*
à la coque	*laisser-aller*	*vinaigrette*
coup de foudre	*laissez faire*	

---

14. Henriette WALTER, *Le français dans tous les sens*, Paris, Robert Laffont, 1988, p. 186.
15. Henriette WALTER, *op. cit.*, p. 187.

4.4   LES MOTS FRANÇAIS EN ESPAGNOL

L'apport du français à la langue espagnole semble relativement important. Voici quelques exemples[16] de mots français empruntés par l'espagnol :

arriviste	*chalet* (villa)	*nécessaire* (de toilette)
bébé	*chiffonnier*	*patatas* (< *patates*)
bidé (< *bidet*)	*chofer* (< *chauffeur*)	*prêt-à-porter*
bonbons	*croissants*	*toilette*
bricolage	*entrecot* (< *entrecôte*)	*ralenti* (voiture)
bulevar (< *boulevard*)	*fular* (< *foulard*)	*reprise* (voiture)
buqué (< *bouquet*)	*foie gras*	*restaurant*
bureau (meuble)	*garage*	*mousse* (entremets)
capo (< *capot*)	*menage*	*cassette* (magnétophone)

4.5   LES MOTS FRANÇAIS EN PORTUGAIS

Les mots français passés au portugais semblent moins nombreux que ceux empruntés par l'espagnol. Il est relativement normal qu'il en soit ainsi puisque les contacts entre le Portugal et la France ont été moins importants[17].

à vol d'oiseau	*flan*
bâton (rouge à lèvres)	*passe vite* (pressoir)
beige	*pneu*
champignons	*ralenti* (voiture)
chantilly (crème)	*raquete* (< *raquette*)
capot ((voiture)	*salaõ* (< *salon*)
chef (cuisine)	*soutien* (< *soutien-gorge*)
chic	*tablier* (< *tableau de bord)*
chofer (< *chauffeur*)	*tarte*
crêpes	*toilette* (vêtements)
fauteuil	

5   LE VOCABULAIRE DU FRANCO-QUÉBÉCOIS

Pour un observateur étranger, tous les mots franco-québécois qui ne sont pas utilisés en français commun constituent des régionalismes, c'est-à-dire des mots ou expressions propres au Québec. Or, à l'exemple du français commun, nous pouvons étudier le vocabulaire du franco-québécois de façon diachronique. Dans la présente partie, nous ferons une analyse historique de ce vocabulaire un peu particulier dans la mesure où il diffère du français commun. Étant donné la controverse qu'a souvent suscitée et suscite encore l'analyse du vocabulaire franco-québécois, il nous a semblé préférable de le traiter de façon distincte, ce qui permet de décrire les régionalismes de façon plus approfondie.

---

16. Henriette WALTER, *op. cit.*, p. 188.
17. Henriette WALTER, *op. cit.*, p. 187.

Déjà au XIXe siècle, le problème des divergences lexicales entre le français de France et le français du Canada (Québec, Acadie, etc.) inquiétait les milieux intellectuels. Ces derniers ont réagi en publiant des ouvrages dont certains n'avaient manifestement d'autre but que de corriger une langue jugée «corrompue». En voici quelques titres significatifs:

- *Dictionnaire des barbarismes et des solécismes les plus ordinaires en ce pays, avec le mot propre ou leur signification*, 1855, ANONYME.
- *Barbarismes canadiens*, 1865, Arthur BUIES.
- *Manuel des expressions vicieuses les plus fréquentes*, 1867, J.-F. GINGRAS.
- *L'Anglicisme, voilà l'ennemi!*, 1880, J.-P. TARDIVEL.
- *Petit vocabulaire à l'usage des Canadiens français, contenant les mots dont il faut répandre l'usage et signalant les barbarismes qu'il faut éviter pour bien parler notre langue*, 1880, N. CARON.
- *Glossaire franco-canadien et vocabulaire de locutions vicieuses usitées au Canada*, 1880, Oscar DUNN.
- *Dictionnaire des locutions vicieuses au Canada*, 1881, J.-A. MANSEAU.
- *Dictionnaire canadien-français ou lexique-glossaire des mots, expressions et locutions ne se trouvant pas dans les dictionnaires courants et dont l'usage appartient surtout aux Canadiens français*, 1894, Sylva CLAPIN.
- *Dictionnaire de nos fautes contre la langue française*, 1896, Raoul RINFRET.

Il serait impensable aujourd'hui de titrer ainsi des dictionnaires, mais, à l'époque, il semble bien que de telles formulations n'aient pas causé beaucoup de commotion. Au cours de la première moitié du XXe siècle, les ouvrages lexicographiques ont davantage insisté sur la «spécificité» québécoise (ou canadienne) que sur les «fautes», et ce, même si plusieurs étaient surtout consacrés à la correction de la langue. À l'exception du *Dictionnaire général de la langue française au Canada* (1957), de Louis-Alexandre Bélisle, tous les dictionnaires mettent l'accent sur les régionalismes, les canadianismes, les archaïsmes, les néologismes et les anglicismes, le cas le plus extrême étant le *Dictionnaire de la langue québécoise* de Léandre Bergeron (1980).

Le vocabulaire dans son fonctionnement n'a guère préoccupé nos «lexicographes» jusqu'à ce que paraissent l'étude de Normand Beauchemin et de Pierre Martel, le *Vocabulaire fondamental du québécois parlé* (1979), ainsi que le *Multidictionnaire des difficultés de la langue française*[18] et le *Dictionnaire du français plus*[19]. Pour leur part, Claude Poirier et son équipe préparent depuis déjà une dizaine d'années un grand ouvrage lexicographique: le *Trésor de la langue française au Québec*.

Les listes de vocabulaire qui apparaissent dans les glossaires et les dictionnaires québécois ne reflètent pas le véritable fonctionnement du système lexical dans son ensemble. On compte quelque 55 000 mots dans le *Petit Robert*, mais cela ne signifie pas que les francophones utilisent tous ces mots avec la même fréquence; les termes *faire, pouvoir* et *le* apparaissent une seule fois dans les entrées du dictionnaire, tout comme *euphorbiacées, xénarthres* et *zygoma*, qui n'occupent sûrement pas la même «place de choix» dans nos conversations.

---

18. Marie-Éva de VILLERS, Montréal, Québec/Amérique, 1988.

19. Claude POIRIER, Montréal, CEC, 1988.

De même, les listes d'écarts lexicaux (que ce soit sur le plan des archaïsmes, des québécismes[20] ou des anglicismes) ne nous permettent pas d'apprécier correctement l'importance relative de ces derniers dans les faits de parole effectivement réalisés. Même si Louis-Alexandre Bélisle, dans son dictionnaire, recense près de 4 500 mots non utilisés en français standard[21], cela ne doit pas nous faire oublier les 50 000 autres qui font aussi partie du vocabulaire de la langue ; leurs probabilités d'apparition ne sont certainement pas non plus à négliger. D'ailleurs, les enquêtes statistiques semblent démontrer que, dans l'usage réel, les écarts lexicaux ne constituent qu'une faible proportion du vocabulaire fondamental.

Au point de vue historique, le vocabulaire du franco-québécois provient de cinq sources différentes : la masse du vocabulaire français commun à l'ensemble de la francophonie, un fonds de mots français archaïques, un fonds proprement québécois, un fonds anglo-saxon et un fonds amérindien. Le fonds français constitue environ 97 % du vocabulaire des francophones du Québec ; or, l'étude du français fondamental ayant été déjà abordée, nous nous limiterons aux différences lexicales et à leurs origines.

Précisons que, dans la majorité des cas, les québécismes se confondent avec les acadianismes (régionalismes utilisés en Acadie). Autrement dit, de façon générale, les régionalismes demeurent à peu près les mêmes en Acadie et au Québec. Toutefois, certains termes sont propres à chacune de ces deux régions.

5.1   LES ARCHAÏSMES

Les sources françaises différentes du fonds français commun correspondent à d'anciens mots français qui ne sont plus en usage en France. Ces mots ont été apportés ici au XVIIe siècle par les colons français qui, ne l'oublions pas, venaient de différentes provinces de France. Ces provincialismes sont demeurés dans la langue après le départ des élites françaises. Aujourd'hui, ils sont encore très vivants au Québec et plusieurs d'entre eux sont également employés dans les parlers régionaux de France.

Les archaïsmes se présentent sous différentes formes : il peut s'agir d'un simple mot (*cuvette, comprenure, maganer,* etc.), d'un syntagme (*bran de scie, se mettre en boisson, comme de raison,* etc.), d'un sens vieilli (*acheter* au sens de «accoucher», *s'adonner* au sens de «venir à point», *obstiner* au sens de «contredire», etc.). Selon les inventaires lexicographiques, les archaïsmes sont relativement nombreux : on en compterait environ 300. En voici quelques exemples :

---

20. Le terme *québécisme* peut être employé comme synonyme de *canadianisme* ; le premier terme fait référence aux régionalismes québécois, alors que le second terme peut englober les régionalismes de l'Acadie, de l'Ontario francophone, etc.

21. Claude POIRIER, l'auteur du *Dictionnaire du français plus*, estime le nombre de ces mots à près de 9 000.

acre	raboudiner	jambette	doutance
abrier	boisseau	bavette	suce
amanchure	barbot	maganer	champlure
accoutumance	fafiner	safre	partance
boucane	ramancher	bouette	tanner
poigner	bavasser	cru (humide)	chaud (saoul)
enfarger	garrocher	malcommode	tapocher
achaler	bourasser	siler	comprenure
adon	couette	brise-fer	picote
bébelle	motton	zigonner	

5.2   LES QUÉBÉCISMES

Au contraire des archaïsmes, les québécismes (que l'on a déjà appelés canadianismes) sont des «produits du cru». Certains d'entre eux désignent des réalités locales pour lesquelles le français commun n'a pas d'équivalents; ils sont donc indispensables pour décrire le milieu humain (la géographie, le climat, la faune, la flore, les mœurs, etc.) dans lequel nous vivons.

Cependant, la plupart des mots que nous appelons «québécismes» ne désignent pas nécessairement des réalités typiquement régionales. Ils correspondent à des formes nouvelles, c'est-à-dire à des **néologismes** dont les équivalents français peuvent exister. Ils sont formés selon les procédés habituels du français, principalement par la dérivation (*parleux, branleux, crémage, dépanneur, magasinage, partisanerie, chefferie, endormitoire*, etc.) et la composition (*bête puante, chat sauvage, mal-en-train, porte-poussière, pied-de-roi, sous-vêtement*, etc.). Voici une liste de québécismes assez courants:

abatis	huard	pruche
cèdre	biculturalisme	rang
érablière	coureur des bois	raquetteur
banc de neige	outarde	sapinage
ceinture fléchée	cabane à sucre	suisse (tamia)
fin de semaine	débarbouillette	traversier
batture	poudrerie	transcanadien(ne)
tabagie	tabletter	mitaine
cégep	doré	tuque
pitonnage	chefferie	magasinage
crémage (glaçage)	bas (chaussette)	partisanerie
vivoir		

On compte aussi de nombreux québécismes de sens. Ce sont des mots qui existent déjà en français commun mais dont l'usage québécois a modifié le sens originel. On trouvera une liste de quelques-uns de ces québécismes sémantiques au tableau 24.1, avec les sens québécois et français. Le problème demeure toujours celui de la proportion du lexique que représente cette catégorie d'écarts par rapport au français de France. Le fichier de l'Observatoire du français contemporain de l'Université de Montréal tend à démontrer que la catégorie des variantes sémantiques constituerait «le lot le plus important des divergences lexicales[22]» entre le français et le québécois.

FORME FRANÇAISE	SENS QUÉBÉCOIS	SENS EN FRANÇAIS STANDARD
barbier	coiffeur qui taille les cheveux et fait la barbe	coiffeur qui fait la barbe
boisson	alcool	tout liquide qui se boit
breuvage	tout liquide qui se boit	mélange pharmaceutique
bureau	meuble à tiroirs	table pour écrire
cadran	réveille-matin	surface chiffrée
claque	chaussure que l'on met par-dessus les souliers	partie de la chaussure qui entoure le pied
casque	bonnet de fourrure	coiffure de cuir ou de métal
chaudière	seau	récipient à vapeur pour produire du chauffage
fournaise	appareil de chauffage	grand four où brûle le feu
liqueur	boisson gazéifiée	boisson sucrée et aromatisée à base d'alcool
carrosse	voiture d'enfant (landau)	ancienne voiture à chevaux

TABLEAU 24.1   LES QUÉBÉCISMES DE SENS

5.3   LES EMPRUNTS À L'ANGLAIS

Il n'est pas nécessaire de revenir sur les causes et les domaines d'anglicisation du vocabulaire. Rappelons néanmoins que c'est principalement par l'intermédiaire de l'industrie et du commerce que les mots anglais ont pénétré dans le vocabulaire des Québécois. Il pouvait difficilement en être autrement, car les nouveaux produits industriels et commerciaux n'ont été connus que sous leur étiquette anglaise, alors que la population était en grande partie illettrée et mal renseignée. Au début, les mots anglais ne se sont donc pas «superposés» aux mots français, puisque ceux-ci étaient inexistants au Québec; ils ont comblé un vide, car nous n'en connaissions pas d'autres à l'époque. Encore aujourd'hui, bien des Québécois en sont au même point, et bien malgré eux.

call («appel»)	*towing* («dépanneuse»)
switch («interrupteur»)	*masking tape* («ruban-cache»)
dash («tableau de bord»)	*gyprock* («placoplâtre»)
strap («courroie»)	*styrofoam* («polystyrène»)
cap («enjoliveur»)	*locker* («armoire/case»)
fan («ventilateur»)	*break* («pause»)
choke («volet de départ»)	*boss* («patron»)
clutch («embrayage»)	*foreman* («contremaître»)
tire («pneu»)	*shed* («hangar»)
bumper («pare-chocs»)	*off* («en congé»)
stearing («volant»)	*stew* («ragoût»)
station-wagon («familiale»)	*shift* («équipe»)
cheap («bon marché»)	*steady* («régulier»)
spotlight («projecteur»)	*staff* («personnel»)
curve («courbe»)	*overtime* («heures supplémentaires»)

TABLEAU 24.2   EXEMPLES D'EMPRUNTS DIRECTS

22. Rapporté par Louis GUILBERT, «Problématique d'un dictionnaire du français québécois», dans *Langue française*, n° 31, septembre 1976, Paris, Larousse, p. 47.

FORME ADAPTÉE	FORME ANGLAISE	FORME FRANÇAISE
bécosse	*back-house*	*cabinets*
lousse/slaque	*loose/slack*	*lâche, relâché, desserré...*
paparmane	*peppermint*	*pastille de menthe*
quioute	*cute*	*coquet, joli, mignon*
ronne	*round*	*tournée*
scrigne	*screen*	*moustiquaire*
clotche	*clutch*	*embrayage*
smatte	*smart*	*gentil, aimable*
souompe	*swamp*	*marécage*
tinque	*tank*	*réservoir*

Tableau 24.3   Les emprunts naturalisés (phonétiquement)

Traditionnellement, on distingue les **emprunts directs**, les **emprunts «naturalisés»** ou **francisés** (intégrés), les **emprunts de structure** (calques) et les **emprunts sémantiques** (ou de sens).

— LES EMPRUNTS DIRECTS

Il s'agit de mots anglais conservés tels quels dans la langue d'arrivée. La prononciation étrangère est respectée, mais l'accent tonique originel peut toutefois, en français, être déplacé. Le tableau 24.2 en présente quelques exemples.

— LES EMPRUNTS NATURALISÉS

Les emprunts naturalisés se divisent en deux groupes: ceux qui ont subi des transformations phonétiques et ceux qui ont connu des adaptations morphologiques ou grammaticales; dans les deux cas, les formes anglaises ont été adaptées soit au système phonique du français, soit au système grammatical, soit aux deux en même temps.

Les adaptations phonétiques du type *bécosse* tiré de *back-house* sont généralement de formation plus ancienne que les emprunts directs. L'adaptation phonétique est le sort le plus normal des emprunts lorsqu'on ignore la langue étrangère. Depuis que les Québécois connaissent davantage l'anglais, ils n'osent plus franciser les formes anglaises; le phénomène est manifeste depuis plusieurs années. Le tableau 24.3 présente quelques exemples d'emprunts naturalisés phonétiquement. Ces emprunts ne sont pas toujours perçus comme des anglicismes par les usagers de la langue; tout à fait adaptés à la langue d'arrivée, ils sont devenus des mots francisés.

Les emprunts adaptés morphologiquement passent moins inaperçus, mais ils demeurent bien intégrés dans la langue. Le tableau 24.4 présente quelques exemples de ces emprunts. On peut constater que les lexèmes restent anglais tandis que les morphèmes greffés sont français.

— LES EMPRUNTS STRUCTURAUX

Cette catégorie d'emprunts consiste en des locutions traduites mot à mot de l'anglais; les emprunts structuraux sont parfois appelés des *calques*. Ils illustrent les interférences entre l'anglais et le français québécois, c'est-à-dire l'intrusion de l'anglais dans le franco-québécois. On en trouvera quelques exemples au tableau 24.5. L'usager de la langue est souvent incapable de déceler une origine anglaise dans ces emprunts structuraux puisqu'ils ont toutes les apparences d'une forme française.

FORME ADAPTÉE	FORME ANGLAISE	FORME FRANÇAISE
booster	*to boost*	*renforcer/survolter*
botcher	*to botch*	*bâcler, bousiller*
checker	*to check*	*vérifier*
coacher	*to coach*	*piloter*
canceller	*to cancel*	*annuler, contremander*
décréter	*to crate*	*déballer*
déclutcher	*to clutch*	*embrayer*
défroster	*to frost*	*dégivrer*
déwrencher	*to wrench*	*disloquer*

TABLEAU 24.4   LES EMPRUNTS NATURALISÉS (MORPHOLOGIQUEMENT)

MOTS COMMUNS ANGLAIS/FRANÇAIS	SENS ANGLAIS ET FRANCO-QUÉBÉCOIS	SENS EN FRANÇAIS STANDARD
record	dossier	exploit sportif
altération	réparation	détérioration ; maladie
opératrice	téléphoniste	personne qui fait fonctionner un appareil
délivrer	livrer	libérer
balance	solde	instrument pour peser
évaporé	concentré	transformé en vapeur
excessivement	extrêmement	exagérément
coutellerie	service de couverts	ensemble de couteaux
graduation	remise des diplômes	progression ; divisions sur un instrument de mesure

TABLEAU 24.5   LES EMPRUNTS SÉMANTIQUES (1)

CORRESPONDANTS FRANÇAIS-ANGLAIS	SENS ANGLAIS ET FRANCO-QUÉBÉCOIS	SENS EN FRANÇAIS STANDARD
ouverture/opening	débouché/avancement	entrée, passage
chambre/room	salle/bureau	pièce où l'on se couche (pièce spécialement aménagée)
couper/to cut	réduire/solder	supprimer
cassé/broke	être fauché	être brisé
nettoyeur/cleaner	détergent/nettoyant	personne qui nettoie
voûte/vault	chambre-forte	paroi supérieure reposant sur des piliers
bouteille/bottle	biberon	récipient à goulot étroit et contenant du vin, de la bière, etc.
frais/fresh	prétentieux	légèrement froid
vendeur/seller	très demandé	personne qui vend

TABLEAU 24.6   LES EMPRUNTS SÉMANTIQUES (2)

– LES EMPRUNTS SÉMANTIQUES

Dans le cas du franco-québécois, un emprunt sémantique est un mot français dont le sens est celui de l'anglais; la forme lexicale peut alors exister dans les deux langues. Le linguiste Gilles Bibeau explique ainsi le phénomène:

«Un tiers du vocabulaire anglais a été plus ou moins emprunté au français du Moyen Âge. Il n'est donc pas surprenant de retrouver en anglais des mots correspondant quant à la forme et au sens à des mots français. Mais l'évolution isolée de ces vocables à travers l'histoire de la langue anglaise a conféré à plusieurs d'entre eux un ou des sens supplémentaires qu'on ne retrouve pas en français standard[23].»

5.4   LE FONDS AMÉRINDIEN

Il faudrait considérer comme une classe à part les mots de source amérindienne. Quelques-uns de ceux-ci ont déjà été intégrés au français commun par le biais de l'anglais. Ce sont les romans de Fenimore Cooper (*Le Dernier des Mohicans*, 1826) et de Gustave Aymard qui ont popularisé ces termes: *tomahawk, mocassin, totem, calumet, papouse, squaw, wigwam*, etc. Les autres amérindianismes ne sont utilisés que par les Québécois et concernent surtout un petit nombre de noms d'animaux et de plantes: *achigan, ataca, babiche, maskinongé, ouaouaron, ouananiche, pécan*, etc. À cette petite liste, il faudrait ajouter les quelque 15 000 noms de lieux (toponymes) que l'on retrouve au Québec et qui sont inscrits dans le répertoire géographique du Québec: Abitibi, Chicoutimi, Magog, Québec, Rimouski, Gaspé, Chibougamau, Manicouagan, Témiscouata, Arthabaska, etc.

6   LES RÉGIONALISMES DE LA FRANCOPHONIE

Les régionalismes linguistiques ne sont pas nécessairement liés à la géographie, au sol ou au climat; ils renvoient aussi à des caractères distinctifs communs à un groupe linguistique comme la culture, la civilisation, le folklore, la religion, les valeurs morales, l'histoire, etc.

Il est possible que certains mots ou certaines expressions soient employés par plusieurs communautés locales partageant certains traits relatifs non seulement à la langue, mais aussi à la culture, à la civilisation et à l'histoire. Ainsi, *dîner* au lieu de *déjeuner* pour le repas du midi est utilisé à la fois par les francophones de Belgique, de Suisse, du Québec et par beaucoup de Français en province; cela signifie que ces différents groupes peuvent avoir vécu des événements socio-historiques identiques. Toutefois, les phénomènes liés au climat, au sol et à certaines réalités locales, occasionnent probablement des régionalismes différents pour les Belges, les Suisses, les Québécois et les Français.

Par opposition aux archaïsmes, aux emprunts et aux néologismes dont les distinctions sont relativement faciles à établir pour l'historien de la langue, les régionalismes constituent un cas à part parce qu'ils se confondent avec tous les types précédents. En effet, la distinction entre *régionalismes* et les autres termes

---

23. Gilles BIBEAU, *Nos enfants parleront-ils français?*, Montréal, Actualité, 1966 (épuisé), p. 42.

n'est qu'une question de point de vue. Le régionalisme linguistique renvoie à un groupe minoritaire (local) par rapport à l'ensemble d'une communauté partageant la même langue et il n'est pas nécessairement lié à un pays; des termes comme *belgicismes* (Belgique), *helvétismes* (Suisse) et *québécismes* (Québec), au contraire, renvoient particulièrement au pays d'où sont issus les régionalismes.

Si les régionalismes correspondent, par exemple, à des mots d'ancien français qui ont été conservés dans certaines régions alors qu'ils ne sont plus en usage dans la langue commune, on les qualifiera d'*archaïsmes*. Dans certains cas, ce sont des mots existant dans la langue commune mais dont le sens a été modifié. On parlera alors de *québécisme sémantique* (*brassière* pour «soutien-gorge»), de *belgicisme sémantique* (*boule* dans le sens de «bonbon»), d'*helvétisme sémantique* (*fourrure* pour «doublure d'un vêtement»), etc. Lorsque de nouveaux mots sont créés pour désigner des réalités locales pour lesquels le français commun n'a pas d'équivalent, on parlera simplement de *belgicisme* (de forme), d'*helvétisme*, de *québécisme*, etc.

Les régionalismes peuvent être également des mots ou expressions formés partiellement avec des éléments du français commun, sans désigner des réalités spécifiquement locales; il s'agit alors de néologismes, même si la création est locale et l'emploi limité à une région. Enfin, des mots peuvent provenir d'une langue étrangère avec laquelle le français régional est en contact immédiat; ce sont des emprunts.

Les régionalismes n'existent pas seulement au Québec, en Belgique ou en Suisse: ils sont nombreux en France, aux Antilles, en Afrique, dans la région de l'océan Indien et en Polynésie française. De plus, les régionalismes n'apparaissent pas seulement dans le lexique, mais aussi, comme nous l'avons vu, dans la phonétique et la grammaire.

Tous les régionalismes provenant de divers pays francophones peuvent être appelés *francophonismes*, et ce, qu'ils soient d'origine française, belge, suisse, québécoise, antillaise, mauricienne ou ivoirienne. Ils montrent qu'il y a différentes façons d'employer la langue commune et que la coexistence de plusieurs normes n'empêche pas celle-ci de demeurer française.

6.1   LES RÉGIONALISMES DE FRANCE

Les régionalismes français sont demeurés vivants en France. Ils prennent parfois la forme d'archaïsmes dans les parlers régionaux; on parle alors de *provincialismes* ou de *dialectalismes*. Rappelons que l'implantation du français dans la plupart des régions de France est très ancienne et que, durant des siècles, il y a eu coexistence des parlers locaux et du français commun. Il est donc normal que les langues régionales de France recèlent une quantité appréciable d'archaïsmes qui se sont maintenus malgré tout. Voici quelques exemples de régionalismes (ou provincialismes):

achaler: «mettre en état de gêne» (Poitou)
achaler: «causer de la chaleur» (Saintonge)
bébelle: «tout objet qui semble beau à un petit enfant» (Lorraine)
beigne: «gifle, coup» (Lorraine)

berniques: «lunettes» (Berry)

bibite: «bête quelconque» (Maine)

blonde: «jeune fille que l'on courtise» (Anjou)

bouette: «mangeaille des bestiaux» (Normandie)

bretter: «mendier» (Berry)

calotte: «casquette» (Normandie)

chiotte: «vieille voiture» (Provence)

créature: «femme» (Berry, Normandie, Saintonge)

déviandé: «amaigri» (Lyonnais)

échauffaison: «échauffement» (Touraine)

fesser: «fouetter» (Saintonge)

fève: «haricot» (Maine)

fionner: «embellir» (Maine)

limer: «faire semblant de pleurer» (Maine)

malpatient: «impatient» (Berry)

morpion: «morveux» (Bretagne)

motton: «petite motte» (Maine)

ouvrer: «travailler» (Picardie)

péteux: «homme sans courage» (Anjou)

pioche: «qui a la tête dure» (Bretagne)

vernailler: «rôder» (Poitou)

Dans les grandes villes, on pourrait dire que ce sont les argotismes qui font figure de régionalismes. Toutefois, ces «régionalismes» ne sont pas nécessairement employés par toute la population d'une ville; ils peuvent être plus ou moins limités aux milieux populaires. Les exemples que l'on trouvera ici donnent une bonne idée des termes utilisés pour désigner certaines réalités courantes:

abbesse: «maîtresse d'une maison de tolérance»

abri (être à l'): «être malin, intelligent»

accrocs: «mains»

aigle: «voleur»

bête-à-cornes: «fourchette»

biche (ça): «ça va bien»

biffeton: «lettre, billet»

blave: «cravate»

bleuet: «billet de banque»

bogue: «montre»

cabestan: «agent de police»

danser: «payer, mourir»

débine: «misère»

effacer: «manger, boire»

escargot: «vagabon; agent de police»

fille: «bouteille»

gonzesse: «femme»

homme de lettres: «faussaire»

joseph: «mari trompé»

lard (sauver son): «éviter un danger»

lavette: «langue»

mec: «souteneur; individu méprisable»

menteuse : «langue»

paillasse : «fille publique»

paillasse : «amant»

péchon : «enfant»

pince-sans-rire : «agent de police»

planque : «cachette»

polonais : «souteneur»

radis : «monnaie»

renifleur : «agent de police»

rossignol : «fausse clé»

saigner : «assassiner»

serin : «gendarme»

sorbonne : «tête»

tapette : «bavard»

tire-môme : «sage-femme»

tourne-vis : «gendarme»

vache : «prostituée; dénonciateur; agent de police»

vermine : «avocat»

vingt-deux : «poignard, couteau»

zigue : «camarade, ami»

6.2   LES BELGICISMES

Les belgicismes sont des termes employés en français régional de Belgique. Cela ne signifie pas que tous les francophones (4,1 millions) de Belgique utilisent ces régionalismes, car, comme tout français régional, le français régional de ce pays n'a pas d'unité. Toutefois, les belgicismes sont représentatifs des régionalismes de cette région de la francophonie plus perméable à l'influence des langues germaniques.

athénée : «lycée de garçons» (parfois mixte)

aubette : «abribus; kiosque à journaux»

avant-midi : «matinée»

belle-mère : «lavette» (vaisselle)

bretteur : «quelqu'un qui a un fort tempérament»

brosseur : «écolier fugueur»

café : «goûter» (repas que l'on prend vers 16 h)

chicon : «endive»

commune à facilités : «commune flamande dans laquelle le résident francophone bénéficie de certaines concessions linguistiques»

coureries : «allées et venues»

décauser : «dénigrer ou dire du mal de quelqu'un»

dîner : «repas du midi»

dix heures : «collation au milieu de la matinée»

doubleur : «élève qui redouble une classe»

drève : «avenue bordée d'arbres»

ducasse : «fête paroissiale»

entièreté : «intégralité» (tout ce qu'il y a à faire)

essuie-vaisselle : «torchon à vaisselle»

fourche : «trou d'une ou de plusieurs heures dans un emploi du temps»

grenailles errantes : «gravillons» (sur une route)

guindaille : «réunion joyeuse, beuverie»

légumier : «vendeur de légumes»

loque à poussière : «torchon servant à nettoyer le plancher»

louangeur : «personne qui loue des voitures»

minerval : «frais de scolarité»

minque (fém.) : «halle où l'on vend du poisson dans les ports belges»

mofleur : «professeur inflexible aux examens»

moutardé : «garni ou assaisonné de moutarde»

octante : «quatre-vingt»

pelle à balayures : «pelle à poussière»

pistolet : «petit pain rond»

poêlon : «casserole»

pomme pétée : «pomme de terre en robe de chambre»

raccusette : «personne qui rapporte facilement ce qu'elle a entendu»

ramassette : «petite pelle à poussière»

réciproquer : «adresser en retour des vœux ou des souhaits»

sacoche : «sac de dame»

savonnée : «petite lessive faite à la main»

s'il vous plaît : «merci»

souper : «repas du soir»

soutien : «soutien-gorge»

taiseux : «qui parle peu»

vassingue : «torchon à nettoyer le plancher»

vestiairiste : «personne chargée du vestiaire»

6.3   LES HELVÉTISMES

Alors que les Wallons sont soumis à l'influence de la langue néerlandaise, les francophones de la Suisse romande subissent l'influence de l'allemand. Un certain nombre des helvétismes proviennent donc de cette langue. Néanmoins, la plupart des régionalismes des francophones suisses (1,3 million) proviennent du vieux fonds français.

agace : «cor au pied»

automate : «distributeur automatique»

barboteuse : «femme bavarde»

bourgeois : «personne qui a droit de cité dans une commune»

cachemaille : «tirelire»

canne de ski : «bâton de ski»

cassette : «petite casserole»

chafetane : «cafetière»

chambre à manger : «salle à manger»

cloche : «pendule»

couenne : «croûte de fromage»

couverte : «couverture»

cuissettes : «short de sport»

déjeuner : «repas du matin» (petit déjeuner)

dîner : «repas du midi»

drache (fém.) : «averse»

dringuelle (fém.) : «pourboire»

écolage : «frais de scolarité»

femme d'ouvrage : «femme de ménage»

fermoir-éclair : «fermeture à glissière»

fourrure : «doublure»

gonfle : «congère»

gozette (fém.) : «chausson aux pommes»

grenette : «marché couvert»

huitante : «quatre-vingt»

imperdable (fém.) : «épingle de sécurité»

linge de bain : «serviette de bain»

neigeoter : «neiger faiblement»

nonante : «quatre-vingt-dix»

ordré : «qui est en ordre»

pain français : «baguette»

pintocher : «s'adonner à la boisson»

plain-pied : «rez-de-chaussée»

ramassoire : «pelle à poussière»

sacoche : «sac à main»

salée : «galette salée»

septante : «soixante-dix»

sommelière : «serveuse»

sous-tasse : «soucoupe»

tremblette (*avoir la*) : «avoir la tremblote»

verrée : «moment d'une réunion où l'on offre à boire»

votation : «vote intervenant par initiative populaire» (référendum)

witloof (masc.) prononcé [witlof] : «endive»

6.4   LES VALDÔTISMES

Les valdôtismes sont des régionalismes utilisés en français du Val d'Aoste, région d'Italie où subsistent encore quelque 60 000 «francophones» dont la langue maternelle est le franco-provençal. En fait, c'est le trilinguisme qui prévaut dans le Val d'Aoste: italien, français, franco-provençal. Il est certain que, dans cette région de hautes montagnes longtemps coupée de la France, l'influence de la langue italienne a été très forte. Rappelons aussi que, contrairement aux francophones de France, de Belgique, de Suisse ou du Canada, les «francophones» du Val d'Aoste parlent le franco-provençal comme langue maternelle et non le français.

barlette : «petit tonneau»

campanilisme : «esprit de clocher»

chosette : «petite chose»

comprendre à grosses tranches : «comprendre globalement»

enfant de fortune : «enfant naturel»

faire une passade : «arriver et s'en retourner rapidement»

fontine (fém.) : «fromage de chèvre à pâte cuite»

gant de Paris : «condom»

géline (fém.) : «poule»

mayen (masc.) : «maison construite en altitude qui permet de séjourner en montagne à partir du mois de mai»

montagnette : «petite montagne»

monter dans la lune: «être ivre»

prémaman: «femme enceinte»

prénoter: «prendre rendez-vous»

soupette: «potage non passé»

toquette: «femme stupide»

6.5   LES HAÏTIANISMES

Les haïtianismes dont il est question ici correspondent à des régionalismes utilisés en français d'Haïti. Il ne s'agit pas de mots créoles mais bien de régionalismes du français. Les haïtianismes proviennent du vieux fonds français ou d'emprunts sémantiques au créole. Rappelons que la langue maternelle des Haïtiens est le créole, non le français.

aller à la commode: «aller aux toilettes»

assesseur: «conseiller municipal»

avoir la bouche sucrée: «mal prononcer le français; éprouver de sérieuses difficultés de prononciation»

baroque: «impoli, mal élevé»

bébé: «belle femme»

bêtiser: «raconter des bêtises»

bonjour: ne se dit que jusqu'à midi

bonsoir: ne se dit qu'à partir de midi

bourgeois: «personne riche»

cale: «petit morceau» (de pain, de viande, etc.)

chérant: «commerçant qui vend à un prix excessif»

chèqueur: «personne qui touche un salaire sans rien faire»

cocotte: mot d'amitié à une femme; «vagin»

commère: mot d'amitié qui s'adresse à n'importe quelle femme; «amie, femme bavarde, mère de l'enfant (par rapport à la marraine)»

compère: mot d'amitié qui s'adresse à n'importe quel homme; «parrain (par rapport au père) ou père de l'enfant (par rapport au parrain)»

crasse: «avare, chiche»

déchouquage: «action de se débarrasser d'adversaires politiques»

distrait: «atteint de folie»

(être) gonflé: «être victime d'une indigestion»

heure haïtienne: «heure approximative correspondant à un retard assez important»

machine: «voiture, automobile»

macoute: «récipient ou sac fait de grosse toile; homme de main (politique)»

morne: «petite montagne isolée de forme arrondie»

patate (gagner une): «gagner son pain»

père (le): «le curé»

pratique: «clientèle»

sérieux comme un pain rassis

tap-tap: «petit autobus» (plus ou moins inconfortable)

tonton-macoute: «homme de main» (politique)

zhabitant: «personne qui habite la campagne»

zin: «petite histoire»

6.6   LES FRANCOPHONISMES DE LA MARTINIQUE ET DE LA GUADELOUPE

Comme dans le cas d'Haïti, les régionalismes français de la Martinique et de la Guadeloupe proviennent de la souche antillaise et créolophone. Là aussi, les archaïsmes français sont fréquents, mais les constructions populaires abondent également. Seuls les Français habitant la Martinique et la Guadeloupe ont le français comme langue maternelle; les autochtones l'utilisent comme langue seconde, car ils parlent le créole.

argent braguette : «allocations familiales»

bailler : «donner»

biguine : danse traditionnelle des Antilles

bombe : «petit car (bus) rapide»

cabaret : «plateau»

commère : «amie; femme bavarde; mère de l'enfant (par rapport à la marraine)»

compère : «parrain» (par rapport au père) ou «père de l'enfant» (par rapport au parrain)

couleuvre : «boa»

couresse : «couleuvre»

grand-bras : variété de grosses crevettes

morne : «petite montagne isolée de forme arrondie»

queue-rouge : variété de grosses crevettes

ti-bois : sorte de tambour

trace : «sentier en montagne»

zhabitant : «personne qui habite la campagne»

zouker : «danser sur du zouk» (danse)

6.7   LES FRANCOPHONISMES DE L'OCÉAN INDIEN

Les pays francophones de l'océan Indien partagent avec les Antilles un fonds créolophone. Les régionalismes de cette région du monde francophone sont donc caractérisés par le recours aux archaïsmes et à des emprunts locaux. Les pays dont il sera question ici sont l'île de la Réunion et l'île Maurice, îles dont les habitants parlent le créole comme langue maternelle et le français comme langue seconde.

âge cochon : «adolescence» (Maurice)

argent-z'enfants : «allocations familiales»

avoir la coco dur : «avoir la tête dure»

bazardier : «commerçant d'un marché» (Maurice)

bureau de deuil : «entreprise de pompes funèbres» (Maurice)

cocasse : «mignon» (Maurice)

commandeur : «contremaître»

contour : «virage»

couillonnisse : «imbécillité, idiotie, bêtise»

cuiteur : «légèrement pris de boisson»

culottes grandes manches : «pantalon long»

cuscute : «importun» (Maurice)

fariner : «pleuvoir d'une pluie fine»

goûter : «petit déjeuner»

gros-doigt : «personne maladroite»

hisser-pousser (masc.): «marchandage» (Maurice)

mariage derrière la cuisine: «relations sexuelles clandestines»

piton: «toute élévation du relief»

rhumé: «ivre» (de rhum)

soulaison: «être ivre»

tortue-bon-Dieu: «coccinelle»

virer son pantalon: «retourner sa veste» ou «changer d'idée» (cf. *virer capot,* au Québec)

zhabitan: «cultivateur; demeuré»

6.8   LES NÉO-CALÉDONISMES

Les régionalismes employés dans le français de la Nouvelle-Calédonie, peuplée de 133 233 habitants dont 47 % de Mélanésiens et 39 % de Français, sont appelés des *néo-calédonismes*. Le français de cette région du Pacifique doit à l'anglais un certain nombre de ses mots. Les Néo-Calédoniens d'origine mélanésienne utilisent le français comme langue seconde, tandis que les Français l'utilisent évidemment comme langue maternelle.

baby-boy: «bébé mâle»

boîte à sardines: «habitation en tôle, surpeuplée»

broussard: «quelqu'un qui habite hors de la capitale (Nouméa)»

buggy: «véhicule léger, haut sur quatre roues, et tiré par un cheval «

canaque: «Mélanésien»

cash: «(payé) argent comptant»

coaltar (masc.): «goudron»

creek: «cours d'eau»

djumper: «accaparer»

emboucané: «empoisonné»

féminines: «femmes»

gratteur: «coureur de jupons»

hachot: «hachette»

jeannerie: «boutique de jeans»

lotomanie: «manie de la loterie»

mutoï: «policier»

nordiste: «qui est originaire du nord de la France (Paris)»

package: «voyage organisé» (par une agence)

peep: «jeep»

pétrolette: «canot automobile»

piquette: «bière maison»

popinette: «jeune fille» (mélanésienne)

poquène (masc.): «anglophone»

samouraï: «travailleur immigré d'origine japonaise»

sandwich (masc.): «immigré de l'île Vaté (ou Sandwich)»

tayo (masc.): «ami; homme»

trou d'eau: «puits»

varande (fém.): «véranda»

6.9   LES AFRICANISMES

Les africanismes sont des régionalismes utilisés en français dans les pays d'Afrique francophone. Les anciennes colonies françaises du continent africain ont développé un certain nombre de termes spécifiques utilisés par les élites qui connaissent le français. Certains vocables désignent des réalités régionales et plusieurs correspondent à des formations populaires. Rappelons que pour les Africains d'origine le français n'est utilisé que comme langue seconde.

aller au bord: «faire ses besoins dans la nature» [au bord de l'eau] (Côte d'Ivoire)

alphabète: «personne qui a appris à lire et à écrire» (Burkina Faso)

ambiancer: «faire la fête» (Sénégal)

article quinze: «système D» (Zaïre)

avocat: «bénéficiaire d'un pot-de-vin» (Zaïre)

avoir la bouche sucrée: «aimer parler» (Bénin)

avoir la bouche qui marche beaucoup: «avoir la langue bien pendue» (Centrafrique)

avoir une grande bouche: «avoir la langue bien pendue» (Niger)

avoir une mémoire de poule: «avoir une tête de linotte» (Mali)

balle perdue: «enfant conçu hors mariage» (Togo)

bandicon: «imbécile» (Mali)

berceuse: «bonne d'enfant» (Burkina Faso)

blanc-bec: «Blanc incompétent» (Zaïre)

bœuf à bosse: «zébu» (Mali)

bonne arrivée: formule de bienvenue (Bénin)

bonsoir: «bonjour» (Zaïre)

bordel: «prostituée» (Togo)

bouffement: «nourriture» (Tchad)

boule de neige: «chou-fleur» (Sénégal)

boyesse (fém.): de *boy*, «femme de ménage» (Zaïre)

broussard: «personne qui habite la province» (Sénégal)

cabiner: «faire ses besoins» (Sénégal)

camembérer: «sentir des pieds» (Sénégal)

campusard: «étudiant qui habite le campus universitaire» (Zaïre)

chameau: «dromadaire» (Maroc)

change (masc.): «monnaie à rendre» (Togo)

chercher le marché: «courir les filles» (Togo)

chicoter: «frapper avec la chicote [= cravache] » (Togo)

cigaretter: «fumer des cigarettes» (Togo)

concourant: «candidat à un concours» (Burkina Faso)

copiste: «copieur, tricheur» (Mali)

débrouillé: «personne qui se débrouille dans une langue étrangère» (Mali)

démarreur sexuel: «vendeur d'aphrodisiaques» (Côte d'Ivoire)

deuxième bureau: «maîtresse d'un homme marié» (Bénin)

enceinter: «rendre enceinte» (Togo)

essencerie: «station service» (Sénégal)

être au besoin: «aller aux toilettes» (Togo)

faire coup d'État: «prendre à quelqu'un son ou sa petit(e) ami(e)» (Mali)

faire le ronron: «se rendre intéressant, faire le malin» (Côte d'Ivoire)

faire les couloirs: «se faire recommander pour obtenir une faveur» (Mali)

faire ses besoins: «vaquer à ses occupations» (Sénégal)

femme savante: «étudiante de l'université» (Zaïre)

fiançailles académiques: «liaison éphémère durant l'année universitaire» (Zaïre) *fonctionner*: «être fonctionnaire» (Togo)

gagner l'enceinte: «être enceinte» (Bénin)

gagner son mil: «gagner son pain» (Togo)

gargote: «petit restaurant bon marché» (Sénégal)

gossette: «petite amie» (Sénégal)

heure africaine: «heure approximative correspondant à un retard assez
    important» (Sénégal)

indexer: «indiquer du doigt» (Burkina Faso)

jaguar (être): «être élégant et à la mode» (Bénin)

lampion: «dispositif lumineux placé sur le toit d'un taxi» (Sénégal)

londonienne: «prostituée des boîtes à Blancs» (Zaïre)

macas: «pâtes alimentaires» (Niger)

ménagerie: «travaux ménagers» (Bénin)

pain chargé: «sandwich» (Sénégal)

parentisme: «népotisme» (Togo)

portier: «gardien de but au football» (Sénégal)

radio-trottoir (fém.): «diffusion d'informations parallèle au discours politique
    officiel» (Zaïre)

serruté: «fermé à clef» (Sénégal)

slipé: «qui porte un slip» (Sénégal)

sous-marin: «amant d'une femme» (Bénin)

se toiletter: «se laver» (Bénin)

typesse: «femme de peu d'intérêt» (Togo)

valise diplomatique: «attaché-case» (Zaïre)

vélo poum-poum: «vélomoteur» (Mali)

vidange (fém.): «bouteille vide» (Rwanda)

zognon: «oignon» (Centrafrique)

zondomiser: «éliminer un rival de façon violente» (Zaïre)

À RETENIR

▷ L'ancien français du XIIᵉ siècle se caractérise par la surabondance de son phonétisme. Il avait conservé à peu près toutes les consonnes du latin; toutefois, il connaissait la constrictive [v] inconnue en latin, ainsi que les dentales constrictives [θ] et [δ]. De plus, même s'il ignorait les chuintantes [ʃ] et [ʒ], l'ancien français avait développé quatre affriquées, mouillait les [l] dans certaines positions, prononçait les consonnes finales, roulait les [r] et nasalisait les consonnes sous l'entourage d'une voyelle nasale.

▷ En ce qui a trait aux voyelles, l'ancien français avait développé un système impressionnant de 33 phonèmes: 9 voyelles orales, 5 voyelles nasales, 11 diphtongues orales, 5 diphtongues nasalisées, 3 triphtongues; notons aussi la présence du [ə] sourd et la nasalisation des voyelles.

▷ Contrairement au français d'aujourd'hui, l'ancien français possédait un système graphique qui correspondait à la prononciation; toutes les lettres se prononçaient, y compris les consonnes finales. C'était donc une écriture phonétique relativement perfectionnée et unifiée.

▷ Le système consonantique du moyen français (19 phonèmes) se révèle plus simple que celui de l'ancien français; si ce n'était du [λ] mouillé, du [h] et du [r] roulé (dental), il se rapprocherait beaucoup de celui du français moderne (17 phonèmes) auquel il faut ajouter les trois semi-consonnes.

▷ L'ancien français n'a conservé que trois des cinq déclinaisons du latin, et ce, dès la période romane. Seuls le cas sujet (CS) et le cas régime (CR) ont subsisté.

▷ De façon générale, la marque du genre (masculin, féminin ou neutre) apparaissait en latin à la finale des noms et des adjectifs sous forme de désinence. Dans sa lente évolution vers le français, le latin a perdu le neutre qui a été absorbé par le masculin, et beaucoup de mots d'ancien français ont changé de genre au cours du Moyen Âge.

▷ L'ancien français a développé un système d'articles à partir des démonstratifs *ille/illa/illud* qui ont donné les déterminants appelés «articles définis». Ceux-ci n'étaient pas employés systématiquement comme en français moderne, car on avait tendance à ne les utiliser qu'avec les noms déjà connus.

▷ La numération que l'on utilise en français moderne est relativement complexe, car elle provient à la fois du système décimal latin, du système vicésimal germanique et d'un système logique.

▷ En ce qui a trait aux verbes, nous devons à l'ancien français la création de deux nouvelles formes, le futur en *-rai* et le conditionnel en *-rais*, ainsi que l'emploi du *que* pour marquer le subjonctif. De plus, l'ancien français a réduit les radicaux des verbes, la forme la moins employée étant devenue de plus en plus rare et ayant fini par disparaître.

▷ Au XIVe siècle, le système vocalique s'est grandement simplifié. Il conserve les neuf voyelles orales de l'ancien français, mais il perd la plupart des nombreuses voyelles nasales et la quasi-totalité des diphtongues. De 33 voyelles, le moyen français passe à 16: neuf orales, six nasales et une dernière diphtongue. Les diphtongues vont demeurer plus longtemps dans les parlers régionaux, probablement jusqu'au XVIIIe siècle.

▷ À partir du XIVe siècle, l'orthographe médiévale devient résolument étymologique. Ce changement est imposé par les grammairiens de l'époque, mais surtout par les hommes de loi et les fonctionnaires qui s'approprient le domaine de l'écriture. Au lieu de débarrasser la langue des parasites occasionnés par son évolution et d'aménager l'alphabet en conséquence, les érudits ont réussi à compliquer une situation déjà obscure, accroissant ainsi le fossé entre la langue écrite et la langue parlée.

▷ C'est au XVIe siècle qu'apparaît la règle actuelle de l'accord du participe passé employé avec *avoir*. Nous la devons à Clément Marot; celui-ci l'a empruntée à un professeur italien qui enseignait le français à des Italiens et qui essayait de trouver un système sous-jacent au fonctionnement du participe passé.

▷ Au XVIIIe siècle, la langue française se rapproche beaucoup de l'état où elle se trouve actuellement. Son système phonologique est, dans ses grandes lignes, à peu près identique à celui du français contemporain. Le système consonantique, lui, est en tous points semblable avec ses 17 consonnes, et le système vocalique s'apprête à devenir ce qu'il est aujourd'hui.

▷ Contrairement aux siècles précédents où la prononciation influençait la graphie, la tendance au XVIIIe siècle est de calquer la prononciation sur la graphie, notamment en prononçant les lettres «étymologiques».

▷ Avec la Révolution française, la prononciation en [wa] supplante définitivement la prononciation en [we], en [wɛ] ou en [ɛ], sauf dans les régions rurales. C'est au XVIIIe siècle également que naissent les oppositions phonologiques modernes du type [o] ou [ɔ], [ø] ou [œ] et [a] ou [ɑ].

▷ La réforme de l'orthographe était rendue nécessaire au XVIIIe siècle, car l'écart entre la langue écrite et l'usage réel de la langue parlée s'était accentué depuis le XVIe siècle. Mais l'entreprise a en partie échoué: l'Académie française n'a examiné qu'environ 30 % des mots «réformables» sans effectuer de réforme méthodique globale. La pression unificatrice a fini par imposer l'usage établi par l'Académie et celui-ci est devenu, à peu de choses près, le code qui nous régit aujourd'hui.

▷ Les unités phonologiques consonantiques du français québécois correspondent à celles du français standard. Seules quelques réalisations phonétiques diffèrent, car la plupart des consonnes ne connaissent que les réalisations du français standard; on peut relever des variations propres au français populaire d'ici ou de France, mais elles proviennent toutes d'archaïsmes phonétiques que l'on observe encore en maints parlers régionaux de France ou des Antilles.

▷ Parmi les caractéristiques les plus importantes du franco-québécois, signalons le phénomène de l'affrication des consonnes [t] et [d], la palatalisation, l'aspiration, la prononciation des consonnes finales, l'ouverture des voyelles [i], [y], [u], la diphtongaison, le maintien des oppositions phonologiques de longueur ainsi que d'autres archaïsmes phonétiques comme la prononciation en [we] ou en [wɔ].

▷ Le patrimoine héréditaire du vocabulaire comprend les mots de la préhistoire du français, c'est-à-dire ceux qui sont entrés dans la langue latine ou dans la langue romane avant que n'apparaisse la langue française. Il s'agit d'un certain nombre de «reliques gauloises», mais aussi de mots constituant le fonds latin lui-même, auxquels il faut ajouter les emprunts grecs faits par le latin et les emprunts germaniques faits par le roman.

▷ Dès le IXᵉ siècle, c'est-à-dire dès l'apparition du plus ancien français, la langue a puisé directement dans le latin les mots qui lui manquaient. Il était normal que l'on songe à recourir au latin, langue que tout lettré connaissait. Dans de nombreux cas, le mot emprunté vient combler un vide; dans d'autres cas, il double (d'où les *doublets*) un mot latin d'origine et les deux formes (celle du latin populaire et celle de l'emprunt savant) coexistent avec des sens et des emplois toujours différents.

▷ Au cours de son histoire, le français a emprunté des mots étrangers surtout à l'arabe, au néerlandais, à l'allemand, aux langues scandinaves, à l'espagnol, au portugais, à l'italien et à l'anglais; il a également emprunté un petit nombre de termes à quelques langues amérindiennes, à l'hindi, au tamoul, au télougou, au malais, au chinois, au japonais, au swahili, au wolof, au créole, mais aussi aux dialectes de France; il a même puisé dans les noms propres de lieux et les noms propres de personnages plus ou moins célèbres.

▷ Le français n'a pas seulement emprunté des mots, il a également contribué à l'enrichissement d'autres langues en donnant un certain nombre de ses mots à l'anglais, à l'espagnol, à l'allemand, à l'italien, au roumain, au russe, au vietnamien, etc. Les locuteurs de ces langues ignorent bien souvent qu'ils utilisent des mots français dans leurs conversations, car la plupart des mots empruntés ont été intégrés dans la langue emprunteuse.

▷ Au point de vue historique, le vocabulaire du franco-québécois provient de cinq sources différentes: le fonds français (ou vocabulaire commun), un fonds de mots français archaïques, un fonds proprement québécois, un fonds anglo-saxon et un fonds amérindien.

▷ Les régionalismes n'existent pas seulement au Québec, en Belgique ou en Suisse. Ils sont également nombreux en France, aux Antilles, en Afrique, dans la région de l'océan Indien et en Polynésie française. Les régionalismes provenant de plusieurs pays francophones peuvent être appelés *francophonismes*, et ce, qu'ils soient d'origine française, belge, suisse, québécoise, antillaise, mauricienne ou ivoirienne. Ils montrent qu'il y a différentes façons d'employer la langue commune et que la coexistence de plusieurs normes n'empêche pas celle-ci de demeurer française.

BIBLIOGRAPHIE

ALLIÈRES, Jacques. *La formation de la langue française*, Paris, P.U.F., coll. «Que sais-je?», nᵒ 1907, 1982.

ANDERSON, James M. «Historical linguistics», dans *Contemporary Linguistic Analysis*, Toronto, Copp Clark Pitman Ltd., 1987, pp. 193-226.

ANGLADE, Joseph. *Grammaire élémentaire de l'ancien français*, Paris, Librairie Armand Colin, 1965.

BACQUET, Paul. *Le vocabulaire anglais*, Paris, P.U.F., coll. «Que sais-je?», nᵒ 1574, 1974.

BÆTENS BÆARDSRORE, Hugo. *Le français régional de Bruxelles*, Bruxelles, Presses Universitaires de Bruxelles, 1971.

BATANY, Jean. *Français médiéval*, Paris, Bordas, 1972.

BEAUCHEMIN, Normand et Pierre MARTEL. *Vocabulaire fondamental du québécois parlé*, Document de travail n° 13, Sherbrooke, Université de Sherbrooke, 1979.

BOISVERT, Lionel *et al. Dictionnaire du français québécois*, volume de présentation, Sainte-Foy, Les Presses de l'Université Laval, 1985.

BOURCIEZ, E. et J. *Phonétique française, étude historique*, Paris, Éditions Klincksieck, 1971.

BOWMAN, Frank Paul, *L'Abbé Grégoire évêque des Lumières*, Paris, Éditions France-Empire, 1988.

BRUCKER, Charles. *L'étymologie*, Paris, P.U.F., coll. «Que sais-je?», n° 1122, 1988.

BRUNOT, Ferdinand et Charles BRUNEAU. *Précis de grammaire historique de la langue française*, Paris, Masson & Cie, 1949.

BURNEY, Pierre. *L'orthographe*, Paris, P.U.F., coll. «Que sais-je?», n° 685, 1967.

CAPUT, Jean-Pol. *La langue française, histoire d'une institution, tome Ier, 842-1715*, Paris, Larousse, 1972.

CAPUT, Jean-Pol. *La langue française, histoire d'une institution, tome II, 1715-1974*, Paris, Larousse, 1975.

CARTON, Fernand. *Introduction à la phonétique du français*, Paris, Bordas, 1974.

CHAURAND, Jacques. *Histoire de la langue française*, Paris, P.U.F., coll. «Que sais-je?», n° 167, 1969.

CHAURAND, Jacques. *Introduction à l'histoire du vocabulaire français*, Paris, Bordas, 1977.

CHAURAND, Jacques. «Panorama historique de la prononciation française», dans *Qui-vive international*, n° 5, Paris, 1987.

COHEN, Marcel. *Histoire d'une langue: le français*, Paris, Éditions sociales, 1967.

COLIN, Jean-Paul. *Trésor des mots exotiques*, Paris, Librairie Classique Eugène Belin, 1986.

COLLART, Jean. *Grammaire du latin*, Paris, P.U.F., coll. «Que sais-je?», n° 1234, 1966.

COLPRON, Gilles. *Les anglicismes au Québec*, Montréal, Beauchemin, 1970.

DANSEL, Michel. *Dictionnaire des inconnus aux noms communs*, Paris, Encre Éditions, 1979.

DAUZAT, Albert. *Tableau de la langue française*, Paris, Petite Bibliothèque Payot, 1967.

DELOFFRE, Frédéric et Jacqueline HELLEGOUARC'H. *Éléments de linguistique française*, Paris, Éditions C.D.U. et SEDES réunies, 1983.

DEPECKER, Loïc. *Les mots de la francophonie*, Paris, Librairie Classique Eugène Belin, 1988.

DOPPAGNE, Albert. *Les régionalismes du français*, Paris-Gembloux, Duculot, 1978.

DUMAS, Denis. *Nos façons de parler*, Montréal, Presses de l'Université du Québec, 1987.

ÉLUERD, Roland. *Ces mots qui ont perdu leur latin*, Paris, Éditions Pierre Belfond, 1989.

FORGUE, Guy Jean. *Les mots américains*, Paris, P.U.F., coll. «Que sais-je?», n° 1660, 1976.

FORGUE, Guy Jean et Raven I. McDAVID. *La langue des Américains*, Paris, Aubier Montaigne, 1972.

GENDRON, Jean-Denis. *Tendances phonétiques du français parlé au Canada*, Paris/Québec, Klincksieck/Presses de l'Université Laval, 1966.

GOUGENHEIM, Georges. *Grammaire de la langue française du 16e siècle*, Paris, Éditions A. & J. Picard, 1974.

GRANDSAIGNES D'HAUTERIVE, R. *Dictionnaire d'ancien français*, Paris, Larousse, 1947.

GREVISSE, Maurice. *Le bon usage*, Paris-Gembloux, Duculot, 1986, douzième édition refondue par André Goosse.

GROU, François et Paul PUPIER. «Le [t] standard et les alternances vocaliques du français de Montréal», dans *Cahier de linguistique*, n° 4, Montréal, Presses de l'Université du Québec, 1974, pp. 57-67.

GUIRAUD, Pierre. *L'ancien français*, Paris, P.U.F., coll. «Que sais-je?», n° 1056, 1965.

GUIRAUD, Pierre. *Les mots étrangers*, Paris, P.U.F., coll. «Que sais-je?», n° 1166, 1965.

GUIRAUD, Pierre. *Le français populaire*, Paris, P.U.F., coll. «Que sais-je?», n° 1172, 1965.

GUIRAUD, Pierre. *Le moyen français*, Paris, P.U.F., coll. «Que sais-je?», n° 1086, 1966.

GUIRAUD, Pierre. *Patois et dialectes français*, P.U.F., coll. «Que sais-je?», n° 1285, 1968.

HERMAN, Joseph. *Le latin vulgaire*, Paris, P.U.F., coll. «Que sais-je?», n° 1247, 1970.

HUCHON, Mireille. *Le français de la Renaissance*, Paris, P.U.F., coll. «Que sais-je?», n° 2389, 1988.

INSTITUT NATIONAL DE LANGUE FRANÇAISE. *Observatoire du français dans le Pacifique*, Paris, Didier-Érudition, 1983.

LA RUE, Jean. *Dictionnaire d'argot*, Paris, Flammarion, 1987 (fac-similé de l'édition de 1949).

LECLERC, Jacques. *Qu'est-ce que la langue?*, Laval (Québec), Mondia, 1979.

LECLERC, Jacques. *Langue et société*, Laval (Québec), Mondia, 1986.

LE CORNEC, Jacques. *Quand le français perd son latin*, Paris, Société d'édition Les Belles Lettres, 1981.

MANIET, Albert. *La phonétique historique du latin*, Paris, Klincksieck, 1975.

MARTINET, André. *Le français sans fard*, Paris, P.U.F., 1969.

PAQUOT, Anette. *Les Québécois et leurs mots*, Québec, Conseil de la langue française/Presses de l'Université Laval, 1988.

POMPILUS, Pradel. *Contribution à l'étude comparée du créole et du français à partir du créole haïtien*, Port-au-Prince, Éditions Caraïbes, 1973.

RAYNAUD, Franziska. *Histoire de la langue allemande*, Paris, P.U.F., coll. «Que sais-je?», n° 1952, 1982.

RAYNAUD DE LAGE, Guy. *Introduction à l'ancien français*, Paris, Société d'édition d'enseignement supérieur, 1962.

ROSENSTIEHL, Agnès. *Le livre de la langue française*, Paris, Gallimard, 1985.

SÉGUIN, J.-P. *La langue française au XVIIIe siècle*, Paris, Bordas, 1972.

VAN DÆLE, Hilaire. *Phonétique historique du français*, Paris, Hatier, 1926.

WALTER, Henriette. *Le français dans tous les sens*, Paris, Robert Laffont, 1988.

WARTBURG, Walter von. *Évolution et structure de la langue française*, Berne, A. Francke S.A., 1971.

WIND, Bartina Harmina. *Les mots italiens introduits en français au XVIe siècle*, Deventer (Pays-Bas), Æ. E. Kluwer, 1928.

ZINK, Gaston. *Phonétique historique du français*, Paris, P.U.F., 1986.

ZINK, Gaston. *L'ancien français*, Paris, P.U.F., coll. «Que sais-je?», n° 1056, 1987.

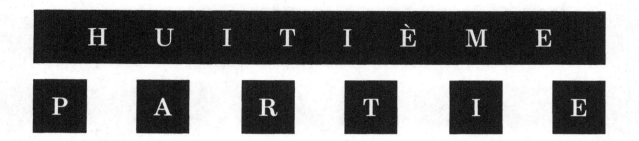

HUITIÈME PARTIE

ACTIVITÉS SUGGÉRÉES

LE LANGAGE : CARACTÈRES GÉNÉRAUX

COMPRÉHENSION DU CONTENU

1   Pourquoi l'invention de l'écriture a-t-elle été importante dans l'histoire de l'humanité ? **Chapitre 1.**

2   Quelle est la différence entre la grammaire et la philologie ? **Chapitre 1.**

3   Qu'est-ce qui distingue la linguistique historique de la linguistique comparative ? **Chapitre 1.**

4   Avec Ferdinand de Saussure, la linguistique est devenue une discipline à caractère «scientifique». Expliquez ce que signifie une telle conception de la langue. **Chapitre 1.**

5   Comment peut-on dire que la linguistique est «appliquée» ? **Chapitre 1.**

6   Comment s'appelle la discipline qui s'intéresse à la technique de confection des dictionnaires ? **Chapitre 1.**

7   Qu'est-ce que l'aménagement linguistique ? Sur quels aspects principaux de la langue cette discipline peut-elle porter ? **Chapitre 1.**

8   Dans quelle discipline étudie-t-on la langue en tant qu'expression d'une culture en relation avec la situation de communication et ses rapports avec la représentation du monde ? **Chapitre 1.**

   A) La sociolinguistique.
   B) L'ethnolinguistique.
   C) La dialectologie.
   D) L'aménagement linguistique.
   E) Aucune des réponses précédentes.

9   Qu'est-ce qui différencie l'ethnolinguistique de la sociolinguistique ? **Chapitre 1**.

10   Comment Ferdinand de Saussure distingue-t-il le *langage* de la *langue* ? **Chapitre 2**.

11   Expliquez la différence entre *langue* et *parole*. **Chapitre 2**.

12   En quoi le lien qui unit le signifiant au signifié dans le signe linguistique est-il arbitraire ? **Chapitre 2**.

13   Peut-on croire que les onomatopées sont à la fois des signes arbitraires et des signes non arbitraires ? Expliquez. **Chapitre 2**.

14   Qu'est-ce qui distingue la description synchronique de la description diachronique ? **Chapitre 2**.

15   Expliquez ce que signifie la *communication* dans la transmission d'un message. **Chapitre 3**.

16   Quelle est la différence entre la communication individualisée et la communication institutionnalisée ? **Chapitre 3**.

17   Lorsque deux interlocuteurs ne se trouvent pas dans le même espace physique, la communication est-elle toujours *différée* ? Expliquez. **Chapitre 3**.

18   Parmi les fonctions du langage établies par Jakobson, qu'est-ce qui distingue la fonction *référentielle* de la fonction *expressive* ? **Chapitre 3**.

19   Expliquez comment la fonction *incitative* est axée sur le destinataire. **Chapitre 3**.

20   Comment fonction *poétique* et fonction *ludique* peuvent-elles correspondre ? **Chapitre 3**.

21   Pourquoi la publicité fait-elle un grand usage des fonctions *poétique* et *relationnelle* ? **Chapitre 3**.

22   Qu'est-ce qui caractérise la communication *linguistique* par rapport à la communication *non linguistique* ? **Chapitre 3**.

23   Dans le contexte d'une théorie de la communication, les mots *symbole* et *icône* ont un sens très différent de celui de la langue courante. Expliquez les différences de sens pour chacun de ces mots. **Chapitre 4**.

24   Qu'est-ce qui distingue plus spécifiquement l'*indice* des trois autres moyens de communication non linguistiques ? **Chapitre 4**.

25   Quels sont les principaux obstacles à la communication ? Décrivez-les. Comment peut-on contrer ces obstacles ? **Chapitre 4**.

26 Qu'est-ce qui distingue essentiellement la phonétique de la phonologie? **Chapitre 5**.

27 Expliquez pourquoi *son* et *phonème* ne sont pas synonymes. **Chapitre 5**.

28 Expliquez la différence entre *mot, morphème* et *lexème*. **Chapitre 5**.

29 Comment une phrase peut-elle être à la fois agrammaticale et dotée de sens? **Chapitre 5**.

APPLICATION

1 Comment peut-on expliquer que, chronologiquement, la découverte de l'écriture a été suivie de disciplines comme la grammaire, la philologie et la linguistique historique? **Chapitre 1**.

2 Identifiez la fonction prédominante dans chacun des messages suivants et justifiez votre réponse. **Chapitre 3**.

   1) *Attention! Attention! Voici un message d'intérêt public!*
   2) *Acapulco: une destination pour vous!*
   3) *Si je vous dis que j'ai transplanté une rue, comprenez bien qu'il ne peut s'agir d'une voie bordée de maisons dans une ville, mais d'une plante herbacée, vivace, à fleurs jaunes.*
   4) *À NOUS YORK!*
   5) *L'eau bout à 100°C.*
   6) *Y'a mangé toute une de ces claques, le maudit!*
   7) *Bambin TORTURÉ par un MANIAQUE SEXUEL!*
   8) *L'esprit de la Lufthansa a bien des visages.*
   9) *Le super-four de Sanyo.*
   10) *T'as fini de nous emmerder à gratter le cul des virgules?*

3 Supposez qu'un gouvernement utilise la langue de la majorité pour assimiler les langues minoritaires sur son territoire. Est-il question de l'une des fonctions de Jakobson? Expliquez. **Chapitre 3**.

4 Identifiez les moyens de communication utilisés dans les illustrations de la figure A. S'agit-il d'un *icône*, d'un *signal*, d'un *symbole*, d'un *code linguistique* ou de *codes mixtes* (dans ce cas, précisez lesquels)? **Chapitre 4**.

FIGURE A LES MOYENS DE COMMUNICATION VISUELS

5 Dans les illustrations de la figure A, isolez chacune des unités de signification et identifiez-la; ces unités vous paraissent-elles transmises de façon
arbitraire ou de façon analogique (iconique)? **Chapitre 4.**

6 Dans les exemples qui suivent, expliquez ce qui nuit à la communication ou
l'empêche. **Chapitre 4.**

   1) *Un Québécois en voyage à Bruxelles demande à un chauffeur de taxi le prix de
   la course. Celui-ci lui répond: «Ça fait cent septante-sept francs en tout.» Le
   Québécois lui remet un billet de 100 francs et lui demande si c'est suffisant.*
   2) *Un père demande à son fils de sortir les ordures ménagères. Le fils répond
   après quelques instants: «Oui, elle arrive à midi.»*
   3) *«Passe-le-moi. – Le quoi?»*
   4) *Un élève doit s'exprimer devant la classe. Il tremble, il bafouille et se mêle
   dans ses idées. Polis, les autres attendent patiemment qu'il termine. Quand le
   professeur questionne la classe, plus personne ne se souvient de rien.*
   5) *Une vieille dame s'approche d'une jeune fille dans la rue et lui demande:
   «Would you please give me my umbrella?» La jeune fille répond «Oui, je veux
   bien» en souriant, et lui indique du doigt le policier qui dirige la circulation.*

7 Procurez-vous une revue et relevez-en tous les messages publicitaires.
Analysez chacun des messages transmis par des mots, des expressions ou
des phrases et classez-les selon leur fonction prédominante. **Chapitre 3.**

8 Isolez les unités linguistiques significatives des exemples qui suivent et
distinguez les morphèmes des lexèmes de la langue écrite. **Chapitre 5.**

   1) *Nous aimons beaucoup regarder les voiliers.*
   2) *Marie semble une grande malade.*
   3) *Luce a fait de longues études.*
   4) *Ils préfèrent manger des œufs le matin.*

9   Dans l'énoncé suivant, identifiez les phonèmes, les morphèmes et les lexè-
    mes. **Chapitre 5**.

    Les mouettes sont des oiseaux de mer.

ÉLÉMENTS DE PHONÉTIQUE ET DE PHONOLOGIE

COMPRÉHENSION DU CONTENU

1 Nommez les quatre cavités de l'appareil phonatoire. **Chapitre 6.**

2 Comment appelez-vous une voyelle ou une consonne articulée au moyen des cavités ou des organes suivants? **Chapitre 6.**

    1) Les lèvres.
    2) Les dents.
    3) Les alvéoles des dents.
    4) Le voile du palais.
    5) Le palais dur.
    6) Les fosses nasales.
    7) La cavité buccale.
    8) Les cordes vocales.

3 Pourquoi fait-on la différence entre des articulations appelées *voyelles* et d'autres appelées *consonnes*? **Chapitre 6.**

4 Qu'est-ce qui fait qu'une consonne est *sourde* (non voisée) ou *sonore* (voisée)? **Chapitre 6.**

5 Comment produit-on une consonne *orale* et une consonne *nasale*? **Chapitre 6.**

6 Qu'est-ce qui différencie une voyelle *arrondie* d'une voyelle *non arrondie*? **Chapitre 6.**

7 Est-il possible d'avoir une voyelle *postérieure* lorsque la langue touche le voile du palais? Expliquez. **Chapitre 6.**

8   Caractérisez les points d'articulation des consonnes suivantes:

1) [d]	4) [k]	7) [ɲ]	10) [v]
2) [b]	5) [z]	8) [ʀ]	
3) [ʃ]	6) [l]	9) [n]	

Chapitre 7.

9   Quelles sont les caractéristiques des semi-consonnes? **Chapitre 7**.

10   Expliquez pourquoi les voyelles [ɑ], [ɔ] et [u] sont appelées *postérieures*. **Chapitre 7**.

11   Qu'est-ce qui distingue une *occlusive* d'une *constrictive*? **Chapitre 7**.

12   Trouvez les traits communs entre:

1) [p], [t], [s] et [k]
2) [i] et [y]
3) [s], [b], [ʒ] et [g]
4) [i] et [u]
5) [y] et [u]

Chapitre 7.

13   Qu'est-ce qui distingue:

1) [ɛ] de [e]?
2) [i] de [u]?
3) [p] de [b]?
4) [b] de [m]?
5) [a] de [ɑ]?

Chapitre 7.

14   Transcrivez les mots, les expressions ou les phrases qui suivent en alphabet phonétique international; ne séparez pas les mots phonétiques et tenez compte des phénomènes de la durée, des allongements, de la liaison, de l'élision. **Chapitres 6 et 7**.

1) *Il était une fois.*
2) *Deux Allemands et trois Hongrois.*
3) *Du vinaigre; un vin aigre.*
4) *Une bonne poire, c'est excellent!*
5) *Nous pelletons de la neige.*
6) *Un jeune sphynx laid.*
7) *La linguistique comparative.*
8) *Une semi-voyelle sonore.*
9) *Écoute quand je te parle.*
10) *C'est une truite merveilleuse.*

15 Pour chacun des mots suivants, placeriez-vous un signe allongeant [:]? Le cas échéant, devant quelle consonne? **Chapitre 7**.

1) *vitesse*
2) *rapide*
3) *pose*
4) *allure*
5) *piller*

16 Retranscrivez phonétiquement les mots suivants en faisant les assimilations ou les harmonies vocaliques qui conviennent. **Chapitre 7**.

1) *sauve-qui-peut*
2) *viens m'aider*
3) *viens fêter*
4) *anecdote*
5) *le dessus*
6) *panier de crabes*
7) *le chef de gare*
8) *un bon exemple*
9) *crever un abcès*
10) *observer un têtu*

17 Expliquez ce qui caractérise une consonne *complexe* et une consonne *simple*. **Chapitre 8**.

18 Énumérez quatre consonnes nasales. **Chapitre 8**.

19 Est-ce que le français et l'anglais comptent des consonnes *interdentales*? Expliquez. **Chapitres 7 et 8**.

20 Décrivez trois articulations de [r]. **Chapitre 8**.

21 Par quel terme identifiez-vous les consonnes complexes suivantes?

1) [pt]
2) [kʷ]
3) [ts]
4) [tʃ]
5) [pʰ]
6) [mp]

Chapitre 8.

22 Qu'est-ce qu'une diphtongue? **Chapitre 8**.

23 Quel type de voyelles peuvent être relâchées? **Chapitre 8**.

24 Quel type de voyelles peuvent être nasalisées? **Chapitre 8**.

25 Qu'est-ce que le procédé de la commutation? **Chapitre 9**.

26 Identifiez les paires correspondant à des phonèmes et celles correspondant à des allophones:

1) [bɛl]/[bal]
2) [bwɑt]/[bwɛ:t]
3) [kɔʀ]/[kar]

4) [œnɔm]/[ɛ̃nɔm]
5) [divɛʀ]/[dzivɛʀ]
6) [ʀɛptil]/[ʀɛptsil]

Chapitre 9.

27 En phonologie, quelle est la différence entre une articulation [+ antérieure] et une articulation [+ avant]? **Chapitre 9.**

28 Le trait [+ avant] est-il pertinent pour les consonnes en français? Justifiez votre réponse. **Chapitre 9.**

29 Quels sont les traits non pertinents pour l'ensemble des consonnes en français? **Chapitre 9.**

30 Quels sont les phonèmes susceptibles d'acquérir le trait [+ cor] en français? **Chapitre 9.**

31 Pourquoi les consonnes ne peuvent-elles pas avoir le trait [+ ouv]? **Chapitre 9.**

32 Quel est le trait commun des phonèmes suivants: /ɔ/, /ɔ̃/, /u/, /k/, /w/, /ʀ/? **Chapitre 9.**

33 Quel est le trait qui distingue /p/ de /f/? **Chapitre 9.**

34 Que peut-on trouver de caractéristique aux traits [− cor], [− ant], [− lat], [+ cont], [+ vois] et [+ str] en ce qui concerne les voyelles? **Chapitre 9.**

35 Pour quelles paires de consonnes le trait [+ vois] est-il distinctif? **Chapitre 9.**

APPLICATION

1 Transcrivez le texte suivant en alphabet phonétique international; ne séparez qu'après les *mots phonétiques* (suite sonore sans interruption) et tenez compte des phénomènes de la durée, des allongements, de la liaison, de l'élision. **Chapitres 6 et 7.**

La langue d'État de la République socialiste soviétique d'Estonie est l'estonien. En Estonie, territoire historiquement habité par les Estoniens, la langue estonienne est l'objet d'une attention et d'une protection particulières. En accordant le statut de langue d'État à la langue estonienne, on assure une base concrète à la conservation du peuple estonien ainsi qu'au développement de sa culture.

Dans la République socialiste soviétique d'Estonie, est garanti pour chaque individu ainsi que pour chaque établissement, entreprise ou organisation le droit d'utiliser la langue estonienne dans les communications orales et écrites. [...]

La présente loi considère la langue russe comme la langue nécessaire pour les communications à travers l'Union soviétique et comme la langue maternelle la plus utilisée après l'estonien dans la République socialiste soviétique d'Estonie. [...]

Loi sur la langue de la République socialiste soviétique d'Estonie.

2   Combien y a-t-il de voyelles et de consonnes *orales* en français? **Chapitre 7**.

3   En français, combien y a-t-il de phonèmes caractérisés par la *nasalité*? **Chapitre 7**.

4   Combien compte-t-on de phonèmes *sonores* par rapport aux phonèmes *sourds* en français? **Chapitre 7**.

5   Le point d'opposition entre les phonèmes qui suivent réside-t-il dans la sonorité? dans le point d'articulation? dans le mode d'articulation? dans le degré d'ouverture de la bouche? dans l'arrondissement des lèvres? **Chapitre 7**.

    1) /i/ et /u/
    2) /i/ et /y/
    3) /y/ et /u/
    4) /t/ et /d/
    5) /e/ et /o/
    6) /p/ et /f/

6   Transcrivez la phrase suivante (langue parlée) en alphabet phonétique international. **Chapitre 7**.

    La mouette est un merveilleux oiseau de mer.

    6.1 À partir de votre transcription de la phrase précédente, identifiez trois consonnes occlusives et trois consonnes constrictives.
    6.2 Combien comptez-vous de phonèmes sourds et de phonèmes sonores?

7   Qu'opposent les voyelles [y] (dans *flûte*) et [u] (dans *flou*)? **Chapitre 7**.

    A) L'antériorité et la postériorité.
    B) Les caractères arrondi et non arrondi.
    C) L'ouverture et l'oralité.
    D) La diphtongaison.
    E) L'antériorité et la postériorité ainsi que les caractères arrondi et non arrondi.

8   Lequel des phonèmes [d], [n], [l] et [s] est dental, constrictif et sonore? **Chapitre 7**.

9   Trouvez la ou les différences entre:

    1) [ts] et [z]
    2) [g] et [ç]
    3) [b] et [d]

Chapitres 7 et 8.

10   Trouvez le trait commun entre [a], [ɑ], [ɔ], [o], [ʊ] et [u]. **Chapitres 7 et 8**.

11   Identifiez les traits différents entre les voyelles suivantes:

    1) [u] et [ʊ]   4) [o] et [ɔ]
    2) [ɑ] et [ɑ̃]   5) [i] et [y]
    3) [a] et [æ]   6) [i] et [e]

Chapitres 7 et 8.

12   Trouvez les traits communs entre:

    1) [t] et [s]
    2) [d], [n], [dz], [ð], [z] et [l]
    3) [kʷ], [pʰ], [pf] et [mp]
    4) [λ], [ɲ], [j] et [ʒ]
    5) [u], [ɔ] et [ʌ].

Chapitres 7 et 8.

13   Comment expliquer que la séquence de deux phonèmes consonantiques caractérisés par les traits [+ vois] et [− vois] entraîne une assimilation de l'un des deux phonèmes? **Chapitres 7 et 9**.

14   Quels sont les phonèmes caractérisés par les traits suivants (tous les autres traits étant [−])?

    1) [+ cons], [+ fer], [+ arr], [+ vois]
    2) [+ cons], [+ cor], [+ ant]
    3) [+ voc], [+ ouv], [+ cont], [+ vois]
    4) [+ voc], [+ fer], [+ av], [+ cont], [+ vois]

Chapitre 9.

15 Trouvez dans quelle condition (entourage phonétique), le swahili[1] réalise le phonème /o/ tantôt en [o] tantôt en [ɔ]:

- [mukɔno] = «bras»
- [tʃɔmbo] = «navire»
- [mototo] = «enfant»
- [moja] = «un»
- [midɔmo] = «lèvres»

- [kioo] = «vitre»
- [tʃokala] = «chaux»
- [mgoba] = «légume»
- [lopitalo] = «hôpital»
- [karɔŋgo] = «enlever»

Chapitres 7 et 9.

16 Quels sont les traits qui distinguent les phonèmes suivants? **Chapitre 9.**

1) /w/ de /j/
2) /n/ de /ɲ/
3) /s/ de /z/
4) /l/ de /ʀ/

5) /i/ de /y/
6) /a/ de /ɑ/
7) /o/ de /ɔ/

17 Quels sont les phonèmes caractérisés par les traits suivants?

1) [+ voc], [− cons], [− cor], [− ant], [+ fer], [− ouv], [+ av], [− arr], [− ron], [− nas], [− lat], [+ cont], [+ vois], [− str].
2) [− voc], [− cons], [− cor], [− ant], [+ fer], [− ouv], [+ av], [− arr], [− ron], [− nas], [− lat], [+ cont], [+ vois], [− str].
3) [+ voc], [− cons], [− cor], [− ant], [− fer], [+ ouv], [− av], [− arr], [− ron], [− nas], [− lat], [+ cont], [+ vois], [− str].
4) [− voc], [+ cons], [− cor], [+ ant], [− fer], [− ouv], [− av], [− arr], [− ron], [− nas], [− lat], [+ cont], [− vois], [+ str].

Chapitre 9.

---

1. D'après Guy CONNOLY, *Linguistique descriptive, questions, problèmes et exercices*, Montréal, Guérin éditeur, 1978, p. 30.

ÉLÉMENTS DE MORPHOLOGIE

COMPRÉHENSION DU CONTENU

1 Quand peut-on dire que le genre est *marqué* ou, au contraire, *non marqué*? **Chapitre 10.**

2 Quelles sont les trois grandes catégories de marques du genre en français oral? **Chapitre 10.**

3 En ce qui a trait aux marques du genre, quelle est la différence entre une addition consonantique et une addition suffixale? **Chapitre 10.**

4 Donnez un exemple personnel de marques du genre par alternance consonantique, par alternance vocalique et par alternance lexicale. **Chapitre 10.**

5 Identifiez trois langues qui opposent les genres masculin, féminin et neutre. **Chapitre 10.**

6 À quoi correspondent généralement les genres animé/inanimé dans les langues qui font usage de ce type de genres? **Chapitre 10.**

7 Dans la répartition des catégories morphologiques du nombre, le français privilégie quel type de marques? Expliquez. **Chapitre 10.**

8 Donnez trois exemples personnels de marques du nombre par suppression consonantique. **Chapitre 10.**

9 Qu'est-ce qui distingue fondamentalement les marques du nombre en français, en anglais et en italien? **Chapitre 10.**

10 Que signifient les termes *duel, triel* et *quadriel*? **Chapitre 10.**

11 Est-ce que le français est une langue «à déclinaison»? Expliquez. **Chapitre 10.**

12   Qu'est-ce qu'on entend par *infixe* dans un verbe? **Chapitre 11**.

13   Qu'est-ce qu'un verbe à trois radicaux? Donnez deux exemples personnels. **Chapitre 11**.

14   Pourquoi dit-on que le français, l'anglais et le néerlandais possèdent un système oral assez peu développé en ce qui concerne les marques de la personne associées aux désinences verbales? **Chapitre 11**.

15   Comment peut-on concevoir un système grammatical pouvant exprimer quatre personnes? **Chapitre 11**.

16   Est-ce que la notion de temps est toujours indiquée seulement par les verbes? Expliquez. **Chapitre 11**.

17   Combien y a-t-il de modes en français (selon le *Bon Usage*)? **Chapitre 11**.

18   Le français a-t-il développé des marques formelles de l'aspect? Expliquez. **Chapitre 11**.

APPLICATION

1   Transcrivez en alphabet phonétique la phrase suivante: *Les discours du maire paraissent toujours très modérés.* **Chapitres 5, 10 et 11**.

1.1 Trouvez les morphèmes et les lexèmes de la langue écrite et ceux de la langue parlée.
1.2 Notez les ressemblances et les différences.

2   Trouvez, dans les mots qui suivent, les marques orales identifiant le féminin et indiquez à quelle catégorie appartient chacune des marques.

1) *paysan/paysanne*   4) *salaud/salope*
2) *parrain/marraine*   5) *fou/folle*
3) *golfeur/golfeuse*   6) *maure/mauresque*

Chapitre 10.

3   Donnez un ou deux exemples de mots marqués au féminin par l'addition des consonnes [j], [l], [p]. **Chapitre 10**.

4   Est-ce que les verbes, les déterminants, les noms et les adjectifs ont des marques orales du pluriel qui leur sont propres? **Chapitre 10**.

5   Combien comptez-vous de radicaux dans un verbe comme *être* à l'indicatif présent, imparfait et futur? **Chapitre 11**.

6   Comptez le nombre de morphèmes du verbe en français oral. Y a-t-il beaucoup de morphèmes différents? **Chapitre 11**.

7   Quels sont les morphèmes du verbe identifiant la troisième personne du pluriel, la première personne du singulier, le subjonctif, le conditionnel? **Chapitre 11.**

8   Identifiez les morphèmes du corpus qui suit et indiquez à quelles marques grammaticales ils correspondent. **Chapitre 10.**

1) *une pomme pourri**te***
2) *une patate cru**te***
3) *une boîte léger**te***
4) *ils jou**sent***
5) *ils ri**sent***
6) *que je fai**se***

7) *une porte **dé**fermée (ouverte)*
8) *elles son**ttaient***
9) *sour**issez** (dit le photographe)*
10) *i faut que je l'**scise***

9   Identifiez les marques du genre du corpus néerlandais suivant:

– [də tomɑ:t is rɛjp]   = «la tomate est mûre»
– [zɛj is rɛjp]   = «elle est mûre»
– [də tomɑ:tən zɛjn rɛjp]   = «les tomates sont mûres»
– [zɛj zɛjn rɛjp]   = «elles sont mûres»
– [də drøjf is rɛjp]   = «le raisin est mûr»
– [hɛj is rɛjp]   = «il est mûr»
– [də drøjvən zɛjn rɛjp]   = «les raisins sont mûrs»

Chapitre 10.

10 Identifiez les marques du pluriel du corpus précédent. **Chapitre 10.**

11 Identifiez les marques du genre et du nombre du corpus grec suivant:

– [to dzaneri ine ɔrimo]   = «la prune est mûre»
– [ta dzanera ine ɔrima]   = «les prunes sont mûres»
– [to aloxo ine ðinati]   = «le cheval est fort»
– [ta aloxa ine ðinata]   = «les chevaux sont forts»
– [to milo ine ɔrimo]   = «la pomme est mûre»
– [ta mila ine ɔrima]   = «les pommes sont mûres»
– [to stafili ine ɔrimo]   = «le raisin est mûr»
– [ta stafilja ine ɔrima]   = «les raisins sont mûrs»
– [i ajɛlada ine ðinati]   = «la vache est forte»
– [i ajɛladɛs ine ðinatɛs]   = «les vaches sont fortes»
– [o çarakɑs ine ɛfθis]   = «la règle est longue»
– [i çarakɛs ine efθis]   = «les règles sont longues»

Chapitre 10.

12 Identifiez les morphèmes et les lexèmes du corpus (dialecte aztèque de Veracruz) suivant:

– [komitwewe]   = «gros chaudron»
– [komitsosol]   = «vieux chaudron»
– [petatsosol]   = «vieux tapis»

– [petatçin]	= «petit tapis»
– [ikalmeh]	= «maisons»
– [petatmeh]	= «tapis»
– [koyameçin]	= «petit cochon»
– [koyamewewe]	= «gros cochon»

Chapitre 10.

13 À partir des données de l'exercice précédent (n° 12), quelle serait la forme probable de *petit chaudron, gros tapis, chaudrons, vieux cochon, cochons*? **Chapitre 10.**

14 Identifiez les morphèmes du corpus (zacapoaxtla) suivant correspondant à *je, tu, le, les, l'*:

– [ita]	= «voir»
– [nikita]	= «je le vois»
– [tikinita]	= «tu les vois»
– [nikitat]	= «je l'ai vu»
– [nikinitat]	= «je les ai vus»
– [tikitas]	= «tu le verras»
– [tikita]	= «tu le vois»

Chapitre 11.

15 Trouvez les formes probables de *je les verrai, je les vois, tu les verras, tu l'as vu, tu les as vus*. **Chapitre 11.**

16 À partir de la liste des mots kurdes qui suivent, identifiez le morphème qui distingue le nom de l'adjectif:

– [diz]	= «voleur»	[dizii]	= «vol»
– [draiȝ]	= «long»	[draiȝii]	= «longueur»
– [garm]	= «chaud»	[garmii]	= «chaleur»

Si [raas] et [zaanaa] signifient respectivement «vrai» et «savant», quelles seraient les significations probables de [raasii] et de [zaanaaii]? **Chapitres 10 et 11.**

17 Dans le corpus inuit qui suit, expliquez en fonction de quel entourage phonétique s'effectuent les transformations morpho-phonologiques des pronoms personnels correspondant à *je, tu* et *il*. **Chapitre 11.**

– [takuvunga]	= «je vois»	– [takunngitunga]	= «je ne vois pas»
– [takuvutit]	= «tu vois»	– [aninngitutit]	= «tu ne sors pas»
– [takuvut]	= «il voit»	– [takulɑnngitunga]	= «je ne verrai pas»
– [pilakpunga]	= «je coupe»	– [takuvungaa]	= «est-ce que je vois?»
– [anivunga]	= «je sors»	– [tusarpungaa]	= «est-ce que j'entends?»
– [anivutit]	= «tu sors»		

17.1 Identifiez les pronoms correspondant à *je, tu* et *il*.
17.2 Quel est le morphème de la négation?
17.3 Quel est le morphème du futur?
17.4 Trouvez le morphème interrogatif.

18 Trouvez les morphèmes du genre (masculin, féminin, neutre) et du nombre (singulier et pluriel) du corpus roumain suivant. **Chapitre 11.**

– [kalul]	= «le cheval»	– [unkal]	= «un cheval»
– [kaj]	= «les chevaux»	– [dojkaj]	= «des chevaux»
– [omasa]	= «la table»	– [unmasa]	= «une table»
– [mese]	= «les tables»	– [doəmese]	= «des tables»
– [skawnul]	= «la chaise»	– [unskawn]	= «une chaise»
– [skawne]	= «les chaises»	– [dooskawne]	= «des chaises»
– [kopilul]	= «l'enfant»	– [unkopil]	= «un enfant»
– [kopii]	= «les enfants»	– [doəkopii]	= «des enfants»
– [ofloare]	= «la fleur»	– [unfloare]	= «une fleur»
– [flori]	= «les fleurs»	– [dooflori]	= «des fleurs»

19 Faites les exercices demandés à partir du corpus allemand suivant. **Chapitre 10.**

– [dɛr park ist gros]	= «Le parc est grand».
– [di flaʃə ist gryn]	= «La bouteille est verte.»
– [das bux ist nɔj]	= «Le livre est nouveau.»
– [iç zeə ajnən grossən park]	= «Je vois un grand parc.»
– [iç zeə ajnə grynə flaʃə]	= «Je vois une bouteille verte.»
– [iç zeə ajn gutəs bux]	= «Je vois un bon livre.»
– [vi ist dɛr park ɛr ist gros]	= «Comment est le parc? Il est grand.»
– [vi ist di flaʃə zi ist gryn]	= «Comment est la bouteille? Elle est verte.»
– [vi ist das bux ɛs ist gu:t]	= «Comment est le livre? Il est bon.»
– [maria du bist nɛt]	= «Marie, tu es gentille.»
– [vi ist maria zi ist nɛt]	= «Comment est Marie? Elle est gentille.»
– [frɔylajn ilsə zi zint nɛt]	= «Mademoiselle Ilse, vous êtes gentille.»
– [maria gizɛla unt ilsə zi zint nɛt]	= «Marie, Gisèle et Ilse, vous êtes gentilles.»
– [zeən zi dɛn hʊnt]	= «Voyez-vous le chien?»
– [dɛr hʊnt kɛnt miç]	= «Le chien me connaît.»
– [vi ist dɛr hʊnt ɛr ist alt]	= «Comment est le chien? Il est vieux.»
– [zeən zi dɛn hʊntəs bɑl]	= «Voyez-vous la balle du chien?»
– [zi gibt dɛm hʊnt ʃokoladə]	= «Elle donne du chocolat au chien.»
– [zi gebən di ʃvartsə ʃokoladə]	= «Ils donnent le chocolat noir.»

19.1 À quelle(s) marque(s) grammaticale(s) correspond le morphème [di]?
19.2 Donnez trois morphèmes du pluriel dans les noms.
19.3 Est-ce que les adjectifs en allemand ont des marques du genre et du nombre comme en français? Expliquez.
19.4 À quelles marques correspondent les morphèmes [dɛr], [dɛn] et [dɛm]?
19.5 Est-ce que le morphème [s] dans [hʊntəs] indique le pluriel? Expliquez.

19.6   Identifiez les morphèmes [ajnən], [ajnə] et [ajn].

19.7   À quelles marques grammaticales correspond le morphème [zi]?

20   Analysez le corpus swahili qui suit, puis répondez aux questions. **Chapitre 11**.

– [aliwaandika]	= «il vous a écrit»
– [ninakujua]	= «je te connais»
– [anasoma]	= «il lit»
– [ulituuliza]	= «tu nous as demandés»
– [tulikuona]	= «nous t'avons vu»
– [anamjua]	= «il le/la connaît»
– [mtasoma]	= «vous lirez»
– [walimpiga]	= «ils l'ont frappé(e)»
– [umeandika]	= «tu viens d'écrire»
– [mlimpiga]	= «vous l'avez frappé(e)»
– [anakujua]	= «il te connaît»
– [mtaniona]	= «vous me verrez»
– [nimembusu]	= «je viens de l'embrasser»
– [walisoma]	= «ils ont lu»
– [nitawabusu]	= «je vous embrasserai»
– [tumewaandika]	= «nous venons de vous écrire»
– [utanibusu]	= «tu m'embrasseras»
– [wamewauliza]	= «ils viennent de les demander»
– [tumewauliza]	= «nous venons de les demander»
– [utatupiga]	= «tu nous frapperas»

20.1   Trouvez les lexèmes du swahili correspondant aux verbes *écrire, connaître, lire, demander, voir, frapper, embrasser*.

20.2   Identifiez les pronoms personnels sujets *je, tu, il, nous, vous, ils*.

20.3   Identifiez les pronoms personnels compléments *vous, te/t', nous, le/la/l', me/m', les*.

20.4   Qu'est-ce qui distingue les pronoms sujets des pronoms compléments?

20.5   Identifiez les morphèmes indiquant le présent, le passé composé, le futur et le «passé immédiat» (*venir de...*).

20.6   À partir des données du corpus, quelles seraient les traductions probables des énoncés suivants?
   – je vous écris
   – tu nous demandes
   – il vient de les voir
   – il nous a frappés
   – nous vous écrirons

20.7   Si le lexème du verbe savoir est [wona], conjuguez ce verbe aux trois personnes du singulier et du pluriel.

LES STRUCTURES DE LA PHRASE FRANÇAISE

COMPRÉHENSION ET APPLICATION DU CONTENU

1   Isolez le SN (syntagme du nom) sujet du SV (syntagme du verbe) dans les propositions principales. **Chapitre 12**.

1) *J'applaudis au succès bien mérité de ce pilote si courageux.*
2) *La route serpentant au flanc du mont Royal était absolument déserte.*
3) *Que ses papiers fussent faux le contrariait.*
4) *Il part, ce soir, pour la Floride par Air Canada.*
5) *Les clients de cette compagnie ont exprimé leur mécontentement en raison des mauvais services qui leur avaient été offerts.*
6) *Les skis soigneusement assujettis à ses lourdes chaussures, les bâtons bien en main, le regard fixé sur la ligne bleue de l'horizon, le médaillé d'or des Jeux avait fière allure.*
7) *La voiture que conduisait Isabelle avait presque atteint le boulevard Henri-Bourassa, la grande artère qui mène au cégep.*
8) *Mon frère aîné, que tu connais, travaille à la bibliothèque de l'école.*
9) *Le jeune fonctionnaire, qui était chargé de l'enquête et qui portait, de ce fait, toute la responsabilité de l'opération, avait condamné la porte de son bureau pour mieux réfléchir.*
10) *Dans les circonstances où nous nous trouvons, je ne vois pas comment nous pourrons nous en sortir.*

2   Soulignez les seuls mots essentiels qui constituent une phrase de base (avec le même sens). **Chapitre 12**.

1) *J'applaudis au succès bien mérité de ce pilote si courageux.*
2) *Le week-end dernier, la route serpentant sur les plaines d'Abraham était absolument déserte.*
3) *Que ses papiers fussent faux ne le dérangeait nullement dans les circonstances.*
4) *Il arrive, demain soir, de la Californie par Air Canada.*

5) *De nombreux clients de cette compagnie, pourtant peu habituée aux plaintes, ont exprimé leur mécontentement en raison des mauvais services qui leur avaient été récemment offerts.*

6) *Les skis soigneusement assujettis à ses lourdes chaussures, les bâtons bien en main, le regard fixé sur la ligne bleue de l'horizon, le médaillé d'or des Jeux avait fière allure.*

7) *La nouvelle voiture que conduisait la jeune Isabelle avait presque atteint le chemin Sainte-Foy, la grande artère qui mène à son cégep.*

8) *Mon frère aîné, que tu connais depuis fort longtemps, travaille maintenant à la bibliothèque de l'école.*

9) *Le jeune fonctionnaire, qui était chargé de l'enquête et qui portait, de ce fait, toute la responsabilité de l'opération, avait condamné la porte de son bureau pour mieux réfléchir.*

10) *Dans les circonstances où nous nous trouvons, je ne vois vraiment pas comment nous pourrons facilement nous en sortir.*

3 Employez les mots suivants dans des phrases courtes, en tenant compte que chacun de ces mots renvoie à deux ou trois classes distinctes: *général, porte, noir, tout, le, parler, cher, fort*. Selon quelle(s) distribution(s) syntaxique(s) reconnaît-on la classe des noms, des adjectifs, des verbes, des adverbes? **Chapitre 12**.

4 Trouvez en quoi les phrases suivantes sont grammaticales ou agrammaticales, correctes ou non, dotées de sens ou non. **Chapitre 12**.

1) *Il battait son cheval qui mangeait de l'avoine avec une fourche.*
2) *Je les ci-inclus dans une autre enveloppe.*
3) *Nous vendons des bottes pour jambes fortes et sur mesure.*
4) *J'allais timidement m'asseoir dans mon pupitre.*
5) *On voudrait savoir comment qu'on va s'y prendre.*

5 Identifiez tous les SN (ou groupes du nom) dans les phrases suivantes. **Chapitre 12**.

1) *Tous les lundis soirs, mon père apportait des fleurs à ma mère.*
2) *Au mois d'avril, la rivière Saint-Maurice est en crue.*
3) *J'ai réservé, il y a dix jours, deux chambres individuelles dans votre établissement pour le week-end du 24 juin.*
4) *Nous vous remercions de votre lettre du 30 avril par laquelle vous nous informiez du changement de votre itinéraire et de l'heure de votre arrivée.*
5) *Cette fonction permet de regrouper plusieurs codes de formatage et de les enregistrer sur disquette sous un autre nom.*

6 Identifiez les groupes prépositionnels qui figurent dans le texte suivant. **Chapitre 12**.

Moulay Ismaï était un grand roi. Au cours de ses 50 ans de règne, ce sultan, qui vécut au XVIIIe siècle, fit construire les monuments les plus colossaux du Maroc et les jardins les plus somptueux. Il avait établi sa capitale à Meknès, où l'on retrouve aujourd'hui son mausolée avec son dôme ouvragé de cèdre sculpté, son marbre blanc, ses mosaïques et ses faïences colorées entourant le sépulcre.

Cependant, il n'existe aucune statue du monarque ni aucune peinture. La civilisation marocaine est dépourvue d'images de ses héros; on n'y trouve rien qui ressemble à une icône. Ainsi le veut la loi islamique.

7   À quels types de phrases correspond une phrase de base? Donnez un exemple personnel dans chacun des cas. **Chapitre 12.**

8   Donnez une représentation graphique (structure arborescente) des phrases suivantes. **Chapitre 13.**

1) *Le concierge de l'immeuble passe l'aspirateur la bouche ouverte.*
2) *Ces deux jeunes filles applaudissent à la scène du balcon.*
3) *Le petit chat noir de ma tante de la ville de Québec étonne tous les invités par son adresse.*
4) *La bicyclette près de la porte appartient au garçon qui sort.*
5) *Vous serez libre de vos préjugés lorsque vous aurez prouvé votre objectivité.*
6) *L'homme avec des moustaches attendait l'autobus.*
7) *Tous les spectateurs quittèrent leur place dès onze heures.*
8) *Plusieurs étudiants ont discuté du rapport sur les causes des viols.*
9) *Cette jeune femme heureuse de son sort revient du Mexique demain.*
10) *Vous recevrez les notes de cours que j'ai préparées dès que je pourrai.*

9   Remplacez tous les syntagmes nominaux (SN) des phrases suivantes par des pronoms et identifiez les procédés de transformation (addition, déplacement, substitution, effacement). **Chapitre 13.**

1) *Tous les petits garçons jouent au hockey avec leurs amis.*
2) *Les journalistes ont parlé de ces problèmes à leurs lecteurs.*
3) *Le frère de mon amie invite tous ses camarades à la campagne.*
4) *Le libraire vend des livres de chimie aux étudiants.*

10   Formez trois ou quatre phrases simples de type déclaratif et de formes affirmative, active et neutre. Puis transformez ces phrases en type interrogatif et en formes négative et emphatique. Enfin, identifiez les opérations d'addition, de déplacement, d'effacement ou de substitution. **Chapitres 12 et 13.**

11   Soit la phrase de base *Les jeunes filles apprécient ce jeune chanteur.* **Chapitre 13.**

11.1   Faites une transformation passive.
11.2   Appliquez les règles de la transformation passive à *toutes* les phrases suivantes, même si certaines transformations paraissent inacceptables:
1) *Ces étudiants font un long travail.*
2) *Henri fait tourner son moteur.*
3) *Les Tremblay ont une nouvelle voiture.*
4) *Le chat sort du sac.*
5) *Mon cousin est pilote.*
6) *Ce coureur fait l'impossible.*

11.3 Quelles sont les règles qui interdisent certaines transformations passives?

12 Appliquez la transformation emphatique à toutes les phrases suivantes, en faisant porter l'emphase sur les mots en italique. Est-ce que toutes les phrases se prêtent à cette transformation? **Chapitre 13**.

1) *L'inflation* mène le pays à la ruine.
2) *Tous les samedis*, mon père va au cinéma.
3) La foule était *exubérante*.
4) La tempête menace *la récolte*.
5) *Ma voiture* paraît *neuve*, la nuit.

13 À partir de la phrase déclarative *La tempête menace la récolte*, appliquez les transformations suivantes. **Chapitre 13**.

1) [+ Déclarative], [+ Négative], [+ Passive], [+ Emphatique]
2) [+ Impérative], [+ Négative], [+ Emphatique]
3) [+ Interrogative], [+ Négative], [+ Passive], [+ Emphatique]
4) [+ Exclamative], [+ Négative], [+ Passive], [+ Emphatique]

14 Dans les phrases complexes qui suivent, identifiez les phrases enchâssées *relatives, complétives* (ou *conjonctives*) et *circonstancielles*. **Chapitre 13**.

1) *Avez-vous déjà observé que les gens heureux ne sont pas agressifs?*
2) *La maison que j'ai achetée a pris beaucoup de valeur marchande.*
3) *Dites-lui que j'irai si je le peux.*
4) *Puisque vous n'êtes pas bien portant, vous devriez aller voir un médecin.*
5) *Je me demande si vous avez raison lorsque vous déclarez que le directeur est un voleur.*
6) *Il faut que l'on me laisse traiter ce sujet comme je l'entends si je veux réussir.*
7) *Vous ne savez peut-être pas où j'en suis rendue, étant donné que vous n'avez pas été témoin de mon travail.*
8) *Malgré les calomnies dont il a été l'objet, Pierre a su tenir le coup jusqu'à ce que tout se rétablisse.*
9) *Dès qu'il prit le volant de la voiture qu'il avait achetée, il se révéla un piètre chauffeur parce qu'il causa un malheureux accident.*
10) *Pour maintenir sa population actuelle, le Québec devra attirer deux fois plus d'immigrants que maintenant chaque année, un problème qui rend urgente la mise en place de programmes d'intégration des nouveaux arrivants.*

15 Indiquez, dans chaque phrase qui suit, la nature de *que*: soit conjonction de subordination ou élément de conjonction de subordination, soit pronom relatif, soit pronom interrogatif, soit adverbe de degré. **Chapitre 12**.

1) *J'espère **que** vous viendrez bientôt.*
2) ***Que** voulez-vous **que** nous fassions?*
3) *Avant **que** vous partiez, je vous rappelle la route **que** vous devez suivre.*
4) *Je ne sais plus **que** penser de cette étrange affaire **que** vous me rappelez.*
5) *Bien **que** vous ne me croyiez pas, j'aime plus le français **que** la philosophie.*

16 Dans les phrases suivantes, ajoutez au SN sujet et au SV (syntagme verbal) des éléments qui puissent les étoffer et les enrichir (procédé de l'*addition*). **Chapitre 12**.

1) *Le soleil traverse la fenêtre de la cuisine.*
2) *Pour vendre, le commerçant doit travailler.*
3) *Pierre est sorti de son aventure.*
4) *Le travail est recommandé pour la santé.*
5) *La crise de l'énergie transforme notre existence.*

17 Appliquez le procédé de l'*addition* dans les mots ou groupes de mots en italique. **Chapitre 13**.

Nous *recherchons* des *personnes* pour représenter une *compagnie* qui vend des *produits* à domicile. *Le vendeur ou la vendeuse* devra avoir de la *personnalité* et *aimer les défis*. Pour ce travail, nous *offrons un programme* de formation en vente directe et une *rémunération. Inscrivez-vous.*

18 Rendez la nouvelle journalistique suivante plus tragique en appliquant le procédé de l'*addition*. Ne modifiez pas le texte de base. **Chapitre 13**.

Un policier de la ville de Montréal a été blessé en fin de semaine alors qu'il se rendait sur les lieux d'un incendie. Il conduisait une camionnette du service des incendies et celle-ci est entrée en collision avec une automobile à l'intersection des rues Jean-Talon et Saint-Laurent. L'agent a dû être hospitalisé souffrant de fractures aux côtes. Le camion du service des incendies serait, dit-on, une perte complète.

19 En appliquant le procédé de l'*effacement*, éliminez (rayez) dix termes, expressions ou courtes propositions, de façon à alléger la phrase. **Chapitre 13**.

À partir de l'endroit où il habite, le résident du condominium Le Saguenay se trouve dans une position qui lui permet d'admirer, jusqu'à s'en griser complètement, un paysage beau et grandiose, d'une beauté qu'on dit sauvage et primitive, reconnu par tous comme l'un des plus magnifiques paysages du monde. Il lui est également possible d'embrasser du regard, dans une vue panoramique, la superbe ville de Chicoutimi, de voir couler la majestueuse rivière Saguenay, encaissée de hautes montagnes abruptes et escarpées, ou de laisser sa vue contempler les splendides monts Valin d'une splendeur et d'une beauté incomparables.

20 Dans les phrases suivantes (mots en italique), appliquez le procédé de *substitution* pour effectuer les transformations demandées: SN, V, SP ou P. **Chapitres 12 et 13**.

1) *Sylvie* [> SN] *a* [> V] un bonnet bleu sur la tête.
2) Sa grand-mère *avait une peur bleue* [> V] du vent.
3) Ce député *est ignorant* [> V] des *choses* [> SN] de son comté.
4) Le poisson *frais* [> P] se vend *bien* [> SP].
5) *Après notre altercation* [> SP], j'étais *heureux* [> SA].
6) Cet enfant *malade* [> SP] s'en va à l'hôpital.

7) Mes *enfants* [> SN + SP] sont *fiers* (SA).

8) Cet homme est *fou de joie* [> SP].

9) *Le convoi* [> SN + SP + P] a traversé *le champ* [> SP].

10) Un ouvrier distribue *des dépliants* [> SP] *devant l'usine* [> SP].

21   Transformez les phrases [P] en [SN = N + SP]. **Chapitres 12 et 13**.

1) *Cet enfant est poli.*

2) *Le collège distribue des récompenses.*

3) *La banque prête des sommes importantes.*

4) *La route évite la ville.*

5) *Les avions ont détruit la ville.*

22   Faites une représentation graphique des phrases qui suivent; dans le cas où deux interprétations sont possibles, faites deux structures arborescentes. **Chapitre 13**.

1) *Cette femme que je connais paraît malade.*

2) *Le gardien du parc a trouvé la cage vide.*

3) *Le contremaître de l'usine où tu travailles a été trouvé mort.*

4) *La réaction de colère de cet artiste de la ville de Québec étonne les spectateurs tous les soirs.*

5) *Le Québec importe du vin de France et du sherry d'Espagne.*

LE LEXIQUE

COMPRÉHENSION DU CONTENU

1 Est-il possible de parler anglais avec des lexèmes français et de parler français avec des lexèmes anglais? **Chapitre 14**.

2 Pourquoi un individu ne termine-t-il jamais l'apprentissage du lexique? **Chapitre 14**.

3 Comment pouvez-vous imaginer un dictionnaire de la langue par rapport à un dictionnaire de la parole? **Chapitre 14**.

4 Est-ce que le problème de la fréquence vous paraît aussi important dans la grammaire que dans le lexique? **Chapitre 14**.

5 Résumez en un paragraphe de cinq lignes ce que signifie le concept de fréquence dans le lexique. **Chapitre 14**.

6 Combien compte-t-on de mots approximativement dans le noyau des mots fréquents? dans le lexique des mots disponibles? dans les lexiques semi-spécialisés? dans les lexiques spécialisés? **Chapitre 14**.

7 Trouvez dans un dictionnaire (*Le Petit Robert* ou *Lexis*) trois mots du lexique semi-spécialisé qui appartiendraient à plusieurs domaines différents. **Chapitre 14**.

8 Expliquez pourquoi le procédé de la dérivation ne consiste pas en la simple addition d'un morphème préfixal ou suffixal. **Chapitre 15**.

9 Expliquez comment la suffixation peut modifier la classe des mots. **Chapitre 15**.

10 Qu'est-ce qu'un syntagme lexicalisé? **Chapitre 15**.

11 Décrivez la structure des composés suivants: *mots croisés, bateau à voile, projet pilote, révolution culturelle, rond-de-cuir, chirurgien-dentiste, café-concert, kilowatt-heure, président-directeur général, point-virgule, sucre en poudre, pot-pourri, pomme de terre en robe de chambre, avant-projet, bloc-cuisine, bœuf bourguignon, ouest-allemand, agent de liaison, faire-valoir, avoir intérêt, jardin botanique, rire jaune, poisson-scie, jaune pâle, croc-en-jambe, avion à réaction.* **Chapitre 15**.

12 Qu'est-ce qui caractérise les mots *hydrocarbure, morphosyntaxe, psychopédagogie, horodateur, trutticulture, vapocraqueur, vertébrothérapie*? **Chapitre 15**.

13 Nommez trois procédés de formation des mots considérés comme moins productifs en français contemporain. **Chapitre 15**.

14 Pourquoi les unités de signification ne peuvent-elles pas se retrouver seulement dans les mots isolés? **Chapitre 16**.

15 Qu'est-ce qu'un *sème*? À quoi cette notion peut-elle être utile? **Chapitre 16**.

16 Trouvez six exemples personnels (deux pour chacun des cas) servant à illustrer la différence entre la synonymie, l'antonymie et l'hyponymie. **Chapitre 16**.

17 Qu'est-ce qui distingue un polysème d'un homonyme? Comment peut-on dire que, dans l'évolution de la langue, l'homonyme est le résultat du hasard? **Chapitre 16**.

18 Le mot *niais* (du lat. *nidus*: «nid») s'employait au Moyen Âge pour désigner un jeune faucon qui n'était pas encore sorti du nid; aujourd'hui, *niais* désigne une personne dont l'inexpérience va jusqu'à la bêtise. S'agit-il d'une extension de sens, d'une restriction de sens ou d'un déplacement de sens? Expliquez. **Chapitre 16**.

19 Les mots *compagne/compagnon* (du lat. *companionem* [*panis* + *cum*]: «qui mange son pain avec») désignait au Moyen Âge une relation d'amitié symbolisée par le partage du pain; au sens moderne, ces deux mots font référence à toute personne qui partage la vie ou les préoccupations d'autres personnes. S'agit-il d'une extension de sens, d'une restriction de sens ou d'un déplacement de sens? Expliquez. **Chapitre 16**.

20 Les exemples cités aux deux questions précédentes peuvent-ils correspondre à des cas d'étymologie populaire? Expliquez. **Chapitre 16**.

21 Classez les mots en italique selon les catégories suivantes: polysèmes, homonymes homographes non homophones, homonymes homophones non homographes, homonymes homophones et homographes. **Chapitre 16**.

1) Le *filet* de bœuf est apprécié. / Le *filet* est tendu.
2) C'est ma *fille*. / C'est une *fille* de joie.
3) Nous *exécutions* les ordres. / Les *exécutions* sont encore fréquentes.

4) Je *coupe* du bois. / Il a terminé sa *coupe* de bois.

5) La chaleur l'*étouffe*. / Elle *étouffe* de rire.

6) Tu viens de *causer* un scandale. / Elle aime bien *causer* politique.

7) Cette *fracture* est douloureuse. / Il se *fracture* une côte.

APPLICATION

1   Changez les préfixes et trouvez le contraire des mots suivants : *supersonique, susnommé, hypernerveux, ultrasensible, multidisciplinaire, polyculture, antéposé, postcombustion, pluricellulaire*. **Chapitre 15**.

2   Employez des dérivés (préfixes ou suffixes ou les deux) pour former des adjectifs indiquant la négation. **Chapitre 15**.

   Ex.: *Un temps limité > un temps illimité*
   1) *Une poudre qu'on ne peut dissoudre.*
   2) *Un bruit qu'on ne peut entendre.*
   3) *Une soif que l'on ne peut satisfaire.*
   4) *Une disparition dont on ne peut douter.*
   5) *Un produit toxique.*

3   Vous vous rendez chez un marchand de «farces et attrapes» pour y acheter des gadgets afin de jouer des tours pendables à vos amis. Faites la liste de vos achats, mais vos gadgets doivent avoir un nom composé (que vous inventez vous-même) formé selon les procédés suivants :

   1) Trois objets dont le nom composé est formé par (N + Adj)
   2) Trois objets dont le nom composé est formé par (V + N)
   3) Trois objets dont le nom composé est formé par (N + N)
   4) Trois objets dont le nom composé est formé par (N + SP)

Chapitre 15.

4   À partir des mots en italique, trouvez des dérivés qui aboutiront à des nominalisations et formez ainsi de nouvelles phrases. **Chapitre 15**.

   1) La *neige fond* ; cela augmente le débit des rivières.
   2) On *élève des chèvres* pour produire du fromage.
   3) On *raffine le pétrole* ; cela se fait ordinairement près des ports de mer.
   4) On *déduit certains frais professionnels* et cela permet de réduire les sommes versées à l'impôt.
   5) On *rédige une dissertation* ; elle devrait être terminée jeudi.

5   Répondez aux questions qui suivent. **Chapitre 15**.

   5.1   Le cheval est-il un animal digitigrade et peut-on lui faire une onyxectomie ? Justifiez votre réponse.
   5.2   Seriez-vous porté à croire un médecin ostréithérapiste ? Pourquoi ?
   5.3   Êtes-vous sinophile, sinophobe, sinomane ou sinovore ? Justifiez votre choix.

5.4 Quel type de gouvernement préférez-vous? Une gérontocratie, une théo-cratie, une ploutocratie, une aristocratie, une entomocratie, une gyno-cratie, une phallocratie ou une xénocratie? Justifiez votre choix.

5.5 Les néologismes figurent-ils normalement dans les dictionnaires généraux? Pourquoi?

6 Trouvez le sens étymologique des mots suivants: *épicentre, antépénultième, subtropical, antédiluvien, postposé, hypotendu, antichambre, infrason, contre-écrou, intramusculaire, épigraphe, hémisphère, euphémisme.* **Cha-pitre 15.**

7 Trouvez huit composés formés selon la structure [Adj + N]; par exemple, *fine lame.* **Chapitre 15.**

8 Trouvez six mots composés avec chacune des racines suivantes: *macro-, poly-, multi-, mono-, homo-, -phage, -logie, -fuge, -drome.* **Chapitre 15.**

9 Trouvez des dérivés pour former des noms correspondant aux mots suivants: *fiable, aveugle, rural, lisible, déductible, défalquer, non payé, apprenable, rituel, détenir, contrefaire, Kremlin.* **Chapitre 15.**

10 Trouvez les mots féminins (femelles) correspondant aux termes masculins (mâles) suivants et montrez comment l'opposition femelle/mâle présente parfois des lacunes en français. **Chapitre 16.**

Canard, oie, sanglier, bœuf, cerf, dindonneau, rat, girafe, autruche.

11 Montrez, à partir des exemples suivants, comment le français et l'anglais peuvent décrire la réalité différemment. **Chapitre 16.**

1) *bœuf*   2) *cochon d'Inde*   3) *mouton*
   beeef/ox   *guinea-pig*   *sheep/mutton*
4) *lâcher la bride à quelqu'un*
   to give somebody his head
5) *mener quelqu'un par le bout du nez*
   to wist round your little finger
6) *marcher sur des œufs*
   to skate on thin ice
7) *faire d'une pierre deux coups*
   to kill two birds with one stone
8) *elle traverse la rivière à la nage*
   she swims across the river
9) *filer à l'anglaise*
   take French leave

12 À l'aide du tableau qui suit et de la signification des sèmes, quel(s) sème(s) permet(tent) de différencier:

1) une vache d'un taureau?
2) une poule d'un coq?

3) un taureau d'un coq?

4) une vache d'une poule?

Chapitre 16.

Sème	S¹ « mâle »	S² « femelle »	S³ « bovin »	S⁴ « volaille »
vache	−	+	+	−
taureau	+	−	+	−
poule	−	+	−	+
coq	+	−	−	+

13   À l'aide d'un ou de plusieurs dictionnaires, énumérez les sèmes des mots suivants: *chaise, fauteuil, canapé, tabouret.* Quels sont les sèmes qui distinguent une chaise d'un fauteuil, un fauteuil d'un canapé, un canapé d'un tabouret, un fauteuil d'un canapé? **Chapitre 16.**

14   Classez les termes qui suivent en trois catégories: synonymes, antonymes, hyponymes. **Chapitre 16.**

Déplacé, inopportun, incorrect, incongru, opportun, impertinent, outrecuidant, désinvolte, poli, judicieux, convenable, irraisonnable.

15   Dans l'exercice précédent (n° 14), quels sont les termes possédant une valeur neutre et ceux possédant une valeur affective (ou littéraire)? **Chapitre 16.**

16   Trouvez dans la *liste B* les antonymes des mots de la *liste A*. **Chapitre 16.**

Liste A: *douteux, achever, diatribe, empirique, aménité, capital, exclusif, franchise, valable, sédentaire, parcimonie, incarcérer, indélébile, méphitique, instituer.*

Liste B: *stérile, relaxer, provende, périmé, prodigalité, dogmatique, aromatique, actif, accessoire, abroger, pectoral, patent, panégyrique, maussaderie, luxure, duplicité, léthargie, ébaucher, éclectique, effaçable.*

17   Quels sont les sèmes communs et les sèmes différents des couples de mots suivants? **Chapitre 16.**

1) *assertion/insertion*
2) *obédience/obéissance*
3) *éminent/imminent*
4) *recouvrer/recouvrir*
5) *somptueux/somptuaire*
6) *vénéneux/venimeux*
7) *nautique/naval*
8) *éruption/irruption*
9) *inclinaison/inclination*
10) *stage/stade*

18   Montrez comment l'attraction paronymique a été à l'origine de changements de sens en raison de fausses étymologies populaires. **Chapitre 16**.

Choucroute, contredanse, pipe d'écume de mer, faubourg, courtepointe.

19   Expliquez les métaphores des exemples suivants: *tête d'épingle, dent-de-lion, œil-de-bœuf, chiendent, coquelicot, chèvrefeuille, chevalet, nid-de-poule, nid-de-pie, peau de vache, temps de chien, froid de canard, lézarde.* **Chapitre 16**.

20   Cherchez, dans un dictionnaire étymologique ou un dictionnaire général de la langue (type *Le Robert* ou *Lexis*), l'origine des mots qui suivent en respectant les consignes données. **Chapitre 16**.

20.1   Comparez le sens premier de chacun des mots avec le sens contemporain.

20.2   S'agit-il d'une extension de sens, d'une restriction de sens ou d'un déplacement de sens?

affriolant	*amuser*	*cambrioler*	*ascenseur*	*bagne*
banqueroute	*bricoler*	*bureau*	*cadeau*	*blasé*
canicule	*congrès*	*effleurer*	*examen*	*robe*
infarctus	*péage*	*porcelaine*	*faramineux*	*fou*

LA LINGUISTIQUE HISTORIQUE

COMPRÉHENSION DU CONTENU

1 Qu'est-ce qui distingue essentiellement la linguistique *historique* de la linguistique *comparative*? **Chapitre 17.**

2 Pourquoi a-t-on recours si souvent au latin et au grec dans les études de linguistique comparative? **Chapitre 17.**

3 Que signifie l'expression *fragmentation linguistique*? **Chapitre 17.**

4 Comment expliquer que les linguistes soient aussi sûrs de l'existence du slave commun que de celle du latin alors que le slave commun n'est pas attesté? **Chapitre 17.**

5 Sur quoi s'appuie un travail de reconstruction historique? **Chapitre 17.**

    A) Sur le stockage des informations à partir des documents anciens.
    B) Sur les ressemblances fortuites entre plusieurs langues.
    C) Sur des ressemblances entre des langues dont on suppose au départ la parenté.
    D) Sur la découverte des langues mortes dont on retranscrit les formes modernes.
    E) Aucune des réponses précédentes.

6 En matière de classification des langues, pourquoi la méthode génétique paraît-elle supérieure à la méthode typologique? **Chapitre 18.**

7 Le français est-il une langue isolante, agglutinante ou flexionnelle? Expliquez. **Chapitre 18.**

8 Quelle est la différence entre une *famille* de langues, une *sous-famille* ou une *branche,* et un *groupe* de langues? **Chapitre 18.**

9 Pourquoi appelle-t-on un certain nombre de langues *indo-européennes*? **Chapitre 18.**

10 Quelles sont les neuf plus importantes familles de langues dans le monde? Quelle proportion de la population mondiale représente l'ensemble des locuteurs de ces langues? **Chapitre 18.**

11 Nommez dix langues indo-européennes qui sont disparues. **Chapitre 18.**

12 Le français, le latin, l'italien, l'espagnol, le roumain, le catalan, le breton et le néerlandais font partie des langues:

A) romanes
B) germaniques
C) celtiques
D) indo-européennes
E) aucune des réponses précédentes

Chapitre 18.

13 Le finnois est une langue:

A) ouralienne
B) indo-européenne
C) altaïque
D) germanique
E) slave

Chapitre 18.

14 Le turc et le tamoul font partie respectivement des langues:

A) ouraliennes et chamito-sémitiques
B) altaïques et chamito-sémitiques
C) altaïques et dravidiennes
D) ouraliennes et dravidiennes
E) indo-européennes

Chapitre 18.

15 Qui sont les Indo-Européens?

A) Le premier peuple dont on soit sûr de l'existence.
B) L'un des tout premiers peuples qui ont formé le latin.
C) L'un des trois peuples (avec les Latins et les Grecs) à avoir donné naissance à la civilisation occidentale.
D) Un peuple hypothétique dont l'existence se fonde uniquement sur des considérations linguistiques.
E) Aucune des réponses précédentes.

Chapitre 18.

16 Identifiez une langue non indo-européenne, parlée en Europe, mais constituant une langue isolée parmi les familles linguistiques. **Chapitre 18**.

17 À quelle famille linguistique appartiennent respectivement le russe, l'hindi, le chinois, le malais, l'hébreu, le hongrois, le néerlandais? **Chapitre 18**.

18 Identifiez la sous-famille (ou branche) des langues suivantes: roumain, islandais, ukrainien, slovène, irlandais, grec, breton, lituanien, iranien, catalan. **Chapitre 18**.

19 À quelle sous-famille appartient chacune des langues suivantes? **Chapitre 18**.

Allemand, italien, sarde, slovaque, bulgare, breton, catalan, anglais, frison, serbo-croate, suédois, occitan, gaélique, espagnol, danois, macédonien, gallois, islandais.

20 Nommez une langue de la famille bantoue, une de la famille nigéro-congolaise et une de la famille austronésienne. **Chapitre 18**.

21 Expliquez ce qui différencie une *langue* d'un *dialecte* en recourant aux critères socioculturels, historiques et géographiques. **Chapitre 19**.

22 Qu'est-ce qui distingue un *créole* d'un *pidgin?* **Chapitre 19**.

23 Combien l'indo-européen comptait-il de consonnes? Combien comptait-il de voyelles? **Chapitre 20**.

24 Qu'est-ce qui distingue le latin *classique* du latin *vulgaire?* **Chapitre 20**.

25 Est-ce que le système vocalique du latin classique avait quelque chose de particulier par rapport au français contemporain? **Chapitre 20**.

26 Quelles sont les consonnes du latin classique qui n'existent pas en français contemporain? **Chapitre 20**.

27 Qu'est-ce qu'une consonne en position forte et une consonne en position faible? Comment expliquez-vous que les consonnes en position forte ont eu tendance à demeurer intactes alors que les consonnes en position faible se sont affaiblies? **Chapitre 21**.

28 Identifiez quatre cas d'affaiblissement articulatoire dans l'évolution du latin au français. **Chapitre 21**.

29 Pourquoi la palatalisation a-t-elle été un phénomène important dans l'évolution du latin? **Chapitre 21**.

30 Que s'est-il produit d'important dès le IIIe siècle dans le système vocalique du latin classique? **Chapitre 21**.

31 Quelle est la différence entre une syllabe *tonique* et une syllabe *atone*? **Chapitre 21**.

32 Est-ce que les voyelles atones sont en position de force ou en position de faiblesse? Expliquez. **Chapitre 21**.

33 Qu'est-ce qu'une *pénultième atone*? **Chapitre 21**.

34 Qu'est-ce qui distingue une voyelle *libre* d'une voyelle *entravée*? **Chapitre 21**.

35 Quelles sont les voyelles latines touchées par le processus de la diphtongaison? **Chapitre 21**.

APPLICATION

1 Faites une tentative de reconstruction linguistique à partir des mots qui suivent en appliquant la méthode de reconstruction. **Chapitre 17**.

Lat.: *caballus;* fr.: *cheval;* ital.: *cavallo*; esp.: *caballo;* port.: *cavalo*.

2 Faites une tentative de reconstruction linguistique à partir des mots amérindiens qui suivent. Comparez ce qu'il y a de commun et de différent, puis tirez les conclusions qui s'imposent. **Chapitre 17**.

fox	cree	menomini	ojibwa	TRADUCTION
[pema:tesiwa]	[pima:tisiw]	[pema:tesew]	[pima:tisi]	«il vit»
[posiwa]	[po:siw]	[po:sew]	[po ʃsi]	«il embarque»
[newa:pama:wa]	[niwa:pama:w]	[newa:pamaw]	[niwa:pama:]	«je le regarde«
[wa:panwi]	[wa:pan]	[wa:pan]	[wa:pan]	«il est apparu»
[ni:jawi]	[ni:jaw]	[ne:jaw]	[ni:jaw]	«mon corps»
[kenosiwa]	[kenosiw]	[keno:sew]	[kinosi]	«il est long»

3 Expliquez, à partir des exemples en roumain qui suivent, s'il s'agit d'une langue isolante, agglutinante ou flexionnelle. **Chapitre 18**.

– [kopilul] = «l'enfant»   – [unkopil] = «un enfant»
– [kopii] = «les enfants»   – [doəkopii] = «des enfants»

4 Le zacapoaxtla est-il une langue isolante, agglutinante ou flexionnelle? Expliquez à partir des exemples suivants. **Chapitre 18**.

– [ita] = «voir»
– [nikita] = «je le vois»
– [tikinita] = «tu les vois»
– [nikitat] = «je l'ai vu»
– [nikinitat] = «je les ai vus»
– [tikitas] = «tu le verras»
– [tikita] = «tu le vois»

5   Trouvez les principaux traits phonétiques qui différencient le dialecte limousin (p. 256) du dialecte creusois. **Chapitres 7, 8 et 19.**

6   Dans le texte du dialecte franco-provençal *Le voyage de noces* (p. 257), identifiez les lexèmes différents du français standard. **Chapitre 19.**

7   Analysez le vocabulaire de la chanson *Las messorgas* en dialecte languedocien (p. 258) et identifiez les marques du genre et du nombre. Cherchez dans un dictionnaire latin-français le vocabulaire que vous ne pouvez identifier (exemples ci-dessous) et reportez-vous au chapitre 10 pour la morphologie. **Chapitres 10 et 19.**

Valent, bòria, daissa, sabiàs, cantava, pòdes, annadas, calent, sofrigas, dolent, messorgas, panar.

8   Trouvez les principaux traits phonétiques qui différencient le dialecte saintongeais (p. 258) du français standard. **Chapitres 7, 8 et 19.**

9   Dans le texte écrit en dialecte wallon (p. 259) et intitulé *Les pwach / Les pois*, identifiez les morphèmes reliés au verbe: marques de la personne, du temps et du mode. **Chapitres 11 et 19.**

10   Identifiez tous les morphèmes qui distinguent le créole haïtien (p. 261) du français standard et dressez un tableau comparatif. **Chapitres 10, 11 et 19.**

11   Analysez les textes II et III qui suivent. Il s'agit d'un extrait des *Serments de Strasbourg* (date: 842) retranscrit en latin classique (texte II) et en latin vulgaire (texte III). **Chapitres 20 et 21.**

TEXTE I

Français contemporain

Pour l'amour de Dieu et pour le salut commun du peuple chrétien et le nôtre, à partir de ce jour, autant que Dieu m'en donne le savoir et le pouvoir, je soutiendrai mon frère Charles de mon aide en toute chose, comme on doit justement soutenir son frère, à condition qu'il m'en fasse autant, et je ne prendrai jamais aucun engagement avec Lothaire, qui, à ma volonté, soit au détriment de mon frère Charles.

TEXTE II

Latin classique : Iᵉʳ siècle

Per Dei amorem et per christiani
populi et nostram communem
salutem, ab hac die, quantum Deus
scire et posse mihi dat, servabo hunc
meum fratrem Carolum, et ope mea
et in quacumque re, ut quilibet
fratrem suum servare jure debet,
dummodo mihi idem faciat, et cum
Cloratio nullam unquam pactionem
faciam, quæ mea voluntate huic meo
fratri Carolo damno sit.

TEXTE III

Latin vulgaire : VIIᵉ siècle

Por Deo amore et por chrestyano
po(o)lo et nostro comune salvamento
de esto die, en avante en quanto Deos
sabere et podere me donat, sic
salvaryo eo eccesto meon fradre
Karlo, et en ayuda et en caduna
causa, sic quomo omo per drecto son
fradre salvare devet, en o qued illi me
altrosic fatsyat, et ab Ludero nullo
plag(i)do nonqua prendrayo, qui
meon volo eccesto meon fradre Karlo
en damno seat.

11.1 Montrez, à l'aide d'exemples, que le texte III correspond à du latin vulgaire : dix exemples phonétiques et dix exemples grammaticaux (terminaison des noms et des verbes).

11.2 Trouvez, dans le texte II, un mot comprenant une diphtongue fréquente en latin classique.

11.3 À partir du texte II, indiquez comment devaient se prononcer en latin classique les mots *hac, quantum, quilibet, servare, jure, faciat*.

11.4 En comparant les textes II et III, expliquez les terminaisons différentes suivantes :
    a) *nostr**am** commun**em** salut**em***
    b) *nostr**o** comun**e** salvament**o***

12 Décrivez sommairement l'évolution phonétique des mots latins *cánta, márem, cabállum, sapórem*. Indiquez ce que chacun des phonèmes (par exemple, dans *cánta* : [k] + [a] + [n] + [t] + [a]) est devenu en français contemporain, sans nécessairement préciser les étapes intermédiaires. **Chapitre 21.**

HISTOIRE DE LA LANGUE FRANÇAISE

COMPRÉHENSION DU CONTENU

1 En quoi le système phonétique (consonnes et voyelles) de l'ancien français était-il complexe? **Chapitre 22**.

2 Quelles étaient les affriquées utilisées en ancien français? Comment étaient-elles prononcées? **Chapitre 22**.

3 Comparativement au français contemporain, comment fonctionnaient les consonnes et les voyelles nasales en ancien français? **Chapitre 22**.

4 Comment expliquer la graphie des voyelles dans des mots contemporains comme *fou, voir, feu, sauver, saut, douleur, chaise, causer, truite*? À quoi correspondaient ces graphies en ancien français? **Chapitre 22**.

5 Comment devaient être prononcés les mots suivants en ancien français? *Veine, vendre, pin, pont, fondre, brun*. **Chapitre 22**.

6 Qu'est-ce qui caractérisait l'ancien français? **Chapitre 22**.

A) On prononçait le *e* final et on utilisait des diphtongues et des triphtongues.

B) On ne prononçait pas le *e* final, mais on employait des diphtongues et des triphtongues, de même que des affriquées.

C) Toutes les consonnes finales se prononçaient de même que le *e* final; les voyelles et les consonnes n'étaient pas nasalisées.

D) On prononçait les consonnes finales et le *e* final; on nasalisait les voyelles et les consonnes; on articulait des diphtongues et des triphtongues.

E) Aucune des réponses précédentes.

7 Comment se prononçait l'énoncé suivant au XIIᵉ siècle: *Cist chevaliers qui lez moi siet* (= «Ce chevalier qui est assis à côté de moi»)? **Chapitre 22**.

A) [tsist tʃəvaliɛrs ki lɛs mwa siɛt]

B) [kist ʃəvaliɛrs ki lɛs mwe siɛt]

C) [tsist tʃəvaliɛrs ki lɛts mwe siɛt]

D) [kist tʃəvaliɛrs ki lɛs mwɛ siɛt]

E) [ksist ʃəvaliɛrs ki les mwe tsiɛt]

8   Quelles sont les différences entre le système consonantique de l'ancien français et celui du moyen français ? **Chapitre 22.**

9   Quelles sont les différences entre le système vocalique de l'ancien français et celui du moyen français ? **Chapitre 22.**

10   Qu'en est-il de la prononciation des voyelles finales en moyen français dans des mots comme *blanc, clef, gentil, outil, gros, grant, (ils) aiment, chanter* ? **Chapitre 22.**

11   Qu'arrive-t-il aux diphtongues en moyen français ? **Chapitre 22.**

12   Quel est le sort du [ə̥] sourd en moyen français ? **Chapitre 22.**

13   Comment expliquer que la langue écrite du Moyen Âge ait été compliquée, illogique et bourrée de parasites ? **Chapitre 22.**

14   Comment le roi Louis XIV devait-il prononcer le mot *roi* ? **Chapitre 22.**

A) [rwe] avec un [r] roulé (antérieur).

B) [rwa] avec un [ʀ] uvulaire (postérieur).

C) [rwɛ] avec un [r] roulé.

D) [rwe] avec, selon l'entourage combinatoire, un [r] roulé ou uvulaire.

E) Les prononciations A et C en alternance.

15   Est-ce que les oppositions phonologiques du type [o]/[ɔ], [ø]/[œ] et [a]/[ɑ] datent de l'ancien français, du moyen français ou du français du XVIIIe siècle ? Expliquez. **Chapitre 22.**

16   Pourquoi une réforme de l'orthographe était-elle rendue nécessaire au XVIIIe siècle ? **Chapitre 22.**

17   Comment expliquez-vous la prononciation de *inquiète* en [ɛ̃tʃɛt] dans certaines régions du Québec et de l'Acadie ? **Chapitre 22.**

18   Comment appelle-t-on le phénomène qui consiste à prononcer *niaiseux* en [ɲɛzø] et comment expliquer cette prononciation ? **Chapitre 22.**

19   Comment expliquez-vous la prononciation *drette, frette, icitte* en franco-québécois ? **Chapitre 22.**

20   Dans quelles conditions se réalisent l'ouverture de [i], [y] et [u] en franco-québécois ? **Chapitre 22.**

21 Est-il vrai que les voyelles en franco-québécois se diphtonguent dans n'importe quel entourage phonétique et que ce phénomène proviendrait de l'anglais? Expliquez. **Chapitre 22**.

22 Quelles sont les variantes phonétiques du groupe *oi* en franco-québécois et dans quelles conditions se réalisent-elles? **Chapitre 22**.

23 Comment expliquer la prétendue mollesse articulatoire des consonnes ou des voyelles en franco-québécois? **Chapitre 22**.

24 Est-il vrai que les mots en indo-européen se présentaient comme ceux que nous avons dans nos langues modernes? Expliquez. **Chapitre 23**.

25 De quelle déclinaison latine proviennent les mots du français moderne? **Chapitre 23**.

26 Le français a-t-il conservé des traces des anciennes déclinaisons latines? Expliquez. **Chapitre 23**.

27 Pourquoi le français n'a-t-il pas conservé les trois genres (masculin, féminin et neutre) issus du latin? **Chapitre 23**.

28 Quel était, en ancien français, le féminin des mots comme *empereur, devin, médecin, lieutenant, chef*? **Chapitre 23**.

29 Quel est l'énoncé qui semble être vrai au sujet de l'article en ancien français? **Chapitre 23**.

A) L'ancien français a puisé ses articles dans les articles latins *ille/illa/illud*.
B) L'ancien français n'avait pas d'article.
C) L'ancien français a développé des articles à partir des démonstratifs latins *ille/illa/illud* qui ont donné les articles indéfinis.
D) Bien que peu courant, l'article défini s'employait au pluriel pour désigner des collectifs: paire d'objets, série d'objets, etc.
E) Aucun des énoncés précédents.

30 Comment expliquer les formes différentes, en français moderne, des pronoms personnels *je, me, moi; tu, te, toi*? **Chapitre 23**.

31 Comment expliquez-vous les formes de numération en français contemporain? **Chapitre 23**.

1) De *un* à *seize*, par rapport à *dix-sept, dix-huit, dix-neuf*.
2) *Trente, quarante, cinquante, soixante*, par rapport à *quatre-vingt, quatre-vingt-dix*.

32 Qu'est-ce qui explique les différences de radicaux dans certains verbes français (p. ex., *je meurs/nous mourons*)? **Chapitre 23**.

A) L'intolérance des grammairiens du XVIIe siècle.
B) Les irrégularités de l'évolution phonétique.

C) Il s'agissait de deux verbes dont les formes provenaient du déplacement de l'accent tonique latin.

D) Toutes ces réponses sont bonnes.

E) Aucune des ces réponses n'est bonne.

33 Quelles sont les deux nouvelles formes du verbe que l'ancien français a créées? Que faisait le latin auparavant? **Chapitre 23**.

34 Est-il vrai que c'est le grammairien Vaugelas qui a recommandé la règle du participe passé en découvrant de vieux manuscrits du Moyen Âge? Expliquez. **Chapitre 23**.

35 Comment expliquer l'emploi, en français populaire, du pronom *ils* pour désigner des êtres indéterminés? **Chapitre 23**.

36 Comment expliquez-vous l'emploi de formes verbales telles que *assisez-vous, que je soye, que je l'aye, je voirais, j'arais, viendre, tiendre*, etc.? **Chapitre 23**.

37 Est-il vrai que le franco-québécois a inventé les tournures du type *sont déjà arrivés, faut l'faire, n'avez qu'à pas aller là*? Expliquez. **Chapitre 23**.

38 Croyez-vous que la syntaxe soit très touchée par l'anglais en franco-québécois? Expliquez. **Chapitre 23**.

39 Peut-on dire que, avant le Moyen Âge, le français populaire a emprunté massivement au gaulois, au latin et au grec? **Chapitre 24**.

40 Comment expliquer que, vers le IVe siècle, le français se soit alimenté aux langues germaniques? **Chapitre 24**.

41 Comment expliquez-vous que deux mots différents en français moderne aient pu provenir d'un même mot latin? Par exemple, comment le mot latin *redemptionem* a-t-il pu donner à la fois *rançon* et *rédemption*? Comment expliquez-vous que l'un des deux mots soit plus éloigné par sa forme du latin? **Chapitre 24**.

42 Comment s'est manifesté le phénomène des emprunts au grec au cours du Moyen Âge? Est-ce que ce processus s'est effectué de la même façon que pour les autres langues? **Chapitre 24**.

43 Quels sont les principaux domaines d'emprunts que nous devons à l'arabe, au néerlandais, à l'allemand, à l'espagnol? Illustrez. **Chapitre 24**.

44 Entre le XIe et le XIXe siècle, quelle est la langue moderne qui a donné le plus de mots au français? Comment expliquer ce phénomène? **Chapitre 24**.

45 Est-il vrai que l'apport de la langue anglaise au français a toujours été massif au cours de l'histoire? Expliquez brièvement. **Chapitre 24**.

46 Comment expliquer que le phénomène de l'emprunt aux langues d'Asie et d'Amérique (langues amérindiennes) n'a jamais été important en français? **Chapitre 24.**

47 Comment se fait-il que les langues s'empruntent mutuellement des mots? **Chapitre 24.**

48 Qu'est-ce que les mots *épagneul, bougie, méandre, binette, calepin, guillemet* et *nicotine* ont en commun quant à leur origine? Comment expliquer ce phénomène? **Chapitre 24.**

49 Est-il vrai que, comparativement au français qui a puisé abondamment dans la langue anglaise, l'anglais n'a à peu près jamais emprunté massivement au français au cours de son histoire? Expliquez. **Chapitre 24.**

50 À combien peut-on estimer approximativement le nombre des vocables franco-québécois différents du français standard? **Chapitre 24.**

51 Croyez-vous que les archaïsmes lexicaux constituent la part la plus importante du vocabulaire en franco-québécois? Expliquez avec précision. **Chapitre 24.**

52 Comment expliquer le processus de l'emprunt massif à l'anglais en franco-québécois? **Chapitre 24.**

53 Quelle est la différence entre un emprunt *direct*, un emprunt *naturalisé* et un emprunt *structural*? Illustrez à l'aide de trois exemples personnels pour chacun des cas. **Chapitre 24.**

54 Est-ce qu'on peut considérer les québécismes et les anglicismes comme des régionalismes? Justifiez votre point de vue. **Chapitre 24.**

55 Peut-on croire que les régionalismes proviennent des différents pays où l'on parle le français à l'exception de la France? Justifiez votre point de vue. **Chapitre 24.**

APPLICATION

1 Transcrivez phonétiquement, selon la prononciation présumée du XIe siècle, l'extrait suivant des *Serments de Strasbourg* adapté en ancien français. **Chapitre 22.**

Por dieu amor et por del crestiien pœple et nostre comun salvement, de cest jorn en avant, quan Dieus saveir et podeir me doct, si salverai jo cest mien fredre Charlon.

2 Expliquez comment on prononçait les mots *eau, oiseau, ensemble, bels sire* («puissant seigneur») et *bonne* au XIIe siècle. Pourquoi écrit-on aujourd'hui *eau, oiseau, bonne* de cette façon? **Chapitre 22.**

3   Décrivez l'évolution phonétique des mots latins suivants en passant par l'ancien et le moyen français. **Chapitre 22**.

    1) *manum*, n. fém. > *main*   4) *scribanem*, n. masc. > *écrivain*

    2) *cam(e)ram*, n. fém. > *chambre*   5) *stagnum*, n. neut. > *étain*

    3) *tructam*, n. fém. > *truite*   6) *sonat*, v. > *sonne*

4   Transcrivez phonétiquement, selon la prononciation présumée du XVe siècle, l'extrait suivant des *Serments de Strasbourg* adapté en moyen français. **Chapitre 22**.

    Pour l'amour Dieu et pour le sauvement du chrestien peuple et nostre commun, de cest jour en avant, quan que Dieu savoir et pouvoir me done, si sauverai je cest mien frere Charle.

5   Quelles sont les différences phonétiques entre la transcription des *Serments* du XIe siècle (question 1) et celle du XVe siècle (question 4)? **Chapitre 22**.

6   Transcrivez phonétiquement en moyen français les mots écrits en caractères gras (*Vie de saint Louis*, p. 304). **Chapitre 22**.

    *Seigneurs, je voi que se je descens de **ceste nef**, que elle sera de refus, et voy que **il a ceans huit cens personnes** et plus. Et pource que chascun aime **autretant sa vie comme je faiz la moie**, n'oseroit nulz demourer en ceste nef, **ainçois demourroient** dans Cypre, pour quoi, se Dieu plait, je ne mettrai ja tant de gent comme il a ceans en peril de mort. Ainçois demourrai ceans **pour mon peuple sauver**.*

7   À partir du texte extrait du *Second Voyage* de Jacques Cartier (p. 305), expliquez les différences de graphie que présentent les mots suivants par rapport à aujourd'hui. **Chapitre 22**.

    1) *vestuz de peaulx de bestes sauvaiges*

    2) *comme l'espesseur d'un cousteau*

    3) *avecques vng cornet de pierre ou de boys*

    4) *y avoyr de la pouldre de poyvre, tant est chaulde*

8   Un trouvère du Moyen Âge, Béroul, est l'auteur d'un poème en vers sur la légende de *Tristan et Iseut* (v. 1190), deux amants célèbres de cette époque. Analysez le petit extrait qui suit en fonction des marques du genre et du nombre. **Chapitre 23**.

Seignors, I. grant pierre lée	*Seigneurs, une grande pierre large*
Out u mileu de cel rochier.	*Était au milieu de ce rocher.*
Tristan i saut molt de legier.	*Tristan y saute fort légèrement.*
Li vens le fiert entre les dras,	*Le vent le frappe entre les habits Et*
Qu'il defent qu'il ne chie a tas.	*qui l'empêche qu'il ne tombe comme*
	une masse.

Encor claiment Cornevalan	*Les Cornouaillais appellent encore*
Cele pierre «le Saut Tristan».	*Cette pierre «Le Saut de Tristan».*
Tristan saut sus, l'araine ert moble.	*Tristan saute dessus : le sable était*
	meuble (mou).
Cil l'atendent defors l'iglise,	*Les autres l'attendent devant l'église,*
Mais por noient : Tristan s'en vet !	*Mais pour rien : Tristan s'en va !*
Bele merci Dex li a fait.	*Dieu lui a fait une belle grâce.*
La riviere granz sauz s'enfuit :	*Sur le rivage, à grands sauts, il*
Molt par ot bien le feu qui bruit !	*s'enfuit : Il ouït (entend) bien le feu qui*
	bruit !

8.1 Dans la version originale, expliquez la différence entre les formes des déterminants dans *Li vens* et dans *le feu*.

8.2 Expliquez la différence entre les formes des déterminants dans *cel rochier* et dans *Cele pierre*.

8.3 Expliquez la différence entre les formes de pronoms personnels compléments dans *le fiert* et dans *li a fait*.

8.4 Comment expliquez-vous la différence entre les formes des adjectifs dans *I. grant pierre* et *granz sauz*?

8.5 Que remarquez-vous de particulier au sujet de l'article indéfini *un/une* en ancien français (dans *I. grant pierre* et *Bele merci*)?

9 Identifiez, dans le corpus d'ancien français qui suit, toutes les marques grammaticales écrites relatives au syntagme nominal (déterminant, adjectif, nom). **Chapitre 23.**

– *li bons chevals, li bons chiens*	= «le bon cheval, le bon chien»
– *cist chevals est chiers*	= «ce cheval est cher»
– *cist chiens est mals*	= «ce chien est méchant»
– *j'aim ce bon chien*	= «j'aime ce bon chien»
– *je voi un grant cheval*	= «je vois un grand cheval»
– *cist cheval sont mal*	= «ces chevaux sont méchants»
– *cist chien sont sage*	= «ces chiens sont sages»
– *j'ai veü cez mals chevals*	= «j'ai vu ces méchants chevaux»
– *j'ai beü cez bons vins*	= «j'ai bu ces bons vins»
– *veez cez granz murs*	= «voyez ces grands murs»
– *mes chevals est bons*	= «mon cheval est bon»
– *mi chien sont mal*	= «mes chiens sont méchants»

10 Relevez tous les emplois du pronom personnel pluriel *ils* dans le texte du *Second Voyage* de Jacques Cartier (p. 305). Quelles règles pourriez-vous énoncer suite à votre analyse? **Chapitre 23.**

11 Dans le même texte (p. 305), expliquez l'origine et l'orthographe des mots suivants : *chausses, deschaulx, fors que, congnoist, escolie, pouldre, s'emplent, nazilles, chaulde*. **Chapitres 22 et 24.**

12 Transcrivez phonétiquement le court texte suivant, du roi Henri IV (1598), selon la prononciation de l'époque. **Chapitre 22.**

À la vérité les gens de justice sont mon bras droict, mais si la gangrenne se met au bras droict, il fault que le gauche le coupe. Quand mes regimens ne me servent pas, je les casse.

13 Expliquez jusqu'à quel point la graphie qu'utilise Henri IV en 1598 ne correspond plus à la langue parlée de l'époque, notamment en ce qui concerne les mots suivants: *faict, edicts, aultrefois, veulx, droict, fault*. **Chapitre 22.**

*La necessité m'a **faict** faire ces **edicts** pour la mesme necessité que j'ay faict celluy-cy. J'ay **aultrefois** faict le soldat; on en a parlé, et n'en ay pas fait semblant. Je suis Roy maintenant et parle en Roy. Je **veulx** estre obéï. A la vérité les gens de justice sont mon bras **droict**, mais si la gangrenne se met au bras droict, il **fault** que le gauche le coupe. Quand mes regimens ne me servent pas, je les casse.*

14 Le texte qui suit est tiré des *Relations des Jésuites*; rédigé en 1634 et publié à Paris en 1635, il porte sur les Français de la Nouvelle-France. Relevez une quinzaine de règles d'écriture différentes de celles d'aujourd'hui. **Chapitre 22**.

Nous auons passé cette année dans vne grande paix et dans vne tres-bonne intelligence auec nos François. La sage conduitte et la prudence de Monsieur de Champlain Gouuerneur de Kebec et du fleuue sainct Laurens, qui nous honore de sa bien-veillance, retenant vn chacun dans son deuoir, a fait que nos paroles et nos predications ayent esté bien receuës, et la Chappelle qu'il a fait dresser proche du fort à l'honneur de nostre Dame, a donné vne belle commodité aux François de frequenter les Sacremens de l'Eglise, ce qu'ils ont fait aux bonnes Festes de l'année, et plusieurs tous les mois, auec vne grande satisfaction de ceux qui les ont assistez. Le fort a paru vne Academie bien reglée, Monsieur de Champlain faisant faire lecture à sa table le matin de quelque bon historien, et le soir de la vie des Saincts; le soir se fait l'examen de conscience en sa chambre et les prieres en suitte qui se recitent à genoux. Il fait sonner la salutation Angelique au commencement, au milieu et à la fin du iour, suiuant la coustume de l'Eglise. En vn mot nous auons subiect de nous consoler voyans vn chef si zelé pour la gloire de Nostre Seigneur et pour le bien de ces Messieurs.

15 Lisez la lettre du roi Louis XIV (reproduite à la page 310) adressée à M. le Comte de Frontenac, gouverneur de la Nouvelle-France. **Chapitres 22 et 23.**

15.1 Transcrivez phonétiquement les mots qui suivent selon la prononciation de l'époque: *Roy, Hollandois, sçavoir, subjet, voyt, gloire, François*.

15.2 À partir de cinq exemples concrets, expliquez l'emploi de la troisième personne grammaticale par Louis XIV.

15.3 Choisissez cinq mots dont la graphie ne correspondait nullement à la prononciation de l'époque et tentez d'expliquer ces graphies.

16 Dans la lettre suivante, que Monsieur de Frontenac adressait au roi en 1679, montrez, d'une part, que l'écriture utilisée correspondait à la prononciation de l'époque et, d'autre part, que Frontenac était un homme relativement instruit. **Chapitre 22**.

> *Sire,*
>
> *Depuis le temps que je suis en ce païs, il n'y a rien à quoy j'ay plus travaillé qu'à porter tout le monde, soit ecclésiastique soit séculiers, à nourrir et élever des enfans sauvages et à attirer leurs pères et leurs mères dans nos habitations pour pouvoir mieux les instruire dans la religion chrestienne et dans les mœurs françoises ; j'ay joint l'exemple à mes exortations en ayant toujours faict élever chez moy et ailleurs à mes dépenses et recommandé à mes Religieuses Ursulines et aux Pères Jesuittes de ne point donner d'aultres sentimens à ceulx qu'ils ont soubs leur conduitte.*
>
> *Cependant les derniers, ayant prétendu que la communication des François les corrompoit et estoit un obstacle à l'instruction qu'ils leur donnent, bien loing de se conformer à ce que je leur ay déclaré estre des instructions de Vostre Majesté, le père, premier Superieur de Laprairie de la Magdelaine a depuis trois ans retiré tous les Sauvages qui y estoient meslez avec les François pour les mettre à deux lieues de là sur les terres qu'ils ont obtenues de M. Duchesneau à son arrivée en ce païs et dont j'ay cru ne devoir point leur accorder le titre de concession que je ne susse la volonté de Vostre Majesté pour les raisons, que j'ay eu l'honneur de luy mander il y a deux ans, qui sont importantes pour son service et pour l'advantage et sureté de la colonie.*

17 Voici le texte d'un greffier de la Nouvelle-France ; lisez-le, puis, à partir d'une douzaine d'exemples, montrez pourquoi l'auteur devait ignorer l'étymologie latine des mots. **Chapitre 22**.

> *Supplie humblement Damoizelle Catherine Legardeur vefue de feu M^{re} pierre de sorel Cy devant Capitaine des Troupes du Regiment de Carinant demeurante au fort de sorel ; Disant que la femme du Nommé Laplante un de ses habitants Seroit venue audit fort avecq une bayonnette, Et une ache a la main ; Et en arriuant auroit dit a laditte damoizelle : Te voilla Donc bougresse De sorsiere ; en Jurant... Le saint Nom de Dieu ; disant Toujours beaucoup dinjures Grosse et Difamatoire a la ditte dam^{lle}. Supliante quy Luy auroit dit de se retiré, Et quelle estoit une beste ; Sur quoy laditte Laplante se seroit aprochée de lad. Damoizelle pour luy Donner Sa bayonnette du travers du vantre ; Dont elle fut repousée, Et se Jetta pour une Seconde foys Sur laditte Damoizelle a Dessain de la Tuer ; Disant quelle voulloit Lastripé ; Et Comme Laditte Damoizelle De sorel Se voyait ainsy Maltraitée De parolle ; Elle Saisit Laditte Laplante par Derrière pour Luy hauter SA bayonnette Ce quelle ne peut faire ; Mais Elle luy fut hautée par un Soldat de Monsieur de Rompré Et Comme Lad. Damoizelle Croyait que Laditte Laplante Navoit aucune Chosse en main elle la laissa allé ; Et Cestant Retournée elle Voulleut Coupé Le visage de lad. dam^{lle} Supliante avec une ache quelle avoit Entre Ses mains ; Ce quelle auroit fait Sy Long Ne lust aresté le bras.*

18 Dans les exemples qui suivent, trouvez toutes les affriquées et toutes les ouvertures probables des voyelles [i], [y], [u] en franco-québécois. Justifiez les cas d'application. **Chapitre 22**.

pipe	*fillette*	*portier*	*vider*
vie	*tête*	*toucher*	*cube*
insulter	*hiver*	*russe*	*mulet*
moustique	*émoustiller*	*cultiver*	*jugement*
amitié	*tutelle*	*têtu*	*module*
dindon	*endetter*	*tuer*	*condiment*

19 Dans quels cas pourrait-on trouver des diphtongaisons probables en franco-québécois? Pourquoi? **Chapitre 22**.

pet	*paille*	*fête*	*chandail*
coule	*câble*	*épaisse*	*grasse*
port	*sainte*	*rôle*	*feutre*
cuve	*fromage*	*pompe*	*chaise*
lève (v.)	*avoir*	*encore*	*envoyer*
treize	*père*	*miroir*	*fleur*
Grèce	*fauteuil*	*rouge*	*rose*

20 Décrivez les principales variantes phonétiques des mots en *oi* dans les exemples suivants. **Chapitre 22**.

Danois	*Sainte-Foy*	*soie*	*falloir*
boiter (v.)	*paroisse*	*noirceur*	*croise* (v.)
bois	*voiture*	*crachoir*	*voyons*
avoine	*nettoie* (v.)	*poignard*	*oignons*
poil	*voient* (v.)	*toit*	*soient*

21 Par rapport au français standard, relevez tous les cas d'ouverture ou de fermeture des voyelles ayant une origine archaïsante. **Chapitre 22**.

il était	*moi*	*i(l) voit*	*poêle*
jupe	*épais*	*beurre*	*soirée*
tabac	*brume*	*adroit*	*je bois*
frère	*oiseau*	*laid*	*lait*
il verra	*difficile*	*verte*	*garage*
percer	*jamais*	*climat*	*poire*

22 En cherchant dans un dictionnaire, comparez le sens premier (étymologique) des mots suivants à celui en usage aujourd'hui et précisez s'il s'agit d'une extension de sens, d'une restriction de sens ou d'un déplacement de sens. Quelles conclusions peut-on tirer de ces constatations? **Chapitres 16 et 24**.

baron	*comte*	*duc*	*maréchal*	*échevin*
sommelier	*gars*	*franc*	*marquis*	*compagnon*
gouverneur	*ministre*	*amiral*	*colonel*	*bachelier*

23 En vous aidant d'un dictionnaire, trouvez de quelles langues proviennent les mots suivants. **Chapitre 24**.

laie	*galoper*	*gamin*	*garçon*	*aubergine*
crapaud	*cravache*	*chèque*	*abasourdir*	*cheminée*
asticoter	*astre*	*attention*	*étendard*	*inoculer*
pastel	*pasteuriser*	*robot*	*ristourne*	*budget*
sanglier	*canaille*	*tournesol*	*hibernal*	*restaurant*

24 Expliquez l'origine des doublets suivants. **Chapitre 24**.

écouter/ausculter	*mâcher/mastiquer*	*aigre/âcre*
cheptel/capitale	*étroit/strict*	*avoué/avocat*
sanglier/singulier	*poison/potion*	*chose/cause*

25 En choisissant une douzaine d'exemples précis, montrez que la langue arabe a transmis au français des mots dans les domaines de l'astronomie, de la médecine et des mathématiques. **Chapitre 24**.

26 En comparant une douzaine de mots d'origine néerlandaise et allemande, montrez que ces deux langues ont donné au français des mots provenant de domaines différents. **Chapitre 24**.

27 Cherchez l'étymologie de chacun des mots suivants et précisez de quelle langue il provient. **Chapitre 24**.

kiosque	*chagrin*	*cosaque*	*piastre*	*steppe*
polka	*fanal*	*lilas*	*batik*	*caravane*
bonze	*lama*	*vampire*	*icône*	*rotin*
minorité	*condor*	*goyave*	*châle*	*soya*

28 Parmi les emprunts faits à la langue italienne, trouvez 25 mots relatifs au domaine militaire, 25 mots relatifs au domaine de la musique et 10 mots apparentés au domaine de l'architecture. **Chapitre 24**.

29 Parmi les mots empruntés à l'anglais par le français standard, trouvez-en 15 qui sont naturalisés (francisés). **Chapitre 24**.

30 De quelle(s) langue(s) provient chacun des mots suivants? **Chapitre 24**.

escargot	*quenelle*	*écaille*	*caboche*	*chalet*
crabe	*crevette*	*langouste*	*cagibi*	*pieuvre*
rémoulade	*dorade*	*quiche*	*bouillabaisse*	*tortue*

31 Parmi les mots que le français a donnés à l'anglais au cours du Moyen Âge (p. 356), relevez ceux qui sont disparus en français moderne. **Chapitre 24**.

32 Relevez les mots empruntés au français par l'anglais dans le texte de Gillian Cosgrove (p. 358) et classez-les par domaines d'emploi. **Chapitre 24**.

33   Relevez les mots empruntés à l'anglais par le français dans le texte intitulé
«Petite histoire en franglais» (p. 359) et classez-les par domaines d'emploi.
Chapitre 24.

34   Comparez les termes contemporains empruntés au français par l'anglais,
l'allemand, l'italien, l'espagnol et le portugais (p. 356-361); relevez tous les
mots qui apparaissent dans plus d'une langue et déterminez de quel(s)
domaine(s) relève l'héritage français transmis à ces langues. **Chapitre 24**.

35   Classez les mots ci-dessous, tirés du franco-québécois, dans l'une ou l'autre
des catégories suivantes: archaïsmes, québécismes, emprunts directs,
emprunts naturalisés, emprunts structuraux, emprunts sémantiques. **Chapitre 24**.

bavasser	*guédille*	*maganer*	*longue-distance*
malle	*jumper* (v.)	*niaiseux*	*chèque de voyage*
couper (les prix)	*franchise*	*filière (classeur)*	*fonds de pension*
braquette	*discompte*	*frasil*	*délivrer (une pizza)*
peppé	*placoter*	*dispendieux*	*sous-vêtement*
table tournante	*soda à pâte*	*aréna*	*gosse (testicule)*
bell-boy	*moppe*	*chaud (saoul)*	*défroster*
blé d'Inde	*clip*	*coutellerie*	*hambourgeois*
set de chambre	*switcher* (v.)	*crémage*	*rester (habiter)*

36   Parmi les régionalismes de la francophonie (p. 368-378), relevez tous ceux
qui sont rigoureusement identiques à ceux du Québec et dressez la liste
par région ou pays. Comment pouvez-vous expliquer ces ressemblances?
Chapitre 24.

37   Parmi les régionalismes de la Belgique, de la Suisse, du Val d'Aoste, d'Haïti,
des Antilles, de l'océan Indien, de l'Océanie et de l'Afrique (p. 371-378),
trouvez ceux qui désignent des réalités typiquement locales pour lesquelles
le français commun ne saurait avoir d'équivalent. **Chapitre 24**.

38   Comparez les régionalismes (sens ou forme) qui suivent avec ceux employés
au Québec et donnez leur équivalent québécois. **Chapitre 24**.

BELGIQUE: *brosseur, doubleur, essuie-vaisselle, loque à poussière,
mofleur, pelle à balayures, raccusette, soutien, taiseux,
vassingue.*

SUISSE: *barboteuse, cachemaille, chambre à manger, cloche,
dringuelle, fermoir-éclair, gonfle, pintocher, sommelière.*

VAL D'AOSTE: *gant de Paris, prémaman, prénoter.*

MARTINIQUE: *bombe, zhabitant.*

RÉUNION/MAURICE: *bureau de deuil, commandeur, cuiteur, soulaison,
tortue-bon-Dieu.*

NLLE-CALÉDONIE: *buggy, djumper, emboucané, gratteur, package, poquène,
piquette.*

AFRIQUE: *blanc-bec, change, enceinter, gargote, gossette, vidange.*

39 Parmi tous les régionalismes de la francophonie (p. 368-378), relevez les particularités lexicales ayant trait aux domaines suivants : enfants nés hors mariage, amour libre, allocations familiales, toilettes. Faites une analyse comparative de ces régionalismes en expliquant les ressemblances et les différences. **Chapitre 24**.

40 Faites un relevé des particularités lexicales les plus originales, c'est-à-dire celles qui ne sont en usage que dans une seule région et qui sont plutôt colorées. **Chapitre 24**.

BIBLIOGRAPHIE

BASTUJI, Jacqueline. *Comment apprendre le vocabulaire ? (niveau 3)*, Paris, Librairie Larousse, 1975.

CONNOLLY, Guy. *Linguistique descriptive, Questions, Problèmes et Exercices*, Montréal, Guérin, 1978.

DEMERS, Richard A. et Ann K. FARMER. *A Linguistics Workbook*, Cambridge, The MIT Press, 1988.

DUBOIS-CHARLIER, Françoise et Danielle LEEMAN. *Comment s'initier à la linguistique*, Paris, Librairie Larousse, 1975.

ÉLUERD, Roland. *Ces mots qui ont perdu leur latin*, Paris, Éditions Pierre Belfond, 1989.

MARCHAND, Frank *et al. Comment apprendre la grammaire ? (niveau 1)*, Paris, Librairie Larousse, 1973.

MARCHAND, Frank *et al. Comment apprendre la grammaire ? (niveau 2)*, Paris, Librairie Larousse, 1974.

MARCHAND, Frank *et al. Comment apprendre la grammaire ? (niveau 3)*, Paris, Librairie Larousse, 1974.

MERRIFIELD, William R. *et al. Laboratory Manual for Morphology and Syntax*, Santa Ana (Californie), Summer Institute of Linguistics, 1967.

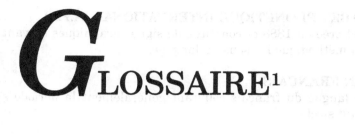

GLOSSAIRE[1]

ACRONYME

Mot formé à partir d'éléments tronqués que l'on combine entre eux: p. ex., *téléthon* est formé de *téléphone* et de *marathon*.

AFFIXE

L'*affixe* est un *morphème** adjoint au radical d'un mot pour indiquer la fonction syntaxique de ce mot, pour en changer la catégorie ou pour en modifier le sens. Parmi les affixes, on distingue les *suffixes**, les *préfixes** et les *infixes**

AFFRICATION

Articulation combinant une occlusion et une frication. On parle aussi d'*affrication* lorsqu'une consonne occlusive devient en même temps fricative: p. ex., [tʃ], [dʒ], [ts], [dz], etc.

AFFRIQUÉE

Consonne dont l'émission combine une occlusion et une frication: par ex., angl. [tʃ] dans [tʃɛr] (*chair* = «chaise»).

AFRICANISME

Mot ou expression propres au français utilisé en Afrique noire.

ALLONGEMENT

Accroissement de la durée d'un phonème: p. ex., [vulave] > [vul:ave] (*vous l'avez > vous le lavez*).

ALLOPHONE

Variante phonétique d'un *phonème**: p. ex., *moi* prononcé [mwa] ou [mwe].

---

1. La très grande majorité des définitions a été tirée ou adaptée du *Dictionnaire de linguistique* de Jean DUBOIS *et al.*, Paris, Larousse, 1973. Les autres définitions proviennent de: Georges MOUNIN, *Dictionnaire de la linguistique*, Paris, P.U.F., 1974; J.-F. PHÉLIZON, *Vocabulaire de la linguistique*, Paris, Roudil, 1976; M. ARRIVÉ, F. GADET et M. GAMICHE, *La grammaire d'aujourd'hui (guide alphabétique de linguistique française)*, Paris, Flammarion, 1986.

ALPHABET PHONÉTIQUE INTERNATIONAL (A.P.I.)
Alphabet créé en 1888 et constitué de signes graphiques servant à transcrire de façon méthodique les sons du langage.

ANCIEN FRANÇAIS
État de langue du français couvrant généralement la période s'étendant du IXe au XIIIe siècle.

ANGLICISME
Mot ou locution empruntés à la langue anglaise. Voir *emprunt**.

ANTÉRIEUR
Se dit d'un phonème dont le point d'articulation se situe dans la partie antérieure de la cavité buccale. S'oppose à *postérieur**.

ANTONYME
Mot qui, par le sens, s'oppose directement à un autre : p. ex., *chaud/froid*.

ARCHAÏSME
L'archaïsme peut correspondre à une forme lexicale (mot ou expression), à une construction syntaxique ou à une prononciation résultant d'un usage tombé en désuétude dans l'ensemble d'une communauté linguistique, mais encore en usage au sein d'un ou de plusieurs groupes particuliers.

ARRONDI
Le trait *arrondi* caractérise une articulation vocalique réalisée par l'arrondissement des lèvres lorsque celles-ci sont projetées vers l'avant : p. ex., [y], [u], [ɔ], [œ], etc. S'oppose à *non arrondi**.

ASPECT
Nom donné aux différentes formes d'un verbe qui permettent de déterminer la manière dont le procès se situe quant à son achèvement ; on parle alors d'aspect *momentané, duratif, progressif*, etc. Le français n'a pas de marques formelles d'aspect.

ASPIRATION
Phénomène dû à l'ouverture de la glotte pendant l'occlusion buccale et qui accompagne la prononciation des occlusives sourdes dans certaines langues. On parle aussi d'*aspiration* lorsqu'une consonne non aspirée devient aspirée sous l'effet de certains facteurs combinatoires.

ASSIMILATION
Modification subie par un phonème au contact d'un phonème voisin et qui consiste, pour les deux unités en contact, à avoir des traits articulatoires communs : [absyrd] > [apsyrd]. Voir *harmonie vocalique**.

BELGICISME
Mot ou expression propres au français utilisé en Belgique wallonne.

BILABIALE
Articulation consonantique réalisée par une occlusion ou une constriction dues au rapprochement des deux lèvres l'une contre l'autre: [p], [b], [m].

BRANCHE
Sous-ensemble de langues apparentées plus étroitement entre elles: p. ex., la branche romane, la branche germanique, la branche slave, etc. Synonyme de *sous-famille**. Voir *famille**.

CANADIANISME
Mot ou expression propres au français utilisé dans l'une ou l'autre des provinces du Canada. Parfois employé pour *québécisme**.

CAS
Catégorie grammaticale associée au syntagme nominal (SN) dont elle traduit, dans certaines langues, la fonction syntaxique dans la phrase: sujet, complément direct, complément indirect, complément du nom, locatif, etc.

CIRCONSTANCIELLE
On appelle *circonstancielle* une phrase enchâssée dans une autre et introduite par une conjonction de subordination fournissant l'un des renseignements suivants: temps, but, cause, conséquence, manière, condition, etc. *Le chat aiguise ses griffes sur le fauteuil **pendant que le maître a le dos tourné***. S'oppose à *complétive** et à *relative**.

CLASSE DE MOTS
Catégorie de mots définis par leur distribution dans la phrase; dans la grammaire traditionnelle, on parle de *parties du discours*. Quelques exemples de classes de mots: noms, verbes, adjectifs, déterminants, conjonctions, adverbes, etc.

CLICK
Phonème caractérisé par un claquement sec; les langues «à clicks» existent surtout dans le sud de l'Afrique.

COMPLÉTIVE
On appelle *complétive* une phrase enchâssée dans une autre, à l'intérieur de laquelle elle joue le rôle d'un syntagme nominal sujet ou complément: *Deux élèves constatent **que leurs notes baissent***. S'oppose à *circonstancielle** et à *relative**.

COMPOSITION
Procédé de formation des mots qui consiste à associer deux lexèmes soit par juxtaposition (*porte-manteau, fine lame, prendre peur*, etc.), soit par l'adjonction d'un syntagme prépositionnel (*char d'assaut, mettre sur pied*, etc.).

COMPOSITION SAVANTE
Procédé de formation qui consiste à juxtaposer deux lexèmes dont le second est le pivot, et le premier, déterminant du second: p. ex., *bibliophile*. Les composés savants sont formés le plus souvent d'un assemblage d'éléments empruntés à des langues étrangères, notamment au grec et au latin.

CONSONANTIQUE

Relatif aux *consonnes**. S'oppose à *vocalique**.

CONSONNE

Phonème produit lorsque l'air rencontre un obstacle dans la cavité buccale, labiale ou pharyngale, ce qui crée un barrage total ou partiel. On parlera de consonne *occlusive* si le barrage est total ([t], [d], etc.), et de consonne *constrictive* s'il est partiel ([s], [z], etc.) S'oppose à *voyelle**.

CONSONNE COMPLEXE

Une consonne est dite *complexe* lorsqu'elle fait appel à deux *points d'articulation**, à deux zones articulatoires ou à deux *modes d'articulation**: [tʃ], [dʒ], [ts], etc.; certaines voyelles sont également complexes: [au], [ai], etc. S'oppose à *consonne simple**.

CONSONNE SIMPLE

Une consonne est dite *simple* lorsqu'elle se réalise avec un seul *point d'articulation** ou avec un seul *mode d'articulation**: [p], [t], [ʃ], [ʒ], etc. S'oppose à *consonne complexe**.

CONSTRICTIVE

Consonne dont l'articulation comporte un rétrécissement du canal vocal de telle sorte que l'air s'échappe en produisant un bruit de frottement ou de friction: [p], [t], [d], [m], [s], [l], [ʀ], etc. S'oppose à *occlusive**.

CONTINUE

On qualifie de *continue* toute articulation non accompagnée d'une occlusion; les constrictives, les semi-consonnes et les voyelles sont des articulations continues.

CORONAL

Le terme *coronal* renvoie à la *couronne* de la langue, c'est-à-dire à la position de la pointe de la langue durant l'articulation. Toute articulation faite avec la couronne (pointe ou dos) de la langue sera considérée comme coronale; p. ex., [t], [d], [n], [l], [s], [z], [ʃ], [ʒ].

CRÉOLE

Sur le plan historique, on parle de *créole* quand deux langues totalement différentes se sont mélangées pour en former une troisième distincte des deux premières. Par exemple, le vocabulaire français s'est intégré à la morphologie et à la syntaxe africaines pour former le créole haïtien. S'oppose à *pidgin**, à *dialecte** et à *langue**.

DÉCLINAISON

Système de flexions* que prennent surtout les noms, les adjectifs et les pronoms dans certaines langues pour exprimer leur fonction dans la phrase. Voir *cas**.

DENTAL

Une articulation consonantique *dentale* est réalisée en rapprochant la lèvre inférieure, la pointe ou le dos de la langue des incisives supérieures: p. ex., [t], [d], [n], [s], [z], etc.

DÉPLACEMENT DE SENS

On parle de *déplacement de sens* lorsqu'un mot change complètement de sens: p. ex., *rivière* au sens de «cours d'eau» et au sens de «collier (de diamants)». S'oppose à *extension** et à *restriction** *de sens*.

DÉRIVATION

Processus de formation lexicale caractérisé par l'agglutination d'éléments devant le lexème: *refaire, défaire, parfaire*, etc.

DÉSINENCE

Élément variable qui s'ajoute à la fin du radical d'un mot. Parfois synonyme de *suffixe**.

DIACHRONIE

Étude des faits de langue considérés dans le temps, c'est-à-dire du point de vue de leur évolution. S'oppose à *synchronie**.

DIALECTE

1. Se dit souvent, à la place de *langue*, d'un *idiome** sans statut juridique; en ce sens, *dialecte* a une valeur dépréciative (*Ce n'est qu'un dialecte!*) S'oppose à *langue**.
2. Au point de vue historique, se dit d'un *idiome** issu d'une langue mère: le français est un dialecte du latin.
3. Au point de vue géographique, se dit de deux variétés régionales d'une même langue: le montréalais, le parisien, le bruxellois sont des dialectes du français.

S'oppose à *langue**, à *créole** et à *pidgin**.

DIPHTONGUE

Voyelle dont la tenue comporte un changement d'articulation produisant une variation de timbre. L'anglais possède de nombreuses diphtongues: *ai, ei, au*, etc. S'oppose à *monophtongue** et à *triphtongue**.

DOUBLET

En linguistique historique, un *doublet* se compose de deux mots issus d'une même origine: l'un (le plus différent du latin, par exemple) est le résultat de l'évolution phonétique, alors que l'autre (le plus semblable au latin) correspond à un emprunt direct de la langue mère. Ainsi, *fragile* et *frêle* sont un doublet du latin *fragilis*.

DUEL

Nombre grammatical distinct du singulier et du pluriel, qui est employé dans les conjugaisons et les déclinaisons de certaines langues (arabe, grec, sanskrit) pour indiquer qu'il s'agit de deux êtres ou objets. S'oppose à *singulier*, à *pluriel*, mais aussi à *triel** et à *quadriel*.

DURÉE

Allongement plus ou moins grand d'un phonème dans le temps. Voir *allongement**.

EMPRUNT

Intégration à une langue d'un élément (phonème, morphème, lexème ou locution) d'une langue étrangère. Dans le domaine du lexique, l'emprunt peut être direct, naturalisé, d'ordre structural ou sémantique.

EXTENSION DE SENS

On parle d'*extension de sens* dans le cas d'un vocable qui acquiert un sens plus général et dont les unités de sens sont englobées dans la nouvelle acception: p. ex., *panier* au sens de «corbeille à pain» et au sens de «réceptacle servant à contenir ou à transporter des marchandises, des provisions, des animaux, etc.». S'oppose à *déplacement** et à *restriction* de sens*.

FAMILLE

Terme servant à désigner l'ensemble formé de toutes les langues de même origine: p. ex.: la famille indo-européenne, la famille sino-tibétaine, la famille chamito-sémitique, etc. S'oppose à *branche**.

FERMÉ

Une voyelle est *fermée* quand l'articulation comporte une élévation de la langue et, par conséquent, un rétrécissement du canal buccal: [i], [e], [o], [u]. S'oppose à *ouvert**.

FLEXION

Procédé morphologique consistant à pourvoir les racines (lexèmes) d'éléments suffixaux (*suffixes**) ou de *désinences**.

FRAGMENTATION LINGUISTIQUE

Résultat du morcellement linguistique à partir d'un même *idiome**; certaines populations s'étant retrouvées isolées les unes des autres, la langue a alors évolué différemment.

FRANCOPHONISME

Mot ou expression propres au français utilisé dans l'un ou l'autre des pays dits francophones. Voir *québécisme**, *helvétisme**, *belgicisme**, *néo-calédonisme**, *haïtianisme**, etc.

FRICATIVE

Consonne dont l'articulation est produite par un resserrement continu du canal buccal contre les lèvres ou les dents: [f], [v], [ʃ], [ʒ], [s], [z]. Parfois synonyme de *constrictive** et incluant alors les *fricatives**, les *latérales** ([l]) et les *vibrantes** ([ʀ]). S'oppose à *occlusive**.

GENRE

Catégorie grammaticale reposant sur la répartition des noms en classes (selon les langues: masculin, féminin ou neutre, animé ou inanimé, etc.) en fonction d'un certain nombre de marques formelles dans les noms, les adjectifs, les pronoms et parfois les verbes (certaines langues).

GERMANIQUE

1. *Sous-famille** de langues indo-européennes parlées à l'origine en Europe du Nord : anglais, allemand, néerlandais, danois, etc. S'oppose à *(langue) romane, (langue) slave, (langue) celtique*, etc.
2. Langue mère de toutes les langues germaniques, probablement parlée entre les III⁰ et XI⁰ siècles.

GLOTTALE

Articulation produite par un coup de glotte : [h]. Le français n'a pas de glottales.

GROUPE DE LANGUES

On utilise l'expression *groupe de langues* lorsque le classement d'une ou de plusieurs langues n'est pas fixé de façon certaine ; on utilise alors ce terme pour l'appliquer indifféremment à un ensemble de familles, à une *famille**, ou à un ensemble de *branches** d'une langue.

HAÏTIANISME

Mot ou expression propres au français utilisé en Haïti.

HARMONIE VOCALIQUE

Phénomène d'assimilation vocalique qui a pour effet de rapprocher le timbre d'une voyelle du timbre d'une voyelle contiguë ou voisine : p. ex., *aider* [ɛde] > [ede].

HELVÉTISME

Mot ou expression propres au français utilisé en Suisse romande.

HOMONYMES

Se dit de deux ou de plusieurs mots formellement identiques, soit dans la langue écrite (homographe), soit dans la langue parlée (homophone), soit dans l'une et l'autre (homographe homophone) : *le président/ils président, vers Québec/verre de bière*. S'oppose à *polysémie**.

HYPONYMES

Se dit de deux ou de plusieurs mots dont le sens de l'un est dans un rapport d'inclusion unilatéral par rapport à l'autre : p. ex., *chaise, fauteuil* et *siège* sont dans un rapport d'hyponymie, le sens de *siège* incluant le sens de *chaise* et de *fauteuil*.

ICÔNE

Un icône (employé au masculin) est un *signe visuel* se référant à un sens dans un rapport de ressemblance ; un icône remplace l'objet ou la réalité qu'il évoque comme s'il était cet objet. On distingue plusieurs types d'icônes ; les plus représentatifs sont l'illustration ou la photo, le diagramme, l'organigramme, le schéma, etc.

IDIOME

1. Terme servant à désigner le parler spécifique d'une communauté donnée.
2. Terme souvent utilisé comme synonyme de *langue** au sens général.

INDICE

Les indices sont des phénomènes naturels et perceptibles, involontaires ou non intentionnels qui nous font connaître quelque chose à propos d'un fait qui, lui, n'est pas immédiatement perceptible: p. ex., les symptômes, les traces, les marques, les empreintes, les odeurs, etc.

INDO-EUROPÉEN

1. Famille de langues parlées originellement en Europe ainsi que dans l'ouest et le nord de l'Inde, mais dont l'aire s'est ultérieurement étendue en Australie et dans les Amériques.
2. Langue mère dont seraient issues les langues de la même famille.

INFIXE

Élement affixal qui s'insère au milieu d'un mot pour en modifier le sens ou la valeur grammaticale: p. ex., -er, dans *chanterons*.

INTERDENTALE

Consonne fricative dont l'articulation est produite avec la pointe de la langue placée contre les incisives supérieures, entre les deux rangées de dents légèrement écartées: p. ex., en anglais, [θ], [δ].

LABIALE

Consonne dont l'articulation principale consiste en un arrondissement des lèvres. On distingue les bilabiales ([p], [b], [m]) et les labiodentales ([f], [v]).

LABIALISATION

Mouvement d'arrondissement des lèvres qui intervient comme articulation secondaire dans la réalisation de phonèmes devenant «labialisés»: [k] > [kʷ], [g] > [gʷ].

LABIODENTALE

Consonne dont l'articulation comporte un rapprochement ou un contact de la lèvre inférieure et les incisives supérieures: [f], [v].

LANGUE

1. Dans la terminologie saussurienne, la langue, en tant que code, se veut une convention sociale et, jusqu'à un certain point, indépendante de l'individu; parce qu'elle est transmise par la société, la langue ne joue qu'un rôle accessoire dans la formation du code pour l'individu. S'oppose à *parole**.
2. Par opposition à *dialecte**, *idiome** ayant connu une extension géographique ou démographique importante.

LANGUE AGGLUTINANTE

Langue comportant un système d'accumulation, après le radical, d'affixes distincts servant à exprimer les rapports grammaticaux. P. ex., en hongrois: *ember* = «homme», *emberek* = «hommes», *embernek* = «à l'homme», *embereknek* = «aux hommes». S'oppose à *langue isolante** et à *langue flexionnelle**.

LANGUE FLEXIONNELLE

Langue comportant des *désinences** groupant plusieurs fonctions grammaticales données. En latin, par exemple, *-ibus* marque à la fois le pluriel et le datif d'un mot de la deuxième *déclinaison**.

LANGUE ISOLANTE

Langue dont les mots sont comme des racines qu'aucun élément de formation ne relie entre elles.

LANGUE MÈRE

Langue qui a servi à en former d'autres: p. ex., le latin pour le français et l'espagnol, le germanique pour l'allemand et l'anglais, l'indo-européen pour le latin et le germanique.

LATÉRALE

Consonne dont les articulateurs sont généralement la langue et le palais, le point d'articulation étant au milieu du canal buccal: p. ex., [l].

LATIN CLASSIQUE

On appelle *latin classique* le latin écrit vers le Ier siècle de notre ère, c'est-à-dire celui utilisé par les grands écrivains et les classes instruites. S'oppose à *latin vulgaire** (de *vulgus*: «peuple»).

LATIN VULGAIRE

On appelle *latin vulgaire* le latin parlé par les gens du peuple dès le Ier siècle de notre ère.

LEXÈME

Le lexème ou morphème lexical correspond à l'unité de base du lexique: p. ex., *travaill-* dans *travaillons*.

LINGUISTIQUE APPLIQUÉE

La linguistique appliquée désigne l'ensemble des recherches qui utilisent les démarches de la linguistique proprement dite pour résoudre certains problèmes que posent d'autres disciplines plus ou moins connexes: la sociolinguistique, l'ethnolinguistique, la psycholinguistique, la lexicographie, la sémiotique, l'aménagement linguistique, le droit linguistique, la neurolinguistique, etc.

LINGUISTIQUE COMPARATIVE

La méthode de la linguistique comparative consiste à rapprocher les mots de deux et parfois de plusieurs langues données, afin de relever des ressemblances entre ces langues.

LINGUISTIQUE HISTORIQUE

La linguistique historique étudie de près l'évolution d'une ou de plusieurs langues et essaie d'expliquer cette évolution.

MARQUE

En morphologie, une marque est une unité linguistique (morphème) possédant une particularité formelle et sémantique l'opposant à d'autres unités de même nature. Par exemple, en français écrit, la lettre *e* correspond à la marque du féminin dans *attachée* et s'oppose à l'absence de la lettre *e* dans *attaché*.

MÉTHODE GÉNÉTIQUE

La classification génétique s'intéresse aux familles de langues, c'est-à-dire à un ensemble de langues effectivement parentes, qui descendent d'une langue présumée commune ou originelle. Voir *famille** et *branche**.

MÉTHODE TYPOLOGIQUE

La classification typologique des langues a pour but de les décrire et de les regrouper en fonction de certaines caractéristiques communes de leurs structures, sans rechercher nécessairement l'établissement de généalogies ou de familles de langues. Voir *langue agglutinante**, *langue flexionnelle**, *langue isolante**.

MODE

Le mode est une notion grammaticale associée au verbe et qui traduit l'attitude du sujet parlant vis-à-vis du «procès» (valeur anecdotique de l'énoncé) exprimé par le verbe. On parle, par exemple, de mode *indicatif*, de mode *subjonctif*, etc.

MODE D'ARTICULATION

Le mode d'articulation correspond au traitement subi par l'air expiré dans la production d'un phonème. Lors de la production d'une consonne, l'air rencontre nécessairement un obstacle; si l'obstacle ou le barrage est total, on parlera de consonne *occlusive* ([p], [b], [t], [d], [k], [g], etc.); s'il est partiel, il s'agira d'une consonne *constrictive* ([s], [z], [f], [v], [ʃ], [ʒ], etc.) Voir *point d'articulation**.

MONOPHTONGUE

Voyelle qui ne change pas de timbre au cours de son émission: p. ex., [i], [e], [ɛ], [a]. S'oppose à *diphtongue** et à *triphtongue**.

MORPHÈME

Le morphème grammatical constitue une unité minimale de signification indécomposable. S'oppose à *lexème**.

MORPHOLOGIE

1. Étude de la forme des mots, par opposition à l'étude des fonctions ou syntaxe.
2. Description des règles et des formes diverses que prennent les mots selon les catégories de genre, de nombre, de temps, de personne, etc.

S'oppose à *syntaxe**, à *lexicologie*, à *phonétique** et à *phonologie**.

MOYEN FRANÇAIS

État de langue du français couvrant généralement la période s'étendant du XIVe au XVIe siècle.

NASALE

Voyelle ou consonne dont l'articulation est caractérisée par l'écoulement d'une partie de l'air issu du larynx à travers les fosses nasales, grâce à l'abaissement de la luette.

NASALISATION

Processus de résonance nasale qui accompagne une articulation orale.

NÉO-CALÉDONISME

Mot ou expression propres au français utilisé en Nouvelle-Calédonie.

NOMBRE

Catégorie grammaticale reposant sur la représentation des personnes, des animaux ou des objets, désignés par des *noms* comme des entités dénombrables susceptibles d'être réunies en groupes, par opposition à la représentation des objets comme des masses indivisibles. Voir *genre**.

NON ARRONDI

Le trait *non arrondi* caractérise une articulation vocalique réalisée lorsque les lèvres sont écartées: p. ex., [i], [e], [ɛ], [a]. S'oppose à *arrondi**.

NON VOISÉ

Se dit d'un phonème dont l'articulation ne comporte pas de vibration des cordes vocales: les consonnes du type [p], [t], [s], [ʃ], [k], etc. Synonyme de *sourd**. S'oppose à *sonore** ou à *voisé**.

OCCLUSIVE

Consonne dont l'articulation comporte une obstruction totale du canal buccal: [p], [b], [t], [d], [k], [g], etc. S'oppose à *constrictive**.

ORAL

Un phonème *oral* est un phonème dont l'articulation est réalisée par une élévation de la luette qui fait que l'air ne s'écoule que dans la cavité buccale. S'oppose à *nasal**.

OUVERT

Une voyelle *ouverte* est une voyelle dont l'articulation comporte une position basse de la langue, de sorte que le canal buccal reste ouvert: [a], [ɛ], [ɑ], [ɔ]. S'oppose à *fermé**.

PALATAL

Caractérise un phonème dont l'articulation principale se situe au niveau du palais dur: [ɲ], [ʃ], [ʒ].

PALATALISATION

Il y a *palatalisation* lorsque le point d'articulation de certaines consonnes non palatales se déplace vers la région palatale et lorsque la langue s'élève vers le palais mou; ainsi, les dentales se trouvent à reculer et les vélaires à avancer: lat. *centu* [kɛntu] > [kjɛntu] > [kʲɛntu] > [tjɛnt] > [tsãnt] > [sã] (*cent*).

PAROLE
Dans la terminologie saussurienne, la parole représente la réalisation particulière et individuelle d'une langue. C'est la partie exécutive de la langue, c'est-à-dire sa réalisation concrète. S'oppose à *langue**.

PATOIS
Terme utilisé auparavant pour désigner la survivance d'un état linguistique antérieur; on appelait ainsi des parlers archaïques encore en usage, mais dont la survie n'était plus qu'une question de temps. Par exemple, le normand, le saintongeais et le berrichon, idiomes tous issus du latin comme le français, étaient considérés comme des patois parce que quelques milliers d'individus les parlaient encore. Synonyme de *dialecte**. S'oppose à *langue**.

PERSONNE
Catégorie grammaticale qui sous-entend que certains éléments d'un énoncé renvoient au locuteur et que d'autres, au contraire, renvoient à des personnes différentes. Par exemple, quand je parle, je suis défini dans l'énoncé comme *je*, mais, quand on me parle, je me trouve défini comme *tu*. Les morphèmes qui expriment la personne grammaticale changent de forme: p. ex., *je, tu, il, elle, lui, le, la, nous, vous, ils, elles, eux.*

PHARYNGALE
Consonne dont l'articulation implique un rapprochement entre la racine de la langue et la paroi arrière du pharynx. Le français n'a pas de pharyngales.

PHARYNGALISATION
La pharyngalisation est la vélarisation d'une consonne accompagnée d'une poussée vers l'arrière de la racine de la langue contre la paroi extérieure du pharynx. La pharyngalisation se produit surtout avec les consonnes (sourdes ou sonores) [p], [t], [k] et [s] ou [r], mais l'arabe et le berbère pharyngalisent [δ] et [z]: p. ex., on aura, en arabe, [dəm]/[d°amma] («sang»/«embrasser») et, en berbère, [izi]/[iz°ər°] («la mouche»/«il voit»).

PHÉNOMÈNES PROSODIQUES
Voir *prosodie**.

PHILOLOGIE
Comme science historique, la philologie a pour objet la connaissance des civilisations passées et l'explication des sociétés anciennes au moyen de documents écrits que celles-ci nous ont laissés.

PHONÈME
Dans les langues, unité sonore minimale produite par les organes de la parole, dotée d'une valeur distinctive et différenciative, déterminée par les rapports entre les autres sons: p. ex., [b] et [p] sont des phonèmes distincts en français dans *bon/pont*.

PHONÉTIQUE
Discipline de la linguistique qui étudie les sons du langage dans leur réalisation concrète, indépendamment de leur fonction dans la langue. S'oppose à *phonologie**, mais aussi à *morphologie**, à *syntaxe** et à *lexicologie**.

PHONOLOGIE

Discipline de la linguistique qui étudie les *phonèmes** non en eux-mêmes, mais quant à leur fonction dans la langue. S'oppose à *phonétique**, mais aussi à *morphologie**, à *syntaxe** et à *lexicologie**.

PIDGIN

Langue mixte, employée comme langue seconde et née du contact d'une langue forte (p. ex., l'anglais, le français, l'espagnol, etc.) avec diverses langues autochtones, afin de permettre l'intercompréhension au sein de communautés linguistiques distinctes. S'oppose à *créole**, à *dialecte** et à *langue**.

POINT D'ARTICULATION

Endroit où se produit l'obstacle, c'est-à-dire le rétrécissement (*constrictive**) ou la fermeture (*occlusive**) du canal phonatoire: dental, bilabial, palatal, vélaire, etc. Voir *mode d'articulation**.

POLYSÉMIE

Propriété d'un signe linguistique (lexème) qui a plus d'un sens.

POSTÉRIEUR

Se dit d'un *phonème** dont le point d'articulation se situe à l'arrière de la cavité buccale. S'oppose à *antérieur**.

PRÉFIXE

Affixe figurant à l'initiale d'une unité lexicale ou lexème: p. ex., ***in*-** dans ***indéracinable*, *re*-** dans ***refaire***.

PROSODIE

Ensemble des phénomènes linguistiques mélodiques comme l'intonation, l'accent, la durée, etc.

QUÉBÉCISME

Mot ou expression propres au français du Québec. Parfois synonyme de *canadianisme**.

RECONSTRUCTION LINGUISTIQUE

Science historique et comparative qui consiste à dégager des règles de changement, c'est-à-dire des lois d'évolution, par la comparaison de mots dans diverses langues parallèles dont on présuppose la parenté.

RÉGIONALISME

Mot ou expression propres à une région ou à un pays.

RELÂCHÉ

Les voyelles *relâchées* sont surtout des voyelles *fermées** qui ont tendance à s'ouvrir (voir *ouvert**), à devenir moins tendues: [i] > [ɪ], [y] > [ʏ], [u] > [ʊ].

RELATIVE

On appelle *relative* une phrase enchâssée dans un syntagme nominal et constituant une phrase matrice introduite par un pronom relatif: *Le livre **que je viens d'écrire** sera publié prochainement.* S'oppose à *complétive**.

RESTRICTION DE SENS

On parle de *restriction de sens* lorsque la portée des *sèmes** devient moins étendue que dans l'acception d'origine. Par exemple, le mot *viande*: du latin populaire *vivenda*; ce mot a désigné, jusqu'au XVIIe siècle, toute espèce d'aliment (*cf.* les *vivres*); il s'est par la suite spécialisé en se substituant à «chair des animaux». S'oppose à *extension** et à *déplacement* de sens*.

SÉMANTIQUE

Étude du sens des mots ou des énoncés, par opposition à l'étude de la forme (morphologie) et à celle des rapports entre les termes dans la phrase (syntaxe).

SÈME

Le sème est le plus petit élément conceptuel constitutif de la signification de la phrase. À l'exemple du phonème et du morphème, le sème est une unité distinctive minimale du point de vue du contenu; il constitue toutefois une unité sémantique incomplète en elle-même.

SEMI-CONSONNE

Articulation intermédiaire entre les consonnes et les voyelles. Ce sont des voyelles (produites sans obstacle) susceptibles de devenir des consonnes (barrage partiel). Lors de la réalisation des voyelles les plus fermées, soit [i], [y] et [u], la langue occupe une position limite pour faire obstacle à l'écoulement de l'air; la tension des organes phonateurs étant plus forte, il se produit alors un véritable resserrement au niveau de l'articulation. Synonyme de *semi-voyelle**. S'oppose à *consonne** et à *voyelle**.

SÉMIOLOGIE

La sémiologie s'intéresse aux systèmes non linguistiques, mais intentionnels, et exclusivement utilisés à des fins de communication (la signalisation routière, la classification des hôtels et restaurants, les chiffres). La sémiologie exclut la langue de son objet, mais aussi les traits sociaux de la vie quotidienne comme la mode ou la cuisine.

SÉMIOTIQUE

La sémiotique est l'étude scientifique des divers systèmes de signification. Elle englobe la linguistique, qui se donne pour objet ces systèmes de signification spécifiques que sont les langues naturelles. Mais la sémiotique tient compte également de tout objet susceptible de produire des significations.

SEMI-VOYELLE

Synonyme de *semi-consonne**.

SIGLAISON

Procédé de formation lexicale par le moyen d'un sigle: p. ex., SAQ, HLM, CSN, etc.

SIGNAL

Le signal forme un système de signes volontaires, conventionnels et explicites, c'est-à-dire produits dans une intention déterminée: p. ex., la signalisation routière.

SIGNE LINGUISTIQUE

Le signe linguistique est le résultat de l'association d'un signifiant (le groupe de sons) et d'un signifié (le sens), ces deux parties étant indissociables. S'oppose à *signe non linguistique**.

SIGNE NON LINGUISTIQUE

Le signe non linguistique est le résultat de l'association d'un signifiant visuel (ou sonore mais à incidence non linguistique) et d'un signifié (le sens), ces deux parties étant indissociables. S'oppose à *signe linguistique**.

SIGNIFIANT

Aspect «matériel», ou groupe de sons, constituant *le signe linguistique**. S'oppose à *signifié**.

SIGNIFIÉ

Aspect «immatériel», ou concept, constituant le *signe linguistique**. S'oppose à *signifiant**.

SONORE

Qualifie un phonème dont l'articulation s'accompagne d'une vibration des cordes vocales: p. ex., toutes les voyelles, les semi-consonnes et les consonnes du type [b], [d], [z], [l], [ʀ], [ʒ], [g], [m], [n], etc. Synonyme de *voisé**. S'oppose à *sourd** ou à *non voisé**.

SOURD

Qualifie un phonème dont l'articulation ne comporte pas de vibration des cordes vocales: p. ex., les consonnes du type [p], [t], [s], [ʃ], [k], etc. Synonyme de *non voisé**. S'oppose à *sonore** ou à *voisé**.

SOUS-FAMILLE

Sous-ensemble de langues apparentées plus étroitement entre elles: p. ex., les sous-familles romane, germanique, slave, etc. Synonyme de *branche**. S'oppose à *famille**.

STRIDENT

La présence d'une friction accompagnée d'un bruit de sifflement produit des sons *stridents*: p. ex., les consonnes fricatives «sifflantes» /f/, /v/, /ʃ/, /ʒ/, /s/, /z/.

SUFFIXE

Affixe figurant à la finale d'une unité lexicale ou lexème: p. ex., *-able* dans *indéracinable*.

SYMBOLE

Le symbole correspond à une forme figurative se référant à un seul signifié (une seule unité de sens), abstrait et non comptable, dans un rapport à la fois analogique (non arbitraire) et conventionnel avec la réalité. On associe, par exemple, la colombe à la douceur, à la tendresse ou à la paix.

SYNCHRONIE

Une étude est dite *synchronique* (du grec *sun-chronos*: «en même temps») lorsqu'elle a pour objet un état de langue considéré à un moment donné de l'histoire d'une langue, et ce, dans son fonctionnement interne. S'oppose à *diachronie**.

SYNONYMES

Se dit de deux ou de plusieurs mots appartenant à une même classe grammaticale (noms, verbes, adjectifs, etc.) et pouvant être remplacés l'un par l'autre sans que soit changé le sens général de la phrase; deux synonymes correspondent généralement à des équivalences sémantiques globales tout en conservant des nuances de sens. S'oppose à *antonymes**, à *hyponymes**, à *polysémie**.

SYNTAGME

Groupe d'éléments linguistiques formant une unité dans une organisation hiérarchisée; on parle de *syntagme nominal*, de *syntagme verbal*, de *syntagme adjectival*, de *syntagme prépositionnel*.

SYNTAXE

Partie de la grammaire qui étudie les rapports entre les groupes de termes constituant la phrase.

TRAIT DISTINCTIF

Unité phonologiquement pertinente permettant de distinguer les phonèmes qui, à leur tour, servent à distinguer deux signifiants et deux signifiés. Par exemple, dans [ilsɔ̃]/[ilzɔ̃], le trait distinctif est [± sourd].

TRIEL

Nombre grammatical, distinct du singulier, du pluriel et du *duel**, qui est employé dans les conjugaisons et les déclinaisons de certaines langues pour indiquer qu'il s'agit de trois êtres ou objets. S'oppose à *singulier*, à *pluriel*, mais aussi à *duel** et à *quadriel*.

TRIPHTONGUE

Voyelle dont la tenue comporte deux changements d'articulation produisant deux variations de timbre: p. ex., [aiə] dans le mot anglais *fire*. S'oppose à *monophtongue** et à *diphtongue**.

UVULAIRE

Articulation produite par l'action de la luette (ou uvule) vibrant contre le dos de la langue. La consonne [ʀ] est une uvulaire.

VALDÔTISME

Mot ou expression propres au français utilisé au Val d'Aoste (prononcer [valdɔst]), en Italie.

VÉLAIRE

Voyelle ou consonne dont le point d'articulation est proche du voile du palais (ou palais mou). Les consonnes [k] et [g] sont des vélaires.

VIBRANTE

Consonne dont l'articulation comporte un écoulement libre de l'air, interrompu par une ou plusieurs occlusions dues à la mise en vibration d'un articulateur (pointe de la langue, lèvres, luette) sur le passage de l'air: p. ex., [ʀ].

VOCALIQUE

Relatif aux *voyelles**. S'oppose à *consonantique**.

VOISÉ

Se dit d'un phonème dont l'articulation s'accompagne d'une vibration des cordes vocales: p. ex., toutes les voyelles, les semi-consonnes et les consonnes du type [b], [d], [z], [l], [ʀ], [ʒ], [g], [m], [n], etc. Synonyme de *sonore**. S'oppose à *sourd** ou à *non voisé**.

VOIX

Catégorie grammaticale indiquant de quelle façon le sujet est intéressé par le procès verbal. On distingue habituellement la voix *active*, la voix *passive* et la voix *pronominale*.

VOYELLE

Phonème dont l'articulation est produite lorsque l'air s'échappe librement dans le canal buccal sans rencontrer d'obstacle de la part de l'un ou l'autre des organes phonateurs: p. ex., [a], [i], [u], [ã], etc. S'oppose à *consonne** et à *semi-consonne**.

INDEX DES SUJETS

MARQUIS

Québec, Canada